KB076060

그림동화책으로 여는 기초문해

발   행 | 2023년 12월 06일
저   자 | 임한철
펴낸이 | 한건희
펴낸곳 | 주식회사 부크크
출판사등록 | 2014.07.15.(제2014-16호)
주   소 | 서울특별시 금천구 가산디지털1로 119 SK트윈타워 A동 305호
전   화 | 1670-8316
이메일 | info@bookk.co.kr

ISBN | 979-11-410-5759-6

그림동화책으로
여는
기초문해

임 한 철 지음

차례

나가며 똥파리가 되느냐, 나비가 되느냐를 선택해야 한다 765

부록 그림동화책을 통한 기초문해 교육에 필요한 교재 771

들어가며

우리 모두의 아이들은 문해의 어둠에서 벗어나 양손 문해력의 꿀을 따는 행복한 나비와 벌이 될 수 있을까?

문해를 배워야 한다. 아직 반(半)본능이 되지 못한 읽기와 쓰기의 문자 문해력은 학습해야 한다

문해는 '문자'라는 상징적 세계의 마법을 푸는 열쇠다. 문해는 상징으로 이루어진 문자성의 수수께끼를 푸는 능력이다. 즉 문해는 문자 세계를 여는 마법 주문이었다.

이로 인해 상징적 문자 세계의 마법을 푸는 자는 특권을 가질 수 있었고, 이를 갖기 위해 너나없이 노력해 왔다. 왜 문자를 읽고 쓰는 능력은 특권이 되었던 것일까?

음성언어인 '말하기·듣기'는 10만 년 전부터 인간의 몸에 새겨져 반(半)본능이 되었다. 음성언어는 "즉흥적인 제스처 게임"(닉 채터 & 크리스티안 셴, <진화하는 언어>)이자 서로 뜻이 통하는 의사소통 해결책으로서 우리 몸에 새겨져 있다. 음성언어는 언어유전자처럼 만들어진 질서정연하고 체계적인 생물학적 현상이 아니라 제스처 게임이자 문화지만, 우리 뇌에 각인되어 있다.

음성언어는 '참을 수 없이 가벼운 일회용품'에 불과하지만 10

만 년의 긴 시간을 통해 우리의 몸에 새겨지고, 문화로서 정착했다. 이제 음성언어는 완전 본능인 '식욕, 성욕, 수면욕'이나 강력한 반(半)본능인 '도덕 본능' 보다는 약하지만 말하기와 듣기 본능은 반쯤은 자동화된 본능이 되었다. 그래서 음성언어는 좋은 관계의 품안에서 충분히 자연언어에 노출되어 몇몇 단어만 웅얼거려도 어느 순간 도약하는 언어의 폭발이 일어날 수 있다.

그런데 음성언어와 달리 문자언어인 읽기 쓰기는 이제 만년 정도밖에 되지 않는다. 그래서 스티븐 핑커(Steven Pinker)는 "소리에 관한 한 아이들은 선이 이미 연결된 상태이다. 문자는 조심스럽게 추가 조립해야 하는 액세서리다"라고 이야기한 바 있다. 반쯤 본능이 된 음성언어와 달리 문자언어는 아직 우리 뇌에 충분히 새겨지지 않았다.

이로 인해 문자를 읽고 쓰는 것을 배우기 위해서는 듣기 말하기처럼 자연스럽게 체득이 아니라 체계적이고 밀도 높은 학습을 요구한다. 학습을 할 여유와 학습 재능에 따라 문자언어의 장벽이 생기자 특권을 가르는 기준이 되어 버린 것이다. 그래서 우리는 문자 '특권'을 소유하고자, 아니 문자의 권리를 쟁취하고자 발버둥 치게 된다.

기초문해 교육은 공포 마케팅으로 무장한 사교육의 꽃놀이패다

학습 능력의 핵심인 기초문해력은 공포마케팅 대상으로 전락한 지 오래다.

'학교 입학 전에 한글을 떼지 않으면 안 된다'는 것은 대부분 부모의 공통된 직관이다. 학부모들은 "한글 교육은 초등학교가, 1학년 교사가 책임지니, 걱정 마세요"라는 말을 믿지 않는다. 우리들은 공교육이 우리 모두의 아이들의 문해를 제대로 책임지지 않는다는 것은 너무나 잘 알고 있다. 교육부와 학교는 "아이성장 골든타임"을 이야기하지만, 정작 기초문해에 대해 책임지지 못하고 있다. 가정에서 생긴 문해 격차를 학교에서 보완해야 하지만 공교육의 책임교육에는 구멍이 나 있다.

밑 빠진 공교육과 더불어 한글 문해는 빠를수록 경쟁에서 앞설 수 있다는 직관은 사교육 산업의 공포 마케팅으로 인해 더욱 험악해지고 있다. "당신 아이만 뒤처진다", "앞서가고 싶으면 우리 문해 교육 제품을 사라." 등의 공포 마케팅은 우리의 아이들은 사교육으로 내몰고 있다. 밀크티나 구몬 등의 사교육 업체는 책을 넘어서 게임과 영상으로 한글 교육으로 대신할 수 있다고 자신하고 있다.

우리가 사교육의 공포 마케팅에서 허우적대는 이유 중 하나는 기초 문해 교육이 제대로 이루어지지 않기 때문이기도 하다. 기초문해 교육은 여러 통념과 미신, 잘못된 관행에 사로잡혀 있다.

그 중 하나가 자모 중심 기초문해 교육이 효과적이며 대체 불가능하다는 생각이다. 기초 문해는 파닉스 중심이 아니라 그림동화책을 통한 총체적 언어접근을 중심으로 자모를 보조하면

들어가며

손쉽고 재미있게 성취할 수 있다. 하지만 우리는 여전히 재미없고 비효율적인 자모 중심 기초문해 교육에 갇혀 있다.

우리가 지금 하고있는 파닉스 중심의 한글 교육은 미미한 효과는 있다. 우리 교육의 문제는 열심히 하지 않아서가 아니라, 대부분 방향과 방법이 엉터리라서 문제라는 지적은 기초문해 교육에도 그대도 들어맞는다. 효율은 낮지만 그나마 효과가 조금이나마 있는 온갖 자모 중심 한글 교육을 하다 보니, 아이는 '번-아웃'하게 되고, 부모가 점점 강박적으로 변해간다. 그럼에도 우리는 학생의 미래 성장과 교육적 관점에서 볼 때 효율성이 낮고, 역효과를 낳은 자모 중심의 한글 교육을 하고 있다.

자모 중심 한글 교육과 놀이와 '음미체' 통합형 활동형 교육을 통해서는 우리 아이들의 기초문해를 책임지기 어렵다. 공교육은 "교육의 품에서 한 명 한 명 빛나는 아이들"을 돌본다고 하지만, 모두의 아이의 성장에 대한 책임에 응답하고 있지 못하다. 문해와 성장은 기본적으로 아이 시기는 가정, 어린이와 청소년 시기는 학교, 성인 시기는 사회에서 책임져야 한다. 그러나 공교육은 겉보기에만 먹음직한 빛깔을 띠고 맛이 없는 개살구 같은 소리만 하면서 문해를 책임지지 못하고 있다.

우리는 지금이라도 제대로 된 방향과 효율적이고 올바른 방법으로 (기초) 문해력 발달을 도와주어야 한다. 무엇이 기초문해력은 물론 미래의 문해력을 키우는 효율적이고 교육적인 방법일까?

그림동화책이면 충분한데 엉뚱한 짓을 하는 걸까?

부모나 교사라면 누구나 독립적 주인공이 될 수 있게 도와주고 싶다. 아이가 험한 세상에 맞설 힘과 능력을 만들어주고 싶은 게 부모와 교사의 마음이다. 부모와 교사는 아이 성장을 제대로, 행복하게 도와주고 싶은데, 어쩌다 보니 아니 방법과 방향을 모르다 보니 사교육으로 아이를 내몰고 있을 뿐이다. 쉽고 간편하면서 즐겁고 유쾌한 기초문해 교육 방법은 무엇일까?

등잔 밑이 어둡다더니 대안은 그림동화책에 있었다. 우리는 아이를 키우면서 그림동화책 읽어주기를 오랜 시간 해 왔다. 부모는 아이를 키울 때 그림동화책을 양육의 핵심 도구로써 활용해왔다.

그런데 갑자기 한글 교육을 한다고 그림동화책을 내버려 둔 채 자모 중심의 한글 교재와 온라인 콘텐츠 등에 매달리고 있다. 그림동화책 읽어주기를 해왔다면 그것을 기초 문해에 효과적으로 활용하면 되는데 잘해오던 것을 팽개쳐 두고, 낯설고 비효율적인 도구와 교재에 목을 매고 있다.

그림동화책으로 양육을 해왔다면 아이 기초문해는 그림동화책으로 끝낼 수 있다. 문해 능력을 키우는 데 그림동화책은 차고 넘치는 도구이자 발판이다. 한글 교육 아니 문자를 읽는 비밀을 열어주고자 한다면 자모 중심 교육이 아니라 유아용 그림동화책으로 완성하면 된다. 발생적 문해가 적절하게 열렸을 때 그림동화책으로 문자 발견 활동과 낱말 카드놀이를 하면 된다.

자연스러운 습득으로 문자 해득이 안 되었다면, 특별한 시간과 기회를 마련해 기초문해 학습을 하면 된다. 그림동화책이면 쉽고 간단하고, 즐겁게 기초문해를 완성할 수 있다.

그러면 아이는 자연스럽게 책을 읽는 방법은 물론 책 읽는 즐거움도 체득하게 된다. 이 점에서 한글의 기초문해는 파닉스 중심 수업보다 그림동화책 중심이 효율적이고 교육적이다. 그림동화책은 단순히 글을 읽는 해독을 넘어서 글을 이해하는 독해와 상상하고 탐구하는 상상력까지 길러주기 때문이다.

물론 그림동화책을 기초문해에 활용하려면 발생적 문해에 알맞게 대응해주어야 한다. 풍족한 문해 환경과 발생적 문해 발달 속도와 개인적 리듬을 고려한 도움주기가 필요하다. 좋은 환경과 알맞은 때에 맞춰 올바른 방향과 방법으로 기초문해를 도와주어야 한다. 하지만 그림동화책은 '빛 좋은 개살구'에 머물러 있다.

그림동화책을 가정 교육(유아 교육)과 학교 교육에서 잘 못 쓰고 있다

문해 교육에 그림동화책이 제대로 도움이 되지 못하는 이유는 뭘까? 핵심적 이유는 그림동화책으로 가정은 학습하려 하고, 학교는 습득하려 하기 때문이다. 그림동화책을 학생의 발달 단계에 맞지 않고 교육의 핵심적 역할도 맞지 않게 활용하고 있기 때문에 문해 성장과 그림동화책이 엇박자가 나는 것이다.

학교 입학 전 가정과 유아 교육 시기에 문해를 열려면 습득이 기본이다. 가정 교육에서 한글 문해를 열어주려면 자유로운 놀이와 탐구에 집중해야 한다. 가정 교육에서 한글 문해를 습득으로 배울 때 가장 결정적인 활동은 '그림동화책 읽어주기'고 이는 자연스러운 상호작용 놀이다. 그림동화책 읽어주기는 아이 성장의 놀이 도구이자, 상호작용의 발판이며, 부모와 아이의 관계를 만들어주는 핵심적 활동이다. 그림동화책 읽어주기를 통해 문해의 풍요로운 기초가 만들어지고, 이를 통해 문자 해독을 하는 것은 손바닥 뒤집기처럼 쉬운 일이다.

그런데 이 쉽고 매력적인 상호작용은 문해로 확장되지 않는다. '그림동화책 읽어주기 따로, 한글 교육 따로'라는 기이한 일이 벌어진다. 그림동화책 읽어주기는 한글 문해로 확장되지 않고 한글 사교육이나 자모 중심 엄마표 한글 교육으로 거꾸로 달려간다. 매혹 가득한 그림동화책은 어느새 사라지고 만다.

누구나 별다른 사교육 없이 스스로 문해를 깨치기를 희망한다. 밀크티, 구몬 등 특별한 사교육이나 학원 뺑뺑이 없이 문해가 열리기를 바란다. 학습 없이 자연스러운 놀이로 문해를 습득하기를 기대한다. 하지만 누구에게나 이런 축복이 열리지는 않는다. 대부분 잘못된 방향과 방법으로 인해 아이들은 학습의 부담과 피로를 느끼며 한글을 꾸역꾸역 배우고 있다.

엄마표 한글 교육도 마찬가지다. 유아 시기 가정 교육은 한글 교육으로 인해 아이의 놀이와 대상 탐구 그리고 부모 자식 관계를 해치지 않아야 한다. 한글 교육은 아이의 놀이 지평에서 이루어져야 하며, 문자 탐구와 놀이에서 멈춰야 한다. 문자를 발견하고 확인하는 놀이라면 한글 교육은 더할 나위 없이 소중하고, 이를 통해 문해를 충분히 열리게 된다.

하지만 한글 교육이 습득이 아니라 학습이 되면 문제가 생긴다. 부모가 교사가 되면 다시 말해 부모-자녀 관계가 교사-학생으로 바뀌면 역할 혼돈이 일어난다. 한글 교육을 습득 놀이에서 인위적인 학습으로 전환하게 되면 부모의 지지와 관심 그리고 인정 때문에 하기는 하지만 아이가 글과 책을 부정적으로 보고, 부담스러워하게 된다. 자연스럽게 한글을 깨칠 수 있는 걸 막고 굳이 부모-자식 관계를 해치고, 아이에게 글과 책에 대한 불쾌감을 자초하는 것이다.

습득에 중점을 두는 가정과 유아 교육과 달리 학교는 체계적이고 밀도 높은 학습에 무게 중심을 두어야 한다. 가정에서 부모(와 유아 교육)는 그림동화책을 놀이의 매개이자, 의사소통의 발판으로 써야 하지만 학교는 체계적이고 밀도 높은 학습의 도구로 사용해야 한다.

그런데 가정과 유아 교육에서는 그림동화책을 글을 배우는 학습 도구로 쓰려하고, 초등학교는 학습 도구로 써야 하는데, 놀이 도구로 쓰려한다. 초등학교의 경우, 그림동화책은 활동형 수업의 도구에 갇혀 있다. 초중등 그림동화책 수업과 교육은 재미있는 활동들 예를 들어 역할극, 연극, 낭독극 등으로 집중되어 있다. 그림동화책에 기초한 교육 활동이 문제인 것은 단순히 재미있는 활동에 그치고 깊이 있는 문해 탐구가 제대로 이루어지지 않는다는 점이다. 다시 말해 그림동화책을 통한 활동은 지식과 기능에 기초해 고등 활동으로 확충되는 것이 아니라 문해와 분리된 재미있고 신기한 활동에 머물러 있다.

이처럼 학교는 문해에 대한 학습 없이 재미있는 습득 활동을 하려 하고, 가정은 부담스럽고 인위적인 학습을 하려는 역할 불일치로 인해 그림동화책은 학생의 문해 발달에 제대로 된 역할을 하지 못하고 있다.

그림동화책을 활용하는 제대로 된 방향과 방법, 기준을 안다면 우리는 탈진과 자해를 부르는 기초 문해 교육을 바꾸어 우리 아이의 성장을 도울 수 있다

자등명법등명(自燈明法燈明). 부처는 '당신이 없으면 우리가 어찌 사느냐'고 불안해하는 제자들에게 걱정말라고 이야기한다. 부처의 부재를 불안해하는 제자들에게 "자등명 법등명". "나 자신을 등불로 삼고, 법을 등불로 삼으면 되니" 걱정할 일이 아니라고 죽비를 내린다. 복잡하고 혼란스러운 세상을 헤쳐나갈 때 대단한 고수나 권위자에 의지할 것이 아니라 너 스스로에게, 너 스스로가 거인에게 제대로 배운 법에, 기초하면 된다는 것이다.

마찬가지로 교육을 밝히기 위해 우리에게 필요한 것은 교사들이 수풀을 헤치고 갈 수 있는 등불이다. 문제적 교육의 프레임에서 벗어날 교육의 기준(법)의 등불을 밝히면 보통의 교사와 부모도 어렵고 힘든 기초 문해의 덫에서 벗어날 수 있다. 누구나 그림동화책을 제대로 활용하는 법을 알게 되면 자모 중심, 활동형 수업의 혼동에서 벗어나 아이의 성장을 돕는 보람찬 교육의 희망을 맛볼 수 있다.

기초 문해, 그림동화책이면 충분하다

우리 아이 성장을 돕는 보람과 행복의 맛을 보는 데 있어서 그림동화책만 한 것이 없다. 그림동화책으로 해볼 만한, 성취감이 큰 기초문해 교육을 하는 법을 체험할 수 있어야 한다. 그림동화책이 제대로 활용되면 누구나 할 수 있고, 더 잘하고 싶고, 스스로 하고 싶다는 역동이 만들어진다. 우리 모두의 아이의 성장을 만들어내는데 그림동화책보다 좋은 교재는 없다.

이 문제의식에 기초하여 그림동화책을 통해 우리 아이들의 성장을 돕고, 교사와 부모의 기쁨을 누리기 위해 무엇이 필요한지 하나하나 차근차근 살펴보고자 한다. 이 이야기 속에서 그림동화책을 통해 기초문해력을 발달시키고자 하는 현장의 목소리를 들을 수 있을 수 있을 것이다.

기초문해와 그림동화책에 대한 고독한 외침을 읽는 당신에게 우리 교육과 기초문해 교육, 그림동화책 수업을 비추어보는 작은 거울 하나, 혹은 아이 성장을 돕는 보람과 행복으로 이어지는 작은 등불 하나가 만들어질 수 있기를 희망해 본다.

단계별 기초 문해 그림동화책

단계	기초문해 도서
1단계	<달님 안녕> <뚜껑 뚜껑 열어라> <투둑> <구두 구두 걸어라> <냠냠냠 쪽쪽쪽> <찾았다> <아빠 해봐> <초록 똥을 뿌지직> <풍덩> <누가 숨겼지?> <누가 먹었지?> <나도 나도> <누구야? 누굴까?> <그건 내 조끼야> <싹싹싹> (<곰 세 마리>, <올챙이와 개구리>, <반짝 반짝 작은 별>, <산토끼 토끼야> 등 어린이가 즐겨 부르는 동요)
2단계	<두드려보아요> <동물들아, 뭐하니?> <생각하는ㄱㄴㄷ> <사랑해 사랑해 사랑해> <사과가 쿵> <수박수영장> <손이 나왔네> <내 모자 어디로 갔을까> <쨍아> <안녕 내 친구> <쏙쏙 봄이와요> <옹기종기 냠냠>
3단계	<눈물 바다> <커졌다> <엄마 왜 안 와> <괴물들이 사는 나라> <나는 개다> <알사탕> <네모> <세모> <삐약이 엄마> <위를 봐요> <찬다 삼촌> <호라이> <호라이 호라이> <벽> <뭐든 될 수 있어> <모자를 보았어> <샘과 데이브가 땅을 팠어요> <이건 내 모자가 아니야> <슈퍼 거북> <슈퍼 토끼> <불만이 있어요> <이유가 있어요> <똥자루 굴러간다>

기초문해 교육에 활용할 수 있는 단계별 그림동화책은 다음과
같다.(단계별 기초 문해 그림동화책에 대한 자세한 논의는 13
장을 참조하면 된다.)

1단계 도서는 대부분 유아용 보드북으로 활용되는 그림동화책
이다. 기초 문해에 효율적이고, 교육적인 교재는 유아들이 좋
아하고 즐기던 그림동화책이다.

물론 2단계 그림동화책을 1단계에 활용하는 것이 가능하다면
활용가능하다. 아이(학습자)가 성취 가능하다면 단계 구분은
절대적인 의미를 갖지 않는다.

각 단계가 절대적인 구분이라기보다는 문해 발달 상황과 학생
의 관심과 경험, 교육적 필요 등에 따라 유연하고 탄력적으로
활용가능하다.

위의 그림동화책이나 집이나 교실에 있는 책 중 학생의 관심
과 문해 발달 단계 그리고 상황과 필요에 맞게 활용하면 된다.

문제는 단계가 아니라 학생의 성취 가능성이고, 이것을 어른
(교사, 학부모)이 살펴 문제 성장의 징검다리처럼 발판으로 삼
아주면 된다.

그림동화책을 통한 (기초) 문해 교육 방법

　기초문해 교육은 파닉스와 총체적 언어학습이 조화를 이루는 균형적 교육이 기본이다. 아이 발달과 상황과 필요에 따라 자모 중심 파닉스 기초문해 교육과 그림동화책을 통한 총체적 기초문해 교육이 조화를 이루어야 한다. 이 균형적 기초문해의 원칙을 간략하고 구체적으로 풀어내면 다음과 같다.

기본 자음과 모음 익히기 수업
(한글이 매우 낯설고 어색한 이주 노동자의 자녀나
문화적 상호작용이 부족한 학습자)

1) 24자의 자모 노래로 익히기 : 자음 노래, 모음 노래로 한글 노출하기

2) 자모 카드로 확인 : 자음과 모음 카드로 노래로 익힌 자모 익히기, 자모 카드 익히며 놀기(말하기, 찾기)

3) 자모 카드 소리 내어 읽으며 쓰기

4) 기본 낱말 카드 읽고 쓰기

< '까막눈'을 위한 기초문해 교육
: 24자의 기본 자모 익히기>

들어가며

그림동화책 수업의 기본 절차

(기본 자음과 모음 등을 어느 정도 알 때)

1) 이전 시간 배운 그림동화책 복습하기 : 그림동화책 읽기, 단어 카드 읽기

-단어 카드와 그림동화책을 상황과 필요에 맞게 적절히 활용

2) 이번 시간 깊이 읽을 그림동화책 읽고 이야기 나누기

-학생 문해 발달 수준에 맞추어 읽으며 장면과 상황, 사건과 주인공의 행동과 느낌 이야기하기

-그림동화책 읽기 3단계 : 읽어주기, 함께 읽기

3) 단어 카드 읽기 놀이

-그림동화책의 낱말들 카드로 만들어 놀기

-외운 동요로 단어 카드로 확인하며 놀기

4) 스스로 읽기

5) 쓰기와 내용 확인 문항 풀기

※ 내용 확인 문항 풀기와 원고지에 그림동화책 내용 필사는 학생의 문해 발달 상황에 맞게 교사가 조정

<그림동화책을 통한 기초문해 교육의 수업 흐름>

"북극을 가리키는 지남철은 항상 바늘 끝을 떨고 있다. 여윈 바늘 끝이 떨고 있는 한 우리는 그 바늘이 가리키는 방향을 믿어도 좋다. 만일 그 바늘 끝이 불안한 전율을 멈추고 어느 한쪽에 고정될 때 우리는 그것을 버려야 한다. 이미 지남철이 아니기 때문이다." (신영복, <떨리는 지남철>)

연장통에 연장 하나만 들어있는 기술자는 위험하다.

 교사의 교육 활동 중 가장 위험한 것 중 하나를 뽑으라면 경주마가 되어 앞만 보고 의미도 모른 채 열심히 최선을 달리는 것이다. 어떻게 달려야 하는지, 왜 달리는지, 어떤 방향으로 달려야 하는지 살피지 않은 채 질주하는 맹목적인 폭주 기관차는 위험하기 짝이 없다.

 "사업하면서 가장 위험한 게 뭔지 알아? 경주마 되는 거야. 앞만 보고 달려. 그러다가 박살난다고." (장과장, <미생>)

 학생 성장을 돕고자 하는 교사는 '떨리는 지남철'처럼 학생 성장과 교육과정의 요청, 상황과 필요 등에 따라 부단히 가르침과 배움을 탄력적으로 조정하는 능력이 기본이다.
 다시 말해 교사에게는 상황에 맞게 사용할 여러 가지 도구들이 필요하다. 연장통에 하나의 도구만 있다면 그것만 사용하려 들 것이다. 매슬로(Abraham H. Maslow)는 '황금 망치의 법칙'을 통해 익숙한 도구에 과도하게 의존하는 문제를 지적 한 바 있다. "망치를 든 사람에겐 모든 문제가 못으로 보인다"
고 했듯이 사용할 도구가 망치 하나밖에 없으면 모든 것이 못
처럼 보인다. 연장통에 망치 하나밖에 없는 기술자는 문제가
발생하면 자신에게 유일한 수법(도구)인 망치를 들고 튀어나온
것을 박으려 들기 마련이다.

　미숙한 아마추어에게 표준화된 수업 틀과 기초문해 교육에 활
용할 단계별 도서 등의 기준을 제시해주면 이를 경직되게 사용
할 수밖에 없다. 표준화된 수업틀과 단계별 도서는 학생의 발
달과 상황, 교육과정의 요청 등을 두루 고려하여 탄력적으로
활용해야 한다. 하지만 학생의 문해 발달의 현재와 발달에 필
요한 발판과 도움이 무엇인지 민감하게 잡아채지 못하는 교사
는 모든 게 튀어나온 못으로 보일 뿐이다. "아이한테 망치를
주면 모든 것이 못으로 보인다."라는 말처럼 연장통에 망치 하
나뿐인 교사는 다른 대응이 필요한 상황에서도 못을 박으려 들
기 마련이다.(한스 로슬링, <팩트풀니스>)

　표준화된 수업 틀을 제대로 구현해 내려면 여러 개의 도구들
을 연장통에 넣어야 한다. 그리고 그것을 상황에 맞게 사용하
는 능력을 배워야 한다. 단순히 표준화된 메뉴얼만으로는 기초
문해 수업을 해낼 수 없다. 교사와 학생의 섬세하고 민감한 상
호작용인 교육 활동은 모던타임스의 단순노동이 아니라 복잡미
묘한 발달을 도와주는 전문적 활동이기 때문이다.

기본기를 제대로 체득하고 나면 격식을 깨는 파격이 필요하다.

*"니 바둑이 늘지 않는 이유를 말해줄까? 너무 규칙과 사례에
얽매여 있어. 당연히 수는 연구해야 하고 제대로 학습해야 되
지만 불변의 진리로 여긴다면 바둑이 그 오랜 세월 살아남을
수 있었겠니?"*
"그럼 어떻게 해야 합니까?"
"격식을 깨는 거야! 파격이지."
"파격이요?"
"격식을 깨지 않으면 고수가 될 수 없어." <미생>

<미생>에서 장그래의 바둑 사범은 제자의 한계를 규칙과 사례
의 표준화된 틀에 얽매여 있기 때문이라고 지적한다. '고수가
되는 데 있어서 기본기를 공부하고 학습하는 게 당연하다. 기
본기를 체득하는 계단을 오르지 않고 비약할 수는 없다. 하지
만 기본기의 계단을 열심히 오르고 나면 이제는 그 격식을 깰
줄 알아야 한다. 상황과 필요에 맞게 형식을 깰 줄 알아야 고
수가 될 수 있다.' 하지만 장그래는 표준화된 틀에 강박 당해
상황과 필요에 맞는 수를 놓을 줄 몰라 프로 바둑에서 성공할
수 없었다.
　장그래의 사범은 강을 건너면 뗏목을 버려야 새로운 길을 떠
날 수 있듯, 기본기를 충분히 익히면 그 기본의 규칙을 상황과
필요에 맞게 깰 줄 알아야 한다고 강조한다.

물론 기본기라는 계단을 오르는 인내와 고통의 시간을 거치지 않고 파격의 고수를 흉내 내려는 것은 위험하다. 격식을 깨는 파격은 초보자의 것이 아니라 만 시간의 고통을 온몸으로 받아낸 고수의 것이다.

 따라서 단계별 기초 문해 교재와 기초 문해 수업의 흐름은 메뉴얼처럼 활용되는 것이 아니라 학생발달과 교육적 필요 등에 기준에 맞춰 프로토콜처럼 탄력적으로 활용되어야 한다.

기초문해 교육에 필요한 교재들

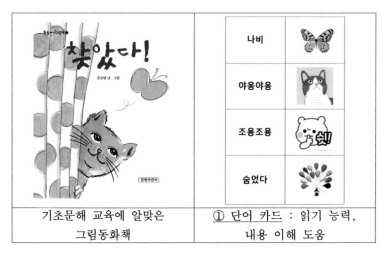

기초문해 교육에 알맞은 그림동화책	① 단어 카드 : 읽기 능력, 내용 이해 도움

②내용확인문항과 추론 문항 : 수업 대화의 기본이자, 이해 여부 확인의 발판	③그림동화책 내용 원고지에 필사하기 : 소리 내어 읽으면서 쓰기, 배운 것 쓰기

유아 시기 그림동화책은 언어를 자연스럽게 습득할 수 있게 해주는 결정적 도구다. 특히 그림동화책 읽어주기는 양질의 상호작용을 통해 아이와 부모의 풍요로운 관계를 만들어준다. 또한 그림동화책은 아이에게 가상 세계와 대상을 탐구하는 놀이 도구다. 그림동화책은 놀이와 상호작용을 통해 성장하는 아이에게 결정적 발판인 것이다. 그래서 음성언어의 발달과 그림동화책은 긴밀히 연관되어있는 것이다.

그런데 그림동화책을 기초 문해 학습에 활용하려면 유아 시기의 활용과는 다른 접근법과 자료들이 필요하다. 그림동화책을 통해 단단한 읽기 쓰기의 문해력을 만들려면 유아 시기의 활동과는 구별되는 활동과 교재들이 필요하다.

그림동화책을 통해 읽고 쓰는 재미와 성취를 제공해주려면 유형화된 읽기를 넘어서 비유형화된 음절과 단어 읽기를 가능케 해주는 **단어 카드**가 필요하다. 그림동화책을 습득 놀이가 아니라 학습에 활용하려면 간단한 단어 카드를 만들고 이를 다양하게 활용하는 것이 문해 발달에 결정적이다.

그리고 **내용 확인 문항과 추론과 상상 문항**을 통해 그림동화책을 통해 읽은 내용과 단어, 주인공되기 등을 입체적으로 소화하는 것이 필요하다. 그리고 **필사용 원고지** 등을 통해 읽을 것을 쓰기로 환류해 다지는 것이 필요하다.

다시 말해 그림동화책을 기초문해 수업에 활용하려면 기본적으로 단어카드, 내용 확인과 추론 상상 문항, 그리고 필사용 원고지 등이 필요하다.

한글 교육에 대한 주술화 된 마법을 풀어야 해.
방향과 방법이 잘못되면 아무리 노력해도 우리는 성장할
수 없으니까. 기초문해 교육을 탈주술화해 보자.
속도와 노력 보다 중요한 건 한글 교육의 올바른 방향과
방법이지.

세 가지 미신은 첫째, 때 되면 다 된다는 성숙주의와 애는
해도 안 되 발달 냉소(체념), 둘째, 파닉스 중심의 기초문해
교육 셋째, 부모나 교사에게 책임을 전가하는 독박론이야.

1. 한글 교육(기초문해 교육)에 관한 세 가지 미신[1]

---

1) 엄훈은 '한글 교육'이라는 개념의 문제를 지적하고 이를 기초문해
교육으로 바꾸어야 한다고 주장한다. 기초(초기) 문해 교육은 "한글
이라는 글자를 가르치는 것이 아니라, 한글을 부려 쓰는 읽기와 쓰기
를 제대로 가르치는 것"(엄훈, "한글 교육에서 초기 문해력 교육으
로")이기 때문이다. 그는 한글은 한국어를 표기하는 문자이고, 한국
어 문자 교육이 단순히 한글교육이 아니라 읽고 쓰는 실제적 능력을
길러주는 '기초문해 교육'이라고 지적한다. 그가 기초문해 교육이라
부르는 것이 필요하다고 주장하는 이유는 두 가지다. **첫째, 기초문해
교육은 해독과 독해의 이중적 요청에 기초한다.** 한글 교육이 문자 해
독에 치우친 개념이라는 한계를 가지고 있다는 점에 주목하면 개념
을 바꾸는 것이 필요하다. **둘째, 기초문해 교육은 모든 나라에 두루
쓸 수 있는 개념이다.** 모국어 문자의 해독과 독해를 가르치는 기본적
개념은 기초문해 교육이라 부른다. 한국어의 문자 교육을 한글 교육
이라고 한다면, 다른 나라 교육의 특징을 보편적으로 부르기 어렵다.
모든 나라에서는 기초문해 교육을 하기 마련이고, 이를 보편적으로
부를 수 있는 개념은 한글 교육이라 부르기 어렵다는 것이다. **학문적
차원에서는 기초문해 교육이라 부르는 게 필요하지만, 실용적 맥락에
서 보면 한글 교육이라 부르든 기초문해 교육이라 부르든 큰 문제가
없다.** 한글 교육을 하더라도 단지 상징체계인 글자를 읽는 것을 넘어
서 글을 이해하고 자신의 표현하는 교육이 필요하다는 의미를 강조
하면 된다. 다만 전문적 권위를 통해 우리나라의 모국어 문해 교육을

1부. 인공지능 시대의 복합문해력 양상

엄훈은 "한글 교육에 관한 세 가지 미신"을 들려준다. 그에 따르면 한글 교육의 세 가지 미신은 첫째, 우리가 하는 우리글 문해 교육이 세종식이라는 것은 미신이다. 우리의 전통적 한글 교육이 세종대왕이 아니라 최세진의 <훈몽자회>다. 둘째, 읽기와 쓰기의 순차적 발달 주장은 미신이다. 읽기와 쓰기 능력은 문자 읽기 전에도 가능하다고 지적한다. 셋째, 난독증에 어려움을 겪는 아동에게 발음 중심 접근법이 해법이라는 것이다. 엄훈은 이 세 가지가 기초문해 교육을 휘감고 있는 세 가지 강력한 미신이라고 주장한다.

책임 부재에 상황에 놓였던 공교육에 기초문해 교육의 기반을 다져온 그는 이상의 세 가지 문제를 '미신'이라고 비판한다. 엄훈은 자모 중심, 읽기와 쓰기 교육의 분리, 발음 중심 이 세 가지가 한글 교육의 미신이라고 비판한다.

기초문해 교육에 정통한 그가 제기한 미신이 현장의 핵심적 문제라 볼 수 있을까? 그가 제기한 문제들은 분명 우리가 가진 통념 중 하나인 것은 분명하다. 하지만 그가 부각시킨 것들은 우리를 괴롭히는 결정적인 '한글 교육'의 통념이라고 볼 수 없다. 엄훈이 지적하는 세 가지가 한글 교육의 주술화 된 통념의 핵심이라 부를 수 없다. 그렇다면 가장 강력한 한글 교육의 주술화 된 프레임은 무엇인지 살펴보자.

전통적 한글 교육 방법이 세종대왕식은 아니다. 이 부분은

강조하는 차원에서는 한글 교육보다는 기초문해 교육이라 부르는 게 필요할 것이다.

"그랬구나" 하고 놀랄 수는 있다. 하지만 최세진식이나 세종대왕식도 자모 중심 기초문해 교육론이다. 한글 교육이 자모 중심(파닉스 중심)에 빠져 있다고 비판하려면 우리 기초문해 교육의 결정적 부분을 건드리는 측면이 있지만, 세종대왕이 아니라 최세진식이라는 비판은 지적으로는 짜릿하더라도 기초문해 교육의 문제를 건드리는 데는 큰 힘이 없다.

그리고 그가 제기한 읽기 전에 쓰기가 가능하다는 주장과 난독증 치료법에 대한 비판이 우리가 가지고 있는 기초문해 교육의 통념이라고 보기는 어렵다. 정작 한글 교육에 대한 통념은 다른 데 있다.

따라서 엄훈의 기초문해 교육에 대한 세 가지 미신 비판은 결정적이고 치명적 부분을 효과적으로 파고들었다고 느껴지지 않는다. 세종도 최세진처럼 자모 체계 중심 한글 교육론자이기에 자모 중심 교육에 대한 명확한 비판이라 보기 어렵다는 점, 문자 읽기와 쓰기의 상관관계를 고려할 때 비판이 충분히 명확하게 전개되고 있다고 보기 어려우며, 난독증 치료와 발음 중심 교육의 문제를 제대로 알려주는 것도 아니다. 이 점에서 짧은 글이지만 한글 교육의 통념을 날카롭고 간명하게 탈주술화 하고 있다고 보기는 어렵다.

그렇다면 기초문해 교육(한글 교육)의 광범위하고 일반적이며 핵심적인 미신은 무엇일까? 한국 사회를 휘감은 초기 문해 교육의 세 가지 미신을 들라면 더 명확하고 날카롭게 제기할 필요가 있다. 그것은 무엇일까? 이것은 엄훈이 다른 글에서 지적

한 문제들로 한글 기초문해 교육의 결정적 통념을 이야기할 수 있다.

첫째, 때 되면 다 한다는 성숙주의적 관점과 이의 극단에 있는 애는 해도 안 된다는 현실적 냉소(체념)와 질병론이다. 모순적인 이 양 입장은 서로가 서로에게 적대적으로 의존해 질긴 관성과 영향력을 유지하고 있다. 모든 학생이 동일한 시기에 별다른 도움 없이도 성숙하게 꽃 핀다는 성숙주의와 애는 해도 안 되는 문제아('지적 장애 환자')라는 관점[2]은 발생적 문해 앞에서 붕괴되었다.

이제는 알맞은 환경 조성과 적절한 도움주기로 꽃피는 발생적 문해가 답이다. 아이마다 발달 수준, 발달 경로, 발달 속도가 저마다 다르고, 문해의 발생은 환경과 상호작용에 따라 전혀 달라진다. 발생적 문해력을 촉진하는 다양한 시도와 접근이 성숙주의와 질병론에 대응하여 더 중요하게 여겨지게 되었다.

때 되면 알아서 다 하게 된다는 성숙주의와 애는 해도 안 된다는 발달에 대한 냉소는 적절한 도움주의와 응급한 개입을 막아 버리게 된다. 초기 문해의 어려움을 겪고 있다면 관행처럼 여겨지던 2학년(혹은 3학년)은 늦어도 너무 늦다. 문해에 어려

---

[2] 교사들은 자신이 문해를 제대로 책임지기 어려운 상황 속에서 제도적 변화와 책임지는 방법을 배우기보다는 학생 탓을 하곤 한다. 학생의 발달을 부정하는 교사(부모)는 "어떤 뛰어난, 그러나 나이 든 과학자가 무언가 "가능하다"고 말했을 때, 그것은 거의 확실한 사실에 가깝다. 그러나 그가 무언가가 "불가능하다"고 말했을 경우, 그의 말은 높은 확률로 틀렸다."는 아서 클라크의 과학 3법칙의 제 1법칙을 상기해 보아야 한다.

움을 겪는다면 늦더라도 1학년 여름방학(최소한 2학기 이전에)에 개입해야 한다.

"개입이 늦어질수록 회복에 필요한 교육적 자원과 시간이 점점 더 커진다. 읽기 부진에 대한 조기 개입의 최적 시점은 학교에 입학한 직후인 1학년 시기이다." (엄훈, *"초기 문해력 교육, 어떻게 할 것인가"*)

읽기 준비도에 따른 성숙주의 관점은 발생적 문해론을 통해 붕괴되었지만 정반대로 애는 글렀다, 해도 소용없다. 해도 안 된다는 식의 냉소적이거나, 학생을 환자로 모는 의학주의적 반응은 여전히 위세를 떨치고 있다. 지적 장애와 질병으로 모든 느린 학습자를 바라보는 냉소적이면서 의사 과학적 반응 중 하나는 '난독증'이다. 행동 규율과 주의집중의 어려움을 겪는 아동 모두는 ADHD 환자로 몰아세우는 것처럼, 기초문해에 어려움을 겪는 느린 학습자를 모두 난독증으로 치부하는 것이다.

난독증이란 다른 사람과 말로 소통하고 이해하는 능력에는 큰 문제가 없으나 뇌 기능 이상으로 문자를 읽고 이해하는 것이 어려운 경우를 말한다. 난독증은 전문가를 통한 조기 발견과 치료가 중요하다.

물론 아이가 글자를 읽지 못하고 한글이 또래 보다 늦는다고 모두 난독증은 아니다. 대부분의 경우, 유아기의 가정의 문화적 자원(상호작용의 결핍에 따른 정서적 안정감과 언어 사용의 부족)의 언어 능력의 발달이 지체되는 경우다. 이 경우는 난독증이 아니다.

학교 현장에서의 핵심 문제는 기초 문해부진, 느린 학습자 등을 너무 간단히 난독증을 치부하고 책임을 방기하는 일들이 벌어지곤 한다.3)

다시 말해 한글 교육에 관한 미신 중 가장 결정적인 문제는 때 되면 다 된다며 제대로 된 도움과 발생적 지원에 소홀한 성숙주의 입장과 백방으로 도움을 줬지만 안 된다는 냉소주의와 질병론이다.

실제는 이와 달리 도움의 시간과 자원, 에너지의 차이가 있을 뿐 대부분의 아이들은 문자 해독과 글 독해에 적절한 도움을 받으면 충분히 눈을 뜨게 된다. 매우 많은 지원이 필요한 아이도 최대 2달이면 세상의 문자들의 비밀을 푸는 경지에 오를 수 있다.

---

3) 교육청이 난독증을 치료하는 데 적극적으로 나서는 것은 때늦은 후회(晚時之歎)이지만 반가운 일이다. 소를 잃었으면 당연히 외양간을 고쳐야 다음 소를 키울 수 있는 법이다. 교육청들은 '난독증 학생 지원조례 제정'을 시작으로 난독증 학생을 진단하고 치료를 지원하는 사업을 추진하고 있다. 난독증이 의심되는 학생들에 대한 진단 검사를 실시한 후 대상자를 선정, 전문 치료기관에서 1:1 맞춤형 치료를 하고 있다. 전문 치료기관에서의 방문 치료를 받을 수 없는 학생을 대상으로는 '찾아가는 한글 문해 캠프'를 운영한다. 한글 문해교육 전문교사가 학생의 학교로 찾아가 읽기·쓰기 집중 교육을 실시하는 OO교육청 난독증 치료 지원 사업 중 하나다. 문제는 예산과 인력 등의 지속 가능한 시스템 확보와 안정화다.

둘째, 초기 문해 교육방법론의 미신 중 가장 강력한 것은 자모 중심 초기 문해 교육이 필수고, 효과적이라는 것이다. 우리가 일반적으로 활용하고 있는 전통적 한글 교육 방식(자모 중심의 한글 문해 교육)은 세종대왕의 유산이 아니라 최세진의 훈몽자회에서 출발한 것이다.

"자모를 결합하여 음절표를 만드는 한글 교육의 전통은 언문을 활용하여 한자음을 표기하려 했던 최세진의 유산을 이어받은 것이다. … 최세진의 의도는 언문을 활용한 한자음을 해독으로 충분히 달성될 수 있었다. 그러나 백성들이 자신의 뜻을 자유롭게 실어 펴기를 원했던 세종대왕의 뜻은 글자의 음을 해독하는 것만으로는 실현되기 어렵다."(엄훈, "한글 교육에 관한 세 가지 미신")

틀린 이야기는 아니지만 사실 세종도 자모 체계 중심론자다. 세종대왕이 백성에게 힘을 주고자 하는 인자한 마음을 되살리며 자모 중심 교육을 비판하지만, 비판의 칼날이 명확하지 않다. 엄훈이 지적하고자 했던 아니 지적해야 하는 부분은 **자모 중심 교육으로 전일화된 초기 문해 교육의 흐름**일 것이다. 초기 문해 교육의 미신을 비판하고자 했다면 자모 중심 문해 교육의 가치와 한계를 살펴줘야 한다.

기초문해 교육은 자음과 모음 중심의 낱말 익히기로 해야 한다는 것이 한글 교육의 상식이다. 하지만 우리의 평범한 상식은 문해 교육의 관점에서 보면 통념에 불과하다. 상식의 배반은 다들 알고 있다고 믿지만 제대로 알고 있는 사람이 없는 경우 발생한다. 내가 알고 있는 상식이 통념이고, 이걸 믿고 따를수록 자기 발등을 찍게 될 때 상식의 배반이라는 말을 쓴다. 노력의 배신도 이와 유사한 말이다. 발버둥 치고 노력할수록 나를 더욱 힘들게 하는 굴레일 때, 노력을 많이 할수록 나를 배신하는 결과를 일컬을 때 쓴다. 이러한 상식의 배반이나 노력의 배신은 열정을 가지고 열심히 노력하지만, 성과는 미비하고, 오히려 실패의 굴레에 빠져 탈진하게 될 때 말하는데 이러한 문제가 기초문해 교육에서 벌어지고 있다. "속도가 문제가 아니라 방향이 문제다." 이 경고의 가치는 기초문해 교육에도 해당한다. 속도를 향한 열정과 노력이 부족한 것이 아니라 방향과 방법이 잘못되어 있다면 노력의 배신과 상식의 배반이 일어나게 되고, 우리는 배움을 싫어하고, 거부하게 된다.

과거 초기 문해 교육은 자모 중심 교육이었다. *"첫째 마당에서 번갯불에 콩 구워 먹듯 한글 자모의 원리를 학습하고, 둘째 마당부터 곧바로 줄글 읽기로 들어갔다."* (엄훈, *"한글 교육인가, 초기 문해력 교육인가?"*) 엄훈은 낱말-자모-음절 순서로 가르치는 방법은 한글 해독이 어느 정도 되는 아이들에게 적합한 내용과 방식이라 비판한다.

기초문해 교육이 주류는 재미없고 지루하고 어렵거나(자모 카드) 중심이거나 화려하고 자극적이다(밀크 T). 이들의 공통점은 자모 중심이라는 점이다.4)

지금도 주류인 자모 중심 문해 교육은 작은 성취 경험을 축적해야 하는 기초 문해교육에 있어서 문제적이다. 배우기 어렵고 기억하기 어려운 자모 체계를 통한 공부는 '모르는 것이 아니라 아는 것을 활용해 교육하라'는 뇌과학의 기본과 배치되는

---

4) 기초문해 교육의 주류는 파닉스 중심 기초 문해 교육이다. 대부분의 교육청은 자·모음을 통해 꼼꼼히 기초문해 교육을 한다고 자랑하고 있다. "00교육청은 초등학교 신입생이 한글을 배우지 않은 채로 학교에 입학했다는 전제 하에 1학년 국어 교육과정에서 68시간 이상을 한글 교육으로 편성, 자·모음부터 체계적인 교육을 실시하고 있다. 9월에는 관내 초등학교 1~2학년을 대상으로 하는 '한글 또박또박' 프로그램으로 한글 해득 수준을 진단한다. 진단 결과에 따라 교사는 미해독학생의 부족한 부분을 찾아 2학기 중에 집중 보충교육을 실시하고 12월에 다시 2차 진단을 한다. 두 번의 진단 결과는 가정에도 안내하여 학부모와 상담을 통해 한글문해 교육의 효과를 높이고 있다. 아울러 교사들의 한글 문해 교육을 지원하기 위해 2017년부터 매년 교사와 학생들을 위한 한글장학자료를 개발·보급해오고 있다. 감염병 상황에서도 한글 교육을 이어갈 수 있도록 동영상 자료인 '온전한 한글 날개'를 지속적으로 보급하고 있으며 '찬찬 한글익힘책'을 개발·보급해 자·모음부터 꼼꼼히 교육할 수 있도록 했다."

일이다. 기초문해를 잘 못하는 학습자에게 자모 체계로 접근하는 것은 해독과 글에 대한 거부감을 형성하게 된다.

그러나 자모 중심 기초문해 교육은 느린 학습자 소화불량의 문제를 양산하는데도 불구하고 오랫동안 유지되어왔고, 쉽고 편하다는 이유로, 가장 보편적이고 효과적인 방법이라고 여겨지면서 지속되고 있다. 기초문해 교육의 다르지만 좋은 방법이 있다는 것을 아는 것이 무엇보다 중요한 상황이다.

이제는 영어권의 기초문해 교육의 경우 파닉스와 총체적 언어 접근을 조화시키는 균형적 문해력 접근법이 기본이다. 그런데 우리글에 대한 기초문해 교육은 균형적 문해 접근마저도 희미하다. 여전히 자모 중심(파닉스) 기초문해 교육이 대세다.

셋째, 초기 문해는 담임(과 부모)이 전적으로 책임져야 한다는 미신이다. 초기 문해의 문자를 어느 한 개인에게 전가하고 협력과 도움을 방기하고 있다. 초기 문해 교육은 담임의 전적으로 책임져야 하는 담임 책임제(부모 책임제)는 초기 문해 교육의 결정적 미신 중 하나다.

"담임교사에게 해당 학급의 읽기 부진아들에 대한 지도책임을 떠맡겨 버리는 이른바 담임 책임제이다." (엄훈, "초기 문해력 교육, 어떻게 할 것인가")

그림동화책을 함께 깊이 읽으며 날아오르기 위한 고민거리들

기초문해 교육(한글 교육)의 광범위하고 일반적이며 핵심적인 미신 세 가지는 무엇일까?

첫째, 초기 문해 교육의 미신은 '누구나 때 되면 다 한다'는 성숙주의적 관점과 이의 극단에 있는 '애는 해도 안 된다'는 현실적 냉소(체념)와 질병론이다. 모순적인 이 양 입장은 서로가 서로에게 적대적으로 의존해 질긴 관성과 영향력을 유지하고 있다.

둘째, 초기 문해 교육 방법론의 미신 중 가장 강력한 것은 자모 중심 초기 문해 교육이 필수고, 효과적이라는 것이다.

셋째, 초기 문해는 담임(과 부모)이 전적으로 책임져야 한다는 미신이다. 초기 문해의 문제를 어느 한 개인에게 전가하고 협력과 도움을 방기하고 있다.

이러한 세 가지 초기 문해 교육 미신들이 우리 주위를 배회하며 기초 문해 교육을 실질화와 내실화를 방해하고 있다.

기초문해를 잘 못하면 학생들은 부정적 자기방어로 자기를 지키게 돼. 못하면 안하는 것으로 자기를 합리화하는 게 모든 사람의 평범한 방어지.

교사들은 평범한 대다수의 학생들과 달리 기초문해가 느리거나, 잘 따라오지 않고 방해하는 학생들을 해도 안 되는 학생으로 진단하기 쉽지.

※ 구체적 문해 수업에서 부딪치는 첫 번째 문제는 학생의 부정적 자기방어와 교사의 체념

제도적 지원이 부재한 상황에서 '학생의 거부와 교사의 체념'이 실질적 문맹을 악화시킨다.

<초기 문해력 교육>(엄훈외)은 학생들의 실질적 문맹을 도와주지 못하는 이유로 '아이의 부인과 교사의 무시라는 이중의 베일'을 든다.5)

---

5) (학습된 무기력)이 낳은 "학생의 거부와 교사의 체념" 대 "아이의 부인과 교사의 무시"라는 규정 차이가 사소하게 보일 수 있을 것이다. 하지만 실질적 문맹을 교육적으로 도와주지 못하고 악화되는 요인에 대한 파악을 어떤 언어로 하느냐는 문제 인식과 대응의 차이를 낳는다. 세계와 사건, 주체를 보는 눈은 언어에 깃들어 있게 마련이다. "한 문장에는 하나의 세계가 조립되어 있고, 언어는 세계와 대응한다"(비트겐슈타인)의 규정은 언어와 세계를 등치시킨다는 점에서 한계가 명확하다. 존재와 우주, 자연과 관계는 언어보다 크고, 언어의 규정되지 않는 비언어와 상징 그리고 물 자체의 세계와 천명들이 넘쳐난다. 그럼에도 우리가 언어로 세계와 행위, 사건과 존재를 보는

"이중의 베일에 가려져 있기 때문이다. 먼저 아이 스스로 다양한 생존전략을 구사하면서 자신의 기능적 문맹자임을 애써 감춘다. 한편 교사는 자신의 학급에 그런 아이가 있음을 알면서도 애써 감춘다. 한편 교사는 자신의 학급에 그런 아이가 있음을 알면서도 외면한다. 문제는 두 당사자 모두 학교에서 실패만을 경험해 왔기 때문이다. 아이는 자신의 문제는 학교가 제대로 도와주지 못한다는 것을 경험적으로 안다. 교사는 아이를 도와주려고 해도 십중팔구 좌절하게 된다는 것을 안다. 아이의 부인과 교사의 무시 이것이 학교에 엄연히 존재하는 문맹 문제를 가리는 이중의 베일이다." (엄훈 외, <초기문해력교육>)

'아이의 부인과 교사의 무시라는 이중의 베일'은 현장에서 벌어지는 문해 지원의 문제를 제대로 포착한 것일까? 실질적 문맹에 대한 '아이의 부인과 교사의 무시'가 학교 안의 문맹자들을 벼랑으로 내모는 핵심 규정이 될 수 있을까?

인간은 누구나 해야 하는 일을 잘할 수 없으면 학습된 무기력에 빠지게 되고, 무기력에서 벗어나기 위해 체념(달관, 냉담, 냉소)하게 되고, 자기합리화의 덫에 빠지게 마련이다. 인간이라면 누구나 어떤 배움의 영역에 진입할 수 없으면 상처받지 않기 위해 관심 없는 척, 안 하려고 거부하게 마련이다. 사람은 누구나 작지만 소중한 성취를 얻지 못하면 어떻게든 배우려

만큼 언어를 섬세하고 제대로(정명의 언어) 살필 줄 알아야 한다.

하기보다는 여우의 신포도로 자신을 지키려 들게 마련이다.

어린 학생이라면 더 메타인지 없이 하지만 격렬하게 이 반응이 일어나게 마련이다. 아직 메타인지 발달과 자기조절능력 등이 충분히 발달하지 못한 어린이의 경우라면 더 격렬하게 이런 일이 벌어지게 마련이다.

학생은 학습을 이해하지 못하면 수업에 참여하지 못하게 되고, 못하는 것을 감추기 위해 안 하려 죽도록 노력한다. 학습의 진입 장벽을 넘지 못한 실질적 문맹에 빠진 학생은 학습된 무기력과 부정적 방어기제를 형성하게 마련이다. 학생은 가르침을 이해하고, 이를 자신의 배움으로 전환하는 과정이 제대로 이루어지지 않을 때 학습된 무기력에 빠지고, 체념과 냉소를 내면화하게 되고, 이것은 부정적 자기방어기제 형성과 자기합리화의 덫에 빠지게 마련이다.

초기문해력 문제, 실질적 문맹으로 학습(수업)에 제대로 참여하지 못하는 학생이나, 고통받는 학생을 수업으로 포용하지 못하는 교사는 어떤 문제를 겪고 있을까? 아니 왜 실질적 문맹은 상황은 방치, 악화되고 있을까?

아이의 부인이 아니라 학생의 거부다. 실질적 문맹은 학생의 거부를 제대로 도와주고 살펴주지 못해 악화되고 있다.

"문맹에 빠진 아이의 부인"이라기보다 문맹으로 인한 학습 거부다. 실질적 문맹으로 고통받는 학생은 학습된 무기력과 부정적 자기방어를 통해 학습 자체를 거부하는 특징을 보인다. 학습 능력의 기초인 문해력의 형성 자체가 되어 있지 않은 문맹자들은 문맹을 부인하는 것이 아니라 학습을 거부한다.

느린 학습자(혹은 실질적 문맹자)인 학생들은 수업에 참여하기에 문해력의 항아리의 밑이 깨져 있다. 이로 인해 학습에 참여하지 못하고, 참여하지 못해 더 심각한 실질 문해 상태에 빠지고, 수업을 통해 배울 수 없다.

따라서 실질적 문맹에 대한 아이의 부인이라기보다는 실질적 문맹으로 인해 학습에 대한 거부(학습된 무기력과 부정적 자기방어가 일상화된)로 보는 것이 더 정확하다.

학생은 해야 하는 일을 자신이 할 수 없다는 것에 무기력해진다. 작지만 소중한 성취를 누리지 못하고, 다른 친구들이 금방 해내는 것을 자신은 발버둥 쳐도 잘 안된다는 사실에 위축된다. 상처받기 쉽고, 새로운 배움의 도전에 겁먹고, 위축되기 쉬운 아동일수록 학습된 무기력에 빠지기 쉽게 마련이다.

교사의 무시가 아니라 교사의 체념('달관')이다. 교사의 체념과 방치를 도와줄 시스템(제도)과 안목(교육적 전문성과 감식안)을 만들지 못해 실질적 문맹이 악화되고 있다.

실질적 문맹이 방치, 악화되는 것은 "교사의 무시"로 인한 것이 아니라 교사가 무책임의 덫에 빠져 있기 때문이다.(의도하지 않은 방임은 맞지만, 실질적 문맹에 고통받는 학생을 무시하는 것이 아니라 교사들은 무의식적으로 학생의 고통을 안 보려 노력한다.)

공교육 초등 교사는 실질적 문맹에 빠진 학생을 돕다 이게 단기간에 되는 일이 아니라는 사실에 손을 놓아버리곤 한다. 교사들은 밑 빠진 독에 물을 붓다 어느새 지치고 만다. 해도 안 된다는 느낌, 이렇게 했는데도 학생이 제대로 따라오지 않는다는 느낌에 도와주려는 열정이 어느새 식어버리고 만다.

교사가 밑 빠진 독이라도 어떻게든 구멍을 메우고, 물을 부으려 해도 아이는 부정적 방어기제로 배움을 거부하고, 교사도 이 학생 한 명을 돕기에는 해야 할 일이 너무 많다. 교사는 다른 아이들을 돌보고, 더 해야 할 일이 많다는 핑계로, 아픈 손가락이지만 실질적 문맹에 빠져 자신의 수업에 참여하지 못하는 학생을 눈감아 버린다. 볼 때마다 아리고 안타깝지만, 실질적 문맹으로 고통받는 학생과 함께 갈 방법이 없다는 것에 체념하게 된다. **실질적 문맹에 고통받는 학생에 대한 교사의 태도는 무시가 아니라 체념과 미안함이다.**

교사가 실질적 문맹의 학생을 책임지지 못하는 무책임의 덫은 우리 모두의 아이의 성장이 아니라 교육과정의 과중한 부담(소위 '진도')에 빠져 있기 때문이고, 우리 모두의 아이의 성장이란 불가능하고 교사는 중상의 수준에 맞춰 데리고 갈 수 있는 아이랑 같이 가는 것이라 생각하는 것에 기인한다. 이 진도 부담과 활동형 수업의 이상에 갇혀 실질 문맹에 빠진 학생들은 소리 없이 교육에서 배제되고 만다.

다시 말해 대부분의 교사는 실질적 문맹으로 수업에 참여하지 못하는 학생에 대해 무시하는 것이 아니라 안타까움과 미안함을 가지고 있다. 하지만 교사는 본질적 책임이 주어진 교육과정의 엄청난 양을 속도에 맞춰 털어내는 것이라 생각해(일상 용어로 '진도를 떼는 것') 우리 모두의 아이의 성장을 책임지는 것에 대해 시선을 두지 못한다. 교사들은 학습에 참여하지 않고, 수업을 거부하는 학생을 의도적으로 무의식적으로 무시하는 것이 아니라 자신으로서는 어쩔 수 없는 일이라고 체념하고 포기하는 것이다.

교사들은 무책임의 덫에서 벗어나기 위해서는 제도적 변화(교사 평가권의 회복, 예를 들어 낙제와 유급제를 통해 아이 성장에 대한 책임을 명확히 하는 것과 학년별 평가가 아닌 반별 평가(교사별 평가)가 필요하다. 이는 학생에 대한 진단평가, 성취도 평가를 엄정하게 실행할 것을 요구한다. 지금처럼 과거의 일제고사에 대한 문제로 인해 초등에서 평가를 거부하는 것은 실질적 문맹의 문제를 해결할 수 없게 만든다. 또한 국정과 검정교과서가 아닌 풍성하고 다양한 교재들로 학생의 기초 지식과 기본 기능에 기초해 고등한 탐구 활동으로 확충하는 수업이 이루어질 수 있어야 한다)는 물론 우리 모두의 아이의 성장을 책임지는 수업 방식의 변화가 수반되어야 한다.

다시 말해 교사들이 학생의 학습부진(실질적 문맹으로 인한 수업 참여 불가)은 "어쩔 수 없다"는 체념과 달관, "나는 할 만큼 했다"는 자기방어와 합리화에서 벗어나려면 제도적 변화(교육과정 덜어내기, 하나라도 제대로 평가하기, 일제고사와 차별화된 기초학력 평가 진행 등)와 교사들의 감수성과 안목의 변화와 실제 수업과 평가의 변화가 동시에 일어나야 한다.

> ## 그림동화책을 함께 깊이 읽으며 날아오르기 위한 고민거리들
>
> 초기문해력 문제, 실질적 문맹으로 학습(수업)에 제대로 참여하지 못하는 학생이나, 고통받는 학생을 수업으로 포용하지 못하는 교사는 어떤 문제를 겪고 있을까?
>
> 아이가 기초문해 수업에 참여하지 못하는 이유는 "아이의 부인이 아니라 학생의 거부다." 실질적 문맹은 학생의 거부를 제대로 도와주고 살펴주지 못해 악화되고 있다. 아이는 기초문해 수업에 대해 거부(학습된 무기력과 부정적 자기방어가 일상화)하게 된다.
>
> 교사가 기초문해를 제대로 책임지지 못하는 이유는 "교사의 무시가 아니라 교사의 체념('달관')"이다. 실질적 문맹이 방치, 악화되는 것은 "교사의 무시"로 인한 것이 아니라 교사가 무책임의 덫에 빠져 있기 때문이다. 교사의 체념과 방치를 도와줄 시스템(제도)과 안목(교육적 전문성과 감식안)을 만들지 못해 실질적 문맹이 악화되고 있다.

1부. 인공지능 시대의 복합문해력 양상

아이가 기초문해 문해에 어려움을 겪는 이유는 무엇일까?
첫째는 뇌의 문제, 둘째는 안아주는 환경의 문제(부모의 적절한
상호작용 부족), 셋째는 학교와 교사의 무책임이야.

교육은 '뭐든 싫다고, 안 한다고, 그냥 싫다고, 귀찮으니
그냥 놔두라고' 학습된 무기력에 빠져 부정적으로 자기를
방어하는 아이를 할 수 있는 성취의 장으로 초대하는 것이지.

※ 기초문해에 어려움을 겪는 이유 : 문화적 결핍과 문해 구멍

왜 어떤 아이들은 기초문해 체득에 어려움을 겪는가

모국어의 기초문해에 어려움을 겪는 이유는 무엇일까? 직관적
으로 아이 자체의 문제, 부모의 문제, 교사의 문제 등을 떠올
려 볼 수 있을 것이다. 모국어 기초문해에 어려움을 겪게 되는
이유를 살펴보자.

1) 뇌의 문제 : 뇌의 기능적 장애

뇌의 문제는 질병의 문제다. 질병의 문제는 의학적 치료가 기
본이다. 뇌의 기질적 문제는 병리학적 문제로 교육이 아니라

의학적으로 접근해야 한다. 핵심은 의학이고, 보조적으로 학교의 교육을 통해 다가서야 한다.

뇌 문제로 고통받는 아이에게 핵심적으로 요구되는 것은 의학적 진단과 치료이지, 교육적 배려와 도움이 아니다. 핵심은 의학이고, 보조적으로 교육적 도움이 부가되어야 한다.

의학적으로 최선의, 최대한, 최적의 지원이 빠른 시일 내에 이루어져야 한다. 의학적 지원은 빠를수록, 전방적으로 이루어질수록 효과적이다. 하지만 양육과 환경이 새끼꼬듯 함께 엮여 있듯 뇌의 문제로 환경과 긴밀하게 연관된 경우가 대부분이다.

흑자헬스는 재능은 없고 노력으로 모든 것을 할 수 있다는 이영표와 이승엽, 서장훈의 노력 강조에 대해 "노력해도 재능을 이길 수 없는 영역이 있고, 재능 있는 자들은 즐겁게 노력할 수 있다."고 비판한다.[6] 그는 (세계 수준에서는 별 볼일 없지만) 한국에선 뛰어난 재능으로 성공해놓고, 자신은 노력으로 성공했으니 너희들도 노력을 하라고, 너희들의 현재는 노력해서 안 된 것이라는 성공한 자들의 조롱을 비판한다.

---

6) 누구보다 치열하게 노력과 자기 관리로 유명한 르브론 제임스는 자신의 등짝에 선택받은 자 1(CHOSEN1)라는 문신을 새겼고 장미란 선수는 "3개월하고 전국 체전에 나갔는데 1등 했어요.", 김연아 선수도 "점프... 그냥 뛰는 건데요.", 서장훈 선수도 "중2 때 갑자기 키가

공부도 타고난 재능의 부분이 크고, 가정의 문화 자원의 영향을 크게 받게 마련이다.

다만 학습 영역은 예체능 영역에 비해 상대적으로 타고난 재능의 영향을 덜 받는다. 누구나 예체능을 할 수 있지만 잘하는 건 완전히 다른 문제다. 예체능의 재능 차이는 '넘사벽'이다.

"재능은 찾는 것이 아니라 만드는 것이다. … 누구에게나 재능은 있다. 하지만 재능은 노력과 인내 그리고 시간으로만 찾을 수 있다. 재능은 시작할 때부터 잘하는 것이 아니다. 할 수 있을 때까지 필요한 시간만큼 쓰는 것이다. 아무것도 못 하던 내가 몇 시간, 며칠, 몇 주를 연습하면 조금씩 익숙해지고, 할 수 있게 되는 것이다." (이영표)

이영표의 오해와 달리 예체능은 타고난 재능이 노력을 찾아간다. 타고난 재능을 가진 자들은 즐겁고 신나게 치열하게 노력할 수 있다. 타고난 자들일수록 성취가 높고 빠르고, 인정과 보상이 많기에 노력하는 게 재미있고, 더 가열찬 노력을 하게 된다.

학습이라는 인지 영역은 기능 숙달보다는 조금 더 재능의 영향을 덜 받는다. 물론 안 받는 것이 아니다. 인지 영역도 누군가는 10번이면 하는 걸 둔재들은 천번 만번 해야만 한다. 다만 천번 만번 해도 기능 영역은 뛰어넘을 수 없는데 반해 인지 영

_____

커서 잘해졌어요."라고 이야기한 바 있다.

역은 해볼 만한 영역들이 기능 영역에 비해 상대적으로 넓다. 학습도 타고난 재능과 가정에서의 문화 자원 영향이 크지만 그래도 예체능 영역만큼은 아니고, 학교에서 상당 부분 보완될 수 있다.

2) 안아주는 습득 환경의 문제 : 문화적 결핍, 상호작용의 부족, 부모의 방임

아이의 문제 행동은 나쁜 양육과 부적절한 환경으로 인해 더 심각한 상황으로 치닫는 경우가 대부분이다. 아이의 작은 문제들도 부적절한 혹은 나쁜 상호작용으로 인해 호르몬 체계가 망가지고, 뇌에 치명적 손상을 가한 경우도 많다.

경제적 양극화의 쓰나미에 내몰린 부모는 돌봄의 여유와 자원이 없다. 마을과 골목의 여러 어른들의 많은 손길 속에서 '자연스럽게' 자라난 부모들은 육아의 안목이 부족하다. 그들에게 육아는 고통스럽고 짜증스럽고 부담스러운 일에 불과하다.

육아의 여유와 안목이 없는 부모들의 방임과 학대는 아이들의 기초문해 습득을 위태롭게 하는 핵심 요인 중 하나다. 왜 그럴까?

아이의 성장은 다양한 경험과 이 경험에 대한 상호작용 속에서 이루어진다. 아이의 성장은 안아주는 환경이 얼마나 풍요롭고 적절한지에 달려 있다. 아이는 자신이 몸으로 겪게 되는 다양한 체험의 의미가 무엇이고, 경험을 즐겁고 재미있고 아름답고 도덕적으로 해낼 수 있도록 안아주는 환경의 도움에 따라 자신의 성장 잠재성이 실현되기도 하고, 왜곡되거나 수면 아래로 숨어 버리기도 한다.

아이의 발생적 문해 문제는 안아주는 환경인 부모(혹은 양육자)의 상호작용 부족과 엇갈림 속에서도 벌어진다. 부모는 아이의 발생적 문해를 도와줄 제1 자원이자, 환경이다. 아동의 경험에 대한 적절한 상호작용이 부족하고, 아이 다양한 경험이 부족할 경우 문해에 어려움이 발생할 수 있다. 아이가 읽기에 어려움을 보일 경우, 그 원인의 상당 부분이 문화적 구멍(상호작용의 결핍, 체험의 부족)으로 인해 벌어질 수 있는 것이다.

다시 말해 안아주는 환경인 어른이 아동의 경험을 읽어 주고, 경험과 관련된 상호작용의 부족할 경우 발생적 문해의 개화가 늦어질 수 있다. 특히 아이의 '경험이 무엇이고, 경험을 표현하는 다양한 언어적, 비언어적, 반언어적 상호작용'을 적절하고 충분히 해주지 않을 경우, 아이의 발생적 문해의 확충이 위기에 처하곤 한다. 가정에서의 상호작용과 문화적 지원이 충분하지 않으면 발생적 문해는 제때 꽃피지 못한다.

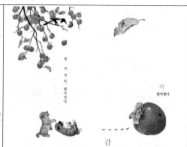

기초문해에 어려움을 겪는 학생들은 과일들이 어떤 계절에 수확하는지 모른다. 심지어 어떤 과일인지도 잘 모른다.	새는 알아도 까치는 잘 모른다. 심지어 감을 처음이라고 하니 홍시와 땡감을 알 리는 없다.

기초문해에 어려움을 보이는 상당수의 학생이 <투둑>을 함께 읽게 되면 "호두, 달팽이, 밤, 감, 메뚜기, 청솔모" 등을 읽어주어도 그게 뭐지 하는 반응을 보이곤 한다. 너무나 당연히 경험하고 알고 있으리라 생각하는 것들을 모르고, '무반응'(모르는 것에 당황하지 않기 위한 아이의 자기방어)을 보이곤 한다. 들어보거나 경험을 해 본 적이 없거나, 해봤다고 해도 이것을 호명하고 탐구해 본 적이 없어 매우 낯설어하곤 한다.

기초문해에 어려움을 겪는 상당수의 학생들은 다람쥐는 알아도 청솔모는 모른다. 호두는 거의 대부분 모르고, 달팽이조차 낯설어하는 경우도 있다.	밤은 알아도 밤송이는 잘 모른다. 뾰족뾰족한 가시가 어떤 동물과 비슷한지 물으면 고슴도치가 바로 튀어나오지 않는다. 그래서 기초문해 교육에 있어서 단순히 스토리와 맥락과 분리된 낱말 공부가 아니라 이야기와 관련된 다양한 사물들의 이름과 상황을 배워나가는 게 중요하다.

또한 <구두 구두 걸어라>을 함께 읽을 때 "아이, 재미있어"의 문장을 읽을 때 재미의 낱말을 읽기 어려워하고, 그게 뭐냐고 되묻는 경우마저도 있다. "아이, 재미있어"가 신나고 즐겁고 짜릿한 놀이를 즐길 때 나는 감정이라는 것을 들려줘도 뚱한 표정을 지을 수 있다. 아이가 "개미"를 읽어 '미'를 읽을 수 있지만 "재"를 읽을 수 없어 하고, "재미"의 낱말과 음정을 읽을 수 있게 나서도 재미가 무슨 뜻인지 한참을 고

민하고 혼동에 빠진다. 기초문해에 어려움을 보이는 아이에게 "재미"라는 추상어가 너무나 낯설고 어색한 낱말로 다가오는 것이다.

<구두 구두 걸어라>는 '구'와 '두', '어'와 '라' 등 쉬운 자모가 상황에 맞게 반복되어 기초문해 교재로서 탁월하다. 또한 "걸어라"에서 '거'와 '리'를 받침이 있을 때 음절 읽기와 "걸어"에서 읽을 때와 쓸 때의 차이를 발견하고 이를 읽는 법을 쉽게 익힐 수 있다.	제목이 <구두 구두 걸어라>라 첫 장면부터 자신이 글을 읽을 수 있다는 자신감을 가지게 된다. 또한 구두의 소리에 어울리는 쿵, 쿵쿵, 톡톡 등 흉내 내는 말이 글을 배우는 재미와 의미를 쉽게 느끼게 한다. 그리고 '어, 서, 나, 가, 자' 등 기본 자음과 모음을 활용해서 문장을 읽게 해준다.

1부. 인공지능 시대의 복합문해력 양상

| '쿵'은 이미 배운 음절이 '다. 야, 다'는 이미 배운 음절이고 이번 장면에서는 '빠'와 '르'를 읽을 수있게 되면, 벌써 2장을 읽는 능력을 가지게 된다. '아빠'를 통해 '바'와 '빠'를 구별해 읽고 '으'와 '르'를 구별해 '빠르다'를 읽는 능력을 기를 수 있다. 걷다가 뛰는 장면을 역할극으로 해보며 문자를 읽는 재미와 의미를 배우게 된다. | "발끝"과 "세워서"를 음절 하나하나를 분리해서 교육할 때는 매우 어려울 수 있다. 하지만 스스로 신발이 되어 걷고, 뛰고, 발레를 하듯 발끝을 세워 걷는 주인공이 된 아이들은 상황을 이해하고, 스토리 속에서 어려운 낱말을 쉽게 재미있게 읽어낸다. |

"사랑해", "행복해", "고마워", "미안해" 등의 낱말은 사물로 경험할 수 없는 추상어이지만 아이가 어렵지 않게 느낄 수 있고, 표현할 수 있는 어휘다. 아이가 혐오, 증오 등의 문자를 읽어도 뜻을 이해할 수 없는 것은 너무 당연하다. 다양한 경험과 학습을 통해 추상어를 학습해야 한다. 하지만 어떤 아이에게는 일상적으로 경험하게 되는 추상어가 이해하기 어려운 낱말로 다가온다.

그런 문화적 구멍(문화적으로 밑 빠진) 속에 노출된 아이는 재미라는 추상적 낱말마저도 읽기 어렵고 이해하기 어려운 것으로 다가온다. 재미만 그런 것이 아니다. 어른이 보기에 너무나 자주 쓰이고, 아이의 일상적 경험에 흔하게 노출된 낱말이라고 여겨지는 것들도 생경할 수 있다.(그래서 그림동화책의 특정한 맥락 속에서 사건을 탐험하는 주인공이 나오는 기초문해 교육을 시도하는 것이 중요하다. 스토리 속에서 이해하기 어려운 낱말을 이해하고, 이를 함께 깊이 읽으며 문화적 구멍을 발견하고 채워주는 도움이 필요하다.)

학교에서의 화급하고 응급한 기초문해 교육은 가정에서 벌어진 발생적 문해의 위축과 왜곡에 대한 대응이자 보완이다. 아이의 경험과 상호작용의 한계가 읽기의 구멍을 만들어 놓는다면 이를 응급하게 때를 놓치지 않고 시의적절하게 대응해야 한다.

3) 학교, 교사의 방임

발생적 문해의 개화에 적절한 도움을 받지 못한 아이는 교실과 학교라는 공적 공간에서 발가벗겨져 위축되고, 상처받을 가능성이 크다. 학교와 교사는 가정에서 발생적 문해에 도움을 받지 않은 아이가 상처받지 않고 학습의 장에서 당당히 주인공이 될 수 있도록 배려하고 포용할 책임을 가지고 있다.

과연 이 교육적 요구와 헌법적 요청은 잘 지켜지고 있을까?

학교에서 문해 교육을 시작해도 늦지 않고, 학교에서 모든 아이의 공정한 출발을 책임진다고 하지만 그것은 현실을 모르는 소리다.

실수하면서 배우고, 좀 늦어도 괜찮은 한글 문해 교육을 모든 초등학교에서 하고 있다면 모르겠지만 80~90% 이상의 학생들이 한글 문해를 어느 정도 수행하고 학교에 입학한다. 교실은 단군 이래 최대의 읽기 능력 격차가 벌어진 아이들로 이루어져 있다.

이 상황에서 초등학교에 1학년 수업은 한글 교육을 하고 나서 교육 활동이 진행되지 않는다. 초등학교 1학년 교육과정도 한글 책임교육 68시간을 공언하고 있지만, 실제 다른 교과와 활동들은 이미 한글을 떼고 온 것으로 전제하고 진행된다. 실제 한글을 모르는 학생들을 전제하고, 한글 교육 후 다른 교육 활동들이 진행해야 하는 데 실제 교육과정은 그렇게 진행되지 않는다. 수학, 즐거운 생활, 슬기로운 생활, 바른 생활, 안전 등의 교과는 물론 비공식적 교육 활동들이 모두 한글을 알고 있다는 것을 전제로 진행된다.

이로 인해 가정에서 발생적 문해의 도움을 받지 못한, 친구들보다 조금 느린 학습자는 상처받아 위축되고, 학습을 거부하는 다양한 방어기제를 형성하게 된다.

우리 교실에는 "못해요, 안해요, 싫어요"가 입에 붙은 아이들. 배움을 거부하고 체념해 버린 아이들, 관계를 단절하고 섬이 된 아이들이 있다

학습을 거부하는 부정적 자기 방어기제가 만들어지다

무언가를 하고 싶다는 것은 할 수 있을 때, 남보다 적은 노력해도 수월하게 탁월하게 잘할 때 드는 마음이다. 스스로 자신의 성취를 뿌듯해하고, 남들이 잘한다고 인정해주면 또 하고 싶은 마음이 드는 게 인지상정이다. 반대로 남들보다 못하면, 남들에 비해 노력을 많이 해야 간신히 하게 되면, '하고 싶다'는 마음은 들지 않게 마련이다.[7]

남들보다 못하면, 노력해도 잘 안되는 경험이 누적되면 자신의 못남을 들키지 않기 위해 인간은 자기 나름의 방어기제[8]를

---

7) 아이들에게 하고 싶은 일만 하면 된다. 못해도 상관없다는 헛소리를 하는 사람이라면 칼 뉴포트의 <열정의 배신 - 하고 싶은 일만 하면 정말 행복해질까>에 귀 기울일 필요가 있다. 하고 싶은 열정이 아니라 할 수 있는 실력이 실제적이고 기본적인 동기라는 것을 유념해야 한다. 하고 싶은 실력이 쌓이고, 인정(과 보상)을 받으면 자연스럽게 하고 싶어지는 것이지, 하고 싶은 열정을 불나방 쫓으면 만사가 해결되는 것이 아니다.

8) 방어기제는 마음의 평정을 회복하기 위해, 나를 지키기 위해 만들어

　　　　　　　1부. 인공지능 시대의 복합문해력 양상

만들어낸다.

 특히 기초문해에 어려움을 겪는 학생들은 학교에서 자신이 못하는 게 아니라 안 하는 것뿐이라는 합리화 기제를 만들어 낸다. 못하는 것을 감추기 위해 죽도록 '안 해'를 노력한다.

기초문해에 어려움을 겪은 아이는 수업 시간에 눈도 마주치지 않고, 아무것도 하려 들지 않는다

 학습된 무기력의 증상으로 여겨지는 "몰라요, 안 해요, 싫어요, 그냥요. (무응답)"의 부정적 자기방어는 기초문해에 어려움을 겪는 학생에게서 흔하게 발견된다. 중등에서 흔히 발견되는 수업 거부는 초등의 경우 기초문해에 어려움을 겪는 아동들에게 나타난다.

 진 것으로 억압, 투사, 분리, 합리화, 퇴행, 승화 등이 있다. 이러한 방어기제는 프로이트의 정신분석학에서 만들어졌는데 심리학이 수용한 정말 몇 안 되는 것 중 하나다.

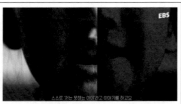

기초문해에 어려움을 겪는 아동들은 학습된 무기력으로 자기를 방어한다.	자신을 뭐든 못하는 아이로 규정한다. 어떤 교육적 변화 시도도 거부하고, 안 하기 위해 죽도록 노력한다.

학교에서 교사가 학생의 부정적 자기 방어기제를 허물고, 해야 하는 것을 할 수 있도록 도와주는가?

 핵심적 문제는 사회와 가정에서 벌어진 격차를 학교에서 교사가 기초문해를 포함하여 학습 역량을 보완하고 완화되도록 돕는가 하는 것이다.

 최근 방송된 교육 다큐인 <교육격차>는 양극화 사회에서 아이들 간의 학력 격차가 얼마나 심각한지를 보여주었다. 그리고 이러한 학습 격차를 양산하는 우리 사회의 문제를 제기한다. 그런데 다큐의 선의에 공감하고, 의도를 존중하더라고 이 교육격차에 대응한 학교와 교사들은 책임과 방법을 제대로 답하고 있지 못한 문제가 있다.

학교에서 학습에 뒤처지고 문제 행동을 일으키는 아이가 부모의 적절한 돌봄을 받지 못하고 있고, 그 부모 또한 사회에서 버림받은 것이라는 것을 이제야 알았다고? 보고 싶은 것만 보려고 하는 사회가 문제라고? 사회가 문제인 건 맞는 데 그럼 학교는?

교사가 기초문해에 어려움을 보이며, 수업과 생활 속에서 문제 행동을 하는 학생의 원인이 무엇이고, 학생들의 격차가 얼마나 심각하고, 그 이유가 무엇인지 모를 수 있을까? 엄밀한 사회과학적 이해는 어렵더라도, 대부분의 교사들은 학생의 문제 행동과 교육 거부가 사회와 지역, 가정과 부모의 양육과 긴밀히 연관되어 있다는 것을 모르지 않는다.

다만 교사들이 학생 성장의 책임을 어쩔 수 없는 환경과 불가피하다는 것으로 돌리고, 자신의 책임은 아이 성장이라기보다는 교과의 진도를 다 떼는 것으로 합리화하곤 한다. 교사가 제도의 한계 내에서 자신이 할 수 있는 만큼 책임을 져야 한다는 것을 회피하고 있는 것이다.

어떤 조직이든, 어떤 사람이든 자신의 책임을 지면서, 사회 구조와 시스템의 변화를 요구하는 사람은 소수다. 대부분 힘들다고, 어쩔 수 없다고 투정과 불만, 하소연만 하는 게 보통의 반응이다. 나는 최선을 다하는 데 문제가 심하고, 해결할 수 없어 어쩔 수 없다고 체념하거나, '저러니 저러지' 하면서 냉소한다. 그 반대로 힘들어도 어떻게든 성공의 사다리에 올라타 성공하려고 몸부림을 치며 문제에 눈감을 감아버리는 소수의 권력의지가 충만한 능력자들이 있다. 한쪽의 대부분은 '최선을 다하지만 어쩔 수 없잖아. 방법이 없잖아'라고 순응하며 살아가고, 한쪽의 소수는 '최선을 다해 성공의 사다리에 올라타 권력을 쥐려고' 한다.

순응하는 대다수와 권력자가 되려는(된) 소수 어느 쪽도 자신이 해야 할 책임을 지면서, 제대로 된 변화를 요구하는 당당함의 자세에 선다고 볼 수 없다. 교사는 제도적 한계에도 불구하고, 자신이 할 수 있는 책임을 다하면서, 시스템과 제도에 필요한 것을 요구해야 한다.

교사들의 무책임은 노력과 열정 부족이 아니라 (시스템과 수업에 대한) 안목 부족으로 발생한다

영상을 보면 열정적이고 헌신적인 교사들은 느린 학습자와 격차가 벌어진 아이들을 가정과 사회 문제로 인해 생긴 안타깝지만 어쩔 수 없는 문제로 인정('치부')하고 있다. 현장의 속살을 들여다보면 (교육제도 등) 시스템과 제도에 대한 변화 요구는 뒷전으로 미뤄두고 '활동형 수업'이라는 엉뚱한 곳에 자신의 에너지와 시간을 쏟고 있다.

교육 문제는 가정과 사회 탓이다. 교육 문제는 가정과 사회가 틀을 구조화하지만, 이 문제에 교육 주체들도 나름의 응전을 해야 한다.	활동형 수업이 대안이라고?

문제는 사회와 가정에 있고, 교사들은 학생 중심, 배움 중심, 활동 중심의 재미있는 수업을 만들어가면 학생들의 미래 역량을 키워갈 수 있다고 자부하고 있다.

그런데 우리가 현장에서 하는 대부분의 학생 중심, 배움 중심, 활동 중심의 수업은 학생들의 미래 역량을 키울 것이라는 낭만적 혹은 나이브한 기대에 기대고 있다. 지식과 기능의 기초를 차근차근 살피지 않고 재미있고 신기한 혹은 새로운 교육공학 도구를 활용한 수업들은 학생의 역량을 키우지 못하는 파편화된 '활동형 수업'에 불과하다.

하지만 많은 현장 교사들이 안타깝게도 재미있는 놀이와 신기한 교육공학 맛보기에 불과한 활동형 수업이 학생들의 미래 역량을 키워줄 것이라 기대하며 믿고 싶어한다. 보고 싶은 것만, 듣고 싶은 것만 듣고 교육 합리주의의 확증편향에 빠져 (다른 교육 활동을 보면 이렇게 하면 학생을 성장시키기 어려운데 하는) 자신의 교육적 직관을 부정해 버린다.

교과서 수업과 이에 기생하는 활동형 수업은 장기 지속하는 구조로서 정말 지긋지긋한 현상 유지 편향을 보인다. 새로운 좋은 것을 수용하는 것이 아니라 현재의 것을 고수하게 되는 경향은 활동형 수업에서도 오랜 생명력을 자랑하고 있다.

허공에 대고 주먹질을 하며 이겼다(잘했다)고 자기도취에 빠지는 것은 허수아비 싸움의 승리에 불과하다. 마찬가지다. 활동형 수업을 통한 승리에 도취 된다는 것은 학생 성장을 담아내지 못한다는 점에서 자학에 불과하다.

왜 이런 자학과 도취만 부단히 이어지는 것일까? 열심히 할수록 탈진과 소모를 부르는 엉뚱한 짓은 학생 발달에 대한 잘못된 진단과 학습 과정과 결과에 대한 진단을 잘못하기 때문에 벌어진다.

> 3학년 아이가 수영장에 가기 싫어하는 게 물에 대한 공포
> 때문이라고? 대부분의 아이들은 물을 두려워하고 무서워하지
> 않는다. 오히려 물장난치는 걸 좋아하는 게 자궁이라는 바다에서
> 태어난 아이들의 본능이다.

예를 들어 열정적이고 헌신적인 교사도 생존 수영을 거부하는
아이에 대해 엉뚱한 진단을 한다. 3학년 아이가 생존 수영 안
한다고 거부하는 이유가 수영장에 가본 적이 없어서, 가정에서
수영장을 데리고 간 경험이 없기 때문이다. 수영장(물)에 대한
공포가 생존 수업을 거부하게 만든다는 것이다.

> 수영장에 가본 적이 없어서 생존 수영을 거부하는 게 아니다. 교사의
> 학생 진단이 잘못되면 교육도 엉뚱한 방향으로 흘러가게 된다.

교사는 생존 수영에 대한 거부가 가정 환경 문제로 '수영장을 안 가봐서' 생긴 문제라고 판단한다. 수영장에 가본 적이 없어서 생존 수영을 거부하는 것일까? 집에서 물로 목욕을 해 본 적이 없는 아이는 없다. 물장구를 쳐 본 아이라면 물놀이를 싫어할 이유가 없다. 수영 영법 수업을 한다면 수영장 경험이 없어서 생긴 문제라 볼 수 있지만, 생존 수영은 영법을 배우는 시간이 아니라 사고 발생이 물에서 살아남는 법을 배우는 수업 이라 그럴 이유가 없다.

현장에서 보면 학생들이 외부 수영장에서 생존 수업에 대한 불안을 보이는 이유는 못하는 것을 보여주고 싶지 않은 것, 외 모와 신체에 대한 자존감 부족과 (놀림과 비웃음 등으로 인한) 상처에 대한 두려움, 그리고 수영 활동에 필요한 물품 구입 등 에 대한 이유다.

그중 생존 수영의 경우 못하는 것에 대한 공포라기보다는 외 모와 신체에 대한 놀림과 자존감 부족으로 인한 이유가 가장 크다. 물놀이 활동은 인지적 장벽이 없고, 기능적 차이가 중요 한 데 생존 수업 교육 활동은 수영법을 배우는 시간이 아니라 생존 수업을 배우는 자리라서 영법으로 인한 차이가 큰 장벽으 로 작용하지 않는다.

다만 수영복과 수영모 등을 준비해야 하는 경제적 문제는 주 의가 필요한 것이 사실이다. 물품 구입 문제는 학교에서 살펴 미리 준비해 살펴주고 있고, 살펴야 한다. 경제적 문제로 인한 교육 활동에 위축과 상처가 챙겨야 하는 것은 공교육의 당연한 책무다.

이 지점에서 보면 생존 수업이라는 물놀이 활동에서 필요한 것은 하게 될 활동에 대한 안내와 수영장에서의 체험 활동에서 느끼게 될 여러 요인을 선제적으로(예방적으로) 살펴주는 활동이 필요하다.

'경험해 보지 못한 것은 거부하게 된다?' 이 말은 가정에서 수업장을 안 가봐서 생존 수업을 거부하는데, 학교에서 어쩔 수 없다는 소리가 되고 만다.	학교에서 수영장체험, 수영(생존 수영)이 무엇이고, 어떤 두려움과 불안이 있을지 있는지 등을 살피는 자리를 마련해주어야 한다.

교사들이 생존 수업을 가기 전에는 <수영장 가는 날> 같은 그림동화책 수업을 통해 학생들의 향후 활동에서 가질 수 있는 두려움과 불안, 놀림과 괴롭힘을 살펴야 한다.

수영장은 학교에서 그나마 감출 수 있었던 자신의 신체를 드러내야 하는 공포와 불안의 시간이다. 내 신체와 내 능력, 내 상황을 드러내는 건 언제나 쉬운 일이 아니다. 생존 수업은 원하지 않게 내 어떤 모습이 발가벗겨진다는 점에서 어렵고 무서운 일이다.

<수영장 가는 날>은 그런 인간(아이만이 아니라)의 자연스러운 모습을 보여준다. "수영장 가는 날, 배도 아프고 열도 나는 것 같다. 수영 모자는 너무 끼고, 수영복은 너무 작다. 수영장은 미끄럽고 위험한데다, 수영장 물은 너무 차가워 감기가 들 거 같다."

못하면 안 하고 싶고, 불편하고 신경 쓰이는 게 있으면 몸이 실제로 아프게 된다.

왜 안 그렇겠는가! 이보다 학생들에게 더 심각한 문제는 내가 다른 아이에 비해 통통하거나 혹은 뚱뚱하다고 느낄 때 벌어진다. 그걸 친구들이 시선으로 말없이 놀리고(놀린다고 느끼고), 더 심하게는 앞이나 뒤에서 놀릴 거나(그럴 거라고 생각한다면). 이런 상황이라면 아이는 수영장 가는 걸 어떻게 해서라도 막아야 한다. 아이는 자신을 사랑하는 부모를 동원하거나 아니면 자신의 '아파지는' 몸을 동원해서라도 이 위급한 공포와 불안을 해결해야 한다.

다시 말해 아이는 수영장(물)이 무서운 것이 아니라 자신의 몸이 두려운 것이다. 자신만의 공간이라면 첨벙첨벙 물장구쳤을 아이가 수영장이라는 공개된 장소에서 타인의 시선에 노출되고 발가벗겨질 신체 능력과 몸뚱아리가 불안하고, 공포스러운 것이다.

이 불안과 공포를 살펴줄 교육적 도움이 필요하다. 어떤 활동을 할 때 단지 물리적 안전 활동 교육만이 아니라 감정적, 신체적 안전 예방 교육이 절실하다. 그래야 아이가 온전히 활동에 집중하여 자신을 성장시킬 수 있기 때문이다. 아이는 생존수영에 앞서 자신의 몸을 사랑할, 그리고 타인의 신체에 대해 함부로 이야기하지 않고 서로를 배려할 예방적 교육 시간이 필요하다.

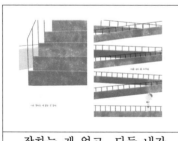

잘하는 게 없고, 다들 내가
느리다고 주입 당해 기죽고
위축당한 아이

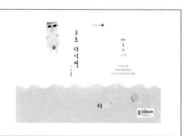

경쟁에서 승리할 필요 없이
그저 즐기는 것으로 충분하다는
<3초 다이빙>

자존감 형성은 언제나 할 수 있다는 자신감과 긴밀히 연관되어 있다. **할 수 있을 때 나에 대한 자존감이 형성되고, 남보다 더 적은 노력으로 월등하게 잘하게 될 때**와 스스로 나의 역량에 대한 자부심이 형성되면 단단한 자존감이 뿌리내리게 된다.

교육을 통해 자존감을 형성하고자 한다면 교육에서 현재(있는 그대로의 나)와 미래(성장하고 발전하고 변화할 나)에 대한 긍정이 이중적으로 필요하다. 동시에 나 자신에 대한 긍정과 타인의 인정과 기대 또한 이중적으로 요구된다.[9]

이를 위해 안아주는 환경의 적극적이고 긍정적 상호작용은 필수다. '피그말리온 효과'[10]를 이야기하지 않더라도 스스로의

---

9) 만초니와 바르수의 <확신의 덫>(<필패 신드롬>으로 개정판이 나옴)에서 유능한 사람도 무능한 사람이 되는 비밀을 파헤친다. 인간 심리의 특성을 통해 무능력하고, 게으르다는 평가가 낙인이 되어 유능해지지 못하게 만드는 이유를 탐구한 바 있다.

10) 1964년 로젠탈은 샌프란시스코의 초등학교에서 지능 테스트를 실시하고, 결과와 상관없이 무작위로 20%의 학생들을 뽑아 담임에게 성장 가능성 높은 아이들이라는 명단을 주었다. 이 기대를 받은 학생들은 다른 아이들보다 성적이 실제로 향상되었다. 아이들의 학습능력과 상관없이 담임의 기대만으로 성적이 향상된 것이다.(실제 초등 교사가 이 명단을 뽑아 이 학생들에게 더 많은 격려와 기대, 칭찬을 했을 것인지는 의문이다.) 로젠탈은 교사의 기대에 따른 학생 성장을 피그말리온 효과라 부른다.(피그말리온은 아름다운 여인 조각을 만들어 이름을 짓고(갈라테이아)라는 옷도 입혀주고 입도 맞추며 함께 생활한다. 아프로디테에게 제물과 정성을 바쳐 조각상이 실제 사람으로 변하게 되고 아들까지 낳아 살게 된다. 조각상에 대한 사랑이 사물을 생물로 변하게 만들어 주었다는 일화다.) 진심어린 사랑과 기대가 조각상도 사물로 만들 듯 교사의 정성과 사랑, 기대와 칭찬이 학생 성장을 만들 수 있다는 것을 가리킬 때 피그말리온 효과라 부른다. 핵심은 학생의 발달 수준에 대한 구체적으로 정확한 칭찬과 격려. 교육적 기회와 발판에 기초한 도움과 안내 없이 이루어지는 낭만적 칭찬은 방임이거나 조롱에 불과하다. 피그말리온 효과는 언제나 실제적

1부. 인공지능 시대의 복합문해력 양상

성장 느낌은 타인의 인정과 기대와 새끼를 꼬듯 함께 춤을 춘다. 둘은 분리하기 어려울 정도로 함께 있어 이 둘을 분리할 수 없을 정도다.

스스로 성장 느낌과 타인의 인정과 기대가 함께 하기 위해서는 무엇이 필요할까?

타인의 인정과 기대는 부모의 품을 벗어나면 차가운 객관성을 지니게 된다. 낭만적으로 따뜻하기만 할 수 있는 부모의 기대와 인정과 달리 사회적 시선을 통한 인정과 포용은 냉철한 기대와 객관적일 수밖에 없는 특징을 지닌다.

객관적이고 차가운 인정[11]의 문턱을 넘어서려면 나도 할 수 있다는 느낌, 작은 성취를 통한 성장의 느낌 없이는 불가능하다. 그리고 작지만 소중한 자기 성취의 느낌은 부정적 자기방어의 벽을 부수어야만 가능하다.

부정적 자기방어기제는 내가 할 수 있다는 느낌을 형성하지 못한 것에서 만들어진다. 내가 할 수 있도록 만들어주는 환경의 품어줌, 적절한 도움주기와 알맞은 기회 속에서 성장할 기회를 얻지 못하고 실패의 경험이 반복되면 부정적 자기방어기

으로 내가 성장하고 있고, 이를 친구와 교사가 기대하고 있고 믿고 있다는 느낌이 들 때 힘을 발휘한다.

11) 교사가 아무리 따뜻하고 격려 넘치는 칭찬을 해도 반의 아이들이 이를 냉정하게 부수어버린다. 교사의 기대와 칭찬은 낭만적일수록 금방 진면목이 드러나게 마련이다. 진짜 교육적 성장을 견인하는 격려와 기대(피드백)는 같은 반 친구들이 고개를 끄덕거릴 수 있어야 가능하다. 또래 친구들의 기대와 인정을 이끌어내기 위해서는 학생의 현재보다 더 나은 성취를 보일 때 가능하다.

제가 뿌리내리게 된다.

 못하면 나를 지키기 위해 어떤 것이든 안 한다고 손사래를 치게 마련이고, 어떤 도전에도 냉담해지게 마련이다. 뭐든 싫다고, 안 한다고 하고, 왜 그러냐고 할 수 있다고 하면 그냥 싫으니, 귀찮으니 그냥 놔두라고 뿌리치게 마련이다. 학습된 무기력은 죽어도 안 하겠다고 강하게 버티게 마련이다

**자기가 싫다는데, 안 한다는 데
부처님이 와도, 예수님이 와도 어떻게 할 방법이 없다.**

 그것은 당연한 반응이다. 못하는 데 쪽팔리게 어떻게 더 도전하겠는가.

 바로 이 지점에서 교육의 섬세하고 부드러운 도움이 필요하다. 교육은 싫다는 걸, 안 하겠다는 걸, 그냥 싫다는 걸 할 수 있도록 유혹하고, 부드럽게 도와주는 활동으로 시작된다.

 이 매력적 유혹에 그림동화책이라는 징검다리가 있다.

그림동화책을 함께 깊이 읽으며 날아오르기 위한 고민거리들

 아이의 발생적 문해 문제는 안아주는 환경인 부모(혹은 양육자)의 상호작용 부족과 엇갈림 속에서도 벌어진다. 부모는 아이의 발생적 문해를 도와줄 제1 자원이자, 환경이다. 아동의 경험에 대한 적절한 상호작용이 부족하고, 아이 다양한 경험이 부족할 경우 문해에 어려움이 발생할 수 있다. 아이가 읽기에 어려움을 보일 경우, 그 원인의 상당 부분이 문화적 구멍(상호작용의 결핍, 체험의 부족)으로 인해 벌어질 수 있는 것이다.

 다시 말해 안아주는 환경인 어른이 아동의 경험을 읽어주고, 경험과 관련된 상호작용의 부족할 경우 발생적 문해의 개화가 늦어질 수 있다. 특히 아이의 '경험이 무엇이고, 경험을 표현하는 다양한 언어적, 비언어적, 반언어적 상호작용'을 적절하고 충분히 해주지 않을 경우, 아이의 발생적 문해의 확충이 위기에 처하곤 한다. 가정에서의 상호작용과 문화적 지원이 충분하지 않으면 발생적 문해는 제때 꽃피지 못한다.

문해력은 문자를 읽고 쓰는 능력이다. 리터러시 개념을 인플레 해 아무 곳에서 이를 붙여 쓰며 잘난 척하곤 하는데, 그만큼 문해력 중요하다는 증거일 거야.

문해력은 민주 시민이 되려면 꼭 할 수 있어야 하는 능력이지. 자유 평등한 시민으로 자신의 꿈을 이루려면 꼭 할 수 있어야 하고, 그래서 가정, 학교, 사회가 도와주는 거지.

2. 문해력 정의

문해력은 글을 읽고 쓰는 능력이다.[12] 문해력은 매우 여러 가지 의미로 사용되고 있지만 강조점은 다음과 같다.

첫째, 문해력은 문자 텍스트인 글을 읽고 이해하는 능력이기에 기본적으로 학습(배움)의 결정적 요인이다. 물론 문해력은 학습 능력은 물론 다른 역량의 기초가 되는 능력이다. 문해력은 학습 능력은 물론 다른 복합적이고 다양한 능력을 좌우하는 기초적이고 중요한 능력이다. 글을 읽고 이해하는 기초가 탄탄

---

12) 문해력에 대한 정의는 관련 연구 논문과 책들 어디에서나 찾아볼 수 있다. 문해력의 뜻에 대해 궁금하다면 수다한 관련 연구를 참조하면 될 듯하다. 단순히 문해력 정의보다 중요한 것은 말하기와 듣기 그리고 읽고 쓰기의 능력이 뇌과학 차원에서 어떻게 형성되는지 이해할 필요가 있다.

하지 않으면 배우는 데 어려움을 겪게 되고, 학습 부진으로 이어지게 된다. 또한 다른 역량을 배우고 성장하는 데 많은 어려움을 겪게 된다.

마치 어린 코끼리를 말뚝에 묶어 놓으면 안간힘을 써도 벗어날 수가 없는 것과 마찬가지다. 이렇게 어릴 때 노력해도 벗어날 수 없다는 것을 배우게 되면(학습된 무기력에 길들여지면) 어른 코끼리가 되어 말뚝을 뽑을 충분한 힘이 있는 데도 벗어날 시도조차 하지 않게 된다. 아기 코끼리는 말뚝으로부터 벗어날 노력을 하지만, 이것이 노력해도 잘되지 않으면 포기하고, 체념하는 학습된 무기력에 빠지게 되고, 이는 어른이 되어도 해결되지 않게 된다.

따라서 학습된 무기력의 덫에 빠지지 않고 읽고 쓰는 능력을 제때, 제대로 배우는 것은 매우 중요한 일이다.

<도서관에 간 사자>가 보여주듯 문해력은 누구나 누려야 하는 삶의 기본 역량이다. 문자를 읽고 쓰는 역량은 공화국 시민의 기초다.	문해력 기초가 부실하면 학습 부진은 물론 자유롭고 평등한 시민으로 살아가는 데 필요한 역량을 키우는 데 문제가 생긴다. 우리에게는 <책이 있는 나무>처럼 책을 즐길 줄 아는 능력을 체득할 수 있어야 한다.

"글을 읽고 쓸 수 있기에 '문맹'은 아니지만 지식과 정보가 담긴 글을 이해하는 '문해력'이 현저히 떨어지는 '실질적 문맹' 상태라는 것이다. 교육 방침으로 학생들의 사고력 확장을 위해 수학 문제를 서술형으로 낸다고 하는데, 문해력이 부족한 상태에서는 수리 능력이 있어도 문제 해결이 불가능하다." (<당신의 문해력>, 146)

문해력은 학습 능력에 머물지 않는다. 문해력은 단순히 문맹을 벗어난 해독의 차원을 넘어서 문자를 독해하고 추론해 세상

1부. 인공지능 시대의 복합문해력 양상

과 타인의 생각을 비판하고, 자신의 생각을 주장하는 능력을 의미한다. 이 점에서 문해력은 개인 차원의 학습 역량을 넘어서 민주 시민의 삶과 긴밀히 연관되어 있다.

둘째, 문해력은 자유 평등한 시민의 기초다. 문해력은 단순히 개인 학습 능력에 한정되지 않고, 사회적 차원의 공공성과 공정성과 연결되어 있다.[13] 개인의 역량과 공공적 삶과 연계되어 있기에 문해력은 공교육 책임의 가장 중요한 기준이기도 하다. 문해력이 단순한 문자를 읽고 쓰는 능력에 국한되지 않고 나를 성장시키고, 나를 자유롭게 하는 사회적 힘의 기본이라는 점에서, 문해력은 자유 평등한 시민들의 기본이라 할 수 있다.

"'문해력을 키우는 것'은 학습능력의 핵심인 동시에 교육 불평등을 해소할 수 있는 시작점이자 지름길이다. 문해력을 통해 아이들은 배울 수 있는 기본적인 능력을 갖추고 자기 수준에 맞는 공부를 할 수 있게 되며, 자기 삶과 미래를 준비할 수 있게 된다." (<당신의 문해력>, 173)

간략히 정리하면 문해력은 읽고 쓰는 기초 역량이고 이는 (세상과 사람을) 읽고 (표현과 소통하는) 쓰는 사회적 역량이다.

---

13) 가짜 뉴스와 탈진실의 시대에 진실을 찾는 것의 중요성을 다룬 <포스트 트루스>나 역사 전쟁 속에서 역사적 진실을 보는 안목의 중요성을 다룬 <역사 문해력 수업>이 보여주듯 문해력은 민주 시민의 기초이다.

다시 말해 문해력은 시민으로의 기본적 삶을 살아가는 필요한 핵심 역량이다. 따라서 가정과 학교, 사회에서는 이 해야 하는 것을 할 수 있도록 도와줄 책임이 있다. 제일 처음 문해력을 책임지는 곳은 가정이고 다음은 유아 교육과 학교 교육이다. 그리고 가정에서 벌어진 문해 차이가 격차가 되지 않도록 돌보는 곳이 학교다. 학교에서 보완된 문해력을 평생 책임지고 돌보는 것이 사회다.

이와 같이 가정과 학교, 사회는 시민들이 문자를 읽고 쓰는 문해력을 키우도록 돕는다. 가정의 습득을 통한 문해 교육, 학교에서의 학습을 통해 문해 교육, 사회에서의 평생 교육을 통해 시민들의 문해력 발달을 지원하게 된다.

※ 하고 싶은 걸 즐기게 하려면 어떻게 해야 할까

우리는 하고 싶다는 것, 하고 싶은 찾도록 도와주는 것이 무엇인지 말 모른다. 하고 싶은 것은 무엇이고, 이를 도와준다는 것은 무엇인지 살펴보자.

하고 싶은 것의 내재적 동기와 스스로 즐기는 성장은 해야 하는 것을 할 수 있고, 할 수 있는 것을 잘하게 될 때 만들어진다. 내재적이고 지속적으로 하고 싶은 것은 할 수 있는 것을 넘어 잘 할 수 있을 때 존재가 느끼는 감정이다. 하고 싶은 것은 단순한 호기심이 아니라 끈질긴 노력을 견인하는('그립') 힘이 되려면 할 수 있고, 잘할 수 있어야 한다. 단순한 흥미는 금방 지치고, 탈진해 버리고 만다. 그립으로서 성장과 발달, 인생을 즐기게 만드는 하고 싶은 것은 어떻게 만들어질까?

하고 싶다는 것의 두 가지 장애물

하고 싶은 것은 두 단계의 허들을 넘어야 한다.

첫 번째 허들은 해야 하는 것을 할 수 있어야 한다는 것이다. 할 수 있도록 하려면 기능 숙달과 지식 이해라는 매우 험난한 장애물을 넘어야 한다. 이 과정은 걸음마나 수영, 자전거 타기 경험처럼 누군가에겐 너무 쉬워 보이고, 누군가에겐 너무 어렵고 힘겹다.

두 번째 허들은 할 수 있는 것을 잘하게 되는 것이다. 누군가

보다 조금이라도 잘하게 되면 인정받게 되고, 인정받기 위해 스스로 노력하게 된다. 이 두 가지 허들을 넘어서게 되면 하고 싶다는 느낌을 갖게 된다. 손쉽게 할 수 있고, 남보다 잘하게 되면 하고 싶어진다.

재능과 적성이란 대부분 할 수 있는 과정에서 남보다 쉬웠을 때, 그리고 잘하는 것을 뽐내고, 스스로 확인할 수 있을 때 발견하게 된다. 재능과 적성은 부모와 유전과 양육 환경의 도움을 통해 발달해 간다. 아이에게 다양한 기회를 주고, 그 기회 속에서 할 수 있고, 잘하는 것을 경험하면서 재능과 적성은 발견하게 되고, 더욱 강렬하게 발달하게 된다. 재능과 적성을 발견하고, 자신이 하고 싶은 것은 하게 되는 것은 할 수 있고, 잘하는 과정 속에서 만들어진다는 것. 이것이 인간 발달의 기본적 속성이다.

하고 싶은 걸을 즐기도록 만들어주고 싶다면 두 편향을 피해야 한다

닭달과 모욕, 통제와 감시로 미래 성장을 만들 수 없다	있는 그대로, 스스로 하도록 방목한다고 성장할 수 있는 게 아니다

방목형 편향

존재 스스로 하고 싶은 것을 하게 하라. 아이는 스스로 제 밥 그릇을 찾게 마련이다. 이런 방목 속에서 하고 싶은 거 스스로 찾아서 하라고 방목하는 것은 어른의 (방임) 폭력이다. 대부분 인간은 할 수 있도록, 해보는 기회를 제공받지 못하고 하고 싶은 것을 할 수는 없다. 해야 하는 것을 할 수 있도록 "해보니 되지"의 기회와 격려(피드백) 없이 하고 싶은 것을 찾을 수 없다. 다양한 기회를 누려보지 못하고, 해야 하는 것을 할 수 있도록 도와주는 따뜻한 경험 없이 하고 싶은 것을 찾을 수 없다. 양육자는 아이에게 기회를 주고, 이에 대한 알맞은 피드백의 역할을 해야 한다. 그래야 아이는 재능과 적성을 발견하고, 자신의 길을 찾아갈 수 있다.

닦달형 편향

타이거 맘(호랑이 부모)의 문제는 이 하고 싶은 것을 만드는 과정이 존재를 모욕하고, 존재의 가능성을 무시할 때 벌어진다. 기회를 주는 것은 양육자의 큰 역할이지만 기회 속에서 실패하고 성공할 때 스스로 자존감과 독립성을 찾아갈 수 있도록 해야 한다. 그렇지 못하고 존재 발달 속도를 부정하고 강압적으로 주입할 때 벌어진다. 기회 속에서 성장하는 것은 당연한 사실이지만 그 기회 속에서 어떻게 행동할지는 아이 스스로 탐구해 나가야 한다. 기회를 주는 것은 양육자의 책임이지만, 그 기회 속에서 탐구하는 과정은 아이의 몫이다. 양육자는 이 과정 속에서 적절한 피드백을 해줄 뿐 이를 대신할 수는 없고, 대신해서도 안 된다.

 기초 문해 교육도 다른 교육과 마찬가지다. 교육이란 방목(방치)과 닦달(모욕)의 이분법을 벗어나 해야 하는 것을 할 수 있도록 돕는 과정이다. 해야 하는 것을 해보니 할 수 있도록 도와주고 지켜주고, 기다려주는 교육은 기초 문해 교육에서 섬세하고 부드럽고 따뜻한 분위기 속에서 이루어져야 한다.
 까막눈 학생이 '해보니 나도 되는구나'와 같은 작지만 결정적인 성취를 누적시키는 기초 문해 교육이 이루어져야, 해야 하는 것을 하지 않기 위해 죽도록 노력하는 부정적 자기방어기제의 덫에서 벗어날 수 있다. 학습된 무기력으로 위축되어 있을 가능성이 높은 기초문해에 도움이 필요한 학습자일수록 해야 하는 것을 할 수 있는 소소한 경험을 누적시키는 것이 필수다.
 그래서 작은 성취를 재미있고 즐겁게 누적시킬 수 있는 그림동화책이 필요하다. 그림동화책은 못하는 것을 안하려 하는 부정적 자기방어에서 벗어나 해야 하는 것을 할 수 있다는 성취 경험을 줄 수 있게 그리고 할 수 있게 된 것을 더 잘 하고 싶어지는 선순환을 만들기 주게 된다.

그림동화책을 함께 깊이 읽으며 날아오르기 위한 고민거리들

문해력은 읽고 쓰는 기초 역량이고 이는 (세상과 사람을) 읽고 (표현과 소통하는) 쓰는 사회적 역량이다.

문해력은 시민으로의 기본적 삶을 살아가는 필요한 핵심 역량이다. 따라서 가정과 학교, 사회에서는 이 해야 하는 것을 할 수 있도록 도와줄 책임이 있다. 제일 처음 문해력을 책임지는 곳은 가정이고 다음은 유아 교육과 학교 교육이다. 그리고 가정에서 벌어진 문해 차이가 격차가 되지 않도록 돌보는 곳이 학교다. 학교에서 보완된 문해력을 평생 책임지도 돌보는 것이 사회다.

이와 같이 가정과 학교, 사회는 시민들이 문자를 읽고 쓰는 문해력을 키우도록 돕는다. 가정의 습득을 통한 문해 교육, 학교에서의 학습을 통해 문해 교육, 사회에서의 평생 교육을 통해 시민들의 문해력 발달을 지원하게 된다.

특히 학교는 우리 모두의 아이들에게 못하는 것을 안하려 하는 부정적 자기방어에서 벗어나 해야 하는 것을 할 수 있다는 성취 경험을 줄 수 있어야 한다. 이를 통해 할 수 있게 된 것을 더 잘 하고 싶어지는 선순환을 만들 책임이 있다.

문해력은 어떤 특징을 가지고 있을까?
첫째, 문해력은 공감과 소통의 상호작용으로 만들어져.
둘째, 문해력은 비탈길을 오르다 계단처럼 도약하게 되지.

셋째, 문해력은 눈덩이 굴리기처럼 처음에 단단히 뭉쳐지면
내려가면서 저절로 커지게 돼. 넷째, 매튜효과, 문해력은
민감한 시기의 차이가 큰 격차를 만들게 돼.

3. 문해력 역량의 특징

개인적 역량이라면 사회의 공공적 역량인 문해력의 특징은 무
엇일까?

첫째, 문해력은 소중한 너와 나의 공감과 소통의 상호작용으
로 만들어진다. 핵심 문해력은 나의 유아론적 재능과 능력이
아니라 너와 나의 관계의 역동적으로 부드럽고 따뜻한 상호작
용으로 만들어진다. 기본적으로 언어 문해력은 주 양육자와의
상호작용을 통해 만들어진다. 기본적으로 문해력은 상호작용
양상에 따라 만들어지고, 어떤 상호작용이 이루어지는지에 따
라 달라진다. 문해력은 주 양육자와의 상호작용의 양과 질의
문제다. 양육자들과 아이 간의 충분한 모국어 상호작용의 결과
가 음성과 문자 문해력으로 확장되게 된다. 가정에서의 상호작

용을 통해 음성언어 능력이 성장하고, 환경 문자와 그림책 읽어주기의 상호작용을 통해 문자언어의 역량이 자라게 된다.

학교에서 기초문해의 어려움을 겪는 아동의 경우 뇌의 문제가 아니라면 가정에서의 상호작용 결핍 문제가 대부분이다. 문해력의 문제는 가정에서의 상호작용의 양과 질이 문제라고 볼 수 있다. 문해력은 이야기 속에서 낱말을, 문맥 속에서 어휘를 이해하는 능력을 키우는 것이기에 단순히 책과 영상을 많이 보는 것에서 발달하는 것이 아니라 충분한 언어적 비언어적 반어적 상호작용 속에서 형성된다.

발생적 문해력의 형성과 폭발은 유아기부터 9세 시기에 결정된다. 이 점에서 언어능력은 가정에서의 습득을 통해 기초 지워진다.

질문과 답의 상호작용은 어른(부모, 교사)과 학생의 학습 공놀이이자, 가르침과 배움의 시소게임이다. 이 시소와 공놀이가 지속적으로 이루어지는가가 문해력 발달의 관건이다. 가르침과 배움을 주고받는 언어놀이가 이루어지지 않으면 배움을 단단히 자리를 잡지 못한다.

"연구에 따르면 아동의 말하기 듣기 등 구어 능력이 초등 1학년 때의 단어 인지와 3학년 때의 독해 능력과 매우 큰 상관성을 가진다. 당연히 아동의 구어능력은 가정에서 양육자들과의 상호작용의 양과 질에 따라 달라진다. 언어발달을 촉진하는 방법은 간단하다. … 부모는 그저 아이의 말에 뚜렷하게 반응을 보이면 된다. 유아에 대한 반응은 크고 분명할수록 좋다. 아이의 말을 교정하려 들지 말고 부모가 정확한 말을 자주 해주면 된다. 좀 더 분명한 목소리로, 조금은 천천히, 아이와 눈을 맞추며 자주 이야기를 나누어야 한다. 말을 나누는 시간이 길수록 아이의 언어가 발달하고 아이와 부모의 관계는 가까워진다."

당연히 문해력은 질문을 이해하는가가 첫걸음이다. 이를 위해 교사는 질문을 쉽고 간결하게 풀어주고, 이미지와 신체로 비유해주고, 구체물로 파악 가능하게 하는 것이 필요하다. 이해 가능하게, 답할 수 있게 만들어주는 것이 도움을 통해 문해력의 장이 열리게 된다. 발생적 문해는 상호작용을 통해 열리는 것이다.

문해력의 기본은 상호작용의 양과 질이다. 구어능력은 초등학생의 읽기 능력에 직접적이고 긍정적이며, 강력한 영향을 미친다.

습득의 힘은 부모가 아이가 주고받는 상호작용으로 결판난다.

언어발달의 돕는 상호작용의 기본을 간략히 살펴보면 다음과
같다.

하나, 경험을 읽어주는 언어가 필요하다. 특히 놀이와 감정을
읽어주는 언어가 아이의 전체적 발달에 효과적이다. "자동차
가 쌩쌩 달리네. 빨간 자동차가 노란 자동차를 앞서간다. 달려
, 달려." "곰돌이가 배가 고픈가? 뾰로통해졌네. 엄마에게
짜증을 내네. 그래서 00이가 바나나 주려는 거니?" "00이 머
리부터 들어간다. 눈이 나왔네. 와 코도 나왔다. 이제 뭐가 나
오려나? 뭐지. 아 눈이네. 이제 어느 팔부터 낄까? 다음은 무
슨 팔이지? 아유, 멋지네, 이제 옷 정리도 혼자 할 수 있는 거
야? 대단한데."

둘, 아이의 감정을 읽어주는 언어적 상호작용이 필요하다.
*"감정을 표현하게 하고, 아이가 말로 표현하지 못하는 감정을
읽어주고, 드러내고 해소할 수 있는 안전하고 효과적인 방법을
같이 찾아보는 것, 아이가 감정을 성숙시켜나가도록 돕는 방법
이다. 아이가 느끼는 감정에 대해 꾸준히 대화를 나누다 보면*

자연스럽게 다른 사람의 감정에 대한 대화로 이어진다. 그 시작은 부모의 감정이다."(39-40) "00이가 서운하겠다. 하고 싶은 걸 못하니 아쉽겠다. 지금 못하니 기분도 별로지. 서운하고 아쉬웠구나. 우리 00이." "아까 못해서 서운하고 아쉬웠는데, 이제 괜찮아. 기분이 좋아진 거 같은데. 우리 00이" "그때는 못했는데, 지금은 하게 되니 기분이 좋아졌구나, 대단한데." "마음이 바뀌어서 서운하고 아쉬운 마음이랑 헤어졌네. 설레고 기쁜 마음이 찾아 왔구나."등의 감정적 공감이 중요하다.

셋, 부모는 짧고 단순하게 반복적으로 꾸준히 이야기해줘야 한다. "아이는 부모를 일부러 힘들게 하는 것이 아니다. 아직 어른처럼 생각하지 못할 뿐이다. 아이 입장에서는 무엇이 되고 안 되는지 알 수 없고, 부모의 설명 역시 소화하기 어렵다. 그러다 보니 들어도 머리에서 금세 사라진다. 결국 부모는 귀찮고 힘들어도 아이에게 반복해서 이야기해야 한다. 이야기하고 또 이야기하고 꾸준히 이끌어줘야 한다. 길지 않고 짧게, 무섭지 않게, 아이는 조금씩 조금씩 부모의 말을 이해하고 받아들인다."(32)

넷, 부드럽고 따뜻한 분위기가 결정적이다. 아이는 부모의 말을 모두 이해하는 것이 아니라 내용보다 분위기를 느낀다. "잘못을 꾸짖어도 왜 잘못인지는 모르고, 부모가 싫어하는 구나"라는 걸 느낀다. 그런 만큼 부드럽고 편안하고 포용적 분위기를 조성하는 것이 언어발달에 결정적이다.

다섯, 등 뒤의 언어가 중요하다. 아이와 눈을 맞추고 대화하는 것도 중요하지만 부모들 간의 상호작용도 중요하다. 어린이집 가면서 언어가 폭발적으로 느는 경우는 남이 하는 말을 많이 들어서다. 부모의 다양하고 고급스러운 언어에 자연스럽게 노출되는 것이 언어발달에 매우 중요하다.

문해력을 키우는 좋은 상호작용이란 눈을 맞추고, 천천히, 자주, 분명하고, 정확하게, 적극적으로, 부드럽게 이상의 원칙을 스며들게 이야기를 나누면 된다.

둘째, 문해력은 오르막 비탈길을 서서히 오르다 계단처럼 도약하는 이중적 특징을 지닌다. 문해력은 양질 전화 과정처럼 양적으로 축적되다 질적으로 도약한다. 문해력은 적절한 상호작용에서 서서히 천천히 느릿느릿 성장하다 어느 순간 질적으로 도약한다. 문해력은 점진적으로 오르막 비탈길이 오르듯 성장하는 게 아니라 오르락 내리락 하지만 서서히 올라가다가 어느 순간 계단처럼 도약하며 발달한다. 문해는 자세히 보지 않으면 어느 순간 갑자기 발달하는 것처럼 보인다.

하지만 문해력은 하루아침에 만들어지지 않는다. 책을 읽으면 자동으로 문해력이 번개치듯 성장하지 않는다. 책을 읽는 방법, 책을 정리하는 방법을 익히고 숙달해 양적으로 성장하다가 어느 순간 문해력이 질적으로 도약하게 된다. 영상을 본다고 영상 문해력이 자동으로 성장하지 않듯, 문자 문해력도 양적 축적의 과정을 견디고 꾸준히 노력하다 보면 부지불식간에 도약하게 된다.

"낱자 인식, 낱자 이름 알기, 낱자 소리값 읽기, 낱자 쓰기 기능의 습득은 순차적으로 일어나지 않으며, 문법적 체계에 따라 일정한 방향으로 진행되지도 않는다는 것이다. ⋯ 자음과 모음을 그 순서에 따라 익히는 것도 아니다. ⋯ 문해 환경 속에서 아이가 어떤 문자에 자주 노출되었는지, 아이의 관심사가 무엇인지에 따라 달라지는 것이다." (엄훈 외, <초기문해력교육>, 87)

문해력은 작은 성취가 양적으로 축적되다 질적으로 도약하게 된다. 그것은 전문가들의 합리적으로 만들어진 체계적 틀에 따라 인과적이고 선형적으로 비약하는 것이 아니라 문해에 필요한 총체적 요인들이 축적되다 어느 순간 질적으로 도약하게 된다.

셋째, 문해력은 눈덩이 굴리기와 같이 시간이 갈수록 커지고, 저절로 커지게 된다. 문해력은 한 번 세팅이 잘 되면 저절로 굴러간다(It's a snowball effect) 문해력이라는 역량은 눈덩이처럼 불어나 스스로 다양한 탐구와 탐색을 가능케 한다.
문해력은 소소한 일상의 상호작용과 사소한 책 읽어주기가 눈덩이 굴리기처럼 불어나는 힘을 보여준다.

넷째, 문해력은 민감한 시기(결정적 시기의 최근 버전)의 작

은 차이가 큰 차이를 만들게 된다. 초기의 미세한 차이가 후에는 따라잡을 수 없는 커다란 격차를 만들게 된다. 매튜 효과에서 보여주듯 문해력의 미세한 차이는 시간이 갈수록 좁혀지는 것이 아니라 더 큰 격차로 구조화되게 된다.

로버트 머튼은 "무릇 있는 자는 받아 풍족하게 되고 없는 자는 그 있는 것까지 빼앗기리라"는 마태복음 25장 29절 문구를 따 초기의 작은 차이가 나중에는 엄청난 격차가 벌어지는 현상을 두고 마태 효과(馬太效果)라 불렀다. 이를 케이트 스타노비치는 학생의 읽기 문제에 적용했다. 그를 따라 읽기 능력이 떨어지는 학생은 시간이 갈수록 더 큰 어려움을 겪고, 읽기 능력이 좋은 학생은 더 뛰어난 결과를 낳는 현상을 교육의 마태 효과('매튜 효과')라 부른다.

제때 도와주지 못하면 격차는 커지고 만다('매튜 효과')

외국은 만 5세 반 교실에서 5년의 학습 격차가 난다고 한다. 우리 교실은 얼마나 격차가 날까? 최소 우리 초등학교 1학년 교실에서 5년 이상의 읽기 능력 격차를 발견하는 것은 어렵지 않을 것이다.

그리고 이 격차가 더욱 커지는 것은 현장 교사라면 누구나 알고 있다. 교사들은 읽기에서의 '매튜 이팩트', 초기 격차가 시간이 지날수록 커지는 현상을 누구나 직관으로 알고 있다. 교사들은 현장 경험을 통해 "초등학교 2학년 이전에 또래 평균 수준에 도달하지 못하면 학년이 올라갈수록 학습 격차가 커지고, 학습 부진을 더 크게 겪게 될 것"이라는 누구나 알고 있다.

초중고 518명을 대상으로 한 연구에서 교사의 97%가 학년이 올라가도 학습 부진은 해결되는 것이 아니라 계속되거나(악화된다) 답했다.

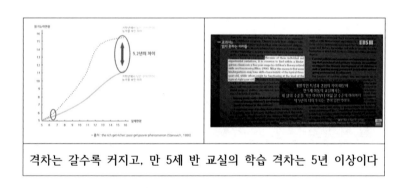

격차는 갈수록 커지고, 만 5세 반 교실의 학습 격차는 5년 이상이다

이 점에서 문해력은 초기 투자가 효과가 매우 큰 교육 영역이다. 보건 정책이 의료 기술보다 건강과 기대수명 증진에 크게 기여한 바 있다. 상하수도 분리와 화장실, 깨끗한 물과 빗물,

1부. 인공지능 시대의 복합문해력 양상

오수의 분리가 인간의 건강한 생활과 수명 연장에 압도적으로 기여했듯, 문해력은 교육의 효과를 다지는 데 있어 초기 대응이 매우 중요하다.

문해력 성장의 특징 : 문해력은 가정에서 바탕이 만들어지고 학교에서 보완된다(보완해 주어야 한다)

첫째, 문해력의 상당 부분은 가정에서 발달한다. 기본적으로 문해력은 가정에서의 자원과 상호작용에 의해 결판나게 된다. 가정에 있는 리터러시 자원들(환경언어, 책, 영상매체들 등)과 자원들과의 상호작용을 도와주는 어른의 도움에 따라 문해력의 큰 틀이 형성된다.

둘째, 가정에서 큰 틀이 잡힌 문해력은 학교에서 보완되기도 하고, 악화되기도 한다. 학교에서의 문해력은 보완되느냐(차이가 줄어드느냐) 아니면 오히려 학교에서 그 격차가 더 커지느냐가 결정적 문제다. 학교에서 가정과 사회에서 만들어진 문해력이 격차를 벌이느냐 아니면 공교육을 통해 보완되느냐는 시민의 향후 삶에 있어서 결정적이다.

앞서 보았듯 "무릇 있는 자는 받아 풍족하게 되고, 없는 자는 그 있는 것까지 빼앗기리라(마태복음 25장 29절)"라는 마태 효과가 하교 교육에도 불구하고 벌어지지 않도록 대응하는 것이 무엇보다 중요하다.

"학교는 학교 밖에서 벌어지는 리터러시 격차를 최대한 보완해주어야 합니다. 그러나 안타깝게도 우리 주변에는 아이들에게 리터러시를 가르치는 일에 실패한 학교가 적지 않습니다. … 특별한 도움이 필요한 학생들을 외면하는 학교에서 모두를 위한 미래 교육을 기획할 수 있겠습니까?" (조병영, <읽는 인간>, 117-118)

학생들은 "누구나 읽고 쓸 능력을 배울 권리가 있다." 그리고 "학교와 교사는 학생들의 리터러시 권리를 지켜줄 책임이 있다" 이 점에서 초기 문해 교육을 통해 학생들에게 작은 성공 경험과 할 수 있음의 자기 효능감과 자신감, 내재적 동기를 상승시키는 책임교육이 중요하다.

그림동화책을 함께 깊이 읽으며 날아오르기 위한 고민거리들

문해력은 가정에서 바탕이 만들어지고 학교에서 보완된다.(이것은 당위다. 현실은 학교에서 보완되는 것이 아니라 격차가 오히려 커지고 있다) 아니 가정에서 만들어진 차이를 학교에서 보완해주어야 한다.

문해력 발달을 특징을 정리하면 다음과 같다.

첫째, 문해력의 상당 부분은 가정에서 발달한다. 기본적으로 문해력은 가정에서의 자원과 상호작용에 의해 결판나게 된다. 가정에 있는 리터러시 자원들(환경언어, 책, 영상매체들 등)과 자원들과의 상호작용을 도와주는 어른의 도움에 따라 문해력의 큰 틀이 형성된다.

둘째, 가정에서 큰 틀이 잡힌 문해력은 학교에서 보완되기도 하고, 악화되기도 한다. 학교에서의 문해력은 보완되느냐(차이가 줄어드느냐) 아니면 오히려 학교에서 그 격차가 더 커지느냐가 결정적 문제다. 학교에서 가정과 사회에서 만들어진 문해력이 격차를 벌이느냐 아니면 공교육을 통해 보완되느냐는 시민의 향후 삶에 있어서 결정적이다.

문해 발달은 성장 마법과 비슷한 거 같아. 어떻게 도저히 할 수 없었던 것을 어느 순간 그토록 멋지게 해낼 수 있는 걸까? 마법의 비밀을 풀어보자, 우리 함께.

인간 뇌가 성장하면서 만들어내는 역량과 인공지능의 전자지능이 별 차이가 없다니 정말 놀라워. 그렇다면 인공지능도 인간의 문해력이 성장하듯 발달하겠군!

4. 문해력 성장의 특징

"충분히 발달한 과학은 마법과 구별할 수 없다."

(아서 클라크 제 3법칙)

발달이 이루어지고, 역량이 형성된다는 것은 무엇일까?

과학은 인간과 인공지능의 경계를 무너뜨리는 특이점을 지나고 있다. 이제 "마법으로도 가능할 거라 상상하지 못했던" 수준까지 과학이 발달하고 있다.

동물인 인간의 문해력의 마법같이 발달하곤 한다. 마법 같은 경이와 신기함이 일어나는 문해 발달의 특징을 살펴보자.

하나, 문해 발달(성장)은 창발현상이다.

둘, 문해 발달(성장)은 양적 축적을 통한 질적 전환(도약)이다.

(1)작지만 소중한 성취 경험의 양적 축적이 성장의 기본이다

(2)질적 도약 : 문해력은 상위 수준으로 비약은 아니지
만 도약한다.

셋, 문해 발달(성장)은 총체적이고 통합적으로 일어난다.

넷. 문해 발달(성장)은 메타인지를 통해 온전히 이루어진다.

다섯, 문해 발달(성장)은 습득과 학습을 통해 이루어진다.

여섯, 문해 발달(성장)은 존재에 대한 이해와 적절한 발
판, 효과적인 피드백 등을 통해 도와주기가 가능하다.

<문해 발달의 특징>

(기초문해) 발달(성장)은 창발현상이다.

창발(emergence)이란 분리된 개별 요소에는 없던 것은 총체적
연계 속에서 새로운 현상이 나타나는 것을 말한다.[14] 창발은

---

[14] 신경망 지능인 인공지능도 양적 데이터를 축적하면 어느 순간 생각
지도 못한 능력이 생겨난다. emergent ability는 생물 지능인 인간
의 성장도 마찬가지이지만 인공지능도 동일하다. 최근의 인공지능은
대형 언어모델에 따라 '발현 능력 혹은 창발 능력(Emergent

개별자가 혼자 있을 때는 없었던 현상이 전체로 연결될 때 홀연히 출현하는 현상을 말한다. 창발은 아래 단계나, 분리된 개별자로서는 전혀 상상할 수 없는 어떤 속성이나 현상이 모아 연결이 되자 다음 단계로 나아가 예상치 못했던 새로운 속성이 나타나는 것을 의미한다. 다시 말해 창발은 분리된 하나의 개별자가, 연결되고 조직화되면서 아래 단계에서는 전혀 상상할 수 없는 일들을 수행하는 것을 말한다.

예를 들어 불에 타는 성질을 가진 수소 두 개가 산소 한 개와 만나면 불에 타지 않는 물이 되는 것이 창발현상이다. 또한 인간의 심장 세포도 창발현상의 대표적 사례다.

인간의 세포 중 심장 세포와 간세포는 별 차이가 없는 인간 몸의 세포 중 하나다. 그런데 창발 차원에서 보면 심장 세포와 간세포는 완전히 다른 세포다. 심장 세포를 모아 연결하면 박동이라는 세포 하나에서는 전혀 볼 수 없는 일을 만든다. 심장 세포는 분리를 벗어나 서로 모아 놓으면 박동을 만든다. 심장

Ability)'이 나타난다. 메커니즘이 규명된 것은 아니지만 인간이 독서를 함으로써 언어 지능을 높이고 지식을 습득하는 행위와 비슷하게 초기에는 간단한 문법과 사실적 관계 정도만 이해할 수 있다가 책을 충분히 많이 읽으면 어려운 단어도 이해하고 사실 뒤에 숨겨진 뉘앙스나 암시도 파악하게 된다. 작은 성취의 축적을 통한 질적 도약은 어느 순간 창발 능력(느닷없이 튀어나오는 능력, emergent ability)으로 만들어질 때 배움을 통한 역량이 만들어진다. 교육은 작은 성취를 쌓아갈 수 있도록 학생에 적절한 발판을 깔고 도전과 응전의 기회를 주는 것이고, 성취 경험을 쌓아 질적으로 도약할 때까지 버텨주고 지켜주는 과정이다. 작은 성취가 양적으로 쌓이면 어느 순간 질적으로 도약하는 순간이 온다. 70년 전 튜링의 말처럼 이제 인간지능과 전자지능(인공지능)의 차이는 거의 없어졌다.

1부. 인공지능 시대의 복합문해력 양상

세포 하나씩 떼어 놓으면 박동이라는 현상을 하지 못하는데, 이를 모아놓기만 하면 박동이라는 창발현상을 만들어낸다.

이와 달리 간세포를 모아 놓아도 새로운 무엇을 만들지 못한다. 심장 세포는 창발현상을 만들지만, 간세포는 창발현상이 없는 것이다. 이처럼 어떤 것은 모아 연결이 되면 새로운 현상을 만들지만, 어떤 것은 모아도 총체적 효과를 만들지 못한다. 단순히 모아 놓는다고 연계를 통해 새로운 현상이 만들어지지는 않는다. 이 연계를 통해 총체적 효과를 만들 수 있어야 새로운 현상이 출현할 수 있다.

이러한 창발현상은 부분의 특성으로 전체를 설명할 수 없을 때도 쓰인다. 개미 하나로는 개미 집단의 유기체적 특성을 설명할 수 없다. 개미는 각각의 개체로는 집단의 특성을 이야기할 수 없고, 하나가 아닌 전체로서 유기체(초유기체)적 관점에서 개미를 보아야만 설명이 가능해진다. 개미의 개체로 환원되지 않는, 독특한 특징과 현상들을 설명할 때 창발현상을 사용하게 된다.

마찬가지로 기초문해 교육에서도 역량과 배움의 창발현상이 나타난다. 어느 하나의 지식과 기능이 만들어지면서 다른 역량들과 연결되면 개별적이고 고립적인 아래 단계에서는 전혀 볼 수 없던 현상(역량)이 드러난다. 하나의 지식을 이해하면서 이전 단계에서는 이전에 볼 수 없었던 역량들이 만들어지는 현상이 일어난다.

생물계에서 함께 모여 총체적 연계를 통한 새로운 창발현상이 나타나듯, 기초문해 역량도 고립된 부분에서 볼 수 없었던 능력이 총체적인(전체적인) 얼개(구조) 속에서 새로운 능력이 만들어진다. 하나의 지식이 만들어지고 연결이 만들어질 때 문해 역량이 새롭게 만들어지는 모습을 보여준다.

물론 기초문해 교육이든 어떤 교육에서든 제대로 교육이 이루어지지 않으면 심장 세포의 결합이 아니라 간세포의 모임으로 그치고 만다. 교육이 효율적이고 교육적으로 이루어진다면 심장세포의 모임이 되지만 비효율적이고 반교육적으로 이루어지면 간세포의 모임으로 전락하고 만다. 교육의 성패는 단순히 효과가 있느냐가 아니라 투입 대비 효과의 효율성과 교육적 효과와 교육적 과정의 의미 등을 고려해 창발현상이 제대로 발현되는지를 살펴야 한다.

기초문해 역량은 생명의 창발현상처럼 작은 성취를 통해 기초문해 요소 하나, 둘(기초 자음과 모음, 기본 낱말 읽기 등)이 모여 연결되면 전혀 새로운 역량을 보여주게 된다. 그렇다면 역량의 도약은 어떻게 이루어질까? 문자 읽기 능력의 '질적 도약'(양질 전환의 법칙)이 어떻게 일어나는지 살펴보자.

(기초문해) 발달(성장)은 양적 축적을 통한 질적 전환(도약)이다.

문해력의 창발현상은 양질 전화의 이중적 도약을 통해 이루어진다.

문해력 발달은 발생적 문해 잠재력을 알맞은 환경과 적절한 상황 작용을 통해 현실화시키느냐에 달려 있다. 하나의 잠재적 가능성을 품은 씨앗이 뿌리내리고, 잎과 꽃을 피우고, 열매는 맺는가는 적절한 환경 조성과 알맞은 상호작용에 달려 있게 마련이다. 문해 역량도 마찬가지다. 좋은 환경과 시의적절한 도움이 주어지면 인간에 내재한 잠재적 가능성인 문해 능력은 현실이 된다. 이 잠재적 가능태가 현실이 되는 과정은 어떻게 일어나게 될까?

인간의 소통 능력을 상징화한 문자를 읽고 쓰는 능력인 문해력은 다른 인간 발달과 마찬가지로 양적 축적과 질적 도약이라는 양질 전환을 통해 이루어진다. 양질 전화란 물이 끓어 수증기가 되는 과정과 유사하다. 물의 상태변화는 양적 축적이 충분히 이루어지면 질적 도약이 이루어지는 과정이다. 문해력도 이와 동일하게 양적 축적과 질적 도약의 이중적 과정을 통해 이루어진다.

다시 말해 문해력 발달은 이에 필요한 여러 요인이 축적되는 양적 과정과 이들이 연결되며 총체적으로(질적으로) 도약하는 이중적 과정으로 만들어진다. 양적 축적은 작고 사소한 성취감을 축적하면서 상호작용은 통해 점진적으로 이루어지고, 질적 도약은 점진적으로 축적해 온 성취감이 다른 문해요소들과 총체적으로 연계되면서 어느 순간 질적으로 도약한다.

따라서 문해력 발달을 위해서는 양적 축적과 질적 도약의 이중적 과정이 중요하다.

(1) 문해 발달은 양적 축적이 기본이다 : 작지만 소중한 성취 경험의 양적 축적이 성장의 기본이다

  '지금 잘 못해도 괜찮다. 하다 보면 어느새 해결된다. 걱정 하지 말고 도전해 보자'

 모든 성장의 기본은 소소한 성취를 얼마나 지속적으로 만들어 가는가에 달려 있다. 인간이란 자기가 못하는 걸 계속하려 들 지 않는다. 아니 시작조차 하지 않으려 들고, 안 해서 그렇지 못해서 그런 것이 아닌 것처럼 죽도록 노력한다. 인간이라면 못하는 건 안 하려 노력하게 마련이다. 작은 것이라도 성취할 수 있어야 해보게 되고, 하려 들고, 성취를 통해 조금씩 나아 간다는 느낌이 들 때 계속해서 도전하며 즐기게 된다. 못 하는 것을 안 하려 드는, 남보다 부족해 보이는 것을 기피하는 인간 의 본성상 성장의 핵심은 소소한 작은 성취의 양적 축적이다. 작지만 소중한 성공의 축적이 충분히 이루어지지 않으면 성장 의 기반은 만들어지지 않는다.
 문해력도 마찬가지다. 기초문해에 어려움을 겪는 아이에게 (문자) 배움이란 못하기에 불편하고 어렵고 하기 싫은 일이다. 문해 역량을 키워야 하는 아이에게 문자 해독은 기이하고 낯설 고 기묘한 세계의 일일 뿐이다. 문자의 마법을 풀어야 하는 학 습자에게 작은 성취를 쌓아 올리는 것은 쉬운 일이 아니다.
 기초문해를 막 시작하는 학습자에게 작고 소소한 성취의 축적

1부. 인공지능 시대의 복합문해력 양상

이 결정적이다. 가방의 '가', 아기의 '아', 다람쥐의 '다', 사과의 '사' 등의 기본 자음를 읽을 수 있다는 것을 학습자 스스로 느끼는 것은 문해의 양적 축적의 핵심이 된다.

예를 들어 문해 발달의 각 단계에서 그 단계가 요구하는 요소들을 충분히 성취하면서 배우는 것이 매우 중요하다. 예를 들어 이제 막 14개의 기본 자음과 10개의 기본 모음을 뗀 학습자가 그림동화책으로 해독을 단단히 하고, 독해로 확충해 나갈 때 무엇이 필요할까?

24자의 기본 자음과 모음을 어느 정도 읽을 수 있는 학습자가 <풍덩, 시원해요>을 통해 기초문해 교육을 한다면 작지만 소중한 성취 경험을 축적하는 게 매우 중요하다. 따라서 <풍덩, 시원해요> 그림동화책에 제시된 기본단어들 예를 들어 '풍덩, 여름, 강아지, 맴맴, 자두, 복숭아, 포도' 등에 기초문해를 이제 막 시작한 학습자라면 이 단어들에 집중해야 한다. 모든 것을 한꺼번에 하려드는 것이 아니라 기초문해 학습자가 '나도 할 수 있구나'라는 느낌을 주는 것이 중요하다. '첨벙과 풍덩', '퐁당, 철푸덕' 등을 구분하는 데 어려움을 보인다고 이를 구별하느라 에너지를 쓰면 안 된다.

그림동화책의 이야기 흐름을 기억하고, 그림의 도움을 통해 글자를 읽는 것이 아니라 상황과 이미지의 도움으로 읽는다고 해서 걱정할 필요 없다. 이때 핵심은 자두, 포도, 수박 등 기본단어들을 자신 있게 읽어낼 수 있는 성취감을 느끼고, 그림동화책의 낱말과 문장을 읽어내는 것이다.

포도, 참외, 복숭아 등 한 낱말, 한 장면을 읽으면서 그 단어에 대한 입체적이고 복합적 연결망을 형성하는 게 핵심이다. 낱말과 음절을 어려워하는 기초문해 학생이라면 더욱더 하나의 낱말과 음절에 집중해야 한다. '자두, 수박, 포도, 복숭아'에 집중하지 않고, 이를 온전히 소화할 수 있도록 살펴주지 않는다.

'자두'를 제대로 배워야 '자'를 통해 '자전거, 자신감, 자, 자기야' 등을, '두'를 통해 '두부, 두고 보자, 두근두근' 등을 배우는 데에 집중해야 한다는 것이다. '자'자를 배울 때는 '지읒'에 집중하는 것이 아니라, 작은 성취 경험이 누적되는 게 무엇보다 기초 문해 교육에서 결정적이라는 말이다.

그리고 이는 단순히 낱말 하나를 읽는 게 갇히지 않고, 그 낱말과 상황의 경험을 나눠주는 게 바탕이 되어야 한다. 단지 낱말을 읽는데 국한되지 않고 낱말과 상황에 대한 경험을 떠올리며 낱말을 입체적으로 두텁게 해줘야 한다. 기초문해 학습자일수록 깊고, 다채롭게 이야기를 주고받으면 글자를 읽는 법과 글자에 대한 두터운 깊이와 거미줄 같은 연계망을 만들어주어야 한다.

그런데 기존 한글 문해 교육은 낱말과 한 문장을 충분히 깊게 나누지 않는다. 자두를 제대로 익히는 데 도움을 주지 않고 건성건성 건너뛴다. 기초문해 학습자의 성취 경험의 작지만 결정적인 축적의 과정을 소홀히 하는 것이다.

작지만 소중한 성취 경험의 양적 축적에 밀도와 깊이를 더하는 것이 기초문해 교육에서 결정적이다. 자두의 음절 읽기를 탐구했다면, 자두의 색과 모양, 경험 등을 다양하고 깊이 이야기 나누어야 한다. '이미 알지, 이제 재미있는 활동해 볼까' 하는 접근으로 아이의 기초문해 발달을 도와주기 어렵다. 작은 성취의 누적된 확장이 필요한 상황에서 인지적 어려움을 제대로 다지고 살피지 않은 채, 재미있는 것을 찾아 다음으로 넘어가기 때문이다.

기존 기초문해 교육은 너무 쉽다고 생각하거나, 너무 어렵다고 치부하면서 텍스트를 깊이 온전히 다루는 수업을 하고 있지 않다. 물론 이는 한국 수업 전반의 문제이기도 하다. 기초 다지기를 제대로 하지 않은 상황에서 활동형 수업으로 비약하는 경우가 태반이다. 처음 한글 교육을 시작할 때도 그렇고, 이후에 중학년과 고학년에서도 마찬가지다. 하나라도 온전히 깊이 배울 수 있을 때 성장이 일어난다는 기본을 무시하고 있다.

여리고 상처받기 쉬운 학습자에게 특히 중요한 것은 작지만 소중한 성취 경험을 누적하는 것이다. 하나의 낱말과 문장을 깊고 차근차근 다져가는 것이 올바른 방향이고 효과적이고 적절한 교육 방법이다.

(2) 문해 발달은 질적으로 도약한다 : 문해력은 상위 수준으로
비약은 아니지만 도약한다.

배드민턴의 안세영 선수가 천적 천위페이를 이길 수 있었던 것은
안 될 것 같던 것들이 어느 순간 되는 지점을 넘어서면서
가능했다. 치열한 연습을 통해 어느 순간 질적 도약을 이뤄지자,
도저히 이길 수 없었던 천적을 경쟁 상대에서 지워버리게 된다.

문해력은 발달에 필요한 요인들이 양적으로 축적되면 어느 순
간 임계점(특이점)을 넘어 질적으로 도약하게 된다. 성장이란
올바른 방향으로 효과적으로 연습해 양적으로 축적하다 보면
질적으로 도약해, 안 될 것 같은 것을 어느새 할 수 있게 된
다. 성장은 양적 축적 없이 이루어지는 비약이 아니다. 소소한
양적 축적이 어느 경계선을 넘어서면 질적으로 도약(전환)하게
된다.
성장에서 질적 도약이 이루어지는 경계선, 경계 지점을 물리
학에서는 임계점(티핑포인트15))이라 부른다.

---

15) 티핑포인트(tipping point)는 극적으로 튀어 오르는 포인트를 말한
다. 새로운 전환을 뜻하는 터닝포인트와 달리 수면 아래 있던 것이

임계점(the critical point)이란 어떤 기준이 되는 지점인데 어떤 변화의 기준이 되는 지점을 말하고 특이점(the singular point)이란 임계점 중 발산의 개념이 들어가는(= 무한대로 수렴하는) 특성이 있는 지점을 말한다.(특이점은 임계점에 포함되는 개념이다.)

기초문해 교육은 매 단계별로 질적으로 도약하는 순간들을 경험하게 된다. 기본 자모만 알던 학습자가 배우지 않던 여러 낱말을 읽게 되고, 기본 낱말 몇십 개 정도를 읽을 수 있던 학습자가 받침이 있는 무의미 음절까지도 읽는 질적 전환을 이루어내는 것을 해낸다.

기초문해 교육은 바로 이 질적 전환의 경이로운 경험을 발견하고, 지켜주고, 도와주는 과정이다.

(기초문해) 발달(성장)은 총체적이고 통합적으로 일어난다.

발달은 선형적, 인과적, 순차적으로 일어나지 않고 발달에 필요한 요인들이 통합적, 총체적으로 서로 연결되어 중층적으로 발생한다. 발달은 선형적, 인과적인 것이 아니라 비선형적이

수면 밖으로 튀어 오를 때 쓰는 용어다. 말콤 글래드웰은 <티핑 포인트>의 세 가지 특징으로 첫째, 전염성 둘째, 작은 것이 엄청난 결과와 효과를 가져올 것 셋째, 엄청난 변화가 극적인 순간에 발생한다는 것을 든 바 있다. 문해력도 질적 도약을 뜻하는 티핑포인트의 양상처럼 작은 성취들이 축적되면 어느 순간 극적으로 문해력의 지평 자체가 바뀌게 된다.

고, 총체적인 연계 효과를 만들어낼 수 있을 때 일어난다. 발달은 1-2-3-4-5의 선형적이고 인과적 순서에 따라 일어나는 것이 아니라 12345가 서로가 서로에게 허브로 사용되어 서로 연결되는 총체적이고 통합적 양상에 따라 일어난다. 발달에 필요한 요인들이 중심 요인을 허브로 사용되어 서로 얽히고 설킨 총체적 연관 속에서 일어난다.

　"낱자 인식, 낱자 이름 알기, 낱자 소리값 알기, 낱자 쓰기 기능의 습득은 순차적으로 일어나지 않으며, 문법적 체계에 따라 일정한 방향으로 진행되지도 않는다는 것이다. … 자음과 모음을 그 순서에 따라 익히는 것도 아니다. … 문해 환경 속에서 아이가 어떤 문자에 자주 노출되었는지, 아이의 관심사가 무엇인지에 따라 달라지는 것이다." (엄훈 외, <초기문해력교육>, 87)

　"아이들은 자음자의 세트를 모두 익힌 다음 모음자의 세트를 모두 익히고, 그런 다음 음절 글자의 구성 방식을 익히는 방식으로 학습하지 않는다. 아이들은 자신에게 익숙하거나 중요한 낱말을 먼저 익히고, 그 낱말들을 구성하고 있는 말소리와 그 말소리를 표기하는 자소들을 하나씩 배워 나간다. 이것이 자연스러운 읽기 학습 과정이다." (엄훈 외, <초기문해력교육>, 125)

　인간의 발달이란 일차적이고 선형적인 인과회로로 일어나지 않는다. 기초문해 발달도 마찬가지다. 낱자 인식과 이름 알기,

소리값 알기 등이 순차적으로 일어나지 않고 발달에 필요한 요인들이 연계되면서 총체적으로 발생한다. 다른 발달과 마찬가지로 기초문해 발달도 성장에 필요한 요소들이 총체적 연관을 이루어낼 때, 일어나는 것이다.

환경에 따른 노출 빈도와 정도, 그리고 경험 양상(호기심), 발생적 문화 환경과 도움 양상 그리고 문해 역량의 발달 정도에 따라 다른 시간과 속도를 보이지만 발달의 기본 원리는 동일하다.

기초문해의 총체적 발달은 양적 축적(발달에 필요한 요소들이 모이는 과정)이 질적 도약(어느 허브를 기점으로 서로 링크를 만들어 내 총체적 의미 연관을 만들어낼 때)으로 이어질 때 만들어진다.

(기초문해) 발달(성장)은 메타인지를 통해 온전히 이루어진다.

발달은 메타인지 속에서 이뤄질 때 효과적으로 이루어진다. 자신이 배우고 있는 것의 의미와 필요 그리고 이것이 어떤 것인지 전체적 상을 그리고 부분 부분을 성취해 나갈 때 효과적으로 발달이 이루어진다.

총체적 그림을 그리고 하나하나 작은 성취를 이뤄갈 때 발달은 교육적이고(자존감에 상처를 주지 않고, 효능감을 높이고, 자신감이 자존감으로 확장되는), 효율적으로(투입 대비 산출이 높은) 이루어질 수 있다.

무릇 지도를 보면서 길을 가면 훨씬 수월하고 용이하게 목적지를 향해 갈 수 있다. 목적지를 향해 나아갈 때 지도를 가지고 나아가는 것과 지도 없이 가는 것은 완전히 다른 차원의 일이다. 지도를 가지고 있고, 지도를 읽는 법을 알고 여행을 하게 되면 여행 자체에 집중할 수 있게 된다. 방향과 방법을 알고 길을 가면 체력 안배는 물론, 길을 온전히 즐기면서 여행을 할 수 있다. 지도는 가는 길에 대한 안목과 배움을 완전히 다르게 만들어주고, 가는 길에 에너지를 분배하고 효과적으로 통제하는 발판을 만들어준다. 여행에서 지도의 역할을 발달에서 메타인지가 수행한다.

기초문해 교육에서 단어와 단어의 메타인지는 그림동화책의 이야기와 그림(이미지)이 그 역할을 수행해 준다. 그림동화책을 통한 기초 문해교육은 학습자가 이제 막 읽기 시작한 기본 단어를 이야기의 총체적 맥락 속에서 위치시켜 준다. 꽤 어려운 낱말과 어구들도 전체 상황과 주인공의 사건 탐구 속에서 이해 가능한 지평으로 옮겨오게 해준다. 그리고 반복 숙달 속에서 단어를 자기화하는데 쉽고 간단한 지름길을 만들어준다. 그림동화책의 이야기와 그림이 단어를 읽는 데 지도(메타인지) 역할을 한다.

그림동화책은 기초문해 교육 시 이야기라는 전체 속에서 단어들을 차근차근 소화할 수 있는 넉넉한 품이자 발판이 되어준다.

그림동화책을 통한 낱말 습득의 가치는 자모 순서에 따라 단어 카드를 통해 학습하는 기존 기초 문해교육과 비교하면 그

　　　　　　　1부. 인공지능 시대의 복합문해력 양상

가치가 더 크게 드러난다.

 자모 순서에 따른 단어 카드는 학습은 작은 성취를 경험하게
하는 데 효과적이다. '사자, 사과, 아기, 아이스크림, 하마,
하품, 타조, 타요' 등을 카드로 학습하게 되면 어렵지 않게
단어를 읽는 성취 경험을 누릴 수 있다. 자음 순서에 따라, 이
와 관련된 단어 카드로 학습할 때 사진(그림)의 도움을 통해
기본 단어를 학습하는 것은 성취감과 반복 숙달에 효과적이
다.16)

 하지만 파닉스에 기초하여 기초문해를 지도할 때 활용하는 단
어 카드는 기초문해 능력 형성과 읽기의 즐거움을 만드는 데
한계가 분명하다. 그림(사진)과 글이 함께 읽어 읽기의 성취감
과 반복적 학습(놀이)을 하는 데는 매우 효과적이지만 단어와
단어 연계성이 없어 파편화되고, 성취감을 누리지 못하는 아이
의 경우 단어 카드가 많아질수록 질리게 된다. 단어 카드는 단
어 카드의 연계성이 부족하고, 단어 카드가 많아질수록 학생은
반복된 패턴에 질리고, 기초문해 학습을 부담스러워하게 된다.
이야기의 전체적 얼개 속에서 단어들을 총체적으로 학습하는

---

16) 인간의 성장에 있어 성취감을 느끼며, 왜 하는지 알아가며, 흥미 있
게 반복하는 것이 결정적이다. 꿀벌은 꽃에서 채취한 몸속 밀 위에
꿀을 저장해서 벌집으로 가져간다. 채취한 꿀을 벌집에 토해내면, 다
른 꿀벌들이 마셨다가 뱉어내기를 수십 번 반복한다. 이 꿀을 삼키고
토해내는 과정을 통해 꿀이 소화되어 우리가 벌꿀이라 부르는 맛 좋
고 영양 좋은 꿀이 된다. 삼키고 뱉는 수십 번의 반복 과정을 통해
자당이 포도당과 과당으로 분해되어 맛과 영양이 좋은 꿀이 되는 것
이다. 인간의 성장도 꿀벌이 맛 좋고 영양 좋은 꿀을 만들어내는 과
정과 유사하다. 차이나는 반복을 통해 성장이 이루어진다.

데 결정적 한계가 있는 것이다.

자모 순서에 따른 단어 카드 학습은 단어 간의 연계성과 총체성을 만들 수 없어 단어 간의 메타인지를 만들기 어렵다. 기역의 메타인지를 통해 가방, 가수, 가로등 등을 배우는 것은 기초문해 학습자에게 너무 어렵고 낯설다. 이와 달리 <풍덩, 시원해요> 그림동화책의 '자두, 포도, 수박, 복숭아' 등 읽기의 자음에 따른 메타인지가 아니라 이야기의 메타인지 속에서 이를 학습하도록 해준다. '자두'의 '자'와 '두', '포도'의 '포'와 '도', '수박'의 '수'와 '박', '복숭아'의 '복'와 '아' 등을 손쉽게 익히고 숙달하게 해준다. '복숭아'의 '숭' 음절은 독립적으로 읽는 능력이 만들어지지 않지만 자연스럽게 '숭'에 노출되어 다음에 이 음절을 접하게 되면 부드럽게 음절을 익힐 수 있게 된다.

그림동화책을 통한 기초문해 교육은 이야기라는 메타인지의 안내를 통해 쉽고 즐겁게 읽기 능력을 만들어 나갈 수 있다.

다시 말해 단어 카드를 통한 기초문해 교육은 소소한 성취를 만들어 내고, 반복 학습의 효과가 큰 장점이 있다. 분명 파닉스에 기초한 기초문해 지도에서 낱말 카드 활용은 낱말 카드 없이 기초문해를 지도하는 그림동화책 보다는 성취 경험을 만드는 데 효과적이다. 하지만 자음 순서에 기초한 기초문해 지도는 단어와 단어의 연계를 만들 수 없어 그림동화책에 기초해 단어 카드 활용한 기초문해 교육보다는 성취 경험을 만들기 어렵고, 단어에 대한 입체적 읽기 경험을 만들어내기 어렵다. 이유가 뭘까?

 그림동화책은 이야기의 메타인지 속에서 단어를 학습할 수 있게 해준다. 하지만 파닉스 순서를 통한 기초문해 학습은 단어 카드를 활용해도 단어와 단어 간의 연계를 만들 수 없다. 사자, 사과, 사슴 등을 단어 카드로 배운다면 시옷을 통해 포함 관계를 만들 수 있지만, 이것이 전체적 상을 가지고 배울 수 있도록 할 수는 없다. 이와 달리 <사과가 쿵> 떨어져 두더지와 나비, 기린, 사자, 코끼리 등의 낱말을 배우는 그림동화책이라면 이를 효과적이고, 입체적으로 배울 수 있다. 그림동화책은 분절된 단어 카드를 통한 기초문해 학습과 달리 이야기의 얼개를 통해 개별 단어들이 연계성을 가지게 된다. 분리된 하나의 단어라면 읽기 어려운 낱말들도 이야기 속에서 연계되고, 그림과 상황 속에서 깊이 빠져들면, 읽지 못하던 낱말을 읽게 되고, 읽을 수 있던 낱말을 더 잘 읽게 되는(하던 것을 더 잘하게 되는)경이로운 경험을 할 수 있게 된다.

 그림동화책은 단어 카드가 그림(사진)을 통해 성취가능한 발판이 제공하는 것을 넘어서 그림은 물론 이야기와 상황, 체험의 경험, 이야기의 단서를 통해 낱말을 읽는 힘을 키우게 된다. 파닉스 체계를 통해 단어 카드를 활용할 때보다 전체 이야기 속에서 낱말 카드를 학습하게 되면 입체적으로 다층적인 망을 단어에 연계시켜 스스로 성취해 낼 수 있는 힘이 더 커지게 된다.

 기초문해에 어려움을 겪는 학습자는 자기가 무엇을 못하고,

무엇을 할 수 있는지를 객관적으로 파악하는 것이 어렵다. 하지만 그림동화책의 이야기와 그림의 도움을 받으면 기초문해를 시작하는 학습자도 상당한 수준의 자기 객관화를 할 수 있게 된다. 이 부분은 어렵고, 이건 내가 할 수 있고, 이건 좀 도움이 필요하고, 도움을 받으면 해낼 수 있다는 것을 스스로 느끼고 표현할 수 있게 된다.

(기초문해) 발달(성장)은 습득과 학습을 통해 이루어진다.

문해력 발달은 자연스러운 습득과 인위적인 학습 두 가지 활동에서 출현한다. 문해력 발달의 핵심적 두 축인 습득과 학습은 발달 서로 유사하지만 데 매우 다른 점을 지니고 있다.

첫째, 문해력 발달이 주로 이루어지는 장소가 구별된다. 주로 가정 교육에서 일어나는 습득은 자연스럽고 일상적 상호작용과 놀이에서 이루어지고, 학교 교육에서 만들어지는 학습은 인위적이고 수업을 통해 일어나게 된다.

습득은 문해력 발달의 기초이자, 결정적 자양분이다. 초기 문해력 발달은 주로 가정에서의 자연스러운 습득을 통해 일어난다. 아동의 초기 문해력은 주 양육자와의 상호작용과 놀이를 통해 자연스럽게 일어난다.

학습은 학교에서 이루어지는 보완적이고 공적인 교육이다. 학습은 주로 학교에서 이루어지고 가정에서 벌어진 문해력 격차를 보완하고 살펴주게 된다. 만약 학교에서 가정에서의 문해력 차이를 보완해주지 않으면 이 차이는 격차로 구조화되게 된다.

문해의 기초를 이루는 습득이 가정 교육의 영향력 하에 놓여 있다면, 학습은 주로 학교 교육의 지평에서 이루어지게 된다고 볼 수 있다.

둘째, 습득은 자연스럽게 이루어지고, 학습은 인위적으로 만들어진다. 문해력 발달에 있어서 습득은 일상과 놀이 등 인위적 노력 없이 자연스러운 상호작용과 탐구를 통해 이루어진다면, 학습은 인위적인 환경을 조성하고 밀도 있는 상호작용을 통해 만들어진다.

문해력의 대부분은 가정에서 재밌고 신나고 놀면서 문해력 창발이 이루어진다. 학원 뺑뺑이를 돌지 않아도, 놀며 상호작용하고, 놀이에 대한 메타적 상호작용을 통해 문해력 성장이 이루어질 수 있다.

셋째, 자연스러운 습득과 인위적 학습은 밀도와 긴장 등에서 차이를 드러낸다. 가정 교육하에서 이루어지는 습득은 자연스러운 편안하게 놀이하듯 스며드는 반면 밀도가 낮고 긴장이 덜하며 투입 대비 효율이 낮은 특징을 가진다. 이와 달리 학교 교육에서 이루어지는 학습은 인위적이고 자연스럽지 않아 부담감과 불편감이 높지만, 밀도가 높고 투입 대비 효과가 높은 특징을 지닌다.

습득은 자연스럽고 편안하게, 학습은 인위적이고 밀도 있게
이루어진다. 그래서 학습을 부정적으로 보고, 습득을 긍정적으로
볼 가능성이 크다. 문해력 성장에 있어서 습득과 학습은 둘 다
중요하고, 필요하다. 핵심은 습득과 학습이 제때, 제대로
이루어지는 것이 중요하다.

(기초문해) 발달(성장)은 존재에 대한 이해와 적절한 발판, 효
과적인 피드백 등을 통해 도와주기가 가능하다.

 누구도 인간의 발달을 온전히(완벽하게) 파악할 수 있는 전지
적 시점을 가질 수는 없다. 인간은 도에 가까이 갈 수 있지만,
완전한 도를 이루는 것은 불가능하다. ('학이지지'를 통한)
'근도(近道)'는 가능하지만 ('생이지지자'의) 전도는 불가
능한 법이다.17)

---

17) 공자는 <논어>에서 "태어나면서부터 도를 아는 사람은 최상이고
    (생이지지자 상야,生而知之者 上也)배워서 아는 사람은 그 다음이고
    (학이지지자 차야,學而知之者 次也) 곤란을 겪고 난 후에 배우는 사
    람은 또 그 다음이며 (곤이학지우기차야,困而學之 又其次也) 곤란이
    있는 후에도 배우지 않는 사람은 최하위의 사람이다(곤이불학민사위
    하의,困而不學 民斯爲下矣)"라고 했다. 공자는 스스로를 태어나면서
    부터 모든 걸 다 아는 생이지지자가 아니라 경험하고 배우면서 아는
    학이지자로 이야기했다. 신과 같은 생이지지자는 인간 세상에 없는

인간이 하늘을 이해할 수 없듯(중력의 작동양식을 이해할 수 있지만 원인을 이해할 수 없듯이) 발달을 완벽하게 파지할 수 없다. 누구도 한 인간의 발달을 완벽하게 전지적으로 파악할 수 없다. 우리는 삶의 지평보다 높은 차원을 볼 수 없고, 장악할 수 없다. "앞을 못 보는 사람에게 색의 느낌을 표현할 수 없듯이, 3차원 공간에 사는 우리는 네 번째 차원을 시각화할 수 없다."(<초공간>) 누구나 1인칭 시점에 불과한 데 전지적 시점이라고 착각하면 문제가 생기게 마련이다. 우리는 누구나 1인칭 시점의 한계에서 자유롭지 않다.

그렇다고 주관적 관점의 한계에 구속되는 것은 아니다. 다만 우리는 도에 다가서려는 노력을 통해 성장을 도와주는 데 필요한 존재 이해와 효과적인 발판과 피드백 등의 통찰은 가능하다.

'박학심문신사명변독행' 18)(박학-널리 배우고, 심문=자세히 묻고, 신사=신중히 생각하며, 명변=명확하게 구분하며, 독행=독실히 행하는)의 자세로 탐구하고 소통하면 진실에 다가설 수 있다. 우리는 간 주관성과 박학 심문의 탐구를 통해 발달에 필요한 핵심적인 지식과 자원들을 확보할 수 있다. 탐구와 소통을 통해 1인칭 시점과 3인칭 시점을 결합한 입체적 시점으로

법이고, 학이지지(먼저 배우는 자)와 곤이학자(곤란을 겪고 나서 배우는 자), 곤이불학자(곤란을 겪고도 배우지 않는 자)가 있을 뿐이다.
18) <中庸(중용)>에 박학 심문 신사 명변 독행(博學 審問 愼思 明辯 篤行)은 배움의 기본을 알려준다. 박학(널리 배우고), 심문(자세하게 물으며), 신사(신중하게 생각하고), 명변(명확하게 판단하며), 독행(충실하게 행하라)은 공부와 연구의 기본이자, 성장을 이해하는 핵심적 방법이다.

발달을 진단하고 효율적이고 교육적인 도움을 구별해내고 실천
할 수 있다.

 문제는 어떤 교육 방법이 문해력 형성에 더 효율적이고 교육
적인가 하는 것이다. 모든 길이 다 좋은 길이 될 수 없듯 기초
문해 교육을 통해 문해력을 발달시키는 데 학생 발달과 교육적
측면 등에서 더 좋은 방법이 있게 마련이다. 깻잎 한 장 차이
처럼 보이는 다양한 교육 방법을 견주어 효과적이고 교육적인
방법을 찾아야 한다.

그림동화책을 함께 깊이 읽으며 날아오르기 위한 고민거리들

　모든 성장의 기본은 소소한 성취를 얼마나 지속적으로 만들어가는가에 달려 있다. 인간이란 자기가 못하는 걸 계속하려 들지 않는다. 아니 시작조차 하지 않으려 들고, 안 해서 그렇지 못해서 그런 것이 아닌 것처럼 죽도록 노력한다. 인간이라면 못하는 건 안 하려 노력하게 마련이다. 작은 것이라도 성취할 수 있어야 해보게 되고, 하려 들고, 성취를 통해 조금씩 나아간다는 느낌이 들 때 계속해서 도전하며 즐기게 된다. 못 하는 것을 안 하려 드는, 남보다 부족해 보이는 것을 기피하는 인간의 본성 상, 성장의 핵심은 소소한 작은 성취의 양적 축적이다. 작지만 소중한 성공의 축적이 충분히 이루어지지 않으면 성장의 기반은 만들어지지 않는다.

　문해력은 발달에 필요한 요인들이 양적으로 축적되면 어느 순간 임계점(특이점)을 넘어 질적으로 도약하게 된다. 성장이란 올바른 방향으로 효과적으로 연습해 양적으로 축적하다 보면 질적으로 도약해 안 될 것 같은 것을 어느새 할 수 있게 된다. 성장은 양적 축적이 없이 이루어지는 비약은 없지만, 소소한 양적 축적이 어느 경계선을 넘어서면 질적으로 도약(전환)하게 된다.

디지털 원주민들은 영상과 문자를 복합적으로 즐기고 창작할 수 있어야 한 대. 문자(책)냐 영상이냐의 흑백 이분법이 아니라 둘을 모두를 즐기고 향유하며 창조해낼 복합문해력이 필요해.

양손문해력 형성을 위해선 문자 텍스트 덜어내기가 중요해. 고답적이고 현학적 문자 추앙을 벗어나야 해. 그래야 문자 문해력이 영상 시대의 코어 능력이자, 디지털 매체의 투 트랙(보완적) 역할을 할 수 있지.

5. 디지털 시대의 복합 문해력(양손 문해력)

기본적으로 문해력은 텍스트는 감상하고, 창조하는 능력이다. 이 점에서 '쿠텐베르크 은하계'에서 쓰인 리터러시 개념은 문자 텍스트를 읽고 쓰는 능력이다.[19] 그런데 디지털 은하계로 전환된 세상에서 영상 텍스트를 보고 만드는 능력이 중요한 시대가 오고 있다.

문자 문해력의 위상이 영향력이 변화한 것은 사실이지만 그렇

---

19) 쿠텐베르크 은하계는 문자 매체로 창출된 새로운 근대 세계를 칭한
다. 문자 매체 혁명이 세계를 완전히 바꾸어 놓았는지를 보여주는 표
현이다. 하지만 쿠텐베르크 인쇄 혁명은 유럽에 없었고, 쿠텐베르크
은하계를 역사적 사실이 아니다. 오히려 조선은 활인 번각 시스템을
통해 출판혁명을 이루어 문헌지방(책의 나라)로 불렸다. 유럽의 인쇄
혁명은 가공의 판타지이자, 역사 조작에 불과하다.(황태연, <책의 나
라 조선의 출판혁명>) 쿠텐베르크 은하계라는 표현은 거짓말이자 역
사의 상징 조작에 불과하다.

다고 리터러시의 가치가 소멸된 것은 아니다. 디지털 인공지능 시대를 살아갈 디지털 원주민들에게는 디지털(영상) 리터러시와 문자 리터러시가 공히 필요한 시대가 왔다.

디지털 원주민들은 <파친코>를 영상과 책 모두를 복합적으로 즐기고 창작할 수 있어야 한다. 단지 책이나 영상에 대한 이분법적 선택이 아니라 모두를 즐기고 창작하는 복합 문해력이 필요한 시대다. 볼 만한 영상 텍스트와 읽을 만한 문자 텍스트(중 하나인 책) 둘을 모두 즐기고, 창작할 수 있는 능력이 디지털 원주민의 핵심 과제로 부상했다.

이 점에서 우리는 복합 문해력이 필요한 시대고, 이를 교육적으로 뒷받침하고 도와줄 책임이 있다.

교육적 차원에서 보면 문자 리터러시를 과도 평가하고, 디지털(영상) 리터러시를 과소평가하는 상황이다.

"그런데 흔히들 '디지털 네이티브'라고 불리는 이들은 아직 리터러시를 정의하고 평가할 위치에 있지 않죠. 리터러시를 권력화할 수 있는 단계에 진입하지 못한 거예요. 그렇다면 그들이 리터러시에 관련된 정책을 디자인하고 실행할 수 있는 자리에 올랐을 때 리터러시를 어떻게 정의하고 권력화할 것인가를 생각해봐야 할 듯합니다. 그 작업은 미래를 기약하는 것이 아니라 바로 지금 여기에서 시작되어야 한다고 믿습니다." (김성우&엄기호, <유튜브는 책을 집어삼킬 것인가>, 282)

하지만 이미 전 세계와 우리 사회에 리터러시의 역전(변동) 현상이 벌어지고 있다. 책이라는 창이 주도적이고 결정적으로 세상과 인간을 읽는 방식을 주던 세상에서 텔레비전, 인터넷, 스마트폰 등 디지털 영상이 세상을 읽는 창의 핵심을 차지하게 되었다. 이제 세상을 보는 창의 주도권이 변화했고, 하나의 창이 여러 개의 창으로 다원화 복수화되었다.

"과거에는 기본적으로는 텍스트 중심의 문해력이 기초가 되고 그 위에 영상, 소셜미디어, 검색이 올라갔다면, 이제는 역전되는 현상이 벌어진 거죠." (<유튜브는 책을 집어삼킬 것인가>, 24)

"중세에서 근대로 넘어오면서 말하고 듣는 것이 읽고 쓰는 것으로 전환되었다면, 지금은 정보나 이야기를 '읽고 쓰는' 게 아니라 '보고 찍는' 것으로 바뀌고 있는 것 같습니다." (<유튜브는 책을 집어삼킬 것인가>, 30)

읽는 문자와 보는 디지털은 뇌의 소화 방식의 결정적 차이를 만들고 있다.

"같은 텍스트를 읽을 때라도 종이책으로 세계문학전집을 읽을 때와 모바일 기기에서 웹소설을 읽을 때 눈의 움직임이나 손가락의 까딱임, 책을 넘기기 위한 제스처가 다 다를 수밖에 없죠. 결국 다른 매체의 사용은 다른 신체를 서서히 구축해가

는 거예요. 가랑비에 옷 젖듯이 뇌가, 눈이, 손가락의 움직임
이 바뀌는 거죠." (<유튜브는 책을 집어삼킬 것인가>, 142)

책 읽는 뇌와 인터넷을 서핑하는 뇌는 활성화 방식은 완전히
다르다. 이 다름은 어느 하나의 우월성을 이야기하는 것이 아
니라 서로 균형 있는 발달이 필요하다는 의미다. 스마트폰은
뇌의 적이 아니라 시기와 발달에 따라 조화가 필요하다. 이제
우리는 복합문해력을 키우는 교재와 교육이 필요하다.

"'글 읽기와 쓰기는 무시하고 영상만 본다'면서 학생들을
비난할 게 아니라, 앞서서 리터러시를 경험했고 현재의 미디어
생태계를 주도해서 만들어낸 기성세대가 책임을 지고 텍스트와
영상 등 미디어의 가교를 만들어야 해요. 그 과정에서 영상에
능한 세대로부터 적극적으로 배운다는 자세를 견지해야 하고
요." (<유튜브는 책을 집어삼킬 것인가>, 228)

사회적으로 볼 때 디지털(영상) 문해력의 가치와 필요성은 높
아지고(영상 창작자, 유튜브 크리에이터, 개발자 등의 수요 증
가), 문자 문해력은 의미와 대우는 낮아지고 있다. 이제 문자
리터러시와 디지털 리터러시의 의미 정리하고, 각각의 역할과
가치, 효과를 정리할 필요가 있다.
복합 문해력의 시대의 문자 리터러시의 위상은 절대적 위치에
서 영상 리터러시의 코어이자, 영상 리터러시의 보완적 역할로

변화했다. 문자 리터러시는 쿠텐베르크 은하계에서 절대적 위상을 점했지만, 이제는 영상 리터러시의 알맹이이자 골격을 담당하는 역할과 영상 리터러시와 2인 3각을 벌이는 보완적이고 보조적 매체의 역할을 이중적으로 수행하게 된다. 문자 문해력은 디지털 리터러시의 골조(core) 역할과 동시에 보완적 역할(two track)[20]을 수행하게 될 것이기에 문해를 보는 새로운 눈이 필요하다. 이를 위해 무엇이 필요할까?

 첫째, 문자 텍스트 덜어내기가 필요하다. 문자 엘리트주의가 만든 환상에서 벗어나 고답적이고 현학적인 글들과 거리를 두어야 한다. 문자 리터러시는 기존의 고전이라 알려진 문자 텍스트들에 대한 재평가와 재조정에서 시작해야 한다. 이런 '고고한' 텍스트를 읽는 읽기 역량을 특권화하는 것은 매우 위험하다. 예를 들어 칸트나 데카르트의 저작 혹은 도스토예프스키의 텍스트 중 의식의 흐름과 현학성에 기초한 문자 텍스트들은 읽기 역량을 키우기보다 오히려 저해할 가능성이 크다.

 "텍스트를 기반으로 한 리터러시 교육을 제대로 해왔는가를

---

20) two track은 두 가지 방안을 동시에 운영하거나, 두 방향으로 문제에 접근하는 것을 말한다. 여기서 투 트랙이란 디지털 문해력과 문자 문해력 두 가지가 모두 공존하고, 동시에 활용해야 한다는 것을 의미한다. 다만 디지털 시대에 보고 만드는 디지털 문해력이 주도적이고, 문자 문해력은 보완적 역할을 수행하는 투 트랙이라 할 수 있다.

반성할 때, 반드시 생각해봐야 하는 것이 진입장벽의 문제라고 생각합니다. 읽기가 혁명적인 것은 틀림없지만 진입장벽이 높다는 사실을 결코 간과해서는 안 된다는 것이죠. 그 진입장벽의 핵심이 추상성이에요. 텍스트의 가장 큰 장점이자 단점인 추상성 때문에, 읽는 사람은 보는 사람과는 달리 자기 머릿속에서 그 추상적인 개념들로 그림을 그려야 합니다. 그렇지만 어떤 텍스트는 읽어봤자 시각화되는 게 하나도 없으니까, 계속 읽어낼 수가 없죠. 그에 반해 영화는, 예술영화는 통속영화는 보이는 게 있으니까 보려고만 하면 계속 갈 수 있는 거죠. 이게 무얼 의미하냐면, 이 추상적인 글을 시각화하기 위해서는 나한테 개념, 명제, 배경지식, 이런 자원들이 있어야 한다는 말이에요. 영상과 비교하면 현격하게 높은 자원이 필요한 거에요. 선생님이 말씀하신 영화 〈매트릭스〉의 공간 이름인 컨스트럭트-건설을 해야 합니다. 바로 이런 요소가 읽기를 굉장히 엘리트주의적인 것으로 만듭니다. 어떠한 방식으로 사유역량이 만들어지며 유지되는지는 아예 못 보고, 비문자적인 것은 천박하고 저급한 방식이라고 일축하며 읽기를 통한 것만이 고상하고 고급한 것인 양 평가하게 만들죠. 그래서 저는 읽기의 사유역량을 특권화하는 것은 굉장히 위험하다.” (<유튜브는 책을 집어삼킬 것인가>, 130)

　문해력의 중요성을 되새기기 위해서는 모든 문자 텍스트를 추앙하는 문제, 고답적이고 현학적 글에 대한 선망에서 거리를 두어야 한다. 문자에 대한 강박과 문자 텍스트 집착이 만든 고답적 현학적 엘리트주의에서 벗어나야 한다. 어렵고 난해한 문자 텍스트가 문해력의 핵심이라는 착각, '술(述)하지 않고 작(作)하기만'(있는 그대로 순리를 풀어내지 않고 사유로 조작해낸) 한 현학적 합리주의로부터 거리를 두어야 문자 텍스트에 기초한 읽기 리터러시의 가치를 생생하게 드러낼 수 있다.

둘째, 문자 리터러시는 디지털 내비게이션으로서의 디지털 시대의 핵심 역량이 된다. 디지털 리터러시의 핵심으로서의 문자 리터러시에 주목해야 한다.

"디지털 환경에서 '어떻게 읽을까'라는 질문은 '무엇을 읽을까(What should I read?)'라는 질문에서 답의 실마리를 찾을 수 있습니다. 무엇을 읽을지 선택하려면 무엇보다 '내비게이션 전략(navigational strategies)'이 필요합니다. 여러분의 멋진 자동차를 떠올려 보십시오. 요즘같이 갈수록 복잡해지는 교통 상황에서는 아무리 저렴한 모델이라도 내비게이션 없는 차가 없고, 제아무리 미래형 첨단 차량일지라도 내비게이션이 없으면 '깡통'입니다. 디지털 환경에서도 마찬가지입니다. 적극적이면서도 절제된 방식의 정보 내비게이션 과정은 좋은 디지털 읽기에서도 누락될 수 없습니다. 수많은 정보들이 제멋대로 얽혀 있기에 내가 원하는 정보가 어디에 저장되어 있는지, 어떻게 그리로 갈 수 있는지, 나는 지금 어디에 있는지

확인하는 일이 관건입니다. (조병영, <읽는 인간>, 238)

보기와 만들기에 기초한 영상 문해력은 컨텐츠의 힘에서 출발한다. 내러티브와 컨텐츠는 바로 읽기와 쓰기에 기초한 문자 리터러시의 핵심이다. 디지털 시대 문자 리터러시는 도스토예프스키, 프로스트, 칸트 등의 텍스트 독해가 아니라 이야기를 만들고, 정보를 효과적으로 표현하는 데 있어서 여전히 결정적이다.

셋째, 읽기와 쓰기의 균형과 조화가 필요하다. 긴 호흡의 체계적이고 논리적인 읽기는 줄어들고, 감각적으로 짧은 쓰기는 넘쳐난다. 읽기와 쓰기의 비대칭성 속에서 읽기를 통해 쓰는 균형이 필요하다.

"아무래도 인터넷이라는 플랫폼 혹은 공간의 특성을 다시 한 번 살펴볼 필요가 있을 것 같습니다. 저는 이 공간의 읽기와 쓰기 사이에 아이러니한 비대칭성이 있다고 보는데, 쓰는 양과 길이는 무한대로 늘어나는 반면, 읽는 호흡은 점점 짧아지거나 요약적으로 되는 거죠. 인터넷에 글을 쓸 수 있게 되면서, 쓰고 싶은 욕망을 가진 사람들은 정말 시시콜콜하게, 별 쓸데없는 것까지 다 쓰고 있어요. SNS를 보면, 다른 사람들이 보는 공간에 왜 쓰지 싶은 글이 많습니다. 이전 같으면 화장실에 익명으로 쓰던 글들이죠. 그러다 보니, 읽는 사람의 입장에서는

"뭘 이런 걸 쓰냐." (<유튜브는 책을 집어삼킬 것인가>, 156)

**넷째, 문자 텍스트를 제대로 체험하고 즐길 능력을 길러줘야
한다.** 텍스트를 읽고 느낀다는 것은 텍스트 속에 품은 가상 세
계를 체험한다는 것이다. 텍스트는 저자가 만들어 놓은 세계가
있다. 텍스트는 저마다 세계를 품고 있다. 학생들은 디지털(영
상)이든 문자든 다양한 텍스트를 읽고 보며 체험할 수 있어야
한다.

그런데 문자 텍스트는 디지털(영상) 텍스트와 달리 스스로 노
력을 통해 가상 세계에 진입해야 한다. 문자 텍스트는 진입장
벽이 높고, 스스로 이에 들어야 한다. 문자 읽기란 2차원 평면
의 세계에서 3차원 입체의 세계로 진입하는 것이다. 문자 읽기
는 영상과 달리 스스로 노력을 통해 만들어져 초기 진입장벽이
크고, 이후에도 지속적으로 에너지를 써야 하는 부담이 있지
만, 정보를 섭취하는 데 매우 효과적이고 위력적이다. 이 점에
서 문자 텍스트를 읽고 쓰는 능력을 탄탄하게 다져주는 학교
(교사)의 역할이 매우 중요하다.

이를 위해서는 학교 교육이 하나라도 제대로 깊이 읽기를 도
와주어야 한다.

*"리터러시 교육에 필요한 것이, 너무 많이 읽지 않아도 된다
는 사실을 알게 하는 것이라고 생각해요." (158) "읽기와 쓰
기, 말하기와 듣기 능력을 깊고 넓게 키우는 교육을 하기엔 현*

재 학교 교육의 호흡이 짧아요." (197)

긴 호흡으로 하나의 텍스트라도 제대로 깊이 읽어 나가야 한다.

"시험 준비를 해주 못하는 학교에 심히 화가 난 학부모들은 자녀들을 각종 온·오프라인 학원으로 보냅니다. 그런데 학원에서는 제대로 읽고 쓰는 읽을 절대 하지 않습니다. 읽지 않아도 정답만 찾으면 되는 끼워 맞추기식 사고에 진짜로 읽는 일 따위는 전혀 도움이 되지 않기 때문입니다. … 학원이라는 공간에서는 읽는 방식에 정해진 답이, 쓰는 법에 특별한 길이 있기 때문입니다." (조병영, <읽는 인간>, 162)

하지만 문해력 발달에 학교도 학원도 아무것도 해주지 못하고 있다는 것이 문해력 전문가의 냉정한 판단이다. 학교와 학원이 제대로 못하는 것은 인정할 수 있지만, 아무것도 아니라는 극단적 비판은 수긍하기 어렵다. 학교와 학원이 읽고 쓰는 문해를 제대로 지원하지 못하는 사실이지만 저자의 주장처럼 추상적이고 극단적인 진단처럼 '무쓸모'는 아니다.

학교는 텍스트를 깊이 있게 함께 읽는 수업을 (효과적으로) 해주지 않는다. 공식적 평가, 입시에 대응한 문해 역량을 키워주는 데 심혈을 기울이지 않는다. 학교는 입시 대비 교육을 제대로 해주지 않는다. 공교육인 학교가 이런 상황에서 입시 교육을 하면 안 된다는 교사들도 있다.(학교에서 입시 대비를 안

해주면 혼자서 알아서 하거나 학원으로 가라는 소리인가!)

진보 교육감 등장 이후 초등학교는 공식적 평가를 하지 않는다. 공식 평가를 외면한 채, '과정중심평가'라는 수업 중 피드백(을 기록하라)을 평가의 대안이라 여기고 있다. 지식과 기능에 기초하지 않은 활동형 수업과 과정중심평가라는 공식 평가 없는 평가에 매달리면서 학교는 재미있고 행복한 놀이터면 충분하다는 오해가 만연해 있다.

하지만 교육적 직관을 가진 교사라면 교과 지식 이해와 기능 숙달을 도와주는 과정이 교육의 핵심이라는 것을 놓치지 않는다. 그나마 한국의 '피사(PISA) 테스트' 결과가 이 정도인 것은 지식 이해와 기능 숙달을 도와주고, 이를 바탕으로 고등한 탐구 활동을 하려는 학교와 교사들의 노력도 한몫하고 있다.

또한 학원도 비효율과 역효과의 치명적 문제를 낳고 있지만 적어도 학원은 교과 지식을 안내하고, 기본적 독해 여부를 문제 풀이를 통해 반복적으로 확인하고 점검해준다. 학원이 지식 이해와 문제 풀이를 확인하는 데 일정 정도 기여하고 있다는 것을 부정할 수 없다.

이와 함께 책과 독서에 대한 신화에서 거리를 둘 필요가 있다.
문자 텍스트 독해의 진입장벽을 넘어선 이들에게 책은 효율적 정보 습득 장치이지만 그것이 모두에게 그런 것은 아니다.

사실 책과 책 수집을 좋아하는 사람은 간혹 있어도 책을 쾌락으로 즐기는 사람은 극소수다. 책을 읽는 데 들여야 하는 긴장과 밀도는 어떤 텍스트보다 크게 요구한다. 책은 보통 사람이 넘기 힘든 진입장벽을 가지고 있다. 이 진입장벽을 넘어서면 매우 효율적인 정보 습득 방법이 되지만, 이 장벽을 넘기 어려운 이들의 대부분에게 책은 효율적 정보 습득 장치가 아니다.

다시 말해 책은 다른 매체에 비해 진입장벽이 너무 높다. 한번 장벽을 뚫고 나면 매우 효과적인 정보 수용 통로가 되고, 쾌락의 도구가 될 수 있지만, 거기까지 도달하는 게 쉽지 않다. 책은 다른 영상매체와 비교할 때 매우 많은 에너지와 노력, 사전 준비를 요구한다. 책을 읽을 때 문학과 비문학에 요구되는 에너지와 밀도는 완전히 다르다. 비문학 텍스트는 시, 수필과 소설 읽듯 읽어서는 별 도움이 안 된다. 디지털 시대에 수필과 소설을 통한 가상 체험은 영상이나 SNS가 더 효과적이고, 비문학 텍스트는 시험공부하듯 '빡시게' 읽어야 도움이 된다.

영상매체가 주도하는 복합매체(디지털 시대)가 등장하기 이전에 책은 가장 신기하고 재미있는, 정보량이 가득한 매체였다. 하지만 이제 더 이상 책은 신기묘묘한 매체가 아니다. 책은 더 이상 정보를 습득하고, 가상 세계를 탐구하는 유일하고 결정적인 매체가 아니다. 그리고 모든 책이 좋은 텍스트도 아니다.

따라서 최근의 '책맹' 문제는 책의 경이로움과 신기함, 재미가 떨어진 것 속에서 핵심 원인을 찾아야 한다. 책의 위상과 가치가 디지털 영상 매체의 등장으로 근본적으로 달라진 것이다. 다시 말해 디지털 시대의 등장으로 문자에서 영상으로의 매체의 패러다임 전환이 일어났다. 영상매체 특히 유튜브의 매체적 효용과 가치가 폭발하면서 책의 가치와 효용이 떨어진 것이다. 책보다 이해가 쉽고, 더 재미있고, 훨씬 정보 접근성이 높고, 정보의 가치도 높고, 사용하기도 좋고, 유용하기 때문에 책의 선호도가 수직 하락한 것이다.

사람들은 책에 대한 지적 허영심을 영상으로 대체한다. 영상이 책보다 지식 접근성이 용이하고, 지식에 대한 이해와 가독성이 더 높기 때문이다. 책이라는 매체의 진입장벽이 영상보다 높기 때문에 책을 읽는 능력을 도와주지 않고서 스스로 책을 즐기는 독자가 되게 할 수는 없다

다시 말해 문자 문해력의 가치가 사라진 것이 아니라. 다만 위상이 변화했다. 디지털 시대 문자 문해력은 완전히 차별화된 가치를 제공하는 블루 오션(아무도 가보지 않은 새로운 시장인 푸른 바다)이 될 수 있다. 문자 문해력은 디지털 컨텐츠의 코어를 만들어주고, 디지털 매체와 공존하는 매치이기에 더 제대로 배우고 익히는 것이 필요하다. 영상 시대에 문자 문해력은

　　　　　　　1부. 인공지능 시대의 복합문해력 양상

단순히 책을 안 봐서 문제가 아니라 텍스트의 사실 독해와 비판적 해석, 창의적인 상상과 표현 능력을 제대로 길러주지 못하기 때문에 문제다. 책이라는 문제 매체는 진입장벽이 높은 만큼 제대로 읽고 깊이 있게 활용하는 능력을 키워줘야 하는데 그렇지 못하기 때문에 복합 매체 시대에 문제인 것이다.

이와 함께 디지털 문해력 발달을 위한 고민이 필요하다. 코딩, 파이선, 머신 러닝(컴퓨터를 학습시키는 방법) 등을 활용하며 분해(분류)하기, 패턴인식, 추상화, 알고리즘에 기초한 컴퓨팅 사고력과 디지털 문해력을 키우는 교육의 장을 열어주어야 한다.

"우리 아이가 책은 안 읽고 스마트폰만 들여다본다." 책은 문해의 만병통치약이고 스마트폰은 문해의 적이 아니다. 스마트폰이 문해의 적이라는 단순 이분법은 오히려 문제를 악화시킬 뿐이다. 책 읽는 방법과 디지털을 활용하는 법을 동시에 교육의 장으로 이끌어내는 것이 필요하다.

그림동화책을 함께 깊이 읽으며 날아오르기 위한 고민거리들

최근의 '책맹' 문제는 책의 위상과 가치가 디지털 영상 매체의 등장으로 근본적으로 달라졌기 때문에 발생한 것이다. 사람들의 공부안함이 문제가 아니라 매체의 시대적 전환이 일어나면서 벌어진 문제인 것이다. 책의 정보 습득의 경이로움과 신기함, 다른 매체에 비교한 상대적 재미 하락 속에서 벌어진 일이다.

다시 말해 디지털 시대의 등장으로 문자에서 영상으로의 매체의 패러다임 전환이 일어났다. 영상매체 특히 유튜브의 매체적 효용과 가치가 폭발하면서 책의 가치와 효용이 떨어진 것이다. 책 보다 이해가 쉽고, 더 재미있고, 훨씬 정보 접근성이 높고, 정보의 가치도 높고, 사용하기도 좋고, 유용하기 때문에 책의 선호도가 수직하락한 것이다.

그렇지만 문자 문해력의 가치가 사라진 것이 아니라. 다만 위상이 변화했다. 디지털 시대 문자 문해력은 완전히 차별화된 가치를 제공하는 블루 오션(아무도 가보지 않은 새로운 시장인 푸른 바다)이 될 수 있다. 문자 문해력은 디지털 컨텐츠의 코어를 만들어주고, 디지털 매체와 공존하는 매치이기에 더 제대로 배우고 익히는 것이 필요하다. 영상 시대에 문자 문해력은 단순히 책을 안 봐서 문제가 아니라 텍스트의 사실 독해와 비판적 해석, 창의적인 상상과 표현 능력을 제대로 길러주지 못하기 때문에 문제다. 책이라는 문제 매체는 진입장벽이 높은 만큼 제대로 읽고 깊이 있게 활용하는 능력을 키워줘야 하는 데 그렇지 못하기 때문에 복합 매체 시대에 문제적인 것이다.

"사흘, 심심한, 금일, 명징과 직조, 폐곡선" 등의
논란에서 문해력이 낮아졌다고 젊은 세대 탓만 할 게 아니라
매체의 변동과 언어 권력을 비판하는 긍정적 측면도 봐야해.

다양한 말들을 배우고 익히는 건 꼭 필요해. 정명의 언어와
사태를 정확히 파악하는 새로운 언어들을 배워야 하지.
다양하고 새로운 언어를 배워야 우리 권리를 지키지.

※ 어려운 어휘의 문해 문제가 드러내는 빛과 그림자

'재미있다'와 '없다'(볼만해, 시간 잘 가, 시간 가는 줄
모르겠던데, 짜릿한 걸, 돈 안 아까워, 신난다와 지루하다, 시
간도 돈도 아까워 죽는 줄 알았네, 감독과 연기자 때려주고 싶
던데)라는 영화감상에 갇힌 우리네에게 "상승과 하강으로 명
징하게 직조해낸 신랄하면서 처연한 계급 우화"라는 <기생충>
영화평과 "삶의 폐곡선에 물처럼 담긴 우수"라는 <인사이드
르 윈> 한 줄 평은 당황스럽고 기이하다.

"사흘, 심심한, 금일, 명징과 직조, 폐곡선" 등에 대한 불편
함을 토로하는 것은 징후적으로 두 가지 지점에서 매우 긍정적
이다.

난해한 한 줄 평은 문화적 향유를 풍요롭게 하는 가(문화적 감수성을 높이고, 문화적 통찰력을 높이는가) 아니면 지적 권력자들의 얄팍한 잘난 척인가?

첫 번째, 고급지고 난해하며, 어려운 어휘에 대한 불편한 반응은 문자 텍스트의 역사적 위상 변화를 보여준다는 점에서 긍정적이다. 양손 문해력 즉 문자와 영상을 조화롭게 문해하는 역량을 요구하는 우리에게 과거 문자 어휘에 갇힌 구태 문제를 드러내 보인다는 점에서 매우 의미 있는 반발이라 할 수 있다.

영상 디지털 시대는 구어 중심의 시대이고, 구텐베르크 은하계의 문어 중심의 세계를 바꾸어놓고 있다. 인쇄 문자에서 사용되던 '금일, 사흘, 심심한 사과'를 모르는 게 더 이상 심각한 문제가 아니게 되었다.

우리는 문자에서 사용되는 현학적 어휘에 대해 설명을 요구할 권리가 생겼고, 영상과 그림 등을 통해 이해와 소통을 좀 더 원활하게 이룰 수 있게 되었다. 단지 문맥 속에서 이해하는 것이 아니라 다양한 하이퍼 텍스트의 도움을 통해 문자의 압축적 개념들을 이해하고 소통할 수 있게 되었다.

문자 텍스트의 압축성이라는 장점은 영상매체와 함께 조화를 이루어야 하고, 의식의 흐름에 빠진 현학적 개념어를 불친절하게 쓰는 사람은 자재와 성찰이 필요한 시점에 와 있다. 문자 텍스트의 위상 변화를 이해하지 못하는 이들은 심심한 사과의 덫에 빠져 심심해질 수밖에 없다.

둘째, 복잡하고 심오한 척하며 전문적 어휘를 남발하는 것에 대한 비판적 흐름은 권력의 합리화와 자기방어 체계에 대한 강력하고 날카로운 비판을 담고 있다. 법조나 경제, 의료, 교육을 통해 보듯 이해와 소통을 위한 언어가 아니라 구별 짓고 티내기 위한 언어 사용이 전문성을 핑계로 일상화되어 있다. 언어의 권력화, 권력화된 언어에 대한 비판은 공공적 언어 사용의 관점에서 여전히 절실하고 필요하다. '보그병신체'에서 보듯 자신의 권력을 방어하기 위한 도구로 언어를 현학적으로 사용하는 것은 패션계에서만 우스꽝스럽고 법조와 의료, 행정, 경제 영역에서는 여전히 강력한 권위를 뽐내고 있다.

사건과 현상을 이해하고 설명하는 데 개념적 어휘의 사용은 필수지만 이를 공적으로 안내하고 탐구하게 할 때는 이해하기 쉽고 소통하기 쉽게 전환해줄 책임이 있다. 대중을 상대로 한 언어에서는 이해와 소통 가능성에 주목해야 하는 것은 세금으로 먹고사는, 공공 전문가들의 기본적 책임이다. 현학적 어휘에 대한 비판은 의료, 법조, 행정, 교육 등 전문 책임을 공공 언어의 사용을 상기시킨다는 점에서 매우 긍정적이다.

물론 시민들이 덮어놓고 개념화된 언어와 전문적 어휘를 반지

성적으로 거부하고 혐오하는 것은 자기 발등을 찍는다는 점에서 매우 위험하다. 이것은 두 가지 점에서 매우 조심스럽고 섬세한 접근을 요구한다.[21]

'모골(毛骨)이 송연(悚然)하다는 표현은 뼈와 털이 곤두서게 무섭다. 오싹 소름이 끼친다, 끔찍스러워서 몸이 으쓱하고 털끝이 쭈뼛 선다는 표현 모두 필요하고 이해 가능하다	베이비 스텝, 빅 스텝, 자이언트 스텝, 울트라 스텝을 이해할 수 있어야 한다

첫째, 정명의 언어, 개념적 언어 사용에 대한 거부와 냉소는 민주주의를 파괴하는 반지성주의로 흐를 수 있다. 민주주의는 양민과 교민에 기초하는 데 정명의 언어와 섬세하고 통찰력 있는 언어 사용을 거부하며 지성과 교육을 거부하게 된다. 민주

---

21) 이동진은 문해력 논란에 가려진 진짜 문제를 이야기해 준다. 그는 국제 비교 연구에 비추어 '우리 문해가 높네, 낮네'의 이분법에서 벗어나 '문해력 문제'라는 사회적 현상을 파고 든다(이동진, 상대방이 어려운 말 쓰면 화나는 사람 원인 파헤쳐보기 : MZ세대 문해력 논란, 유튜브 참조)

주의를 반지성주의의 정서에 빠지게 되면 매우 위험한 상황에
처하게 된다. 전문가에 대한 전면적 혐오와 교육(계몽)에 대한
거부는 우리의 공공적이고 민주적 삶을 벼랑으로 내몰게 된다.

상대의 말과 글에 대한 혐오와 거부감이
반지성주의와 배움에 대한 거부가 아닌지 고민해 보아야 한다.

"잘난 척하기는, 몰라도 되거든." "지식으로 잘난 척하는
놈들은 모두 힘 있는 놈들에게 기생하는 놈들이다." "알량하
게 배우느니, 화끈하게 사는 게 낫다." "배우고 싶지 않으니
가르치려 들지 말라"는 등의 반지성주의는 개인의 권리와 사
회적 연대를 파괴하는 정치적 극단주의의 전조이자, 존재와 관
계를 파괴하는 매우 위험한 징후다.

가르쳐 주려 한다면 제대로 알려주는지 살피면 된다.
자기를 닫아걸고 배움을 거부할 것이 아니라 정말 제대로 아는지
살펴야 한다.

플라톤의 철인 왕과 같은 위계적 계몽은 터무니없는 것이지
만, 자연과 감성 그리고 이성의 빛을 비추는 계몽은 거부할 이
유는 없다. 말과 글을 통해 우리의 세계와 존재, 관계를 밝게
비추는 것은 우리 삶에 필수다. 세계와 현상을 이해하고 존재
의 표현과 관계의 소통을 풍성하게 만들어 나가는 교육을 부정
하고 우리 삶을 기쁘고 행복하게 만들 수는 없다.

문맥 속에서 다 이해하는 것이 아니라 영상과 글이 함께 이해를 돕는다.	언어가 세계를 보는 한계를 만든다.

이동진은 문화적 풍요를 누릴 수 있기를 기대하며 부단히 계몽적 도전을 멈추지 않는다. 그의 시도는 조금 어렵고 난해해 보일지라도 "영상이 있기에 이해될 여지가 크다". 그의 말처럼 "문맥 속에서 다 이해될 것이다"라는 가능성은 크지 않다. 이미 혐오감과 거부감을 발동하는 순간 이해 가능성은 사라지고 만다.

그는 우물 안 개구리의 자기도취를 부단히 깨뜨릴 것이다. 많은 사람들이 더 깊고 넓게 볼 수 있도록 도와줄 것이다. 언어가 세계의 절대적 한계는 아니지만, 언어적 감수성과 통찰이 떨어지면 세상을 제대로 보기 어렵기 때문이다.

둘째, 말과 글 특히 우리 언어관의 문제를 드러내 보인다. 과학적이고 세계적인 우리 말과 글은 망가지지 않는다. 다만 우리의 언어 사용에 따라 우리의 삶과 사회가 위험에 처할 뿐이다. 우리 말과 글은 한자어와 일본어, 영어라는 외래어를 포용하면서 더욱 풍성하고 정확한 언어생활이 가능해진다. (물론 한자 교육을 해야 한다, 한글과 영어를 이중언어로 하자는 주장에 동의해야 한다는 게 아니다.)

이동진의 지적처럼 "고유어를 사용해야 한다. 한자어를 사용하지 말라"는 우리 말의 구성, 언어에 대한 기본적 무지를 보여준다. "영어에서 라틴어를 제거하자, 한글에서 60%를 차지하는 한자어를 없애자"는 소리는 불가능한 소리일 뿐이다. 도대체, 심지어, '긴가민가(그럴 것인가 아닐 것인가)'도 모두

1부. 인공지능 시대의 복합문해력 양상

한자어를 우리 말로 포용한 것이다. 우리 말과 글이 어디서 왔는지가 문제가 아니라, 우리가 제대로 소화해, 잘 쓰고 있는지를 보는 게 중요하다. 이 점에 주목해 분별있게 논의를 전개해야 한다.

한자어, 일본어, 영어 등 다양한 외래어는 우리 말과 글로 소화된다. 제대로 소화되지 못해 문제를 일으키기도 하고, 우리의 자유와 평화, 정의를 위태롭게 할 수 있다. 하지만 잘 소화해 우리 것으로 만들면 다양한 말들은 우리 삶을 더 자유롭고 행복하며 풍요롭게 해주는 매개가 될 수 있다.

그림동화책을 함께 깊이 읽으며 날아오르기 위한 고민거리들

 법조나 경제, 의료, 교육을 통해 보듯 이해와 소통을 위한 언어가 아니라 구별 짓고 티 내기 위한 언어 사용이 전문성을 핑계로 일상화되어 있다. 언어의 권력화, 권력화된 언어에 대한 비판은 공공적 언어 사용의 관점에서 여전히 절실하고 필요하다. '보그병신체'에서 보듯 자신의 권력을 방어하기 위한 도구로 언어를 현학적으로 사용하는 것은 패션계에서만 우스꽝스럽고 법조와 의료, 행정, 경제 영역에서는 여전히 강력한 권위를 뽐내고 있다.

 사건과 현상을 이해하고 설명하는 데 개념적 어휘의 사용은 필수지만 이를 공적으로 안내하고 탐구하게 할 때는 이해하기 쉽고 소통하기 쉽게 전환해줄 책임이 있다. 대중을 상대로 한 언어에서는 이해와 소통 가능성에 주목해야 하는 것은 세금으로 먹고사는, 공공 전문가들의 기본적 책임이다. 현학적 어휘에 대한 비판은 의료, 법조, 행정, 교육 등 전문 책임을 공공 언어의 사용을 상기시킨다는 점에서 매우 긍정적이다.

 물론 시민들이 덮어놓고 개념화된 언어와 전문적 어휘를 반지성적으로 거부하고 혐오하는 것은 자기 발등을 찍는다는 점에서 매우 위험하다. 이것은 두 가지 점에서 매우 조심스럽고 섬세한 접근을 요구한다.

1부. 인공지능 시대의 복합문해력 양상

문해 격차가 역사 이래 최대로 벌어지고 있다고 하네.
그리고 중위권 학생들이 하위권으로 추락하고 있대.
문자 문해력의 하락과 양극화가 심각한 거지.

초등 교사들은 문해력이 양극화하고, 격차가 커지는
문제에 대응하여 재미있는 활동형 수업을 해. 하지만 깊이
읽기 없이 하는 활동형 수업은 대안이 아니라 문제야.

6. 문해력 문제

문해력은 학생의 전(全)생애의 삶에 영향을 끼치게 된다는 점
에서 공교육의 책임이 막중하다. 교민(敎民)의 책임의 가진 공
교육의 현재를 드러내는 문해력 문제를 살펴보자.[22]

첫째, 문해력 격차가 단군 이래 최대로 벌어지고 있다.

가정 교육을 통해 만들어지는 문해력은 더 영향력이 강해지고
있다. 경쟁에서 내 아이가 낙오하면 안 된다는 불안과 공포,

---

22) 국가의 존재 이유는 양민(養民)과 교민(敎民)이다. 양민은 백성을 먹
여 살리는 것이고, 교민은 백성을 가르치는 것이다. 서양은 야경국가
나 안보국가(군사와 경찰 등 치안 중심)에 갇혀 있지만 동양의 공맹
전통에서 국가의 궁극 목적은 양민(養民)과 교민(敎民)이다. 양민과
교민 중 국가 가장 고차원적이고 본질적 과업은 백성을 가르치는 교
민이다. 백성을 정신적으로 단련하고 성장시키는 교민은 양민을 뛰어
넘는 국가를 국가답게 하는 책임이다.

경쟁에서 승리해야 한다는 기대가 만든 학습 강박은 가정 교육의 영향력을 더 크게 강력하게 만들고 있다. 이로 인해 공교육 교실의 엄청난 문해력 격차를 드러내고 있고, 교사들은 어디에 초점과 수준을 놓고 가르쳐야 할지 난감해하고 있다.

현장 교사와 문해 관련 연구자들은 이구동성으로 초등에서 중등으로 가는 과정에서 문해력 격차를 더욱 커진다고 입을 모은다.

둘째, 문해력 격차와 기초문해 해독 능력의 미체득으로 인해 수많은 아이들이 고통받고 있다. 기초문해의 해결이 느린 학습자[23]는 친구와 부단히 비교당하며, 나름 열심히 노력하는데도 따라갈 수 없는 상황에서 고통받는다. 기초문해가 안 되면 고등한 활동이 제대로 될 리가 없다. 당연히 모든 수업 시간이 상처고, 위축될 수밖에 없다.

---

23) 기초문해에 어려움을 겪는 학습자를 부르는 명칭은 다양하다. 외국에서는 기초문해에 어려움을 겪는 학습자를 고군분투하는 독자(struggle reader)로 부르는데 우리의 경우 읽기 부진이나 까막눈 이외에 별다른 명칭이 없었다. 소위 까막눈(읽기 부진)으로 문자 해독에 어려움을 겪는 이들이 이후에 학습 부진아로 진단되었지만, 이들을 특정하는 명칭이 일반화되지는 않았다. 문자를 읽고 쓸 수 있는 문해(文解,literacy)자를 식자라 불러온 우리는 글을 읽거나 쓸 줄 모르는 사람을 비유적으로 까막눈이라 불렀을 뿐 비문해(illiterate) 상태에 대한 특정한 명칭이 공론화되지 못했다. 정규 교육과정을 따라가지 못하는 학습 부진아를 최근에는 학습 지원이 특별히 필요한 느린 학습자(학습 지원 대상 아동)로 바꾸어 부르고 있는 것처럼 기초문해에 어려움을 겪고 있어 문해 지원이 학습자에 대한 규정이 필요한 상황이다.

1부. 인공지능 시대의 복합문해력 양상

1학년 교실 속 학생들의 문해력 격차와 기초문해의 어려움을 겪고 있는 <다시, 학교> 속 학생의 사례를 살펴보자.

불완전한 기초문해와 이후 교육과정을 제대로 따라가지 못한 실질 문해에 고통받는 느린 학습자인 학생은 자신을 자책하며 부모님께 사과 편지를 썼다. "저가 노렀을 안에서 제손해요"(제가 노력을 안 해서 죄송합니다)

아이는 공부를 못하는 건 '노력을 안 해서'라는 생각한다. 기초 문해의 문제는 자신의 책임이라 생각하며 고통받고 있다. 못하는 것도 서러운데, 자신이 열심히 노력을 안 해서 그런 것이라고 자책하고 있다. 적절한 도움을 받지 못해서가 아니라 '내가 안 해서'라는 자책의 덫에 빠져 있다.(<당신의 문해력>을 다큐를 찍은 피디는 공부 못하는 아이가 노력을 안 하는 아이가 아니라는 사실을 발견하고 놀랐고 미안했다고 술회한 바 있다.)

안 하는 게 아니라 못할 뿐이다. 도움을 제대로 받지 못하고
노력의 방법을 모를 뿐이다.

 기초문해도 불완전한 아이는 맞춤법과 띄어쓰기를 강조하는
받아쓰기, 100점으로 우월감과 열등감을 가지게 되는 받아쓰기
시험 등 문법에 기초한 국어 교육에 시달리고 있다. 이 교육
안에서 아이가 기초문해의 어려움과 실질 문해의 격차를 따라
잡을 가능성은 거의 없다.

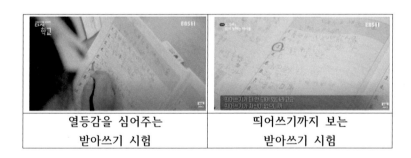

열등감을 심어주는 받아쓰기 시험	띄어쓰기까지 보는 받아쓰기 시험

 대부분의 한국 사람들은 물론 교사조차도 언어 능력, 국어능
력의 첫 출발은 띄어쓰기와 맞춤법까지 포함된 받아쓰기 시험

　　　　　　　1부. 인공지능 시대의 복합문해력 양상

성적이라고 생각한다. 맞춤법과 띄어쓰기가 언어 능력이고, 이
것을 도와주는 방법이 받아쓰기 시험이라는 것이다.

받아쓰기 시험 결과로 상처받는 느린 학습자는 기초문해의 성취에
올라타기 어렵다

2012년 <학교 속의 문맹자들>에서 엄훈은 이렇게 기초문해의
불완전에 고통받던 학생이 어떤 중학교에서 생활을 하게 되는
지 보여준다.

기초문해의 문제를 겪은 초등학생이 중학생이 된다면

중학생 창우는 교실과 수업 속에서 자존감에 심한 상처를 입

고 숨어 있다. 교사의 가르침을 제대로 알아들을 수 없고, 자신의 생각을 제대로 표현할 수도 없다 학교생활을 해야 할 의미도 알지 못한 채 고역스러운 하루하루를 보낸다. 박완서의 <자전거 도둑>에 대해 이야기할 때 창우는 작품의 주인공이 되어 사건을 체험하고, 이에 대한 자신의 생각을 표현할 수 없다.(엄훈,<학교 속의 문맹자들>)

초기 문해 어려움을 겪은 아이는 학년이 올라갈수록 실질 문해 부진이라는 악순환에 빠지고 만다. 결국 초기 문해의 어려움을 경험한 아이는 격차를 따라잡기는커녕 학습된 무기력에 빠져 허우적대게 된다.

"문해력 발달의 골든타임을 놓칠 경우 가장 큰 위험은 악순환에 빠지는 상황이다. 문해력 수준이 낮으면 학습 기회를 상실하고 학습 의욕 저하로 이어지기 때문이다. 그리고 이는 다시 글 읽기의 양이 감소하는 결과를 낳는다. 그러면 아이들은 "나는 글을 못 읽는 사람이구나" 라면서 자포자기하게 되고 공부에 대한 의지마저 잃어버린다." (<당신의 문해력>)

교사들은 학습 부진, 읽기 부진아의 고통을 제대로 인식하고 발견하지 못하고 있다. 교사들은 읽기 부진과 학습 부진에 고통받는 이들에게 효과적이고 필요한 도움이 무엇인지 알고 실천하지 못하고 있다.

교사들은 실질적 문맹의 늪에 빠진 학생을 도와주는 것을 가로막고 있는 교육 시스템의 문제와 이에 대한 대안적 방법이 무엇인지 알고 실천하고 있지 못한다. 교사들은 실질적인 비문해 상태에 빠진 학생 문맹자와 더불어 또 다른 '학교 안의 문맹자들'이었던 것이다.

셋째, 중위권이 무너져 하위권이 폭증하고 있다. 피사 테스트 결과 국제학업성취도평가에서 하위권 비율이 2000년 5% 언저리였던 상황에서 2018년에는 15%를 넘어서게 되었다. 읽기 능력의 경우 하위권이 큰 폭으로 증가했다. 최하위권이 3배 이상 증가했다. 텍스트를 축자적으로만 읽을 수 있고 이해하지 못하는 학생의 비중이 급격히 증가한 것이다.

한국은 평균적으로 똑똑한데 최상위권이 없다. 국제 비교 연구에 따르면 우리 학생들은 평균적으로 매우 똑똑한 데 최상위권이 없다. 킬러 문제, 타임어택으로 정답 달기에 길들여진 최상위권이 '번-아웃' 되어 창의성과 자기 주도성이 사라져버렸다는 것이다.

피사 테스트의 읽기 능력의 평균 점수의 변화 추이는 우려할 만하다. 2006년 556점, 2018년 514점으로 42점 하락했다. 특히 20년 동안 평균점으로 지속적으로 급락했다. 피사는 2000년부터 2018년까지 7차례의 읽기 시험의 평균 점수가 지속적으로 하락한 나라로 한국, 네덜란드, 태국을 들었다. 한국은 읽기 점수가 20여 년 동안 급격하게 우하향한 것이다.

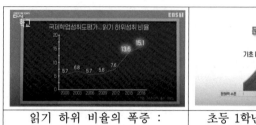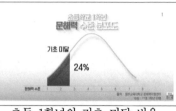

읽기 하위 비율의 폭증 :	초등 1학년의 기초 미달 비율
5%에서 15%로	최소 10% 이상

청주교대 문해력지원센터의 연구에 따르면 기초 미달 학생은
11%(190명 대상), 24%(93명 대상)에 달한다. 대략적으로 봐도
초기 문해에 어려움을 겪는 아이는 학교마다 약 10% 이상이 있
다는 것을 알 수 있다. <당신의 문해력> 다큐에서도 확인할 수
있듯이 교과서를 읽어도 내용 파악이 전혀 안 되는 학생이 적
어도 10% 이상이었다.

*"중학교 3학년을 대상으로 진행된 '어휘력 진단평가'에서
88점이 넘는, 즉 교과서의 세부적인 내용까지 파악해 혼자서도
공부할 수 있는 아이의 비율은 9퍼센트밖에 되지 않았다. 10명
중 단 1명만이 다른 사람의 도움 없이 교과서 내용을 이해할
수 있다는 이야기이다. 나머지 91퍼센트는 누군가의 도움 없이
는 교과서의 내용을 파악할 수 없는 상황이었다. 놀라운 사실
은 교과서를 읽어도 내용 파악이 전혀 안 되는, 43점 이하의
점수를 받은 아이들이 11퍼센트나 된다는 점이다."* (<당신의
문해력>)

교과서를 혼자서 읽지 못하는 아이들은 30%에 육박한다. 2018년 피사 결과에 따르면 1수준 이하 15%, 2수준까지는 35%, 최소 3분의 1은 교과서를 읽고 이해하지 못한다. 기초학력은 생각보다 많이 떨어지고 있던 것이다. 수업시수는 줄었는데, 활동형 수업까지 하니, 학력은 더 떨어질 수밖에 없다는 것이 고교 교사의 술회다. *"50분 안에 활동형 수업과 시험평가를 위한 지식 전달 부분까지 다 하기에는 시간적인 한계가 너무 큽니다."* (고교 교사)

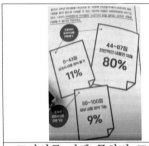

교과서를 이해 못하면 교과 내용을 따라갈 수 없고, 당연히 학습 부진에 빠지게 된다.

문해력 격차가 커지고 있고, 중하위권의 문해력 폭락이 두드러진다. 중하위권의 읽기 문해력 폭락은 영상 세대(디지털 네이티브)의 불가피한 특징인 것일까? 만약 그렇다면 전 세계적 보편적 추세일 것인데, 다른 나라는 그렇지 않다. 그렇다면 한국적 요인이 있다는 것일 텐데 그 이유는 무엇일까?

중위권이 중하위권으로 몰락하고, 이로 인해 하위권이 폭증하는 원인은 복합적이다. 격차가 커지고, 문자 문해력이 하락하는 측면은 지금 당장으로서는 '어쩔 수 없는' 불가피한 면도 있다. 교육과정의 엄청난 양과(진도)과 난이도, 많은 학생들, 학생들 간의 수준 차 등. 다만 이것이 어제 오늘 일이 아니라는 점에서 최근의 하락 요인에 대한 분석은 필수적이다.

지식 교육의 힘과 효율성이 학교 교육에서 학원 교육(인강)으로의 전환된 지 이미 오래라고 본다면 20여 년 동안 중하위권 폭증의 이유는 사교육이 아니라 공교육 안에 있을 것이다.

넷째, 교사들이 문해력 격차의 확대를 문제로 파악하고 대응하는 것이 아니라 불가피한 문제로 여기고 방치하고 있다. 교육을 바꾸고 학생 성장을 돕고자 하는 열정적 교사들마저도 기초 지식 안내와 기본 기능 숙달을 개인에게 떠넘기는 활동형 수업 모델을 문제가 아니라 대안으로 추진해 왔다.

입시는 계속해서 별 변동 없이 유지되어왔다. 여전히 입시는 사고력은 낮은데 어렵고 복잡한 문제로 변별도만 키우는 문제에 갇혀 있다. 이긴 자가 모두 가지는 방식이고, 우승열패와 승자독식의 경쟁 구조는 바뀌지 않았다.

다만 공교육의 교육 방법이 큰 폭으로 변화했다. 진보 성향 교육감은 2008년부터 대거 당선되었고, 2009년 'PD수첩'에 방송된 남한산초 혁신 모델은 전국 초중등학교를 변화시켰다. 아침마다 숲속 산책을 하며 숨바꼭질, 텃밭, 역사 유적, 공연장을 방문하는 등의 체험 위주 학습 그리고 공식적 시험(평가) 소멸, 활동형 수업 등은 전국적으로 확산되었다. 미래 역량을 키우려는 활동형 수업, 과정중심평가를 통해 공식적 평가로 대체하려는 시도는 중하위권의 몰락을 가져왔다. "우리가 해야 한다고 하는 걸 잘하고 있는데 문제가 악화"되는 기묘한 일이 벌어지고 있다.

공교육 혁신자들은 지식을 이해하고, 이를 기억하고 문제를 푸는 능력을 적대시해왔다. 특히 혁신 교육은 지식 중심 교육, 교사 중심 교육을 한국 교육의 적폐로 보고, 학생 중심의 활동형 수업에 주력해 왔다. 지식 교육, 문자 텍스트 독해 교육을 과거의 구태로 보고, 학생 역량을 키우는 체험과 표현, 탐구 중심의 교육(수업)에 집중해 왔다.

활동형 수업은 주입식 수업의 대안으로 제시된 공교육의 혁신 모델이었다. 그런데 이 교육을 받은 학생들의 기초문해력은 문제적이었다. '스스로 읽고, 모둠으로 해결해 보라'는 활동형 수업을 함에도 사실과 의견을 구별하는 능력이 다른 나라에 비해 눈에 띄게 낮았다. 초등과 중학교 교육에서 사실과 의견을 구분하는 교육을 제대로 하고 있지 못했다. 활동형 수업으로 교육을 살리고, 미래 역량을 키운다는 공교육 혁신자들의 노력은 기초 지식을 제대로 다져주지 못했다는 점에서 모래 위에 성을 쌓는 것이었다.

물론 기초문해의 격차는 가장 결정적 요인은 가정 교육의 차이다. 가정 교육, 사회교육, 학교 교육의 삼각관계 속에서 볼 때 문해력은 가정 교육의 영향을 가장 크게 받는다. 그럼에도 학교 교육의 책임이 사라지지 않는다. 오히려 문해력이 가정교육과 사교육의 영향이 큰 만큼 학교 교육이 중요하다. 학교 교육 만이 가정 교육의 도움을 받을 수 없는 학생들의 문해 환경의 부족과 결핍을 채울 수 있기 때문이다.

문해력을 통해 봐도 공교육의 위기다. 활동형 수업이 학생들의 문해력을 제대로 키우지 못하고 있다. 학생의 문해력 형성이라는 교육의 책임 문제에서 볼 때 기초에서 고등으로 확장되는 수업과 평가를 만들어야 한다.

하지만 교사들은 기초 없이 고등해 보이는 활동들로 수업과 평가를 채우고 있다. 기초 지식과 기본 기능 없는 활동들이 수업과 평가를 채우면서 학생들의 문해력 문제는 의도하지 않게 방치되고 있다.

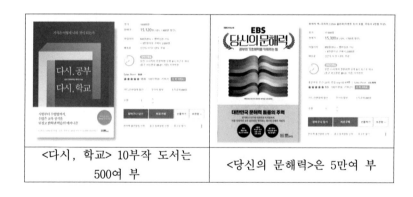

<다시, 학교> 10부작 도서는 500여 부	<당신의 문해력>은 5만여 부

문해력 문제가 교사들의 수업과 교육의 공적 차원 다뤄지지

않고, 학생 개개인의 문제로 치부되고 있다. 문해력이 각자도
생의 개인 문제로 치부되면서 현실은 <다시, 학교>와 <당신의
문해력>에 대한 반응 차이에서도 간접적으로 느낄 수 있다. 공
교육의 활동형 수업 문제를 다룬 <다시, 학교>에 대한 무관심
과 달리 나의 문해력 문제와 대응을 다룬 <당신의 문해력>은
100배 정도의 판매고 차이를 보여준다.

공교육의 문해 문제를 파고든 다큐는 공교육의 변화가 아니라
사교육 시장의 문해력 교재들을 폭발시켰다.

교육정책 문제는 정치적 논란이나 사교육 시장의 강화로 이어
지곤 한다. 교육의 문해력 문제도 교육의 변화로 이어지지 않
고 결국 학부모와 사교육 시장 문제로 이어지고 있다. 문해력
문제는 공교육의 핵심 문제인데 정작 사교육 시장만 요란스럽
게 반응하고 있다.

그림동화책을 함께 깊이 읽으며 날아오르기 위한 고민거리들

공교육 혁신자들은 지식을 이해하고, 이를 기억하고 문제를 푸는 능력을 적대시해왔다. 특히 혁신 교육은 지식 중심 교육, 교사 중심 교육을 한국 교육의 적폐로 보고, 학생 중심의 활동형 수업에 주력해 왔다. 지식 교육, 문자 텍스트 독해 교육을 과거의 구태로 보고, 학생 역량을 키우는 체험과 표현, 탐구 중심의 교육(수업)에 집중해 왔다.

활동형 수업은 주입식 수업의 대안으로 제시된 공교육의 혁신 모델이었다. 그런데 이 교육을 받은 학생들의 기초 문해력은 문제적이었다. '스스로 읽고, 모둠으로 해결해 보라'는 활동형 수업을 함에도 사실과 의견을 구별하는 능력이 다른 나라에 비해 눈에 띄게 낮았다. 초등과 중학교 교육에서 사실과 의견 구분할 교육을 제대로 하고 있지 못했다. 활동형 수업으로 교육을 살리고, 미래 역량을 키운다는 공교육 혁신자들의 노력은 기초 지식을 제대로 다져주지 못했다는 점에서 모래 위에 성을 쌓는 것이었다.

문해력은 때 되면 다 알아서 깨치게 된다는 성숙주의 관점이
지배적이었지만 이제는 아이마다 문해가 꽃피는 시기가 다르니
제 때 도와줘야 한다는 발생적 문해가 기본이야.

서로 저마다 다른 시기에 문해 꽃 피우게 되니, 문해 꽃을 피울 수
있도록 좋은 환경과 알맞은 도움이 필요해. 누가 먼저 했는지가 중요한
게 아니라 저마다 멋진 꽃을 피울 수 있게 도와줘야 해.

7. 성숙주의 대 발생적 문해력 :
응급 지원의 필요성(소위 '조기 개입')

성숙주의 관점 : 때 되면 알아서 다 할 수 있다.

성숙주의(읽기 준비도) 관점 :늦어도 괜찮다, 때 되면 다 한다

성숙주의적 관점에 기초한 읽기 준비도(reading readiness)는
때 되면 알아서 다 할 수 있다고 주장한다. 1931년 Washburne
이 초등학생에 막 입학한 학생을 대상으로 한 학기 동안 읽기

지도를 했는데 이때 읽기 능력에 강력한 요인은 정신연령 (mental age)이라고 보았다. 정신연령이 6년 6개월 정도 되어 야 읽기 학습기 가능하고, 효과적이라고 본 것이다. 이 연구에 기초해서 기초문해 교육은 "준비되면 해야 한다, 만 6세 이후 발달이 충분히 준비될 때 해야 한다." 견해가 주류가 되었다.

"본격적인 읽기 교육은 아이들이 성숙한 다음에 이루어져야 한다."는 견해는 성숙주의적 관점에 기초한 '읽기 준비도 (reading readiness)'로 불려 왔다. 기초문해 교육은 읽기 준비가 되었을 때 읽기 학습을 하는 게 효과적이고, 준비가 되지 않은 학생에게 조기 교육은 해롭다는 것이다. "준비가 될 때 해라. 준비도 안 됐는데 하는 건 성급하다는 것이다.

"아동 인지가 일정 수준 발달해야 읽기 학습을 할 수 있다. 학습할 준비도 안 된 상황에서 조급하게 수업하는 건 해롭다. 읽기 준비가 될 때까지 문자 수업을 미루어야 한다."(<독서심 리학>)

읽기 교육의 성숙주의적 관점은 초등학교 1학년 학령기가 모국어 문해 교육의 출발이 되어야 한다는 제도적 사실과 부합해 일상의 상식으로까지 확대되었다.

"준비될 때까지 기다려라.", "때 되면 다 한다.", "학교 가서 해도 늦지 않다.", "조급하게 서두르면 오히려 해가 된 다. 늦되도 괜찮다. 다 하게 되어 있다", "동일한 출발점 가

설" 등의 일반인의 상식으로까지 확대된 성숙주의 관점은 잘
못된 선행학습의 부정적 사례와 선행학습이라는 반칙론을 통해
강하게 뿌리내렸다.

사실 발달을 무시한 선행학습은 문제를 낳게 마련이다. 선행
학습은 실패에 대한 공포, 학습에 대한 부정적 경험을 가지게
만들고, 선행이니까 대충 훑어보게 만들고 정작 학습 활동에
집중하지 못하게 만들기도 한다. 선행이 아니라 때가 되고 준
비가 되었을 때 제대로 하는 것이 더 효과적일 수 있다는 성숙
주의가 선행학습의 문제 사례를 통해 정당화되기도 한다.

또한 모두 다 동일하게 학교에서 교육해도 된다는 성숙주의에
따르면 "먼저 하는 것은 반칙이다. 모두 동일하게 출발해야
한다" 한다는 당위론으로 확장된다. 먼저 배우는 것은 반칙이
고, 공교육의 근간을 흔드는 나쁜 행동이라는 도덕이 제기되게
된다. 하지만 현실은 당위와 거리가 크다. 교실은 단군 이래의
최대의 읽기 능력 격차를 보여주는 아이들로 가득하고, 문해가
준비되는 때는 학생마다 달라도 너무 다르다.

결정적 시기라는 용어가 민감한 시기로 바꾼 만큼 발달을 어
느 한 시점을 절대화하는 것은 어리석고 위험하다. 하지만
"(뇌의 장애가 없는 한) 늦은 때는 없으니 걱정 마세요. 괜찮
아요"라는 말은 발달의 기본적 전제이지만 느린 학습자가 겪
게 될 학교생활이 어떤지 안다면 매우 주의해야 할 말이기도
하다. "괜찮아진다, 조급해할 필요 없다"고 섣불리 말하고
안심하면 곤란하다. 나중에 돌이킬 수 없는 문제를 낳게 될 수

있다. 느린 학습자라도 제대로 도와주지 않으면 상대적 비교를 통해 스트레스를 받아 위축되고, 못하는 것을 들키지 않으려고 아무것도 하지 않을 수 있다. 조금 다른 속도를 가진 것뿐인데 더 늦어지고, 학습된 무기력에 빠질 수 있다. 학교에서 또래와 교사의 시선 속에서 느린 학습자는 위축과 상처에 쌓여 학습된 무기력에 처할 가능성이 매우 높다는 점에 유의해야 한다.

성숙주의적 관점에 선 사람들은 유아에게 중요한 것은 문자 학습이 아니라 놀이라고 강조한다. "조급하게 한글 학습지나 태블릿을 들이밀어 한글을 떼려고 하는 것은 부모의 불안으로 아이 발달에 문제를 끼치는 해로운 행동이다"

성숙주의의 주장처럼 유아기는 놀이와 상호작용이 발달의 핵심이다. "공교육에서는 입학 초기 적응 교육과 한글 지도를 충분히 한다. 학교를 믿고 불안해하지 말고 아이랑 신나게 놀면 된다." 매우 지당한 소리다.

그런데 현실은 이런 당위를 무력화시킨다. 80% 이상의 학생들이 한글을 어느 정도 떼고 오고, 한글을 전혀 못 하는 학생은 학교에서 생활 전반이 위축되고, 학습에서는 격차가 더 벌어지게 된다. 이 점에서 한글 문해 교육이 필요하다.

초등 1학년 국어 교과서의 큰 제목도 읽지 못하는 상황에서 하루하루 학교생활을 신나게, 재미있게 할 수 있을까?	1학년 수학 1학기 교과서. 수를 세어, 써 봅시다, "놀이해 봅시다"는 읽지 못해도 괜찮은 것인가?

첫째, 한글 문해 교육은 실용적 차원에서 입학 전에 이루어져야 한다.

1학년 국어 교과서는 1학기에 5단원까지, 2학기에 4단원까지 이루어져 있다. 2학기에 받침을 배워도 충분할까? 2학기에 받침이 있는 글자를 배우는 데 이미 "바른 자세로 읽고 쓰기"에 받침 있는 글자가 나온다. 국어 교과서만이 아니다. 수학과 통합 수업에서 교과서를 읽지 못하면 수업 활동에 제대로 참여해 몰입할 수 있을까? 교과서를 읽지 못하고 수업에 참여하는 게 과연 학생에게 어떤 느낌과 효과를 만들게 될까?

공교육이 철저히 한글 문해 교육을 책임진 후에 다른 교육 활동이 진행되지 않는 한 학교 입학 전 한글 교육은 필수다. 현재의 교육에서 실용적 차원에서 학교 입학 전 최소한 어느 정도 읽을 줄 알고, 소리 나는 대로 쓸 수 있어야 한다.

둘째, 한글 문해 교육은 발생적 문해력의 형성 차원에서 필요하다. 성숙주의적 주장은 유아 발달에 있어서 핵심이 놀이와 상호작용이라는 점을 강조한다는 점에서 매우 지당하지만, 현실의 장벽 앞에서 무력하다. 이뿐이 아니다.

성숙주의적 주장은 발생적 문해가 놀이와 상호작용에서 이루어진다는 점을 간과하는 거친 주장이기도 하다. 때가 되면 다한다면 성숙주의적 관점과 달리 아이의 문자 교육에 있어서 발생적 문해가 핵심이다. 아동기(어린이기) 책 읽어주기와 문자 발견 놀이를 하게 되면 문자를 습득하게 되는 것은 이상한 일이 아니다.

아이랑 음절, 음운, 낱말 발견 놀이를 하면 안 될까? 왜 문자 발견 놀이를 학습이라는 부담이라기보다는 즐거운 상호작용 놀이이자 세계에 관한 신기한 탐구라 할 수 있다. 성숙주의적 주장은 문자 발견 놀이와 이에 대한 상호작용이 놀이를 발달에 해가 되는 인위적 학습으로 치부하게 된다.

상징체계인 문자는 아동에게 세계의 탐구와 경이, 표현과 소통의 도구가 된다. 이 탐구와 경이, 표현과 소의 도구를 발견하는 놀이, 상호작용의 즐거움을 누리는 것이 학습의 틀에 갇힐 필요는 없다.

학교 입학 전 발생적 문해는 한글 학습이 아니라 한글 습득 놀이를 통해 이루어질 수 있다. 유아에게 한글이라는 문자는 세계의 수수께끼이자, 소통의 마법 기호인데, 이를 해결하는 능력을 갖추게 되는 것을 즐겁게 참여할 수 있다. 학습이라는 인위적 스트레스를 주지 않아도 아이는 발생적 문해의 즐거움을 누릴 수 있다.

이 점에서 모국어 문해 교육은 제때 제대로 방법으로 배워야 한다.

셋째, 초등학교 입학 후 '어린이날'이 되기 전 한글 해독이 완성되어야 한다. 여름방학 한글 집중 교육을 통해 최소한 2학기가 시작되기 전 우리 모두의 아이의 한글 해독이 완성되어야 한다. 입학 전에 한글 교육이 충분히 이루어지지 않았다면 입학 후에는 동일한 문해 출발선이 보장되도록 학교 교육 시스템과 문화, 실행이 작동해야 한다.

어떤 발달이든 결정적 시기가 있고, 이후에 벌어진 격차를 따라잡으려면 그 시기에 필요한 노력의 몇십 배 이상의 시간과 에너지를 들여야 한다. 그리고 그동안 벌어진 상처와 위축, 부정적 방어기제 등은 아이가 감당하기에는 너무 벅차다.

학교 입학 후 교육 활동과 교실 수업에서 비문해 학생의 위축과 상처를 상상하기 어려운 정도로 힘겨운 것이다. 가정에서 벌어진 격차를 학교가 응급하고, 화급하게 지원해 보완해야 한다.

발생적 문해력(emergent literacy) : 저마다 때가 다르니, 민감하게 살펴줘야 한다

저마다 읽기 능력이 발달하는 때가 다르다. 문해력 발달에 대한 성숙주의적 관점이 주장하듯 모두 비슷한 때가 있는 것이 아니다.

저마다 문해 발달의 때가 다르다. 읽기가 준비되는 때는 개인차도 크고, 가정 요인에 따라 크게 달라진다. 물론 조급하게 발달을 강제해서는 안 된다. 하지만 아동의 관심을 이끌어 내고, 촉진하는 상호작용이 중요하다. 일상의 경험과 환경에 노출된 것을 언어와 문자로 읽어주는 정도와 방식, 민감성, 강도 등에 따라 언어 능력이 달라진다. 환경 문자(일상에서 볼 수 있는 광고, 제품, 이름) 등을 가지고 상호작용해주는가에 따라 관심과 준비도가 달라진다. 아이가 관심을 가지거나 준비될 때 도와주어야 한다. 문자언어에 자연스럽게 노출되고 이에 상호작용해주게 되면 숫자와 문자 등의 상징 문자에 대한 관심이 증가하게 된다.

다시 말해 문해는 학생의 내재적 발달과 가정의 문해 환경에 따라(상호작용에 따라) 발달의 때가 다르다. 학생의 발달과 문해의 노출 방식과 환경에 따라 발달이 달라질 수 있다. 아동의 문해력 발달은 개인마다 다르고, 모두가 동일한 출발점에서 시작하지 않는다. 문해는 어른의 적절한 상호작용("문해력은 아이의 발달 수준에 알맞게 상호작용해주는 좋은 어른과의 상호작용이 결정적이다.")과 좋은 문해 환경(놀이 도구로서의 책과 책상 등)에 따라 얼마든지 달라질 수 있다.

이 점에서 아동이 하고 싶게, 하고 싶을 때, 할 수 있을 때 적극적인 상호작용을 해줘야 한다. 아이가 하고 싶을 때, 할 수 있을 때 제대로 도와줘야만 문해가 자연스럽고 역동적으로 발달하게 된다. *"부모의 추가적인 지원이 없으면 아동은 초기 문식성 학습과 관련하여 환경적 문자에 대한 노출로부터 어떠한 이득도 얻지 못할 것."* (<독서심리학>, 98)이다.

물론 발생적 문식성이 가정에서 종료될 수는 없다. 학교에 입학하게 되면 문해의 책임은 아동 보호자가 아니라 학교와 교사가 지게 된다. 그런데 발생적 문해력의 관점에서 볼 때 기초문해의 결정적 책임은 성숙주의와 달리 유치원 교사다. 읽기 문해력 형성을 도와줄 책임을 가진 공교육 교사는 성숙주의가 요구하는 초등학교 교사가 아니라 유치원 교사다. *"모든 아동이 탄탄한 알파벳 지식을 갖추도록 하는 것은 유치원 교사가 해야 할 가장 필수적인 과업이다."* (<독서심리학>, 107)

발생적 문해력에 기초한 문해 발달의 네 가지 결정적 시기는 다음과 같다. 1) 가정: 초기 아동기에는 문해력의 뿌리가 자라게 된다. 2) 초등학교: 학동기(중기 아동기)에는 읽기를 위한 학습(reading to learn)이 시작된다. 3) 중등학교: 청소년 시기에는 복합적 문해력이 자라고, 문해력이 획기적으로 확장된다. 4) 직업(회사): 전문적인 성인 문해력 발달한다.

발생적 문해력은 각각의 시기 고유한 도움과 지원이 필요하다는 관점에 서 있다. 특히 국제독서학회와 미국유아교육학회 두 기관이 합의한 10가지 기본 관점 중 초기 문해 교육에서 잊지 말아야 할 3원칙을 기억할 필요가 있다.

첫째, 초기 문해력의 결정적 시기는 만 8세다. 미디어 발달과 문해 환경의 변화에 따라 기초문해의 책임과 대응이 변화했다. 만 8세라는 기준은 이때 시작하라는 것이 아니라 아무리 늦어도 이때까지는 기초문해를 완성해야 한다는 뜻이다. 만 8세 때 이루어져야 한다는 것이 아니라 "만 8세까지 응급지원은 완료되어야 한다."는 것이다. 초등학교의 존재 이유는 기초문해의 완성이지 시작이 아니다. 미국의 기초문해 담당 기관은 K-2 시기(유치원에서 초등 2학년까지의 시기)는 교사와의 상호작용을 통해 문해력의 기초가 확립되는 시기로 못 박고 있다. 이 시기는 학교에서 교사를 통해 읽기를 위한 학습(learning to read)이 이루어져야 한다.

둘째, 문해력은 자연발생적으로 성장하는 것이 아니라 교사('어른')의 역할이 중요하다. 부모의 역할을 대체(보완)해 줄 수 있는 교사의 역할이 필수다. 어른의 상호작용 여하에 따라 학생의 문해가 완전히 달라질 수 있다.

셋째, 초기 문해력의 핵심은 읽기와 쓰기다. 이 핵심적 역량에 대한 동일 출발점을 보장하는 노력이 절실하다.

물론 발생적 문해의 관점에서 이 세 가지보다 중요한 원칙은 "발생적 문해 차이를 인정하고, 동일한 출발점을 보장해야 한다"는 것이다.

"동일한 출발점 가설을 폐기하고 학교생활을 시작하는 아이들에게 동일한 출발점을 보장해야 한다."(엄훈&정종송,< 초기

문해력검사 12학년용 >)

한글 언제 배워야 할까?

"한글, 수 개념은 배우고 들어가야 한다. 완벽하지 않더라도 어느 정도 알고 학교에 입학해야 한다." (오은영, <아이에게 한글은 이렇게 가르치세요>)
"한글 모르고 초등학교 입학하는 아이 없잖아요" (한글 모르고 유치원을 졸업하는 학생은 없다고 유치원 교사는 단언한다.)

대부분의 학생들이 한글이라는 문자를 초등학교에서 처음 배우던 시기는 사라졌다. 아이들은 아무도 동일한 출발선에서 공교육을 시작하지 않는다. 학생들의 가정환경은 저마다 현격히 다르고, 원하는 바도, 앞으로 나가야 할 방향도 가지각색이다. 동일한 출발점을 만들 수 없는 상황에서 동일한 출발점을 보장하는 것이 교육의 당위적 요청이다.

하지만 '동일한 출발점 가설'과 '동일한 출발점 보장'을 혼동하는 교사들도 여전히 많다. "모두 다 동일한 출발선에서 시작해야 한다. 먼저 배우고 오면 안 된다." 이런 강한 '원칙적' 입장에서 교육하는 교사라면 아직 기초문해 미체득 학생이 이미 상당수 배우고 온 학생들과 함께 갈 수 있도록 적극적 도움을 주어야 한다. 동일한 출발점이 이루어지지 않는 상황에서, 동일한 출발점의 기본이 되는 기초문해 교육을 화급하게 보살펴주어야 한다.

대부분의 교육청과 교사들은 "초등학교에 입학하는 아이가 한글을 모르는 것은 당연한 일입니다. 우리 학교는 신입생이 한글을 배우지 않았다는 것을 전제로 교육합니다. 초등 신입생의 한글 교육을 강조하여 지도 시간도 27시간에서 68시간으로 상향 조정되었고, 초등학교의 한글 학습 시간은 448시간에서 484시간 확대되었습니다. 그리고 2022 개정 교육과정 국어교육은 34시간 증가되었습니다. 한글을 아는 아이와 모르는 아이들과의 수준 차이를 걱정하시는 학부모님도 계시겠지만 이미 한글을 익힌 학생이더라도 한글의 기초를 체계적으로 익히고, 올바른 발음과 쓰기 학습을 교육하겠습니다."라고 주장한다.

"한글 배우고 입학해야 하나요?"에 대한 학부모의 질문에 대해 교사들은 이성적으로 괜찮다고 답하지만, 직관적으로는 위험한 생각이라고 느낀다. 오은영과 현장 경험이 있는 유치원, 어린이집 교사들은 "한글은 초등학교 입학 전에 배워야 한다"고 생각한다. 지극히 현실적이고 냉철한 판단이다. 대부분의 학부모와 교사들은 초등학교 "입학 전에 한글과 수는 배워야 한다"는 것에 공감한다. 왜 그럴까?

기초문해(한글 떼기)를 학교 교육이 제대로 책임지지 못한다는 것을 알기 때문이다. "한글을 몰라도 충분히 학교생활에 문제가 없다. 수학 통합교과(바·생, 즐·생, 슬·생), 안전교과(2022 교육과정에서 안전 교과는 사라진다) 등에서 한글을 몰라도 수업에 전혀 문제가 없다. 국어 시간에 한글을 전혀 모르는 아이에 맞춰 진행하니 불안해하시지 않아도 된다."고 학교는 이야기하지만, 현실은 다르다는 것을 알기 때문이다.

한글을 떼지 않고 학교에 입학하면 아이는 복합적 어려움에 빠지게 된다.

첫째, 초등 1학년 교육은 사실상 한글을 이미 어느 정도 익히고 왔다는 전제 속에서 출발한다. 한글 지도 시간이 별도로 있다고 하지만 실제 수학과 통합교과 등은 이미 한글을 익혔다는 것을 전제로 진행된다. 아직 글을 배우지 않았다는 전제로 시작하는 모국어 문자 교육은 학교에서 책임진다는 말이 '눈 가리고 아웅'이 되지 않도록 제대로 해야 한다. 다른 교과의 한글 노출이나 알림장, 활동 시 미해독으로 인한 피해를 입지 않게 해야 한다. 하지만 현장에서의 한글 교육은 주장(이상)과 괴리되어 있다. 한글 기초문해 미해독이 불이익을 가지지 않아야 하지만 현장에서는 엄청난 불이익은 물론 상처를 감수해야 한다.

둘째, 국어 시간의 한글 교육도 한글 까막눈인 아이들을 배려하며 진행되지 않는다. '가나라다'를 읽지 못하는 아이에게 자음 순서(가의 기역, 나의 니은 순서)대로 한글을 지도하면서 정작 문자를 차근차근 다지기보다 통합형, 활동형 수업으로 하고 있다. 한글을 모르는 까막눈 아이는 활동형, 통합형 수업 속에서 자신이 못하는 것을 간신히 감출 수 있지만, 한글 해독과 독해는 제대로 진행되지 않는다.

한글을 모르는 미 해득자도 한글을 차근차근 누구나 배울 수 있도록 가르침이 주어져야 한다. 미해독자를 위한 한글 문자 교육을 차근차근(압축적으로) 진행해야 한다. 동일 출발선을 주장하며 먼저 배우면 안 된다는 당위가 최소한의 힘을 가지려면 모르는 학생의 입장에서 교육을 시작하고, 아는 학생도 즐기며 교육에 참여할 수 있도록 해야 한다. 문제는 이 한글 문해 교육이 활동형, 통합형으로 이루어져야 한다고 오해한다는 점이다.

초등학교의 한글 교육은 놀이 중심의 습득이 아니라 학습에 중심을 두어야 한다. 초등학교 입학 한글 교육은 위협과 협박, 공포에 기초한 주입식 교육이 아니라 따뜻한 배려와 포용 속에서 이루어지는 밀도 높은 학습이 되어야 한다. 이 밀도 높은 학습 속에서 문자를 읽고 쓰는 데에 작지만 소중한 성공 경험을 가지게 배울 수 있어야 한다.

문제는 이 상처로 위축되거나 모르는 것이 모욕당하지 않고 한글을 배워야 한다는 것이 놀이와 활동으로 오해된다는 점이다. 한글 교육에 대한 흔한 오해는 부정적인 주입식 수업과 즐거운 한글 놀이다. 아이가 압박(Pressure)과 모욕과 상처 그리고 공포와 협박(공부를 못할까 걱정하고, 공부 못하면 어떻게 할거야) 속에서 위축과 부정적 방어기제에 갇히는 주입식 문자 수업이 아니라 주변의 문자를 발견하고 알아가는 즐거운 활동과 놀이가 되어야 한다는 이분법에 빠지는 것이다.

초등학교 입학 전 한글과 수를 배워야 한다.	한글 미해독 상태에서 입학하는 학생 거의 없다.

유아 교육에서의 놀이 중심 한글 교육은 "자모 학습지 대 통글자 기반 놀이"로 나누어진다. "입학 전 아이들은 자음, 모음, 자모 결합, 받침, 가나다라 등의 순서가 아니라 생활에서 자주 접하는 글자들을 그림 기억하듯 배워야 한다."는 통글자 놀이 기반과 자모 학습지를 푸는 방식으로 대별된다. 통글자 놀이는 '자기 이름, 친구 이름, 좋아하는 과일'을 체험하며 배우는 것이고, 자모 학습지에 기초한 방식은 자음과 모음을 하나씩 놀이와 체험을 통해 배우는 방식이다.

적기 개입(응급 지원) & 조기 개입 : 조기 지원이 아니라 응급 지원이다

> "어떤 일의 가능성의 한계를 알아낼 수 있는 유일한 방법은, 바로 불가능의 영역에 아주 살짝 도전해 보는 것뿐이다."
>
> (아서 클라크 제 3법칙)

"가급적 빨리, 적절하게 지원해야 한다."

모국어 기초문해 격차가 발생하면 바로 대응해야 한다. 이것은 조기 지원이 아니라 응급 지원이고(늦었지만 이제는 해야 하는) 적기 지원이다. '조기개입을 해야한다'는 말은 이미 늦었고, 문제가 더 커지기 전에 응급하게 이제라도 지원해야 한다는 말이다. 조기가 아니라 '적기'이고, '응급조치'다. 단군 이래 최대의 격차가 이루어지고 있는 현실의 맥락 차원에서 보면 이미 늦었고, 공교육 차원에서 보자면 적기 대응이고, 교사의 학생 지원과 도움 차원에서 보자면 응급한 조치다.

"불평등 교육의 트라이앵글은 근본적인 전환의 계기가 아래의 두 꼭짓점에 있음을 보여준다.[24] 첫 번째 전환의 계기가 아

---

24) 엄훈&정종성은 불평등 교육의 트라이앵글로 동일한 출발점 가설, 매튜이펙트, 기계적이고 양적인 교육과정 3가지로 든다. 가정에서 벌어진 문해력 차이를 학교에서 보완해야 하는데, 동일한 출발점 가설과 매튜이펙트에 빠져 공교육에서 교사들이 제대로 보완하지 못하는

래의 지점은 동일한 출발점 가설을 폐기하고 학교생활을 시작하는 아이들에게 동일한 출발점을 보장하는 것이다. 이는 조기 개입(early intervention)을 통해 실현할 수 있다. 두 번째 전환의 지점은 교육과정이다. 기계적이고 양적인 교육과정을 아이들의 눈높이에 맞는 다양하고 질적인 교육과정으로 바꾸는 것이다." (엄훈&정종성, 2019, 27)

'조기'라는 말이 쓰이니, 마치 일찍 서둘러 일찍 개입한다는 말처럼 오해되기 쉽다. 조기 개입이라는 단어로 인해 작은 혼란과 혼선이 생기고 있다. 조기 개입이라는 말은 어떤 의미일까?

첫째, 기존 3학년에 개입하는 것에 비해 **빨라져야 한다는 말**이다. 기존 3학년에 기초문해에 대응하는 것은 지연된 개입과 커진 격차로 인해 따라잡기가 너무 어려웠다. 3학년이면 학습을 가로막는 심리 행동적 방어기제들이 켜켜이 쌓여 있다. 읽기 무능력에 시달린 학생들은 학습된 무기력과 다양한 생존전략을 가지고 있고, 이를 해결하는 데 많은 시간과 에너지가 필요하다.

둘째 조기 개입은 문해 문제를 담임교사에게 일임 전가한 상황에서 벗어나 협력적 도움이 필요하다는 뜻이다.

문제를 제기하고 있다. 또한 학생 발달과 사회적 필요에 맞지 않는 교육과정 문제를 든다. 교사 자율성을 부정하는 획일적이고 과다/과도/편파적/파편화된 교육과정 문제와 기초문해 지원 부족 문제를 불평등 교육의 세 가지 원인으로 든다.

한국의 공교육에서 볼 때 배워야 하는 양은 많고, 따라잡을 시간은 턱없이 부족하고. 시간이 너무 빨리 간다. 기초문해력 격차가 생겼을 때 학습과 성장의 시간은 철저히 상대적이다. 더구나 한국 교육의 교육과정의 양과 난이도 문제, 따라오지 못하는 학생을 '루저' 혹은 '패배자'로 만드는 교육 문화, 경쟁 교육에서 공교육의 무책임 문제 등을 고려하면 모국어 기초문해의 문제에 빠르게 대응해야 한다.

같은 반 친구들이 같이 배울 수 없어서 개별화 수업을 하는 것이다. "교실에서 따로 분리하지 말고 같이 배워야 한다." "아이가 혼자 나가니 상처를 받는다."라는 말은 교실에서 아이가 계속 받아야 하는 상처와 위축을 외면하는 말이다. 피해는 벌어지고 있고, 이를 방어하고자 학습을 거부하게 되면 읽기 격차는 더 커진다. 이미 기초문해 해독에 어려움을 보이는 학생은 학습에 참여하지 못하고 위축되고, 상처받고 있다. 또래 친구들과 같이 있어도 혼자 배우지 못하니 개별적으로 도와 함께 배울 수 있도록 하기 위해 교실에서 빼내(풀-아웃) 개별화 수업을 하는 것이다. 교실에서의 활동에서 소리 없이 배제되기 문제에 대응하기 위해 모국어 문해력 지원을 하는 것이다.

개별화 수업은 담임교사를 위한 것이기도 하다. 교실의 읽기 격차는 교사의 학생맞춤형 수업 진행의 걸림돌 중 하나다. *"교사 입장에서는 입학할 무렵 아이들이 보이는 어마어마한 읽기 격차가 원활한 수업 진행의 걸림돌이 된다. 이때 조기 발견과 조기 개입을 통해 입학 직후 아이들에게 균등한 출발점을*

보장하는 것은 위기에 처한 교실 수업을 살리는 길이 된다."
(엄훈&정종성, 2019, 30)

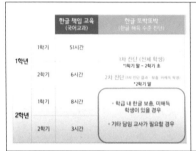

2학년은 데드라인이지, 골든타임이 아니다.
2학년도 이미 늦은 시간이다.

　발생적 문해력의 관점에서 보면 발달이 느린 것은 문제지만 공교육이 제대로 도와야 할 때, 제대로 도와줘야 하는 데 돕지 못하는 것이 더 큰 문제다. 문해력 차이는 가정의 문해력 환경으로 기인하지만, 이것이 격차로 바뀌는 것은 학교 교육에 원인이 있다.

　공교육과 교사는 문해력 차이가 격차가 되지 않게, 차이를 따라잡아 모두 학습을 즐길 수 있도록(평등한 출발이 되도록) 도와줄 책임이 있다. 문해력 차이를 인정하고, 느린 학습자를 긴급하게 도와주어야 한다.

　그렇지 않으면 문해력 차이가 격차가 된다. 나는 못하는데 친구들은 할 수 있을 때 스트레스, 상처, 위축, 무기력이 올 수 있다. 기초문해에 어려움을 겪는 학생은 터널 시야에 빠져 '축자적' 문자 읽기에만 매달리고, 무능력이 드러나지 않기 위해 다양한 방어전략을 사용하게 된다.

"글을 읽으면서도 읽지 못하는, 즉 이해가 동반되지 않는 읽기는 누적된 읽기 실패와 잘못된 읽기 습관이 원인이 되어 나타나는 터널 비전 현상으로 설명될 수 있다. 터널 비전 현상은 마치 터널을 통하여 하늘을 바라볼 때 시야가 좁아 들어 하늘을 제대로 볼 수 없는 것처럼 글을 읽을 대 독자가 글의 축자적 의미에 지나치게 매달릴 경우, 시야가 좁아서 의미를 재구성하지 못하는 현상을 말한다. 터널 비전 현상의 딜레마는 글의 축자적 의미에 매달리면 매달릴수록 의미의 재구성이 어려워지며, 의미의 재구성이 어려워질수록 터널 비전 현상이 심화된다는 것이다." (엄훈, <학교 속의 문맹자들>)

문자를 해독하지만 독해를 못하는 시간이 누적되면 될수록 문해 격차는 커진다. 단순히 문자를 읽을 수 있을 뿐 의미를 해석하지 못하는 상황에 계속되면 문해 차이를 문해 격차를 만들고, 격차를 좁혀지지 않고 더 커지는 것이 대부분이다.

이 점에서 해독과 독해가 조화를 이루는 평등한 출발점을 최대한 빨리 확보해 주어야 한다. 느린 학습자에 대한 긴급지원, 응급지원이 필요하다. 뇌 문제가 아닌데 학교에 들어와 느린 학습자 평가라는 인상을 받았다면 조기개입이 아니라 응급지원

이 필요하다. '해보니 나도 되는구나', '할 수 있다'는 윽
박지름이 아니라 '발판을 주고 해보니 나도 할 수 있네'라는
개별화 수업이 필요하다.

그렇지 않으면 격차는 더 커지고, 학습된 무기력은 더 악화된
다. 도와주려는 노력도 부정적 자기방어의 저항25)으로 무화(無
化)되고 만다.

응급한 지원이 필요한 상황에서 놀이와 체험 위주의 '활동형 수
업'으로 기초문해교육의 시간과 에너지를 낭비해서는 안 된다.

*"세상이 금방이라도 뒤집힐 것처럼 미래, 창의, 혁신, 변혁
등의 담론을 쏟아내지만, 그런 유행어들이 실체를 갖기 위해서
반드시 필요한 제대로 읽고 쓸 수 있는 기본기와 기초 체력에
대한 관심은 없습니다."*

'제대로 읽고 쓸 수 있는 기본기'에 기초해서 미래역량을
키우지 않는다면 교육혁신과 창의 교육은 빛 좋은 개살구, 헛

---

25) 학습자가 교육적 도움을 부정적 자기방어로 거부하는 것을 처치 저
항(Treatment resistance)라 부른다. 처치 저항은 너무나 당연하고
자연스러운 행동이다. 소아과의 어린 환자들이 의사나 의료진을 보자
마다 떼쓰며 모든 것을 거부하는 것은 이상한 일이 아니다. 과거 호
랑이가 잡아간다며 무서워하듯 기초문해에 어려움을 가진 학습자는
교사의 도움주기를 거부하곤 한다. 물론 이 거부가 대단하지 않고,
교사의 손 내밈으로 자연스럽게 누그러진다. 부정적 자기방어가 심한
아이는 있어도, 처치 저항이 심한 아이는 거의 없다.

실을 모르는 낭만적인 장밋빛 미래의 구두선에 불과할 것이다.

책임교육이 이제야 제도화의 첫걸음을 뗐다. 기초학력 부진의 지원 체제를 고민하고 몇몇 지역에서야 기초학력 전담 교사를 실시하고, 2022년 기초학력 책임을 법제화했다. 책임교육을 위해 필요한 제도적 대안 모색과 수업과 평가의 변화는 이제 시작이다.

"안전하고 확실은 길을 원한다고? 미션임파서블의 탐크루즈처럼 벼랑을 향해 오토바이를 타고 뛰어내릴 수 있으려면 도와주는 동료와 낙하산이 필요하다. 기초 문해와 문해에서 그림동화책이 낙하산이다. 그리고 미션임파서블의 팀이 교사와 동료다. 교사와 학생을 믿고 뛰어!"

모험과 도전, 시도도 해보지 않고 불가능을 이야기하는 것은 어리석다. 교육은 모험과 도전, 실패와 시행착오를 통해 성공하는 과학처럼 가능과 불가능은 해보는 것을 통해 만들어진다. 불가능해 보이는 학생 발달은 교육적 도전을 통해 가능성의 영역으로 확장된다.

교사는 홈즈의 후예다

명탐정 셜록 홈즈는 의사였다. 모든 의사가 환자의 병을 찾아 이를 해결하는 홈즈의 후예이듯, 교사도 학생의 발달 문제를 찾고 이를 해결하는 탐정의 후예다.

"모든 의사는 홈즈의 후배다. 셜록 홈즈를 탄생시킨 작가 아
서 코넌 도일은 의사였고, 그가 취직한 병원은 한산했다. 덕분
에 부업으로 글을 쓸 수 있었다. 장르는 추리 소설로 정했다.
… 질병을 막힘없이 지난해 내는 의사를 모델로 했다. 셜록 홈
즈의 모델이 의사이니, 어쩌면 모든 의사는 홈즈의 후배라고
할 수 있다. 의사가 질병을 진단하는 절차는 탐정이 범인을 찾
아내는 것만큼 근본적인 행위다. … 마치 신체를 탐구하는 탐
정과 같다. … 고대서부터 내려오는 '환자에게 배워라'라는
격언도 있다."(이지환, <세종의 허리, 가우디의 뼈>)

교사는 학생의 문제를 진단하고 이에 대한 효과적이고, 효율
적이며 교육적인 처지를 하는 전문가다.
아쉽게도 기초문해 학생들은 비문해로 고통받았지만, 제대로
된 진단과 적절한 치료를 받지 못했다. 교사의 전문적이고 응
급한 진단과 도움을 받지 못한 것이다.
응급한 기초 문해교육을 시작하기 위해 필요한 문해 능력 진
단과 관계 만들기는 어떻게 이루어져야 할까?
보통 기초문해 교육을 시작하려면 기초문해 진단과 관계 만들
기에 상당한 시간과 에너지를 들여야 할 것이라 생각하기 쉽
다. 하지만 기초 문해교육을 두려워하고, 불안해하며, 거부하
는 아이를 진단하고, 관계를 맺고 수업을 하는 데 그리 오랜

시간이 걸리는 것은 아니다.

읽기따라잡기의 '아눈머(아이의 눈높이에 머무르기)'처럼 10차시의 여유 있는 놀이와 진단이 필요한 것이 아니다. 기초문해 교육을 아이를 진단하고 관계를 맺는 데 머무름에 기초문해 교육의 시작을 한정 지을 필요가 없다. 교육은 언제나 근접발달영역에서의 도약이고, 도약을 위해 부단한 노력을 머무르기로 한정 지을 필요 없다.

의사도 진료를 거부하는 아이의 진찰을 위해 약간의 기술이 필요하지, 몇일을 기다리지는 않는다. 물론 의사의 접근과 손길을 거부하는 아이를 진찰하는 것을 인형으로 연습할 때와는 차원이 다르다. 하지만 몇일을 기다리며 아이와 래포를 형성해야 하는 것 아니다. 소아과 의사들이라면 중증 환자인 아이들을 진찰하는 노하우, 여성 청소년을 진단할 방법은 쉽게 익히고, 체득되게 마련이다.

소아과 의사들에게 아이 진단을 위해 아이에 머무르는 말을 하면 안 되듯이, 교사에게 기초문해에 어려움을 겪는 아이를 도와주기 위해 아이 눈높이에 머무르라는 말은 아이 발달을 도와주지 않고 지체시킨다는 점에서 비교육적이며 교사는 교육적 전문성을 무시하는 말이다.

더욱이 기초문해 교육은 응급하게 이루어져야 한다. 격차가 벌어지고 있는 학습자에게 기초문해 교육은 화급하게 시작해야 한다. 기초문해 교육은 여유있고 따뜻하게 진행되어야 하지만 성취경험을 느끼게 하는 것은 화급하게 이루어져야 한다. 이러한 성취 경험을 쌓는 기초문해 경험이 응급하게 이루어져야만 한다. 응급한 진단과 화급한 시작 속에서 수업 활동은 학습자의 상태와 필요, 발달 등에 맞게 부드럽고 섬세하게 이루어야 한다. 교사는 부단히 기초문해교육 대상 아동의 필요와 발달 등을 진단하고 이를 통해 교육을 바꾸어 나가야 한다.

그림동화책을 함께 깊이 읽으며 날아오르기 위한 고민거리들

문해에 대한 성숙주의적 관점은 때가 되면 다 되니 조급하게 서두를 필요가 없다는 것이다. "본격적인 읽기 교육은 아이들이 성숙한 다음에 이루어져야 한다."는 견해는 성숙주의적 관점에 기초한 '읽기 준비도(reading readiness)'로 불려 왔다. 기초문해 교육은 읽기 준비가 되었을 때 읽기 학습을 하는 게 효과적이고, 준비가 되지 않은 학생에게 조기 교육은 해롭다는 것이다. "준비가 될 때 해라. 준비도 안 됐는데 하는 건 성급하다는 것이다.

이와 달리 발생적 문해는 학생의 내재적 발달과 가정의 문해 환경에 따라(상호작용에 따라) 발달의 때가 다르다고 본다. 발생적 문해는 학생의 발달과 문해의 노출 방식과 환경에 따라 발달이 달라질 수 있고, 아동의 문해력 발달은 개인마다 다르고, 모두가 동일한 출발점에서 시작하지 않는다고 본다. 문해는 어른의 적절한 상호작용("문해력은 아이의 발달 수준에 알맞게 상호작용해주는 좋은 어른과의 상호작용이 결정적이다.")과 좋은 문해 환경(놀이 도구로서의 책과 책상 등)에 따라 얼마든지 달라질 수 있기 때문에 아동이 하고 싶게, 하고 싶을 때, 할 수 있을 때 적극적인 상호작용을 해줘야 한다고 본다. 아이가 하고 싶을 때, 할 수 있을 때 제대로 도와줘야만 문해가 자연스럽고 역동적으로 발달하게 되기 때문이다

5월 5일 어린이날은 한글 해방의 날이 되어야 해. 최소한 2학기 전에 우리 아이들 모두가 기초 문해의 어려움에서 해방되어야 해. 한글 기초문해는 완성에 데드라인이 필요해.

초등 1학년 한글 책임교육이 빛 좋은 개살구가 되지 않게 구체적인 실행 전략이 필요해. 이제는 기초문해 완성에 대한 책임 기간과 주체, 지도 방법 등을 명확해져야 해.

※ 초등 1학년, 한글 책임교육을 바로 세우는 방법

현재, 초등학교에서 한글 문해를 책임져야 한다. 현재의 무책임 상황을 인정하고 변화를 추구해야 한다.

"어린이날은 한글 해방의 날이 되어야 한다."

하나, 한글 기초문해 교육에 대한 기간과 책임지는 방법을 명확히 해야 한다. 68시간이나 성장골든타임, 모르고 입학해도 괜찮다고 이야기하며 책임진다고 하지만 정작 책임지지 않고 있다. 예를 들어 5월 전에 한글 책임교육을 완성해야 한다. 5월 5일 어린이날은 초등교육이 한글 기초문해 교육을 완성하고, 이를 기념해 책거리를 하는 해방의 날이 되어야 한다. 한글 교육은 어린이날 전에 완성되어야 한다. 실제 한글 교육은

3~4월 집중 교육을 통해 충분히 이루어져야 한다.(2달은 한글 문해 교육에 매우 충분한 시간이다.)

입학 후 학교적응기간에 한글 기초문해 교육이 중심이 되고, 그 이후 수학, 국어, 통합, 안전 교육이 이루어져야 한다. 이미 글을 읽을 수 있다고 전제하고 진행되는 국어 교육은 물론 수학 통합 교육은 변화가 필요하다. 다시 말해 수학과 통합교과 등 글을 읽고, 활동을 안내하는 교육 활동, 한글 교육 이외에 글자를 읽는다는 것을 전제로 한 활동을 제한해야 한다. 한글을 이미 읽었다고 (무의식적으로) 전제하고 있는 교과서에 바탕한 교육 활동은 한글 책임교육을 조롱거리로 만든다.

그리고 5월 이후 기초문해에 어려움을 보이는 학생을 지원하기 위한 다각도의 시스템과 대응 방법이 필요하다. 특히 더 이상 수업에 참여하지 못하고, 학생들 간의 격차가 커지지 않도록 화급하고 절실한 지원이 이루어져야 한다.

기초문해 집중 교육 이후 즉 한글 교육의 해방의 날인 5월 어린이날 이후 미해독자를 대상으로 담임교사 중심의 아침, 중간놀이, 방과후 지도와 전담 교사 중심의 기초문해 교육이 병진 노선(two track)로 진행되어야 한다. 5월 이후에는 미해독자들이 가급적 빨리 한글 문해의 어려움에서 벗어날 수 있도록 담임교사와 전담 교사 등 다양한 자원과 인력을 활용한 교육이 필요한 것이다.

예를 들어 여름방학에 한글 해독에 어려움을 보이는 학생들을 대상으로 집중 교육이 필요하다. 여름방학 기간에 한글 집중

2부. 발생적 문해 문제와 문해력 발달 단계

교육을 통해 문해 문제 제로를 달성해야 한다.

둘. 초등 교육의 중심을 바로 잡아야 한다. 초등 교육의 중심 속에서 기초문해 교육을 효율적이고, 교육적으로 수행해야 한다. 유아 교육은 학습을 하고, 초등은 놀이를 하는 거꾸로 선 상황이 바로잡아야 한다.

초등보다 더 학습에 치중하고 있는 유치원은 놀이 중심 교육 원칙은 지켜져야 한다. 유아 교육은 놀이 중심, 초등은 학습 중심으로 교육 활동을 해야 한다. 유치원은 발생적 문해에 맞춰 한글 지도를 도와줄 수 있고, 도와주어야 한다. 놀이와 이야기 중심으로 아이의 발생적 문해를 지원해야 한다. 다만 학습에 치우치지 않고 편안하고 자연스러운 놀이의 무게 중심을 벗어나면 안 된다.

반대로 초등 교육은 자모의 순서에 따라 통합적 놀이로 한가로이 교육 시간을 소비하고 있다. 아이들의 한글 문해 격차와 더 벌어지고 있고, 아이는 더욱 위축되고 있는데 응급하게 기초문해를 지원하고, 밀도 높은 수업을 진행하지 않고 있다.

초등 교사들은 초등은 학습을 하고, 유아는 습득을 해야 한다는 명확한 기준을 검토하지 않아 교육 활동에 혼선이 빚어지고 있고, 이로 인해 피해를 고스란히 아이들이 겪고 있다.

이 점에서. 유아 교육은 더 유아 교육답게 놀이와 이야기가 흘러넘쳐야 하고, 초등 교육은 초등 교육답게 밀도 있는 학습을 수행해야 한다.

각 자모를 통합적으로, 놀이 중심으로, 1년 동안 여유 있게 천천히 가르쳐야 한다는 등의 기초문해 교육을 관점으로 인해 아이를 제대로 도와주지 못하고 있다. 응급한 기초문해 지원의 필요성에 대해 무감각하고, 놀이 중심과 통합 중심의 문제적 기초문해 교육관으로 초등 교사들이 헤매는 사이 아이들 간의 문해 격차와 느린 학습자의 기초문해 위축은 더욱 심해지고 있다.

셋, 장기적으로 학제 변화가 필요하다. 하지만 현재 상황에서 핵심은 초등에서 한글 교육을 실제적 책임져야 한다는 점이다. 한글 기초문해 교육을 실질적으로 책임질 방법과 이를 다차원적으로 지원할 분위기와 문화, 제도를 만들어야 한다.

그림동화책을 함께 깊이 읽으며 날아오르기 위한 고민거리들

초등 교육의 중심을 바로 잡아야 한다. 초등 교육의 중심 속에서 기초문해 교육을 효율적이고, 교육적으로 수행해야 한다. 유아 교육은 학습을 하고, 초등은 놀이를 하는 거꾸로 선 상황이 바로잡아야 한다.

초등보다 더 학습에 치중하고 있는 유치원은 놀이 중심 교육 원칙은 지켜져야 한다. 유아 교육은 놀이 중심, 초등은 학습 중심으로 교육 활동을 해야 한다. 유치원은 발생적 문해에 맞춰 한글 지도를 도와줄 수 있고, 도와주어야 한다. 놀이와 이야기 중심으로 아이의 발생적 문해를 지원해야 한다. 다만 학습에 치우치지 않고 편안하고 자연스러운 놀이의 무게 중심을 벗어나면 안 된다.

반대로 초등 교육은 자모의 순서에 따라 통합적 놀이로 한가로이 교육 시간을 소비하고 있다. 아이들의 한글 문해 격차와 더 벌어지고 있고, 아이는 더욱 위축되고 있는데 응급하게 기초문해를 지원하고, 밀도 높은 수업을 진행하지 않고 있다.

초등 교사들은 초등은 학습을 하고, 유아는 습득을 해야 한다는 명확한 기준을 검토하지 않아 교육 활동에 혼선이 빚어지고 있고, 이로 인해 피해를 고스란히 아이들이 겪

고 있다. 이 점에서. 유아 교육은 더 유아 교육답게 놀이
와 이야기가 흘러넘쳐야 하고, 초등 교육은 초등교육답게
밀도 있는 학습을 수행해야 한다.

> 발생적 문해의 1차 책임은 가정이야. 가정에서의 양육에 따라 문해력은 하늘과 땅의 차이만큼 달라지지. 2차 책임은 학교와 교사야. 가정에서 벌어진 격차를 학교에서 보완해야 하지.

 학교 교육은 천양지차로 벌어진 문해 격차를 보완해 평등한 교육의 출발선을 보장할 책임이 있어. 문해 격차로 상처받고, 위축되지 않도록 응급한 문해 지원이 필요해.

※ 가정과 학교의 문해 책임

문해력, "가정에서 벌어진 격차, 학교에서 보완해줘야 한다"

하나, 가정에서 아이의 발생적 문해를 살펴주어야 한다.
어떤 부모라도 자신의 아이가 단단하고 힘 있게 자라길 바라지 않겠는가. 다만 발생적 문해를 챙겨줄 안목과 여유, 자원 등이 천차만별이다. 이로 인해 아이들의 문해력의 차이는 격차로 드러나게 된다.

둘, 학교에서 가정에서 벌어진 문해 격차를 보완해야 한다.
학생의 문해력은 배움의 당연한 권리이고, 이를 제대로 배울 수 있도록 교사와 학교는 보장할 책임이 있다.
교사는 느린 학습자 혹은 기초문해에 어려움을 겪는 학생이 다른 아이들과의 격차에 위축되고 열등감을 가지지 않고 당당히 학습에 참여할 수 있도록 발생적 문해를 제때(조기가 아니라 응급하게) 도와야 한다.

기초 문자 교육이 아닌 다른 교과에서 읽기에 어려움을 겪는 순간 조기가 아니라 응급한 지원이 필요한 때다. 기초문해 교육은 조기가 아니라 하려고 할 때 이미 응급하고(적기에 이루어지는) 화급한 교육이다.

어렵고, 많고, 파편화된 교육과정을 온전히 배울 수 있도록 기초문해 교육을 응급하게 시작해, 제대로 지원해주어야 한다.

문해 관련 교사, 교수, 연구자들이 좋아하는 그림동화책

이 응급한 지원의 중요성을 보여주는 그림동화책이 있다. 문해 연구자들이 매우 선호하는 동화책으로 꼽히는 것이 <고맙습니다, 선생님>이다. 이 그림책을 통해 문해 교육의 다양한 단면들을 살펴보자.

양질의 문화 자본이 넘치는 가정, 풍성한 상호작용 속에서 자란 트리샤

<고맙습니다, 선생님> 주인공, 트리샤는 책을 좋아하는 집안 분위기에서 자랐다. 엄마, 오빠, 할머니, 할아버지도 언제나 트리샤에게 책 읽는 모습을 보여주고, 책을 읽어주고, 함께 해 주었다.

할아버지는 책 위에 꿀을 뿌려준다. 그리고 책 위의 꿀을 먹어 보게 한다. 책을 통해 얻는 지식의 맛도 이처럼 달콤하다는 것을 알려주며, 문자의 세계로 초대한다.

일곱 살 때 할아버지가 책 위에 꿀을 부어 찍어 보는 놀이를 하기도 했다. 할아버지는 책에 꿀을 부어 찍어 먹는 놀이 후 문자 읽기의 즐거움을 다음과 같이 들려주기도 했다.

"지식의 맛은 달콤하단다. 하지만 지식은 그 꿀을 만드는 벌

과 같은 거야. 너도 이 책장을 넘기면서 지식을 쫓아가야 할
거야. "

이런 풍족한 문해 환경에도 불구하고 트리샤는 책을 읽지 못
했다.

트리샤 가족들은 다들 책을 좋아하고 독서의 중요성을 알고
있으면서도 트리샤가 문자를 읽을 수 있도록 제때 도와주지 않
는다.

아마도 초등학교 입학하면 알아서 문해를 배우게 된다는 성숙
주의적 관점이 가족들을 지배했기 때문이라 볼 수 있다. 오랜
동안 모든 아이들이 특정 시기가 되면, 다시 말해 읽기 준비가
되는 연령에 이르는 초등학교 1학년 때 문자 교육을 받으면 된
다는 통념에 빠져 있었다. 발생적 문해가 드러날 때 효과적으
로 도와줬더라면 트리샤는 학교에 입학하여 고통을 겪지 않았
을 테지만, 가족들은 트리샤의 발생적 문해에 관심을 기울이지
않았다. 트리샤는 제때, 제대로 도움을 받지 못했다.

트리샤의 오빠는 "일학년이 되면 너도 글자를 읽을 수 있을 거야."라고 위로와 격려를 해줄 뿐 트리샤의 문제 해결을 도와주지 않는다. 책을 사랑하고, 책의 중요성을 알고 있는 가족들은 트리샤의 어려움과 고통을 묻어둔 채 괜찮다고 위로만 해 준다.

트리샤의 오빠 또한 문해에 대한 성숙주의적 관점을 빠져 있었던 것으로 보인다. 트리샤가 1학년이 되면, 학교 가면 다 문해는 해결된다고 위로한다.

따뜻하고 사랑 가득한 엄마도 딸의 문해 문제에 대해서는 '천하태평'이다. 그저 "개똥벌레가 다 다르니, 트리샤도 언젠가는 읽게 되니 걱정말라고 위로한다" 트리샤 엄마는 "우리 딸도 똑똑하다"고 격려하며 문자 읽기를 도와주지 않는다.

이 따뜻하고 지혜로운 가정은 왜 트리샤의 어려움을 낭만적으로 방관하고 있는 것일까? 자기 스스로 알아서 읽을 테니, 재촉할 필요 없다고 달관('체념')하고 있는 것일까? 참으로 안타까운 '실화'다. 그래서 트리샤는 5학년이 되어도 글을 읽지 못했다.

트리샤는 수업 시간 책을 읽지 못하자 자신이 벙어리가 된 듯 느껴졌다	트리샤가 책을 더듬더듬 읽을 때마다 친구들이 깔깔거리며 웃었다. 트리샤가 책을 읽지 못해 학교 가기가 싫어졌고, 끔찍하고, 지긋지긋해졌다

트리샤는 5학년이 되어서도 아직 글자를 읽지 못한다. 친구들은 트리샤를 '벙어리, 못난이, 멍청이'라고 놀려 댄다.

"트리샤는 이제 더욱 더 학교 가기가 싫어졌습니다. 트리샤는 엄마한테 '나 목 아파요.', '나 배 아파요' 하고 핑계를 댔습니다. 트리샤는 점점 더 공상에 빠져 있는 시간이 많아졌고, 점점 더 그림 그리기에만 열중했고, 점점 더 학교 가기가 싫었고, 끔찍했고, 지긋지긋했어요."

문자의 세계에 들어갈 수 없는 트리샤는 수업에 참여할 수 없었다. 문자 세계의 문턱을 넘지 못한 트리샤는 수업에 참여하고 싶어도 그럴 수가 없었다. 해야 하는 것을 하지 못하자 몸

2부. 발생적 문해 문제와 문해력 발달 단계

여기저기가 아프고 삐걱거렸다. 친구와 부모, 교사들은 꾀병이라고 하겠지만 실제 몸이 이상 신호와 거부 신호를 보냈다.

학교에서 기초문해가 안 되니 당연히 학교에서 친구들과 제대로 어울리지 못한다. 심지어 친구들을 피해 다니며, 숨어서 안전을 찾는 '두더지'가 되고 만다. 하지만 친구들의 놀림은 더 심해지기만 한다.

그럼에도 트리샤의 가족과 학교 교사들은 트리샤의 어려움을 도와주지 않는다.

친구들은 글을 읽지 못하는 트리샤를 멍청이, 못난이라 불렀다. 반 아이들의 괴롭힘에 트리샤는 자신만의 장소에서 안전을 구했다. 하지만 친구들은 그곳마저 찾아내 트리샤를 두더지라 놀려댔다.

이 비극이 멈춘 것은 5학년 담임교사 폴커의 인정과 도움에서였다. 트리샤의 '까막눈'은 담임교사(폴커)와 독서 지도 담당 교사(플레시)의 적극적이고 지속적인 도움으로 해결된다.

이 책이 재미없는 계몽조로 느껴지는 건 이 문자 배움의 과정이 역동적으로 드러나지 않는다는 점이다. 트리샤가 체험하는 문자 배움의 어려움과 기쁨, 성취의 과정이 생동하지 못하고 있다. 문해 발달 과정에서 어떤 역동이 벌어지는지, 어떤 문해 교육이 효과적인지에 대한 이야기가 드러나지 않는다.

짧고 압축적인 그림동화책 작품에서 이런 역동적 과정을 기대하는 것은 무리일 수도 있겠지만 다만 이 부분이 없는데 문해 연구자들이 이 작품을 선호하는 이유가 무엇일까? 단지 문해 교육의 필요성과 중요성을 부각시킨다는 차원일까? 작품에서는 담임교사인 풀커의 도움만 드러나고 독서 지도 담당 교사인 플레시의 역할과 중요성은 사라져 있다. 풀커만 부각되고 플레시는 사라져 담임과 기초문해 상호 책임론이 담임 전가론으로 귀결될 위험성이 있고, 플레시의 문해 지도가 어떻게 이루어졌는지도 장막에 가려져 버렸다.

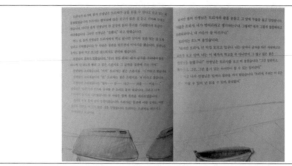

트리샤는 그림 그리기와 문장 따라 말하기의 장점을 바탕으로 글자 쓰기 게임을 통해 문해의 세계로 진입한다. 그림과 그림동화책 그리고 이야기 세계에 익숙한 트리샤가 그림동화책을 같이 읽고 이야기를 나누며 문해 세계에 진입한 것이 아니라 파닉스의 숙달을 통해 문해를 깨친 것으로 보인다.

교사들의 도움을 통해 트리샤는 드디어 책의 꿀을 따먹는 꿀 벌이 된다.

"꿀은 달콤해. 지식의 맛도 달콤해. 하지만 지식은 그 꿀을 만드는 벌과 같은 거야. 이 책장을 넘기면서 쫓아가야 얻을 수 있는 거야."

글의 맛을 알아낸 트리샤는 더이상 두더지가 되어 숨을 필요 가 없어진다. 책의 꿀을 따는 나비가 된 트리샤는 동화책 작가 가 된다.

4달 만에 트리샤는 문해 세계를 해독하는 열쇠를 가지게 된다.
문자 그리기와 소리 내어 읽기 놀이를 한 어느 순간 마법처럼
문자의 어둠이 걷히고 빛을 보게 된다. 문자의 달콤함을 맛보는
벌과 나비가 된다.

　실화를 다룬 이야기인데도 기이하게도 아이의 마음이 거세되
어 있다. 서천석이 아이가 좋아하는 그림책과 어른이 좋아하는
그림책의 결정적 차이를 잘 살펴주었던 걸 유념하면 이 책을
아이들이 좋아할 가능성이 제로에 가까워 보인다. 왜 아이와
교사의 생동하는 이야기가 사라진 투박한 관찰기로 느껴지는
것일까?

　그것은 아이 입장에서의 이야기가 아니라 아이의 문해 성장
관찰기이기 때문이 아닐까. 더 자세히 살펴보면 이야기 자체의
재미와 감동이 부족하기 때문일 것이다.

　이야기의 재미와 감동은 문제적 사건의 보편성, 이 사건에 놓
은 주인공의 갈등과 혼란스러운 마음, 이를 해결해가는 과정의
역동성과 재미 등에 달려 있다. 누구나 겪을 법한 보편적인 문

제, 이를 개연성 있게 그럴듯하게 해결할수록 이야기의 재미는 배가 된다.

문제는 교훈을 전달하느냐에 있는 것이 아니라 문제와 문제 해결 과정이 생생하게 잘 드러내느냐에 따라 계몽적이고 교훈적인 '병관'이 서사에서 벗어나는지가 결정된다. 이 작품이 문해 해결의 기쁨과 경이를 다룬다기보다는 상투적이고 낡게 느껴지는 것은 주인공의 주체적인 감정과 이 사건 해결의 과정이 생생하게 드러나고 있지 않기 때문이다. 이로 인해 이 작품은 감동과 재미가 없다.

물론 가정에서의 발생적 문해, 문해 부진에 따른 또래 아이들의 놀림과 아이 자신의 위축과 상처 그리고 이로 인한 학습부진, 학교와 교사의 책임, 문해 교육 방법 등에 관한 이야기를 나눌만한 텍스트인 것은 분명하지만, 그림동화책으로서의 재미와 감동이 없다.

<고맙습니다, 선생님>은 문해력 문제를 해결하기 위한 학생들을 위한 책이 아니라 문해를 책임진 교사나 교수들을 위한 책이다. 성숙주의적 관점에서 발생적 문해를 제대로 도와주지 못한 가정에서의 양육의 문제, 읽기 준비도에 따른 성숙주의와 발생적 문해의 관계를 탐구하는 발판이자 가정과 학교에서의 문해 책임 문제, 문해 지원 방법 등에 대해 이야기 나눌 발판으로 이 작품을 다룰 수 있어야 한다.

그림동화책을 함께 깊이 읽으며 날아오르기 위한 고민거리들

트리샤 가족들은 다들 책을 좋아하고 독서의 중요성을 알고 있으면서도 트리샤가 문자를 읽을 수 있도록 제때 도와주지 않는다.

아마도 초등학교 입학하면 알아서 문해를 배우게 된다는 성숙주의적 관점이 가족들을 지배했기 때문이라 볼 수 있다. 오랫동안 모든 아이들이 특정 시기가 되면, 다시 말해 읽기 준비가 되는 연령에 이르는 초등학교 1학년 때 문자교육을 받으면 된다는 통념에 빠져 있었다. 발생적 문해가 드러날 때 효과적으로 도와주면 다면 트리샤는 학교에 입학에 고통을 겪지 않았을 테지만 가족들은 트리샤의 발생적 문해에 관심을 기울이지 않았다. 트리샤를 제때, 제대로 도움을 받지 못했다.

문자의 세계에 들어갈 수 없는 트리샤는 수업에 참여할 수 없었다. 문자 세계의 문턱을 넘지 못한 트리샤는 수업에 참여하고 싶어도 그럴 수가 없었다. 해야 하는 것을 하지 못하자 몸 여기저기가 아프고 삐걱거렸다. 친구와 부모, 교사들은 꾀병이라고 하겠지만 실제 몸이 이상 신호와 거부 신호를 보냈다.

학교에서 기초문해가 안 되니 당연히 학교에서 친구들과 제대로 어울리지 못한다. 심지어 친구들을 피해 다니며, 숨어서 안전을 찾는 '두더지'가 되고 만다. 하지만 친구들의 놀림은 더 심해지기만 한다. 그럼에도 트리샤의 가족과 학교 교사들은 트리샤의 어려움을 도와주지 않는다.

2부. 발생적 문해 문제와 문해력 발달 단계

초등 1학년 한글 책임 교육이 제대로 이루어지지 않고 있어. 제도적인 문제도 있지만 초등 한글 교육 방법이 뛰어난 소수만 주인공을 만들고, 문해가 느린 학습자를 제대로 챙기지 못하기 탓도 있어.

한글 교육을 재미있는 놀이, 신나는 활동, 음악과 미술 그리고 체육이 통합되면 느린 학습자도 포용하면서 기초문해를 연다고 알고 있었는데 아닌가보지?

※ 초등 1학년 한글 교육의 핵심 문제들

첫째, 현재 초등 1학년 한글 교육은 의도하지 않고 기초문해가 느린 소수를 방임(방치)하는 교육이다. 기초문해 수업은 우리 모두 아이의 성장을 위한 교육이 되지 못하고 있다.

현재 다수의 1학년 교사들은 선의와 열정으로 1년 동안 천천히 한글 교육을 하면 된다고 주장한다. 의도하지 않게 한글을 모르는 아이는 방치하고, 이미 한글 배운 아이들을 통합형, 놀이형 한글 수업은 "1년 동안 천천히 여유 있게 배워도 된다"는 낭만적 생각에 기초해 있다. 이러한 한갓진 한글 교육은 느린 학습자들을 어떻게 위축시키고, 1년 동안 벌어진 학생들 간의 격차에는 주목하지 않는다.

1년 동안 천천히 배우게 도와준다는 선의에도 불구하고 현재의 한글 교육은 '한글을 배우지 않고 입학한 아이를 배려하지 못하는 교육'이다. 그리고 천천히 기다리며, 통합적 활동과 놀이를 통해 가르친다는 기초문해 교육은 '한글을 배우지 못한 아이와 이미 배운 아이의 격차를 키우는 교육'이다.

제비를 읽을 줄 모르는 데 제비를 그리고, 제비의 활동을 신체로 표현하고, 제비 관련 노래를 부르는 것은 문해 발달을 지체 위축시키고, 학생들 간의 문해 격차를 크게 만든다.

'제비'와 '지지배배'를 모르는 느린 학습자에게는 응급한 문해 처지가 필요하다. 놀이와 통합형 교육이 아니라 기초문해 교육다운 한글 교육이 필요하다.

둘째, 현재 초등 1학년 한글 교육은 놀이 중심, 활동 중심, 통합 중심 수업 패턴으로 인해 뛰어난 소수만 주인공으로 만들고, 우리 아이의 성장을 담아내지 못하고 있다. 재미있고 신나는 공교육을 만들기 위한 교사들의 선의가 의도하지 않게 뛰어난 소수를 위한 수업으로 전락하고 있다.

문해 능력의 수준차는 '단군 이래 읽기 능력의 최대 격차'라는 말처럼 우리 모두가 직관적으로 이해할 수 있다. 문자를 해독하지 못하는 학생과 4학년 수준 이상의 문해력을 가진 아이가 한 교실에 있다. 우리는 까막눈의 고통을 제대로 살피지 못한 채 통합형, 놀이형, 활동형 수업을 통해 뛰어난 소수들을 위한 수업을 열고 있다.

우리 모두의 아이의 문해 발달과 별 상관이 없는 예체능 통합 활동, 놀이 중심, 활동 중심의 수업은 결국 교사들의 선의(재미있는 수업으로 배움의 즐거움과 필요성을 체득하게 해주겠다)와 달리 뛰어난 소수에게만 특혜를 주는 의도하지 않는 효과에 직면한다.

현재의 통합형, 놀이형, 활동형 한글 교육은 소수를 아니 모두를 배려하지 못하고 있다. 뛰어난 소수마저도 제대로 성장시키지 못하고 있다. 기초문해 교육의 핵심적 수업의 주안점은 우리 모두의 아이의 성장이다. 한글을 이미 알고 있는 아이, 기본 자모와 기본 단어를 대충 알고 있는 아이, 완전히 까막눈인 아이도 성장하는 우리 모두의 아이들을 위한 수업을 만들어야 한다.

우리 모두의 아이의 성장을 담아내는 수업을 만들지 못하는 이유는 바로, 활동형 통합형 한글 수업을 하기 때문이다. 초등 1학년에서 그림동화책으로 기초문해 교육을 하는 경우 대부분 놀이와 활동, 음·미·체 통합 중심이다. 기초문해 교육에서 그림동화책은 함께 깊이 체득되도록 활용되지 못하고 있다. 그림동화책은 대부분 놀이와 활동의 수단이 되고 만다.

이러한 그림동화책의 활동을 위한 수단화가 기초문해 교육의 핵심적 문제 중 하나다. 텍스트 깊이 읽기에 기초한 놀이와 활동이 아니라 그냥 재미있고 신나는 놀이, 문해와 큰 관련이 없는 놀이가 되곤 한다. 문해력 성장이라는 학습의 목적과 효과는 의문시되는 놀이와 활동으로 전락한 것이다.

셋째, 현재 초등 1학년 한글 교육은 효율적이지도 교육적이지도 **못한 파닉스 중심 방법에 갇혀 있다.** 문해 발달에 대한 오해와 한글 교육 방법에 대한 검토가 부재한 상황에서 지혜롭지 못한 관행에 갇힌 한글 교육이 장기 지속되고 있다. 기초문해의 깨침은 물론 우리 모두의 아이의 문해력 발달을 어렵게 만드는 자모 중심의 파닉스 지도와 뛰어난 소수를 위한 활동형 수업은 초등 1학년 교육의 근본 문제다.

자음 체계를 순서대로 한글을 교육하는 파닉스 방식은 부분을 충실하게 하면 전체가 완성된다는 생각에 기초한다. **자모 중심 한글교육은** 자음 하나(부분) 하나(부분)를 완성해 나가면 어느 순간 한글 문해가 총체적으로 완성된다고 생각한다. 자음과 모음을 착실히 그리고 자음과 모음의 결합을 과학적으로 안내하면 즉 부분을 완벽하게 안내하면 전체적인 한글 해독을 완성하게 된다는 것이다.

하지만 "전체는 부분의 합보다 크다(The whole is more than the sum of its parts.)"(아리스토텔레스)

기본 자모와 경험적으로 익숙한 낱말들이 아직 어려운 아이에게 자모 체계를 따른 파닉스 지도는 한글 문해에 거부감과 불안감, 불필요한 장벽을 만든다. 자음과 모음을 체계적 순서에 따라 다루는 파닉스 중심 기초문해 교육은 부분의 합이 전체라는 지평에서 기초문해에 어려움을 겪는 아이를 문자의 숲에서 길을 잃게 만드는 것이다.

기역, 니은, 디귿을 하나하나 순서대로 배우는 것은 문해 발달과도 맞지 않고, 그것 자체로 너무 형식적으로 추상적이라 소화하기가 어렵다. 파닉스 중심의 기초문해 수업은 어렵고 힘든 길로 가서, 사서 고생하는 방식이라고 할 수 있다. 쉬운 일은 어렵게 가게 하는 것이고 이는 어렵게 가면서 못하는 아이를 위축시키고, 문해의 즐거움을 누리지 못하게 한다.

충분히 매력적인 상호작용(듣기와 말하기) 속에서 읽기와 쓰기가 자라난다. 부드럽고 편안한 상호작용이 읽기와 쓰기의 기초이고, 근본일 뿐 아니라 읽기와 쓰기의 내용이기도 하다.

충분한 상호작용과 문자 탐구와 발견 놀이를 하게 되면 기본 자모와 통글자 낱말을 이미지로 인지하고 읽어낼 수 있다. 물론 기본 자음(가나다라마바사 등)과 기본 모음(아야어여오요 등)은 알파벳 송으로 유튜브와 노래를 통해 암송해야 한다. 영상을 함께 따라 부르며 아무런 부담 없이 외우면 된다. 이는 아무리 부족한 아이라도 3일 내에 완성된다. 이것과 함께 몇 개의 음절과 경험적으로 친숙한 기본 낱말을 읽을 수 있게 되면 자음과 모음을 발견하는 것은 어려운 일이 아니다.

자음과 모음, 그리고 자모의 결합, 자음에 따른 받침(초성, 중성, 중성의 결합 방식) 들은 어려운 것이 아니다. 자음과 모음은 낱말 읽기가 어느 정도 되면 손쉽게 해낼 수 있다. '사'를 읽을 수 있고, '사과, 사자'를 통글자로 읽을 수 있게 되면 사의 시옷을 발견하고 읽는 것은 어려운 일이 아니다. 한글 문해를 막 시작한 아이(기본 자모와 핵심 낱말을 읽지 못하는 아이)에게 '시옷'을 통해 가르치려 한다면 너무 어렵고 고통스러운 일이지만, 기본 자모와 경험적으로 익숙한 낱말들을 익힌 학생에게는 '시옷'을 발견하고 익히는 것은 쉬운 일이다.

24개의 기본 자모와 경험적으로 친숙한 몇 개의 낱말을 읽을 수 있으면 변형 자모와 받침 그리고 자음과 모음의 결합은 자연스럽게 깨치게 된다. 통글자와 낱말을 통해 전체적 윤곽을 그린 후 자음과 모음, 자모의 결합을 부분을 발견하는 것은 어려운 일이 아니다. 전체적인 글 상이 생긴 후 자음과 모음, 자모의 결합을 배우는 것은 해볼 만하고, 재미있는 탐구가 된다.

더 좋은 길, 더 현명하고 지혜로운 길이 있다

인디아나 존스 시리즈 1편의 <레이더스>에서는 카이로에서의 결투 장면이 나온다. 존스는 칼의 장인의 화려한 무예를 보고 나서 아주 덤덤하고 단호하게 총을 빼 들어 쏴 버린다. 수많은 영화에서 패러디되는 이 장면은 효과적이고 효율적인 대응이 무엇인지를 보여준다.

존스는 칼의 달인에 맞서 명예롭게 싸우지 않는다. 치사하고 비겁해 보이지만 총으로 맞선다. 존스는 왼쪽에 있는 채찍으로 명예롭게 결투하는 것이 아니라 너무나 단순 명쾌하게 오른쪽의 총을 사용해 한 방을 쏘아 적을 무찌른다. 멋있어 보이는 칼 솜씨는 총 앞에서 아무것도 아니다.

도굴꾼 인디아나 존스는 골리앗에 맞서 승리를 쟁취한 다윗처럼 싸웠다. 게임의 규칙을 바꿔 자신이 이길 수 있는 전투를 선택한 것이다. 말콤 글래드웰이 <다윗과 골리앗>에서 강조한 것처럼 포병이 보병을 이기는 너무나 당연한 결과다. <레이더스>는 칼과 총 중 뭐가 이길지를 유머스럽게 보여주었다면, 다윗과 골리앗은 보병과 포병(투석, 활 등) 중 무엇이 이길지를 보여준다. 왜 쉬운 길을 놔두고 어려운 길로 사서 고생을 하려 드는가? 지고 나서 무슨 명예가 있단 말인가!

우리 교사들은 활동과 통합형 수업(재미있는 놀이, 신기한 교구, 꼬마 전문가들의 활동 맛보기)을 통해 우리 아이들의 성장을 도우려 한다. 그런데 통합형 놀이형, 학생 중심형 수업들은 우리 모두의 아이들의 성장의 결과를 만들어내지 못한다. 느린 소수의 학생들은 소리 없이 배제되고, 소수의 뛰어난 학생들만 주인공이 된다. 지식과 기능의 기초 다지기가 빠진 활동들을 통해서는 우리 모두의 아이는 물론이고, 소수의 뛰어난 학생들도 실제적인 성장이 일어나지 않는다.

지식과 기능의 고통을 우회한 재미에 치중한 활동들은 너무나 안타까운 기회비용을 치르고 있고, 거대한 매몰 비용[26]을 만들

---

26) 매몰비용(sunk cost)의 오류는 이미 들어간 투자와 비용 때문에 이미 실패한 또는 실패할 것으로 예상되는 일에 시간, 노력, 돈, 에너지를 계속 들이붓는 것을 말한다. 매몰 비용 오류는 콩코드 오류라고도 하는 데 콩코드 개발진은 초음속 여객기가 비용과 현실적 문제 때문에 실용화하기 어렵다는 것을 알았지만 이미 투자한 비용을 고려 개발을 강행해 실패를 더 크게 만들었다. 지금까지의 투입이 만족스럽지 않고, 앞으로 결과도 신통치 않지만 이미 소모한 매몰비용이 크다는 이유로 포기하지 않고 계속 매달리는 것을 매몰 비용의 오류라고 한다. 파닉스 중심의 한글 교육, 활동형 통합형 한글 교육은 실패한 혹은 실패할 것이 예상되는 것에 계속해서 투입량을 늘이는 문제를 드러나고 있다.

어내고 있다. 대마불사처럼 수많은 매몰 비용이 쌓이고 있다. 그런데도 놀이 중심의 활동형 수업, 음·미·체 통합형 실천에 빠진 교사들은 오늘도 칼과 보병 전략으로 학생들을 교육하며 자신의 에너지와 시간을 탈탈 털고 있다. 그러니 당연히 소모되고 탈진되는 것이다. 초등 1학년 교사들은 학생들이 성장으로 응답해주지 않으니 보람과 행복으로 충전 받지 못하고 탈진하고 있다.

그림동화책을 함께 깊이 읽으며 날아오르기 위한 고민거리들

 현재의 통합형, 놀이형, 활동형 한글 교육은 소수를 아니 모두를 배려하지 못하고 있다. 뛰어난 소수마저도 제대로 성장시키지 못하고 있다. 기초문해 교육의 핵심적 수업의 주안점은 우리 모두의 아이의 성장이다. 한글을 이미 알고 있는 아이, 기본 자모와 기본 단어를 대충 알고 있는 아이, 완전히 까막눈인 아이도 성장하는 우리 모두의 아이들을 위한 수업을 만들어야 한다.

 우리 모두의 아이의 성장을 담아내는 수업을 만들지 못하는 이유는 바로, 활동형 통합형 한글 수업을 하기 때문이다. 초등 1학년에서 그림동화책으로 기초문해 교육을 하는 경우 대부분 놀이와 활동, 음미체 통합 중심이다. 기초문해 교육에서 그림동화책은 함께 깊이 체득되도록 활용되지 못하고 있다. 그림동화책은 대부분 놀이와 활동의 수단이 되고 만다.

 이러한 그림동화책의 활동을 위한 수단화가 기초문해 교육의 핵심적 문제 중 하나다. 텍스트 깊이 읽기에 기초한 놀이와 활동이 아니라 그냥 재미있고 신나는 놀이, 문해와 큰 관련이 없는 놀이가 되곤 한다. 문해력 성장이라는 학습의 목적과 효과는 의문시되는 놀이와 활동으로 전락한 것이다.

학부모들은 학교의 기초문해 교육을 거부하곤 해. 아이 문해를 제대로 도와주지도 못하면서 친구들에게 아이가 못하는 아이로 낙인찍힐까 불안한 거지. 누구나 자신의 아이를 지키려 예민해질 수 있어.

부모의 불안과 거부에 대해 교사답게 책임을 지는 행동들이 필요해. 학교 생활 중 짬 시간을 활용해 문해 수업의 효과를 느끼게 하는 것이 필요하지 않을까!

※ 기초문해 교육을 거부하는 학부모 문제

기초문해에 어려움을 보이는 느린 학습자를 응급하게 지원해야 하는 데 학부모가 거절한다. 어떻게 해야 할까?

첫째, 개별화 수업에 대한 불안, 아이가 상처받고 낙인찍히게 될 것이라는 학부모의 불안에 공감해야 한다

아이가 한글을 몰라 학교생활에 어려움을 겪고 있어 가뜩이나 속상한 데. 개별화 수업을 하라고 하다니. 아무리 좋은 제안도 부모가 불안하고 속상할 때 던져지면 화가 나고 짜증이 나게 마련이다. 가뜩이나 힘든데 내 아이가 상처받고 친구들에게 낙인찍히게 될 것이라는 학부모의 불안은 너무나 당연하다.

2부. 발생적 문해 문제와 문해력 발달 단계

따라서 학부모에게 공감하면서 차분하게 아이를 위해 무엇이 필요한지 같이 길을 찾아가자고 이야기를 풀어가야 한다. 감정을 수용하면서 대안적 행동들을 찾아가야 한다. 학부모에게 아이의 문해 책임을 묻기 위한 것이 아니라 학교가 교사가 아이 문해를 책임지기 위한 것이라는 것을 공감적으로 들려줘야 한다.

느린 학습자의 부모일수록 내 아이만 따로 수업을 해, 낙인을 찍게 되는 것은 아닐까 불안한다. 따라서 학부모가 가진 불안에 대해 공감해주고, 그 불안을 줄이고 지우는 방법을 함께 이야기해야 한다.(유선상 보다 대면으로 이야기 나누는 게 효과적이다.)

아이가 정규 수업 시간에 교실 밖으로 나가 따로 수업받는 것에 대해 친구들이 놀리고, 아이 스스로 더 위축될 것이라는 우려는 정반대일 수 있다. 교실 수업에서 더 위축되고 무기력해지고 있으며, 교실 수업에서 친구들에게 받게 되는 의식적 말과 행동, 무의식적 눈길에 더 힘들고 상처받을 수 있다. 따로 개별화 수업을 하는 걸 이 또래 아이들은 부러워하고, 아이도 기초학력 교사와 금방 관계를 맺고, 배움의 길로 나아갈 수 있다.

"아이가 상처받고, 낙인찍힐까 걱정되시고, 염려가 되는 건 당연하시다. 그래도 한 번 믿고 맡겨달라. 아이가 수업 중 매일 매일 매시간 상처받고 있기에 도와주기 위해 개별화 수업이 필요하다는 것이다. 부모님도 느끼실 것이다. 우리 00이에게

문해 도움이 필요하다는 것을. 일단 조금만 해보고 정 힘들면,
잘 맞지 않으면 그때 안 하셔도 된다."

담임교사와 기초학력 전담 교사가 따로 또 같이 학부모의 불안(걱정)에 공감해주고, 믿고 맡겨달라는 자신감과 책임성을 보여주어야 한다. 아이의 어려움은 학교와 교사의 책임이고, 이를 이제야 챙기게 되어 미안하고, 이제라도 더 늦지 않게 살펴주고 싶다고 손을 내밀어야 한다.

느린 학습자의 부모일수록 자책감에 시달리고, 자신에 대한 책임을 공격하는 것을 피하고자 아이의 개별화 수업을 거부하게 될 가능성이 크다. 부모의 책임이 아니라 학교의 책임이라는 것을 더 강조해주고, 교사에게 믿고 맡겨 달라는 표현이 중요하다. 핵심은 부모 책임이 아니라 학교와 교사 책임이라는 것을 강조해야 한다.

둘째, 전담 교사와 아이와의 해볼 만한 기초문해 수업 경험을 만들어야 한다. 거절당해도 다시 손을 내밀어야 한다. 삼세번은 기본이다. '부모가 싫다가는 데 학교와 교사가 어떻게 하냐', 괜히 민원만 생기니 그만 신경꺼야 한다.' '해준다는 데도 싫다는데, 집에서 알아서 잘 하겠지.' 하는 냉소와 체념은 감정적으로는 당연하지만, 교사는 학생 성장을 위해 책임에 응답하지 않는 반응이다. 학부모 거부의 문제는 학생 성장을 도와주고자 하는 교사의 의지와 실천을 느낄 수 있게 해 변화를 만들어야 한다.

일단 교사가 할 수 있는 최선을 다했다면 (설득과 유혹, 기초 학력 수업의 필요와 절차와 효과에 대한 안내) 학부모가 아니라 아이에 집중해야 한다. 심지어 부모가 거부해도 아이와 기초학력 전담 교사가 함께하는 수업을 하는 도전도 필요하다. (개별화 수업은 불가능해도, 담임교사와의 협력 수업을 통해 아이와 관계를 만들어 나갈 수 있다. 아이가 전담 교사와의 교육적 관계 맺음에 마음이 열리면 그것을 통해 부모를 다시 설득할 수 있다.)

"개별화 수업해도 될까요?"라는 소리에 대해 학부모가 "이미, 하고 계시잖아요."라는 소리가 나오게 하는 것도 하나의 방법이다. '부모가 거부하니 못 하겠다'는 빠른 포기가 아니라 어떤 방법이든 우리 아이를 도와주려는 시도와 노력을 보여주는 게 필요하다. 부모에게 필요한 것은 내 아이가 좋아질 수 있다는 믿음과 내 아이를 포기하지 않고 도와주려는 교사의 의지와 손내밈을 느낄 수 있어야 한다.

셋째, 아동을 방임하는 부모, 아이에게 유독한 부모에 대응하는 교육청 차원의 기준과 메뉴얼이 필요하다. 부모의 아동 방임에 대한 교육청 차원의 시스템과 메뉴얼이 필요하다.

그래도 거부하는 부모는 있다. 모든 부모는 아이를 위한 선의가 있지만, 모든 부모가 아이를 위한 행동과 환경을 만들지는 못한다. 아이 사랑의 선의가 가득해도 유독하게 행동하는 부모가 있게 마련이고, 이에 대응이 필요하다. 이때는 교장, 교감과 상담 교사 등의 협력이 필요하다.

그래도 안 되면 교육청 차원의 대응이 필요하다. 교사와 학교에 교육적 부담을 덜어주기 위해 교육청에서 심의와 해결을 처리하는 학교폭력 메뉴얼과 같은 차원의 대응이 필요하다. 기초 문해 교육을 교사와 학교 차원에서 최선을 다해 설득하고 유혹했는데도 기초 학력 교육을 거부할 때 교육청 차원의 접근이 필요하다. 학부모와의 대화와 상담, 아동 지원을 교육청 차원에서 접근하는 것이 필요한 것이다.

교사들은 이러한 다차원적인 지원 노력이 시스템화되어 있지 않아 학부모가 거절하면 손쉽게 포기하게 되는 경우가 있다. 이런 손쉬운 포기를 벗어나 아이를 끈질기게 온전히 책임질 수 있는 시스템의 구축이 필요하다.

그림동화책을 함께 깊이 읽으며 날아오르기 위한 고민거리들

담임교사와 기초학력 전담 교사가 따로 또 같이 학부모의 불안(걱정)에 공감해주고, 믿고 맡겨달라는 자신감과 책임성을 보여주어야 한다. 아이의 어려움은 학교와 교사의 책임이고, 이를 이제야 챙기게 되어 미안하고, 이제라도 더 늦지 않게 살펴주고 싶다고 손을 내밀어야 한다.

느린 학습자의 부모일수록 자책감에 시달리고, 자신에 대한 책임을 공격하는 것을 피하고자 아이의 개별화 수업을 거부하게 될 가능성이 크다. 부모의 책임이 아니라 학교의 책임이라는 것을 더 강조해주고, 교사에게 믿고 맡겨 달라는 표현이 중요하다. 핵심은 부모 책임이 아니라 학교와 교사 책임이라는 것을 강조해야 한다.

'부모가 거부하니 못 하겠다'는 빠른 포기가 아니라 어떤 방법이든 우리 아이를 도와주려는 시도와 노력을 보여주는 게 필요하다. 부모에게 필요한 것은 내 아이가 좋아질 수 있다는 믿음과 내 아이를 포기하지 않고 도와주려는 교사의 의지와 손내밈을 느낄 수 있어야 한다.

영어와 구별되는 우리글 문해의 발달 단계를 잘 이해해야
할 것 같아. 또한 우리 문자를 해독하고 이의 의미를
독해하는 과정의 신비를 제대로 이해해야겠지.

해독은 글자는 읽는 것이고, 독해는 의미를 이해하는 것이군.
특히 해독 1단계는 기본 자모와 익숙한 낱말 읽기고, 2단계는
다양한 받침과 변형 자모를 읽기네.

8. (기초) 문해력 발달 단계 : 읽기와 쓰기 능력 형성

읽기 능력 발달을 어떻게 구분할 수 있을까?

	단 계	내 용
1	자모 이전 단계	단어를 그림으로 인식
2	부분적 자모	자소 지식 파악
3	자모 단계	글자와 소리의 대응 규칙 파악
4	통합적 자모 단계	소리와 자소의 대응 관계 파악
5	자동적 자모 단계	대부분의 단어를 일견 읽음

<엄훈이 정리한 한글과 영어의 단어 읽기 발단 단계>

엄훈은 우리글 단어 읽기 발달 단계를 위와 같이 요약 정리한다. 그는 영어의 단어 읽기를 참조하여 한글의 단어 읽기 발달 단계를 정리한다. 영어와 한글을 동일한 틀로 정리한 것이다. 하지만 이 문해 발달론은 우리글의 해독과 독해의 발달 단계와 잘 맞지 않는다. 우리 문자의 읽기 능력 발달 과정에 잘 맞지 않고 영어 문자의 읽기 발달에 억지로 끼워 맞춘 듯하다.

읽기 능력 발달 중 날말 읽기의 발달 과정을 정리할 때 한글과 영어의 원리적 차이도 고려하는 것도 중요하지만, 아이들의 읽기 발달 경험을 제대로 분석, 이해하고 있는지가 결정적이다.

영어 단어 읽기와 달리 한글은 기본 단어와 기본 자모를 읽을 수 있게 되면 어느 정도 문자 읽기가 가능해진다. 약간의 도움이 가해지며 변형 자모와 받침을 읽는 등의 기초문해에 필요한 요소들을 직관적으로 깨치게 된다. 우리글의 낱말 읽기는 5단계로 구분된 영어 읽기와 달리 매우 통합적이고 직관적으로 발달하게 된다.

한글이 영어와 달리 매우 쉽고 간단하게 읽기를 깨치게 해주는 특징이 있기 때문이다. 세종이 '쉽게 익혀 날로 씀에 편안하게 하고자' 만든 우리글 문해 발달의 특징은 무엇일까?

한글(우리글) 읽기 발달 단계를 영어 단어 읽기 발달과 비교하면 어떻게 구분될 수 있을까?

	단 계	내 용
1	기본 자모 이전 단계	글자를 이미지로 인식
2	기본 자모 단계	기본 자모와 익숙한 낱말 읽기
3	통합적 자모 단계	변형 자모 읽기, 받침 읽기 가능
4	자동적 자모 단계	해독의 유창성과 독해의 자동화

<한글(우리글) 읽기 발달 단계>

엄훈의 정리와 달리 우리 문자에 대한 문해는 부분적 자모와 자모 단계를 구분할 실익이 없다. 우리글을 읽는 능력은 대부분 기본 자모음 습득과 통합적 자모의 학습이 순식간에 별다른 어려움 없이 일어나게 된다. 영어 읽기와 구별되는 우리글 읽기의 발달이 어떻게 이루어지게 될까?

1) 기본 자모 이전 단계 = 까막눈, 경험 지평 내에서 글자를 이미지로 인식한다.
-그림책 읽어주기와 경험을 읽어주는 상호작용이 문해의 기초를 놓게 된다. 상호작용의 풍성함(양)과 농익음(질)이 기초문해 숙달의 효율과 깊이와 넓이 등을 결정지어 준다.
2) 기본 자모 단계 = 24자의 기본 자음과 모음, 그리고 익숙한 낱말(이름과 경험 지평에서 익숙한 낱말)을 읽을 수 있다.
-스스로 읽기가 일견 가능해진다. 아기의 "아", 사과의

"사", 하마의 "하" 등 '가나다라마사바아자차카타파하'의 14자의 기본 자음과 '아야어여오요우유으이'의 10자의 기본 모음을 읽을 수 있게 되면 문자의 수수께끼를 풀 수 있는 것이 많아진다. 자신의 이름과 가족의 이름 등 경험적으로 익숙한 낱말과 환경 언어 등을 일견 읽을 수 있게 된다.

3) **통합적 자모 단계** = 다양한 변형 자모 읽기, 받침 읽기가 가능해진다.

- "가"에서 '강, 감, 간, 각' 등의 음정을 유추해 읽을 수 있고, "가"에서 '거, 겨, 고, 구' 등을 읽을 수 있게 된다. '가'에 '이응'이 붙으면 '강', '가'에 '미음'이 붙으면 '감'이라는 활동을 통해 다양한 변형 자모와 받침 등을 읽을 수 있게 된다.

4) **자동적 자모 단계** = 해독의 유창성과 독해의 자동화가 원활하게 이루어진다.

음절과 낱말을 자동화하여 유창하게 읽고, 그 뜻을 이해할 수 있다

영어 낱말 읽기가 부분적 자모, 자모 단계, 통합적 자모 단계로 구분되지만, 한글 낱말 일기는 기본 자모와 통합적 자모로 단순화할 수 있다. 영어와 달리 한글은 기본 자모 단계를 익히는 것은 간단명료하고, 통합적 자모 단계의 해독도 영어와는 접근과 용이성 등에서 큰 차이가 난다. 한글 읽기의 발달이 어떻게 이루어지기에 영어 읽기와 구분되는 것일까?

		1단계	24자의 기본 자모 읽기, 익숙한 낱말 읽기
읽기 발달 단계	해 독	2단계	다양한 변형 자모와 받침이 있는 음절 읽기
	독 해	3단계	유창성 확보와 낱말 해석의 자동화
		4단계	어구와 문장, 문단 해석

  우리글에 대한 읽기 발달을 구분하면 해독 단계와 독해 단계
2단계로 구분될 수 있다. 해독 단계를 다시 2단계로 나누면 해
독 2단계와 독해 1단계를 합쳐 3단계로 구분될 수 있다. 해독
을 2단계로 나누고, 독해를 2단계로 나누면 4단계로 나누어 볼
수 있다.

  해독 단계를 2단계로 구분하면 기본 자모와 익숙한 낱말 읽기
단계와 변형 자모와 받침이 있는 음절 읽기 단계로 나누어진
다. 해독 단계는 기본 자모 단계와 받침과 변형이 있는 낱말과
음절의 직관적 읽기 단계로 구분되는 것이다.

1) 해독 1단계 : 24자의 기본 자모 읽기, 경험적으로 익숙한
낱말 읽기

  <찾았다>를 읽을 때 기본 자모만 익힌 대부분의 기초문해 학
습자들은 "고양이는 야옹야옹"과 "나비는 팔랑팔랑"을 아

무런 어려움 없이 읽어낸다. '양'과 '옹', '비'와 '팔', '랑'을 개별적으로 분리해 음절의 소리값을 묻게 되면 꿀 먹은 벙어리가 될 기초문해 학습자들도 '고양이'와 '나비', '야옹'과 '팔랑'을 유추해서 읽게 된다. 이 낱말들은 충분히 경험 속에서 노출된 어구이기 때문에 발음과 읽기에 아무런 어려움을 보이지 않는다.

그리고 그림동화책 읽기와 낱말 카드 소리 내어 읽기가 반복 숙달되면 '고양이, 야옹야옹, 나비, 팔랑팔랑'을 통째로 자기화하게 된다. 물론 '고', '양', '팔', '랑'을 따로 분리래서 읽거나 다른 낱말에서 발견해야 할 때는 일시적으로 주춤거리기도 한다. 하지만 충분히 익힌 익숙한 낱말들은 다른 낱말 읽기가 음절 읽기도 어렵지 않게 익히게 된다. 내가 아는 단어고, 어디선가 봤던 단어라는 느낌이 들면 큰 어려움 없이 음절과 낱말을 익히게 된다. "고양이의 '양'이잖아", "팔랑팔랑의 '랑'이네!"라는 말을 교사가 하다가 어느새 학습자가 지적하는 순간들이 오게 된다. 기본 자모와 자신의 이름 정도만 읽을 수 있는 기초문해 학습자도 고양이는 야옹야옹과 나비는 팔랑팔랑의 어구를 통째로 익히면 다양한 낱말들을 배우고 익히는 데 발판이 되어 준다.

2) 해독 2단계 : 낱말과 음절 읽기(직관적으로 자모의 결합 깨치기를 통해 변형 자모와 받침이 있는 음절 읽기)

변형 자모와 받침이 있는 음절 읽기는 기본 자모만 읽을 수 있던 학습자에게 넘기 힘든 장벽처럼 보인다. 하지만 기본 자모와 익숙한 낱말 몇 개를 읽을 수 있는 기초문해 학습자는 <달님 안녕>, <누가 숨겼지?>, <투둑, 떨어진다>27) 등의 그림 동화책을 읽다 보면 어느새 변형 자모와 받침들을 읽을 수 있게 된다.

기초문해 학습자에게 해독 2단계는 매우 중요한 도움과 보살핌이 필요한 시기다. 이 시기를 도와주는 방법으로 자음과 모음의 결합을 보여주는 한글 포스터를 보고 '가갸거겨, 나냐너녀' 등을 반복 숙달하거나, 받아쓰기 시험을 통해 변형 자모와 다양한 받침을 익히려는 것은 효과도 적고, 역효과가 더 크다.

---

27) 기초문해 교육의 기초 잡기는 유아들이 좋아하는 '유아용 보드북'을 적극 활용해야 한다. <초록똥을 뿌지직>, <누구지 누굴까> <두드려 보아요> <구두 구두 걸어라> <찾았다!> 등 유아가 부모와 함께 신나게 놀았던 그림동화책들은 기초문해 교육의 처음을 열고, 변형 자모와 받침이 있는 음절을 읽을 수 있는 능력을 형성하는 데 매우 효과적이다.

2부. 발생적 문해 문제와 문해력 발달 단계

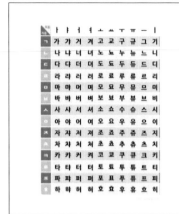	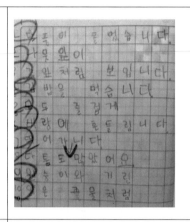
자음과 모음의 결합을 보여주는 한글 포스터	띄어쓰기와 문장부호까지 보는 받아쓰기 시험

특히 정확한 낱말 쓰기를 강조하는 받아쓰기 시험은 문자 읽기 능력의 기초를 다지기보다 속도를 늦추고, 문해의 기반을 앙상하게 만드는 데 역작용을 한다. 읽기와 쓰기가 다른 낱말 주의해서 쓰기, 다양한 받침 정확하기 쓰기 등에 더해 맞춤법과 띄어쓰기까지 강조하게 되면 해독 2단계는 매우 고통스럽고 지난 한 시간으로 점철되게 된다.

해독 2단계에서는 쓰기 중심이 아니라 읽기 유창성을 확보하는 게 우선이다. 쓰기와 읽기의 동시 진행이 아니라 읽기가 충분히 차오른 후 쓰기를 진행해도 늦지 않고, 읽기와 쓰기를 조화롭게 발달시키기 위해서는 읽기 유창성에 더 집중해야 한다.

쓰기와 읽기의 차이나는 낱말은 그림동화책을 함께 깊이 읽고, 단어 카드를 통해 충분히 소리 내어 읽기 과정이 선행되어야 한다. <같이> 쓸 때는 '같이', 읽을 때는 '가치'로 읽는 것은 직접 써 보는 훈련을 하기 전 "우리 같이 놀자"를 충분히 눈에 익히고, 소리 내어 읽어 문자 읽기에 자신감이 붙은 후 해도 늦지 않다. '걸어라'를 '거러라'로 읽고 쓸 때는 '걸어라'는 쓰는 것, '읽어요'를 쓸 때는 '읽어요', 읽을 때는 '일거요'로 읽는 것은 받아쓰기 시험을 통해 수행되기보다는 그림동화책을 읽고 단어 카드를 통해 수십 번 반복된 후 그림동화책을 통째로 필사하면서 익히는 것이 정서적으로 편안하고, 부드럽게 익힐 수 있다.

받아쓰기 시험과 네모 한글판을 통한 2단계 교육 방법은 음절 읽기에는 효율은 낮지만, 효과적일 수 있다. 투입을 많이 했는데 효과가 없을 리는 없다. 문제는 낱말의 유창성을 숙달하고 확장하는 데는 문제적이다. 이와 달리 그림동화책을 통해 해독 2단계를 확충해 나가면 재미있고 손쉽게 2단계의 어려움을 극복하게 된다.

<누가 숨겼지?>를 통해 기초문해 학습을 막 시작하는 학습자는 '지느러미'에서 '지'와 '느', '러'와 '미'를 읽을 수 있어도 이를 붙여서 유창하게 읽는 데 어려움을 보인다. 음절 낱자를 하나하나 읽을 수 있어도 붙여서 읽는 데 어려움을 보인다. 충분한 반복 숙달(소리 내어 읽기)과 의미 이해가 함께하지 않으면 유창성은 확보되지 않는다.

닭의 '벼슬'을 읽을 때도 마찬가지다. '벼'와 '슬'을

읽을 수 있어도 '벼슬'을 붙여서 읽는 데 어려움을 보일 수 있다. '슬기로운 생활'을 발음할 때는 아무런 어려움을 보이지 않는 데 '벼슬'을 붙여서 읽는 데는 어려움을 보일 수 있다. 이때 필요한 것은 받아쓰기 시험이 아니라 함께 소리 내어 읽어 보는 것이고, 단어 카드를 통해 다양하게 활동을 하는 것이다. 단어 카드와 그림동화책 상호작용을 통해 충분히 '지느러미'의 '느'와 '러'를 반복 숙달하고, '벼슬'의 '벼'와 '슬'을 체득하는 언어놀이를 해보는 것이 중요하다. 해독 2단계의 양질 전환(작지만 소중한 성취의 축적과 질적 도약)을 위해서 필요한 것은 받아쓰기 시험이 아니라 그림동화책 함께 깊이 읽기와 단어 카드는 소리 내어 읽으며 강렬하게 활동하는 밀도 있는 학습 활동이다.

다시 말해 변형 자모와 받침이 있는 음절 읽기에 핵심은 의미 이해와 소리 내어 읽기가 핵심이고, 이를 보조하는 것이 자음과 모음의 결합과 분해 활동이다. 필요할 때마다 칠판 판서나 한글 (자모) 자석을 이용해 자음과 모음의 결합과 분해의 원리를 안내하고 탐구해 보는 것이 필요하지만, 이것은 소리 내어 읽기와 의미 이해의 보조적인 활동이다. 해독 2단계의 문턱을 넘어서는 데 핵심은 자음과 모음의 결합에 대한 과학적 원리 이해나, 완벽한 받아쓰기 시험도 아니다. 해독 2단계의 성취는 그림동화책을 함께, 깊이, 재미있게 읽으며 문자를 읽을 수 있는 성취경험을 통해 만들어질 수 있다.

3) 독해 1단계 : 읽기의 유창성 확보와 낱말 해석의 자동화

독해는 낱말을 자기화하는 것에서 시작된다. 낱말 이해 즉 독해는 낱말의 의미를 이해한다는 것이고 의미와 표현의 대응이 되는 말을 찾을 수 있다는 말이다. 동물의 왕인 사자를 읽고 그 의미를 이해하는 것 그리고 사랑과 미움, 분노와 화, 서운함과 속상함, 짜증 등 추상적 단어의 미묘한 의미를 구분하고, 사과가 먹는 사과인지 미안함을 표현하는 사과인지를 구분하고 인지하는 능력은 낱말을 자기화할 수 있는 능력이다.

낱말을 자기화하는 첫 번째 단계는 상징 문자를 읽고, 이를 의미를 연결 짓는 것이다. 읽기가 해독 2단계에서 자동화되는 것은 의미와 연동되는 것과 함께 간다.

해독은 어느 정도 되는 데 뜻을 모른다면 독해 1단계라 볼 수 있다. 보통 구체어 보다 추상어의 이해에 어려움을 보이지만, 기초문해에 어려움을 보이는 학습자의 경우 구체어에도 상당한 의미 이해에 어려움을 보인다. '나침반, 등대, 다리미, 횡단보도' 등 구체어 이해에 어려움을 보이거나 '증오와 혐오, 아쉬움과 안타까움, 속상함. 분노, 짜증, 화'등 추상어의 이해에 어려움을 보인다. 또한 한자어로 된 우리말 '금일'과 '금요일', '사흘'과 '4일', '익일'과 '다음 날' 등을 이해하는 데 어려움을 보이게 된다.

따라서 기초문해 교육에서 독해는 낱말 읽기가 의미 해석의 영역과 자동화되는 것을 말한다. 상징 문자와 의미가 연동과 자동화된다는 것은 뇌의 작동영역에서의 해석의 가능성이 커진다는 말이고, 이를 위해 기초문해 교육은 부드럽고 따뜻하고 여유있게 독해 교육이 이루어져야 한다.

그런데 아쉽고 안타깝게도 우리의 독해 교육은 공교육의 교과서 풀이와 사교육의 문제집 풀기에 사로잡혀 있다.

초등 정규 교육과정은 독해를 함께 깊이 읽어내고 있지 않다. 교과서의 독해 수업을 보면 텍스트의 양은 너무 많고, 해석은 너무 성기다. 교과서는 텍스트를 하나하나 제대로 깊이 읽는 것이 아니라 대충 훑어보도록 유도한다. 초등 중학년의 경우 보통 3~4쪽이 넘는 지문에 정작 내용 확인을 위한 문항은 4문제 정도에 불과하다. 더구나 국어 수업은 교사와 학생이 교과서 텍스트를 함께 깊이 읽고 내용을 확인하고 이를 바탕으로 추론과 비판, 상상과 표현을 하는 게 아니라 텍스트는 읽었다 치고 재미있는 활동을 하는 데 치중해 있다. 교과서 텍스트를 제대로 읽지도 못했는데 이에 바탕 한 편지쓰기, 주장하는 글 쓰기, 역할극 하기 등 재미있는 활동으로 교과서가 가득 차 있다. 낱말을 연계성을 확장하고 의미 층위를 복합적으로 두텁게 읽어내기가 이루어지지 않은 채 엉뚱하게도 재미있는 활동에 꽂혀 있다.

공교육 (국어) 수업이 재미있고 신기한 활동에 사로잡혀 있다면 사교육은 밀림 같이 빽빽하고 치밀한 문제 사냥으로 학생들을 녹초로 만든다. 핵심 개념을 잡고 차근차근 여유 있게 하나를 숙달해 가도록 살피는 것이 아니라 문제 폭풍으로 학습자를 사로잡아 버린다. 이 소용돌이에서 살아남을 수 있는 극소수를 제외한 대부분에게 탈진을 부르고, 생존한 소수에게도 더 좋은 배움(지식과 기능을 고등하게 활용해 보는 탐구의 과정)을 안내하지 않고 문제의 밀집에 학생들을 처박아 버리는 것이다.

독해 능력 발달을 위해 우리에게 필요한 것은 사교육 문제집의 밀림도, 공교육 교과서의 사막도 아니다. 독해 능력이라는 숲과 생명을 키우는 데 필요한 것은 텍스트를 함께, 깊이, 재미있게 읽는 것이다. 잠자리가 나오면 된장잠자리와 고추잠자리에 대한 경험을 이야기하고, 이를 실제 만나 잡아 보려 노력하고, 잠자리에 대한 다양한 이야기를 나누는 것이 필요하다. 3만 년 전 메가네우라부터, 인도와 티벳에서 태풍 타고 여름마다 우리나라로 오는 된장 잠자리에 대한 이야기를 나누며 낱말을 입체적으로 두텁게 하는 것이 독해 교육의 기본이다. 잠자리 하나를 배울 때 잠자리의 종류와 역사, 잠자리의 이동(지도로 티벳과 인도를 확인하고, 태풍을 타고 날아오는 여름에 태어난 된장잠자리를 탐구해 보아야 한다), 잠자리의 생김새, 잠자리 채집 등을 하며 한 낱말을 두텁고 입체적으로 깊이 읽는 것이 필요하다.

한 낱말을 두텁게 읽는 것이 공교육 교과서의 사막화된 텍스트 읽기(3쪽의 지문에 겨우 4개 정도의 내용확인 문항으로 대충 읽게 만든다는 점에서 사막화된 텍스트다)와 사교육 문제집의 밀림 같은 텍스트 읽기(핵심 지식을 하나하나 깊이 있게 숙달해 가는 것이 아니라 이것저것 너무 많은 내용 지식을 촘촘

하게 학습하도록 요구하는 밀림)라는 양극단을 넘어선 숲과 생
명 읽기가 필요하다. 이 한 낱말을 숲으로 읽어내는 것이 바로
그림동화책을 통한 기초문해 교육이라 할 수 있다.

4) 독해 2단계 : 어구와 문장, 문단 해석

한 낱말이라도 교사와 학생이 함께 그리고 깊이 읽다 보면 이
는 자연스럽게 어구와 문장, 문단으로 확장되게 된다. <사과가
쿵>에서 사과는 도대체 얼마나 커야 할지를 탐구하는 것은 전
체 이야기를 충분히 이해하는 것 속에서 가능하다.

독해 2단계는 낱말과 낱말의 연계, 어구와 문장 이해, 글의
상황과 주인공에 대한 메타적 이해를 의미한다. 낱말 독해는
되는 데 낱말과 낱말을 연계해서 이해하는 데 어려움을 보이면
어구나 문장에 대한 읽기 유창성이 떨어진다. 따라서 문장을
소리내어 읽으며 의미를 새기는 것은 독해 2단계에도 여전히
유효한 문해 발달 전략이다.

또한 '깡충 깡충 코끼리', '내 입술은 앵두'처럼 어구나
관용적 표현을 충분히 숙달하는 것이 독해 2단계의 발달에 있
어서 중요하다.

독해력이 낱말을 넘어서 어구와 문장, 문단으로 확장되면 다
양한 추론과 상상, 비판과 탐구가 가능해진다. 독해 2단계는
하나의 낱말을 넘어서 어구와 문장 속에서, 문단과 상황 속에
서 주인공의 사건, 대상을 탐구할 수 있게 되는 단계다.

기초문해의 도약은 어디서 일어나는가?

기초문해의 첫 번째 도약 : 24자의 기본 모음 읽기

기초문해의 첫 번째 도약은 24자의 기본 자음과 모음 읽기다. 14자의 자음과 10자의 모음을 읽게 되면, 기초문해의 첫 번째 경이를 경험하게 된다.

대부분의 모국어 화자들은 반복적이고 일상적인 문자 노출을 통해 기본 자모음과 모음에 대해 익숙해진다. 모국어 화자들은 일상적 경험을 통해 노출된 낱말과 음절을 이미지로 발견한다. 문자를 과학적 자모의 원리에 따라 이해하는 것이 아니라 경험을 통해 충분히 노출된 낱말과 음정을 하나의 이미지로 발견한다. 모국어 화자는 통글자라는 이미지로 기본 자모와 낱말로 발견하고 익히게 된다.

따라서 기초문해의 첫 번째 도약은 모국어 화자에게는 그리 어려운 일이 아니다. 하지만 이것이 자연스럽게 습득되지 않은 기초문해에 어려움을 겪는 학습자에게는 이것도 큰 장벽이다.

한글이라는 문자가 생소한 이들에게 기초가 되는 몇 개의 낱말과 기본 자모를 익히는 것이 첫 번째 발판이다. 24자의 기본 자모와 아동 경험 지평의 낱말들(사자, 사과, 아기, 기린, 하마 등)도 익숙지 않은 학습자에게(외국인이나 그들의 자녀 등) 기본 자음과 모음 학습은 필수적이다. 자연스러운 습득이 늦어지거나 지체된 학습자에게 필요한 것은 놀이를 통한 습득이 아니라 잘 짜여진 인위적이고 밀도 높으면서 동시에 부드럽고 따뜻한 분위기에서 작지만 소중한 성취를 체험하는 학습이다.

노래나 유튜브 등을 활용해 24자의 기본 자모를 익히는 것은 그리 오래 걸리지도, 어려운 일도 아니다. 기본 자모 읽기(기초 혹은 기본 자음(가나다라마바사아자차카타파하) 14자와 기초 모음(아야어여오요우유으이) 10자 총 24자를 읽게 되는 순간 세상의 문자들이 보이기 시작한다. 가나다라와 아야어여를 익히고 나면 세상의 문자들이 자신의 비밀을 풀어달라고 곳곳에서 소리치게 된다. 기초문해 학습자들은 기본 자모 24자를 익히는 것만으로도 세상의 문자의 비밀을 푸는 열쇠를 가지게 된다.

기본 자음과 기본 모음 익히기는 충분한 듣기 말하기에 노출된 모국어 화자에게는 기본 자모 노래를 통해 한 시간 이내에 가능해진다. 기본 자음과 기초 모음은 노래(하듯)로 익히면 된다. 문자 읽기보다는 노래로 14자와 10자(자음과 모음 순서는 아이가 익숙하고 편한 것부터)를 익히고, 이를 카드로 확인하고 숙달하면 된다.

다만 이때 '기역, 니은, 디귿'으로 접근하는 것보다 '가나다라'가 효과적이다. 기초문해 교육일수록 이해와 접근이 쉽고, 일상적으로 읽을 수 있는 것이 많아지는 것이 필수다. 특히 모국어 화자에게는 기본 자모가 충분히 자리 잡은 후 기역, 니은은 가방의 기역, 나비의 니은으로 접근하는 것이 더 좋다. 기본 자모가 자리 잡으면 기역과 니은, 디귿을 익히는 것은 일

사천리(一瀉千里)인데 반해, 기역과 니은으로 시작하면 시작도 어렵고, 기초문해 교육을 계속해 나가는 데 온갖 어려움을 겪게 된다.

두 번째 도약 : 낱말과 음절 읽기를 할 수 있다. 낱말(음절)과 대상의 의미 대응을 만들어낸다. 기본 자음과 모음 이외의 다양한 변형 자모와 받침이 있는 음절과 낱말 읽기를 할 수 있다.

 기초문해의 두 번째 도약은 다양한 변형 자모와 받침이 있는 낱말과 음절 읽기를 해낼 수 있게 되는 것이다. 기초문해의 두 번째 문턱을 넘어서게 되면 기본 자모만 알았을 뿐인데 효과적 발판(동요와 그림동화책 등)을 통해 다양한 음절과 낱말을 읽을 수 있게 된다. 그림동화책(전체적 스토리와 그림의 도움을 통해 이야기를 통째로 알고 있어 전체의 발판을 통해 부분 부분의 낱말과 음절을 효능감 넘치게 익히게 된다. 낱말과 음절을 읽을=성취할 가능성이 높을수록 기초문해의 역량이 효율적이고 교육적으로 축적하게 된다)이나 동요를 통해 변형 자모와 받침이 있는 음절 읽기가 '자연스럽게'(어느새 소리 없이 음절과 낱말 읽기가 이루어지는 도약) 이루어진다.
 기초 자모만 알고 있던 학습자가 자신이 흥얼거리던 동요와 <찾았다!>라는 (유아용 보드북) 그림동화책을 읽다 보면 어느새 다양한 변형 자모와 받침의 결합에 대한 직관적 이해에 도달하게 된다.

동요와 그림동화책을 함께 읽고 낱말 카드(낱말과 음절 카드) 놀이로 읽기를 숙달하다 보면, 기본 자모를 발판으로 변형 자모와 받침이 있는 음절과 낱말 읽기가 어느새 가능해진다. 동요와 유아용 그림동화책(기초문해 교육에 최초 단계에서 효율적이고 교육적으로 활용될 수 있는 그림동화책)은 기본 자모의 변형(겨, 냐, 도, 려 등) 읽기와 받침이 있는 음절과 낱말 읽기를 시나브로 가능하게 해 준다.

기초 자음과 모음을 활용한 음절 읽기의 창발현상이 나타나는 구체적인 사례를 살펴보자.

24자의 기본 자모(가나다라의 기본 자음과 아야어여의 기본 모음)를 읽을 수 있게 되면 변형 자모(거, 겨, 냐, 느, 호의 '오', 테의 '에', 뛰의 '위', 워의 '워', 그리고 '끼', '깡' 등)와 받침이 있는 음절('산, 총, 면, 를, 혼, 넘, 실, 알, 밤, 을, 올' 등)을 어느새 읽는 창발현상이 생겨난다. 배운 건 그토록 작은 데 실제 읽을 수 있는 건 너무나도 많은 '플라톤 기적'(아는 건, 배우는 건 극히 적은 데 너무 많은 것을 알고 있고 할 수 있게 되는 언어발화의 기적)이 일어나는 것이다.

문해의 첫걸음을 뗄 때는 학습자는 24자의 기본 자모만 알아도 어느새 동요 한 곡이나 그림동화책 한 권을 뚝딱 읽어낼 수 있게 된다. 어떻게 이러한 창발현상이 일어나는 것일까?

| 이일래 작사, 작곡의
<산토끼>28) | 일제 강점기 우리 말과 글로 된
동요로 나라를 지킨
이방초등학교의 이일래 교사 |

<산토끼> 동요를 통해 기초문해에서 이루어지는 문해의 두 번째 도약인 해독의 발달 과정을 짚어보자.

> 산토끼 토끼야 / 어디로 가느냐 / 깡총깡총 뛰면서 / 어디를 가느냐 // 산고개 고개를 / 나 혼자 넘어서 / 토실토실 알밤을 / 주워서 올 테야

 학습자가 부를 줄 아는 동요, 흥얼거리는 동요가 기초문해 교육의 효율적이고 교육적인 발판이 될 수 있다.

 기초문해에 어려움을 겪는 학습자에게 작지만 소중한 성취 경험을 누적시키는 데 있어서 학습자가 즐기는 동요만한 것이 없다. 기초문해에 어려움을 겪는 학습자라도 아는 동요가 있고,

---

28) <산토끼>의 원래 가사는 "산토끼 토끼야 너 어디로 가나/ 깡충 깡충 뛰어서 너 어디로 가나/ 산고개 고개를 나 넘어 가아서/ 토실토실 밤송이 주우러 간단다"다. 지금 부르는 산토끼 가사는 어감을 현대화하고, 부르기 쉽게 노랫말을 바꾸었다.

2부. 발생적 문해 문제와 문해력 발달 단계

흥얼거리는 동요 하나쯤은 있게 마련이다. 동요를 부를 수 있는 누구라도 문자를 읽을 줄 몰라도 노래를 부를 수 있다. 즐길 줄 아는 노래 한 자락은 기초문해 교육의 결정적 발판이 될 수 있다.

기초문해에 어려움을 겪는 학습자에게 "노래를 부를 줄 알고 노래를 즐길 수 있다"는 점을 이용해 한글 교육을 부드럽고 즐겁게 시작하는 것은 성취감을 열고 축적하는 데 매우 유용하다. 예를 들어 학습자가 어떤 동요를 흥얼거린다고 하면, 기초문해 교육에 <산토끼>를 활용할 수 있다, 동요를 안다는 것은 충분히 문자에 노출(듣고 말하기)되어 있고, 앞으로 학습할 내용에 대한 윤곽을 그리고 있으며 더불어 하나하나 낱말과 음절을 익히며 성취감을 느낄 수 있다는 것을 보여준다.

기본 자음과 모음을 읽을 수 있게 된 후 <동요>를 통해 기초문해 교육을 하면 처음에는 글자를 읽는 게 아니라 비슷한 그림 찾듯 글자 모양을 따라 단어 카드를 찾게 된다. 통글자를 통해 기초문해 교육에 접근하는 것처럼 동요의 문자들을 이미지로 접근하게 되는 것이다.

기초문해 학습 시 노래를 부르며 카드를 찾아보며 한 음절, 한 낱말을 차근차근 익혀가게 된다. 그리고 노래를 부르며 단어 카드 찾기를 놀이를 했을 뿐인데 어느새 음절과 낱말을 읽을 수 있게 된다.

학습자가 알고 좋아한 동요는 전체 윤곽을 가지고 낱말을 읽을 수 있게 해준다. 또한 낱말 하나하나에서 기본 자음과 모음만 알아도 이 단서를 활용해 낱말 카드에서 읽을 수 있게 된다. 스스로 어려운 낱말도 읽을 수 있다는 성취감을 느끼게 해준다. 동요의 전체적 상과 기본 자모를 통해 낱말을 스스로 읽을 수 있게 해주고, 읽을 수 있다는 생각이 들게 만들어 준다. 이 과정을 자세히 살펴보면 다음과 같다.

- 14자의 기본 자음(가나다라마바사아자차카타파하)을 알면 '사+니은'은 '산'이 된다는 것을 쉽게 읽고 익히게 된다.
- '타'를 알지만 '토'는 모른다. 하지만 경험 지평에서 자주 노출된 '토끼야'를 읽는데 어려움을 느끼지 않는다. '토끼야'라는 노래를 이미 알고 있기 때문에 야라는 기본 모음 읽기를 활용하지 않고도 이미지에서 '토끼야'를 읽는다.
- '어'를 알지만 '디로'는 전혀 읽지 못하지만, 낱말 카드에서 '디로'를 읽는 데 어려움을 보이지 않는다. '어디로'와 '어디'를 낱말 카드를 통해 '로'와 '를'을 구별하게 된다.
- '깡충깡충'은 '깡'과 '충'은 전혀 모르는 낱말이지만 모양과 소리를 흉내 내는 재미있는 말이기도 하고, 반복되는 표현으로 쉽게 눈에 익히게 된다. 특히 토끼가 '깡충깡충'은 연결 어구로 자주 들어본 말이라 '깡충'을 쉽게 읽기 익히게 된다. '깡충깡충'과 '강중강중'을 구별하는 건 나중에 해도 늦지 않다.
- '뛰면서'는 기초문해 학습자에게 매우 어려운 낱말과 음절

2부. 발생적 문해 문제와 문해력 발달 단계

이지만 어렵지 않게 읽는다. 음절로는 전혀 읽지 못하는 낱말이고, 생소하지만 쉽게 자신이 알고 있는 양 반응하며 읽는다.

◦ '가느냐'에서 '가'는 익숙한 음절이지만 '-느냐'는 생소한 음절이다. 하지만 이미 노래를 듣고 말하는 데 익숙해 '가느냐'를 읽는 데 별다른 어려움을 보이지 않는다. 단순히 말이 아니라 노래로 부를 수 있게 완벽하게 노출된 문장이자 낱말이다. 익숙해 가 한 음절을 읽을 수 있는 것만으로도 낱말 카드는 찾을 수 있다. 그리고 '가'를 알기에 다른 '느'와 '냐'를 눈에 익히는 데 부담을 갖지 않게 된다. 가느냐에서 '가'를 알면 '가느냐'로 확장하는 발판이 된다. '가느냐'를 통해 '느'와 '냐'의 읽기 확장이 일어나는 것이다. '가'만 알지만 '느'와 '냐'를 '가느냐'의 통낱말로 읽다가 다른 낱말에서 '느'와 '냐'를 읽을 수 있는 실마리를 가지게 되는 것이다.

◦ '아'를 알면 '알'을 읽을 수 있게 된다. '아'에 리을 받침이면 '알'이라는 것을 자음과 모음의 결합 차원에서 한글 자모 자석과 판서로 활용하는 것이 도움이 된다.

◦ '혼자'에서 '자'만 알면 '혼자'의 이미지를 읽으며 '호'를 배운 적이 없는데 '호+니은'의 받침까지 읽을 수 있게 된다. 물론 '호랑이, 호호' 등을 읽을 수 있는 것은 아니다.

그림과 이야기로 이루어진 그림동화책이나 흥얼거릴 수 있는 동요를 통해 기본 자음과 모음 이외의 다양한 변형 자모와 받침이 있는 음절과 낱말 읽기의 문턱을 넘어설 수 있다.

세 번째 문해의 도약 : 읽는 낱말과 어구, 문장을 뜻을 이해한다. 해독이 독해로 자동화된다. (독해를 나누면 네 번째 도약이지만) 낱말과 낱말과의 관계(어구)와 문장의 뜻을 풀어낸다.

세 번째 문해의 도약은 낱말과 낱말과의 관계(어구)와 문장의 뜻을 풀어낼 수 있는가에 달려 있다.

독해는 해독에서 맛볼 수 없는 문자 세계의 비밀을 푸는 핵심이다. 해독이 독해로 확충될 때 진정한 문해력의 신기와 재미, 경이가 열린다.

기초문해에 어려움을 겪는 학습자는 <누가 숨겼지?> 그림동화책을 읽을 때 물고기의 '지느러미', 닭의 '벼슬', 새의 '부리' 등을 읽고 이해하는 데 어려워한다. 읽기도 문제지만 의미를 이해하지 못하기 때문이다.

기초문해에 어려움을 보이는 대부분의 학습자는 물고기는 알아도 지느러미는 처음 들어본 단어인 것처럼 낯설어한다. 충분히 안아주는 상호작용 속에서 자라지 못한 문화적 결핍에 놓인 학습자일수록 이런 경우가 많고, 음절 하나하나를 읽는 데 더 듬거리게 되고, 음절을 읽어도 그 의미를 이해하지 못한다. 처음 들어본 낱말은 음절 하나하나를 읽는 것도 어렵고, 유창하게 이를 붙여서 읽는 데도 큰 어려움을 겪는다. 들어보거나 경험해 본 적이 없기에 읽는 데도, 이해하는 데도 어려움을 보이는 것이다. 등대, 나침반, 다리미 등도 마찬가지 낱말들이다.

독해 능력을 키우는 핵심적 요구사항은 낱말(음절)을 표기한 상징체계와 의미를 연계하여 대응을 만들어낼 수 있는 가다. 이를 위해서는 그림과 경험을 통해 낱말 읽기와 의미를 반복 확인하며 숙달하는 것이 필요하다.

또한 그림동화책을 통해 상황과 사건을 이해하고 주인공이 되어 낱말을 이해하는 것이 필요하다. 낱말을 이야기 속에서 익히고, 다른 한편 카드놀이를 통해 해독능력을 키우면서 동시에 질문과 응답을 주고받으며 독해 능력을 키워야 하는 것이다. 사례를 들어 살펴보자.

<산토끼> 동요는 "다람쥐야, 다람쥐야, 어디로 가느냐"로 이루어져 있다. 학생이 이미 알고 있고 좋아하는 동요 중 하나를 찾아 기초문해 교육에 활용할 는 것은 해독 발달을 물론 독해 능력 발달에 매우 효과적이다.

산토끼 동요를 기초문해에서 교육할 때 산토끼 단어를 익힐 때 어떻게 하면 독해 능력을 키울 수 있을까? 일단 토끼와 산토끼의 의미를 이해하고 읽는 것이 우선이다. 그리고 산에 사는 토끼와 집에 사는 토끼를 구별하는 게 필요하다.(그림이나 사진으로 이해를 도와주면 훨씬 안정적으로 장기기억으로 이전 되게 된다) 다음으로 깊게 묻고 답하는 것이 필요하다.

- "도토리 주우러 가는 동물은 또 뭐가 있을까?"
- "다람쥐?"
- "토끼랑 다람쥐가 있구나."
- "그럼 청설모는?"
- "청설모는 몰라요. 다람쥐가 도토리를 좋아해요."
- "토끼랑 다람쥐랑 청설모도 도토리를 좋아해. 청설모랑 다람쥐를 살펴볼까?"
- "청설모의 꼬리는 계절에 따라 달라져. 여름에는 더워서 털이 송송 빠져 있다가, 겨울에는 수북해지지."
- "다람쥐랑 청설모랑 어떻게 다를까?"
- "다람쥐는 겨울에는 곰처럼 겨울잠을 자. 그런데 청설모는 겨울잠을 안자. 그래서 겨울이 되면 잠바나 이불을 두를 털이 필요하지. 그렇다면 눈 내린 겨울 산에서 볼 수 있는 동물은 청설모일까? 아니면 다람쥐일까?"
- "다람쥐는 도토리 말고 또 누가 좋아할까?"
- "그래, 도토리, 밤, 은행, 호두. 잣. 그렇구나."
- "그럼 00이는 뭐 좋아해?"
- "딸기 좋아하는구나. 그런데 00이 입술이 딸기 같지 않아. '내 입술은 앵두, 딸기'라더니 정말 딸기 같아. 입술이 정말 불그스름해."
- "그렇다고, 입술 먹으면 안 돼."

　　　　　　　2부. 발생적 문해 문제와 문해력 발달 단계

독해 능력은 이야기를 주고받으며 하나하나의 낱말을 곱씹고 음미하는 과정에서 만들어진다. 기초문해 교육은 단순히 토끼와 도토리를 읽는 데 국한되지 않는다. 토끼와 연관된 다람쥐와 청설모를 살피고, 다람쥐와 토끼의 먹이를 살피는 탐구 활동으로 확충되면서 독해 능력은 자라게 된다.

다시 말해 독해 능력을 키우기 위해서는 하나의 낱말을 입체적으로 접근해 다양한 관점으로 살피고, 두텁게 이해를 쌓는 것이 중요하다. 하나의 낱말을 읽을 수 있다는 것은 그 낱말과 연결된 말들과 그 낱말의 의미망(경험망)을 확장해 가는 과정과 함께해야 한다.

물론 독해 능력을 도와주는 것과 해독과 분리된 것이 아니라 해독과정과 함께 병행되어야 한다. 문자에 대한 해독도 안 되는 데 읽기를 즐길 수는 없다. 해독이 안 되는 학습자는 독해의 세계로 진입할 수 없다. 해독과정에서 독해가 이루어지면 해독과 독해가 동시에 상승효과를 만들어내야 한다. 해독은 언제나 독해와 이중주로 울려 퍼져야 하는 것이다.

독해에 필요한 질문과 답의 구체적 사례를 <산토끼>를 통해 살펴보자.

산토끼 토끼야 / 어디로 가느냐 / 깡총깡총 뛰면서 / 어디를 가느냐 // 산고개 고개를 / 나 혼자 넘어서 / 토실토실 알밤을 / 주워서 올 테야

산토끼 동요의 낱말을 읽고, 익혀 나갈 때 중요한 것은 상황과 사건을 이해하고, 주인공(토끼)이 되어 이야기를 탐구할 수 있어야 한다. 또한 낱말에 대한 입체적이고 두터운 이해를 만들어가야 한다. 단지 낱말을 읽고 쓰는 게 머무르지 않고 글의 맥락과 상황 속에서 주인공이 되어 사건을 탐구하고, 그 주인공이 처한 상황에서 생동하는 낱말을 이해하고 소화할 수 있어야 한다.

이를 위해 <산토끼>를 해독할 때 다음과 같은 질문과 답의 상호작용이 필요하다. 독해 능력은 해독한 것을 함께 깊이 이야기 나누며, 이를 다양한 활동과 쓰기로 전환할 때 길러지기 때문이다.

∘ "토끼는 어디에 살까?"
∘ "토끼는 어떻게 뛰고 있지?"
∘ "어떤 흉내 내는 말로 토끼의 뜀을 표현하고 있을까?"
∘ "토끼가 뛰는 모습은 뭐라고 한다고?"
∘ "이렇게 뛰는 동물은 뭐가 있을까?"
∘ "토끼는 어디로 가지?"
∘ "고개는 어떻게 생겼을까?"
∘ "토끼는 누구랑 같이 가지?"
∘ "토끼는 무엇을 가지러 가지?" (문해 해득이 늦은 학습자 대부분은 밤, 알밤, 밤송이 등을 잘 알지 못한다. 실

2부. 발생적 문해 문제와 문해력 발달 단계

물이나 사진과 영상을 보고 이야기 나누는 것이 필요하
다.)

◦ "밤은 어떻게 생겼지?"

◦ "토끼가 고개에 가서 무엇을 찾았지?"

◦ "토끼는 무엇을 좋아할까?"

◦ "밤을 좋아하는 또 다른 동물은 무엇일까?"

읽기 유창성이 확보되어야 독해의 장이 열린다

문자를 해독하는 데 에너지를 쓰면 독해가 안 된다. 해독에
에너지를 쓰지 않아야 독해가 이루어질 수 있다. 낱말 읽기(해
독)은 유창하게 이루어져야 뇌가 글의 의미를 이해하는 데 쓰
일 수 있다. 글자를 술술 읽을 수 있어야, 낱말의 의미를 해석
하는 데 뇌를 사용할 수 있다. 음절과 낱말을 읽는 데 뇌의 에
너지를 사용하면 해석(독해)이 안 된다.

문해력 도약에 결정적인 부분은 해독을 유창하게 하고, 독해
를 자동화시키는 데에 있다. 유창성이라는 과정은 음절을 읽는
데 작동기억을 활용하지 않고 자동화시켜야 하고 이는 읽기 유
창성을 통해 만들어진다. 음절과 낱말, 어구, 문장 읽기의 유
창성은 해독에 에너지를 쓰지 않고 뇌가 독해에 에너지를 쓰게
만드는 것이다. 음절과 낱말의 해독을 유창하게 만들면 작동기
억을 독해에 쓸 수 있다. 따라서 의미 이해의 자동화에 있어서
읽기 유창성이 결정적인 방아쇠 역할을 한다.

"읽기 유창성이란 글을 빠르고 정확하면서도 적절한 의미 단위로 떼어 읽을 수 있는 능력으로 자동성, 정확성, 표현성을 포함한다. 자동성이란 인지적 노력을 거의 들이지 않고 글을 빠르게 해독할 수 있는 능력을, 정확성이란 글에 있는 단어를 올바르게 해독할 수 있는 능력을, 표현성이란 글에 감정을 실으면서 적절한 의미 단위로 떼어 읽을 수 있은 능력을 가르친다." (엄훈외, <기초문해력교육>, 94)

유창성은 물 흐르듯 자연스럽게('자동성') 글을 읽으면서도 정확하고('정확성'), 감정을 실을 수 있는 것('표현성')을 말한다. 이러한 유창성은 간신히 읽는 것을 대충 읽을 수 있고, 대략 읽던 것을 빠르고 정확하게 읽게 되면서 만들어진다. 유창성에서 간신히에서 대충으로, '주마간식'에서 확실하고 정확하게 읽을 수 있게 되면서 만들어진다.

유창성은 간략하게 살펴보면 3단계로 구분될 수 있다. 낱말 악어 사례에서 읽기 유창성 발달을 살펴보자.

유창성의 첫 단계는 간신히 읽기다. 간신히 읽기는 음절인 '악'과 '어'를 읽을 때 자신이 활용 가능한 모든 자원을 활용하게 된다. '아'에서 기역 받침이면 "음… 악"이라 읽고, '아야어여'에서 '어'는 3번째이니 '어'라고 음절을 하나하나 읽는 것이다. 유창성이 이제 막 발달하는 학습자는 작동기억을 활용하며 어떤 방법을 활용하든 간신히 음절과 낱말을 읽어내는 단계다.

유창성의 두 번째 단계는 대충 읽기이다. '악어' 낱말을 읽을 때 '아'의 '기역'이나 '아야어여'를 활용하지 않고 바로 '악어'를 읽지만 '앙어'인지 '안어'인지 명확하게 읽지는 못한다. 유창성 2단계는 대충, 두루뭉술하게 낱말을 읽는 단계다.

기초문해 교육에서 이를 일견 단어라고 부르기도 한다. '일견 단어'는 자소-음소 대응 과정을 거칠 필요 없이 곧바로 자동적으로 인식 가능한 단어를 말한다.

"일견 단어가 많으면 글을 읽을 때 부담감이 줄어들고 자신감이 높아진다. 읽기의 속도와 정확성 및 유창성 등도 향상된다. 그래서 초기 문해력 교육에서도 노출 빈도를 높임으로써 일견 단어의 목록을 늘려주기 위해 노력하는 데 겹받침 역시 이와 같은 방법으로 인식해지도록 해야 한다." (<기초문해력교육>, 92)

한눈에 보고 직관적으로 읽지만, 실수를 동반하는 읽기가 대충 읽기다. '악'을 자동화해 읽을 수 있게 되면 '악을 쓰다'를 '으악'을 읽을 수 있게 된다. 하지만 '악어'를 자동화하여 읽게 된다고 해서 "어서" 음절을 자동화할 수 있는 것은 아니다. '어서'와 '어차피' 등의 낱말을 유창하게 읽지 못할 수 있다. 아직 '어'가 충분히 자동화되지 않았거나서, '-차피'가 숙달되지 않았기 때문이다. 음절과 낱말 읽기가 유창하게 이루어질수록 정확성과 표현성(감정을 실어서 읽기)이 가능해지듯, 유창성이 갖춰져야 독해의 장이 열리게 된다.

유창성의 세 번째 단계는 확실히 명확하게 읽기다. 악어를 정글 숲을 지나서 가는 악어떼가 만난 것처럼 실감나게, 정확하게 읽는 것을 의미한다. 정확하고 명확하게 읽게 되면 악어의 의미를 장기기억에서 작동기억으로 불러낼 수 있게 된다.

이러한 읽기 유창성 형성의 핵심은 의미 이해하고 음절과 낱말, 어구 읽기를 반복 숙달이다. 유창성 있게 낱말과 어구, 문장을 읽으려면 의미를 이해하고, 소리 내어 읽으며 글 읽기의 성취 경험으로 누적시키는 것이 중요하다. 읽기 유창성 발달에 필요한 요인을 정리하면 다음과 같다.

첫째, 읽기 유창성은 해독의 필요한 자원들을 자동화시키는 것(자모의 분해와 결합의 원리 탐구 등)과 동시에 낱말의 의미를 탐구하고 소화하는 과정이 필요하다. 대상을 잘 모르거나 상호작용하며 듣거나 말해본 적이 없는 경우 유창성을 구현하는 데 어려움을 겪게 된다. 기초 문해에 어려움을 겪는 학생은 <누가 숨겼지?>를 읽을 때 사마귀, 두리번두리번, 벼슬, 지느러미, 부리 등을 발음하지 못한다. 머리, 꼬리는 아는데 부리는 몰라 발음하기 어려워한다. <찾았다!>를 읽는 경우에도 두부와 리본, 10번(학생의 번호)를 알고 어려움 없이 발음할 수 있지만 두리번(두부+리본+10번)을 발음하는 데 큰 어려움을 겪는다. 자신이 잘 모르는 낱말이나, 들어본 적이 없는 낱말을 유창하게 읽는 데 상당한 어려움을 겪는 것이다.

누구나 상호작용 속에서 노출되지 않은 단어, 들어본 적이 없는 것 같은 낱말, 경험 속에서 익숙하지 않는 음절과 어휘를 발음하는 건 어려운 일이다. 기초문해에 어려움을 겪는 아이일수록 들어본 적 없거나 말해본 적 없는 낱말, 경험적 지평에 놓여 있지 않은 단어들을 발음하기 어려워한다. 기초문해에 어려움을 겪는 학생일수록 주 양육자와의 상호작용 부족, 즉 문화 자본의 결핍에 처해 있을 가능성이 크고, 이로 인해 음절과 낱말 읽기의 유창성이 떨어지는 것이다.

따라서 유창성은 아는 단어, 잘 모르는 단어, 낯선 단어를 안아주는 분위기 속에서 반복 숙달해 가며 단어의 뜻을 새기고, 단어를 자동화(정확하게 읽으면서 동시에 감정을 살려 읽기= 사자가 어흥 할 때 사자가 포효하듯이, 공격하는 몸짓과 어조를 살리는 것이 가능해져야 한다. 그래서 기초문해 교육에서 흉내 내는 낱말을 활용하는 것이 결정적으로 중요하다.)할 수 있도록 살펴주는 것이 필요하다. 대부분의 문해력의 느림이 문화적 결손과 적절한 상호작용과 도움의 부족에서 기인한다는 점을 유념해 학습자에게 소리 내어 읽기를 일임하지 않고 같이 주고받으며 읽어가는 것이 중요하다. 또한 모르는 낱말의 의미를 배우고 체득한 후 반복적으로 함께 주고받으며 읽는 것이 필요하다.

둘째, 읽기 유창성은 소리 내어 읽기를 통해 확보될 수 있다.

해독을 유창하게 하는 역량을 기르는 핵심적 방법은 소리 내어 읽기다. 소리 내어 읽기는 간신히, 대충, 확실히 읽는 능력을 확충하는 결정적인 방법이다.

예를 들어 <사과가 쿵>에서 '악어가 우적우적'이라는 텍스트를 읽는다고 해보자. 사과를 먹기 위해 두더지, 다람쥐, 돼지, 사자 등이 나와 각각 자신의 먹는 소리를 내며 먹는 것을 소리 내어 실감나게 읽게 된다. "악어가 우적우적" 사과를 먹는 것도 반복 숙달을 통해 악어가 된 듯 읽을 수 있다.

이러한 유창성은 단순히 큰 목소리로 읽는 데 있지 않다. 음절을 정확하게 읽는 것을 넘어서 주인공이 되어 감정을 살리는 읽기다. 소리 내어 읽기는 그냥 큰 목소리로 정확하게 읽는 게 아니라 단어와 상황 속 주인공이 되어 읽는 것이다. 상황과 맥락, 사건을 이해하고 주인공에 감정이입하여 읽기가 유창성의 핵심이다. 낱말과 음절을 정확하고 실감나게 읽으려면 깊이 두텁게 읽기가 뒷받침되어야 한다. 소리 내어 읽기는 그냥 기계적으로 읽는 게 아니라 부단히 교정해 주고, 상황과 사건에 대한 묻고 답하기(이야기)는 나눠주는 것이 뒷받침되어야 한다.

읽기 유창성의 요청은 음절, 낱말 읽기(해독)이 자동화되는 것을 요구한다. 앞서 강조했듯 뇌가 음절과 낱말을 읽는 데 에너지를 쓰면 의미 해독에 어려움을 겪게 된다. 해독이 자동화되어야 독해가 원활해진다. 음절과 낱말을 읽는 데 작동기억의 상당 부분을 쓰게 되면 장기기억을 불러와 의미를 해석하는 일이 어려워진다. 따라서 음절과 낱말 읽기를 유창하게 할수록 의미 해석이 풍성해지고, 글 이해가 자동화되고 깊어지게 된다.

기초문해 역량 진단

 기초문해 역량 진단은 어떻게 이루어져야 할까?

 첫째, 기존 기초문해 진단은 문해 발달 단계를 연계해서 이루어져야 한다. 기존 문해 진단은 발달론과 동일한 궤로 이루어지지 않고 있다. 발달과 진단, 처지가 따로따로 이루어지고 있다. 문해력 진단은 당연히 문해력 발달과 궤를 같이해서

 둘째, 기초문해 진단은 간단명료하게 이루어지고, 기초문해 교육과정을 통해 부산히 섬세하고 조율되고, 재구성되어야 한다. 진단은 간단명료하게, 교육적 처지는 응급하고 섬세하게 이루어져야 한다. 기초문해 능력 진단은 간단하게 이루어지고, 응급한 문해 교육과정을 통해 섬세하고 부드럽게 보완, 재구성되어야 한다.

 기존 기초문해 진단은 교육적 처지에 별다른 필요가 없이 복잡하고 난삽하다. 특히 기존 기초문해 진단은 변형 자모와 받침의 문제에 지나치게 세분화되어 있다. 이 세분화를 통해 아이를 진단하고 응급한 문해 교육 처지를 하는 게 아니라 진단을 위한 진단에 빠지곤 한다.

 기본 자모를 아는 수준은 되는 데 이제 변형 자모와 받침을 아는 데는 어려움을 보이는 수준은 진단하면 교육적 처지 방법은 크게 다르지 않다. 강도와 밀도는 달라지지만 시작하는 교육 방법은 이 단계에서는 크게 차이가 나지 않는다.

 따라서 이 수준에 대한 진단으로 아이를 진을 빼거나 위축시

2부. 발생적 문해 문제와 문해력 발달 단계

킬 필요가 없다. "변형 자모와 받침을 잘 모르는구나. 괜찮아, 우리 같이 공부하면 금방 좋아질 거야."라는 간단한 말과 실제 좋아지는 성취 경험과 학습을 통해 느끼게 하는 것이 중요하다. 이 단계에서는 진단은 간단하게, 학습을 통해 이 단계를 재빨리 도약할 수 있도록 돕는 것이 중요하다. 진단은 간단하고, 교육적 처지가 화급하게 이루어져야 하는 것이다.

읽기 발달 단계		읽기 능력 진단
0단계	한글에 대한 외국인 느낌	아무것도 못하는 상태
해독	1단계	24자의 기본 자모 읽기, 익숙한 낱말 읽기	기초 자모와 익숙한 낱말 읽기 여부
	2단계	다양한 변형 자모와 받침이 있는 음정 읽기	음절과 낱말 읽기 : 변형 자모와 받침 등
독해	3단계	유창성 확보와 낱말 해석의 자동화	낱말의 의미 이해
	4단계	어구와 문장, 문단 해석	어구와 문장, 문단, 글의 이해

<읽기 발달 단계>

기초문해 능력 진단은 읽기 발달 단계를 기본으로 이루어질 수 있다. 기초문해 역량 진단은 읽기는 물론이고 쓰기 능력까지 살펴야 하지만 기본은 읽기 능력이다.

위의 읽기 발달 4단계에 기초하면 읽기 능력 진단은 간단명료하게 이루어질 수 있다.

1) 기초 자모음 모르면 읽기 0단계다. 한글에 대해 아는 게 없고, 한글을 외국인처럼 대하는 단계다. 아는 게 아무것도 없다. '낫 놓고 기역자'도 모르는 완전 '까막눈'이다. 이런 상황이라면 별다른 진단조차 필요 없는 0단계다.

2) 기본 자모음을 일견 알지만, 변형 자모와 받침을 잘 모르면 읽기 1단계다. 즉 이중모음인 값, 끓다, 밟다 등을 잘 모른다. 쓰기와 읽기의 차이가 나는 예를 들어 '같이'를 '가치'로 읽고 쓸 때는 '같이'라고 쓰는 데 이를 잘 모른다면 1단계 상태다. 음절과 낱말 읽기에 어려움을 보인다면 일기 능력 1단계라고 할 수 있다.

3) 다양한 음절과 낱말을 어느 정도 읽을 수 있다면 읽기 2단계다.

4) 해독은 어느 정도 되는데 독해가 안 된다면 읽기 3단계다. 해독은 되는 데 이해를 잘 못한다면 3단계다.
이 3단계 진단은 유창성을 살펴보는 것으로도 가능하다. 한 낱말 독해 여부는 의미를 묻는 질문에서도 가능하지만 읽기 유창성을 보면 가늠할 수 있다. 음절과 낱말의 읽기 유창성

이 부족하고 낱말 이해의 자동화가 충분히 이루어지지 않았
다면 3단계다.

읽기 발달 4단계에 기초하면 쓰기 능력 진단도 간단명료하게
이루어질 수 있다.

쓰기 발달 단계		읽기 발달 단계		
0단계	한국어 문자에 대한 외계인 느낌	까막눈		0단계
1단계	기본 자모와 익숙한 낱말 쓰기	읽기 발달 단계	해독	1단계
2단계	음절과 낱말 쓰기 : 변형 자모와 받침 쓰기			2단계
			독해	3단계
3단계	어구와 문장 쓰기			4단계

<쓰기 발달 단계>

1) '가나다라'와 '아아어여' 등 기본 자모 24음절을 읽고
쓸 수 있으면 쓰기 역량 1단계다. 아예 아무것도 쓸 수 없다
면 0단계다.
2) 한글을 막 익히고 쓸 때 상당 기간 나타나는 음절과 낱말

을 익히고 쓰는 단계는 2단계다. 읽기 유창성과 이해 자동화
와 연계되어있는 이 쓰기 단계는 소리 내어 읽는지, 얼마나
좋은 문장을 즐겁게 반복해서 쓰는지가 중요하다.

띄어쓰기와 맞춤법, 문장부호 등이 음절과 낱말 쓰기의 핵심
이 아니다.

3) 3단계는 어구와 문장을 쓰는 단계다. 낱말의 이해가 깊어
지고, 이를 연결하여 어구와 문장을 수 쓸 수 있게 되는 단
계다.

그림동화책을 함께 깊이 읽으며 날아오르기 위한 고민거리들

기초문해의 첫 번째 도약은 24자의 기본 자음과 모음 읽기다. 14자의 자음과 10자의 모음을 읽게 되면 기초문해의 첫 번째 경이를 경험하게 된다.

대부분의 모국어 화자들은 반복적이고 일상적인 문자 노출을 통해 기본 자모음과 모음에 대해 익숙해진다. 모국어 화자들은 일상적 경험을 통해 노출된 낱말과 음절을 이미지로 발견한다. 문자를 과학적 자모의 원리에 따라 이해하는 것이 아니라 경험을 통해 충분히 노출된 낱말과 음정을 하나의 이미지로 발견한다. 모국어 화자는 통글자라는 이미지로 기본 자모와 낱말로 발견하고 익히게 된다.

기초문해의 두 번째 도약은 다양한 변형 자모와 받침이 있는 낱말과 음절 읽기를 해낼 수 있게 되는 것이다. 기초문해의 두 번째 문턱을 넘어서게 되면 기본 자모만 알았을 뿐인데 효과적 발판(동요와 그림동화책 등)을 통해 다양한 음절과 낱말을 읽을 수 있게 된다. 그림동화책이나 동요를 통해 변형 자모와 받침이 있는 음절 읽기가 소리 없이 시나브로 이루어지게 된다.

우리는 문자를 해독하고 독해하는 신비로운 일을
마법사처럼 해낼 수 있지. 문자라는 마법 세계의 주문을
푸는 우리가 바로 마법사군.

음절을 읽는 방법에 대한 메타인지는 어떻게 가능한 것인
궁금했어. 기초문해 학습자들은 자음과 모음의 결합을
과학적으로 인지하게 되는 게 아니라 직관적으로 이해하는군.

※ 문자 해독과 독해의 신비를 푸는 기초문해 교육

음성언어 체득의 신비는 아이는 인간 사이에서 자라는 것만으
로 있는 언어를 배운다는 점이다. 사람은 별다른 학습 아닌 체
득으로 언어를 배운다. 인간은 언어를 반(半)본능으로 배워 무
한히 다양하고 유연하고 풍성하게 사용할 수 있다. 이로 인해
"배운 음성언어를 별로 없는데 어떻게 무한한 말을 사용"하
는 신비로운 능력을 갖게 된다.

또 다른 신비는 문자언어의 신비다. 인간은 "배운 문자는 별
로 없는데 어떻게 무수히 많은 말을 사용할 수 있는 되는" 신
비를 경험하고 있다. 특히 문자 해독은 다 가지 차원에서 신비
로운 문턱을 경험하게 된다.

1) 글자 해독의 신비 : 사람은 상징체계인 글을 어떻게 읽을
수 있는가?

인간은 상징체계인 글자를 해독(읽기)할 수 있다. 이것은 두
가지 문턱을 넘어서면서 가능해진다.

**하나, 글자 해독은 기본 자모(음절)과 경험적으로 익숙한 기
본 단어를 익히면서 이루어진다.** 기본적으로 의미를 이해하든
이해하지 못하든 문자라는 읽게 되는 것은 음운론적 발견을 통
해 가능하다. 문자라는 상징체계의 발은 상호작용적 문자 발견
놀이를 통해 가능해진다. 아이가 대상 세계를 탐구하고, 이때
양육자가 매체(유튜브나 책 등)가 이 세계를 부르는(지시하는)
문자를 알려주면 이를 발견하는 경이로운 체험을 하게 된다.
아이가 문자의 세계를 발견하는 놀이를 통해 글자 해독의 기초
가 다져진다.

아이는 사과라는 물체나, 사과라고 쓰여진 매체들을 탐구하
고, 이를 사과라고 부르는 어른이나, 지시하는 매체를 통해 사
과라고 읽을 수 있게 된다. 자신이 탐구한 사과와 이를 사과라고
쓰는 문자 체계에 상응하여 일치시키는 것은 어떻게 가능한가?

한글 읽기는 문자 발견 놀이를 통해 기초가 만들어진다. 한글
의 음운론적 인식은 "가나다라"와 "아야어여"의 24자의 기
본 자모와 경험에서 많이 사용되는 가족과 친구 이름과 기본
단어(사과, 아이, 과자 등)을 발견하는 발생적 놀이를 통해 다

져진다.

아이가 문자를 발견하고, 이를 확인하고 알려주는 상호작용 놀이를 통해 문자를 발견하게 된다. 유아의 경험 지평에서 반복적으로 발견된 문자들은 아이의 장기기억으로 습득되고 이를 통해 일상의 문자들을 읽을 수 있게 된다. 예를 들어 아이는 일상적 경험에서 탐구되고 활용된 사과를 아이를 읽을 수 있게 된다. 사과라는 기본 단어를 통째로 습득해 이를 읽을 수 있게 되면 일상에서 사자나 사용 등에서 기본 자모 "사"라는 음절을 읽을 수 있게 된다. 사과를 통째로 읽는 경이와 사라는 음절이 쓰인 낱말들을 읽는 경이를 통해 아이의 문해력의 지평이 깊어지고 넓어지게 된다.

다양한 환경 언어 읽기, 사과, 다람쥐, 가방, 기차 등의 기본 단어 읽기, 이름 등 생활 속에서 문자를 발견하는 상호작용 놀이는 기초문해력의 핵심을 이루게 된다.

습득 환경의 부족(결핍) 시 문해 발달에 따른 기초문해 지도 방법

그림동화책을 조급하게 사용해서는 안 되는 문해 발달 단계가 있다. 그림동화책 만으로 기초문해 지도를 효과적으로 할 수 없다. 간단한 문자(음절과 단어) 발견하지 못하면 그림동화책보다 문자 발견 놀이를 할 수 있는 여건을 만드는 게 효과적이다.

음절과 단어 발견이 기본이다. 기본적 단어와 음절 읽기도 못할 때는 그림동화책을 조급하게 도입하려 해서는 안 된다. 기본 음절을 발견하는 능력 예를 들어 아이스크림의 아, 사과의 사, 이름과 성의 음절 등은 어른과 아동과의 상호작용 놀이를 통해 만들어진다. 아동의 음운론적 인식의 기초가 만들어지는 모국어의 자연스러운 습득 과정은 부모가 책을 바탕으로 말놀이(상호작용)을 하며 문자를 발견하는 놀이를 하면서 만들어질 때 강력한 힘을 발휘한다.

하지만 이 과정이 부족하거나 부재하다면 학습을 통해 이를 보완해야 한다. 습득 환경에서 가져야 하는 음절(음운) 발견 놀이를 학습을 통해 밀도 있고 재미있게 안내해 기본 자모와 낱말들을 읽을 수 있도록 도와야 한다.

가정에서의 그림동화책 활용은 상호작용 놀이의 발판이다. 그림동화책을 문자 발견의 놀이이자, 밀도 높은 상호작용의 매개로써 사용하게 되면 아이의 총체적 발달을 도와줄 수 있게 된다. 문제는 이를 기초문해 교육에서 재현하려 드는 것은 가정과 학교의 차이를 간과하는 것이다. 이 과정을 부모의 습득 과정처럼 하는 것은 시간이 오래 걸리고, 효과적이지 못하다. 따라서 밀도 높은 수업을 통해 습득의 장점으로 학습으로 견인하려면 일단 음절 발견 놀이를 주도면밀한 계획과 실행을 통해 기초를 다지는 게 필요하다.

이것의 기본은 '가나다' 송을 통해 24자의 기본 자모를 익히고 기본 단어 카드 활용하는 것이다. 간단한 기본 자음(가나다라)과 모음(아야어여)도 읽지 못하는 학습자의 기초문해 형성을 도와주는 방법은 '가나다'와 '아야어여'의 기본 자음과 모음을 익히는 데서 시작한다. '가나다라' 기본 14자음과 '아야어여' 10모음을 익히면 그림동화책을 통해 문해 지도가 가능해진다. 다시 말해 "가나다라"도, "아야어여"도, "기역, 니은"도 모르는 학습자가 있다면 일단은 이것부터 시작해야 한다. 가정에서 문자 발견 놀이(음운론적 음식)를 충분히 하지 못한 아이, 한글이 모국어가 아닌 아이의 경우는 가나다라 등의 기본 14자음과 아야어여 등의 10모음을 익히는 데서 시작해야 한다.

자연스러운 습득을 통해 체득하게 되는 문자발견을 학습을 통해 다지고 나면 그림동화책을 통한 기초문해 교육이 힘을 발휘한다.

둘, 자모의 과학적 분해와 결합 원리를 '직관적으로'(혹은 극히 소수만 과학적으로) 깨치게 된다.

기본 자모와 단어 읽기가 축적되며 낱말과 음절을 직관적으로 이해하게 된다. 백여 개 정도의 단어들을 읽을 수 있게 되면 수많은 음절을 해독하는 신비를 경험하게 된다. 이는 기본 자모와 단어 읽기가 축적되면서 자연스럽게 음절 읽기의 원리를 직관적으로 깨치게 되는 것이다.

기본 자모음 읽기에서 음절 읽기로의 도약은 기본 단어 읽기가 자모 결합과 연계되어서 직관적으로 가능해진다. 따라서 기본 자음이 "차"와 기본 모음인 "아"를 배운 것을 다양한 자모의 변형을 깨쳐야 하므로 이를 효과적으로 안내하는 것이 필요하다.

'차'에서 '차, 처, 치, 츠, 체, 추'를 배울 수 있도록 기초문해 지도가 필요하다.

'겨울'을 읽는 능력은 어떻게 만들어질까? '봄, 여름, 가을, 겨울'을 단어 카드로 배울 수 있다. 다른 방법으로 기본 자모음을 배우고, 이를 바탕으로 '겨'와 '울' 읽기를 배울 수 있다. 이 과정은 자모의 과학적 분해와 결합 원리를 직관적으로 깨치는 것이 이루어진다. 이를 위해,

일단 '가'에서 '거, 겨'로 음절 읽기로 확대되는 과정을 통해 '겨울'을 읽을 수 있게 된다.

그리고 '울'은 '우'에서 '울'로 확장되면서 읽을 수 있게 된다. '운, 울, 움' 등 기본 모음 '우'에서 받침에 따라 음절을 어떻게 읽어야 하는 지 배우게 된다.

그림동화책을 통한 기초문해 교육에서 소리값 분석이 필요한 이유는 자모의 결합과 받침, 이중 자음에 따른 음절 읽기를 깨치기 위해서다. 문자 문해의 두 번째 단계인 자모의 과학적 결합을 직관적으로 깨치는 시기에 소리값 탐구는 매우 효과적이고 필요하다. 단어 카드 읽기와 쓰기를 통해 다양한 음절 읽기를 도와주는 자모 중심 기초문해도 이를 직관적으로 깨칠 수 있도록 자음과 모음의 순서와 '한글자모표'를 활용하곤 한다.

지금까지는 '가나다라'를 읽고 '거너더러', '겨녀뎌려'를 모두 반복해 숙달하거나, 자모 순서에 따라 더 많은 단어를 숙달해 이 문해의 문턱을 넘어서는 방법을 택해왔다. 이것이 자모 중심 기초문해 방법이었고, 대중적이고 보편적 방식이었다. 자모 교재를 통해 자모 관련 단어들을 확장하면서 이를 바탕으로 자음과 모음의 결합을 무수히 반복하며 초기 문해의 문턱을 넘었다.

예를 들어 자모에 기초한 기초문해 교재들은 가(가방, 가위, 가지, 숟가락), 나(나비, 나무, 나팔, 바나나), 다(다람쥐, 다리미, 판다, 사다리), 라(라디오, 코알라, 카메라, 고릴라), 마(마이크, 마차, 치마, 토마토), 바(바나나, 바지, 바구니, 바람개비), 사(사슴, 사과, 사자, 사탕)를 무수히 반복하면서 '가나다라마바사'만이 아니라 다른 음절들을 읽는 능력을 키우게 된다.

자모 학습법은 기본 자음과 모음 순서에 따라 자모음 음정 읽기를 도표화하여 학습을 시도한다. '다, 댜, 더, 뎌, 도, 됴, 드, 디, 라, 랴, 러, 려, 로, 료, 르, 리' 등 의미 없는 음절을 무한히 반복하며 자모 결합의 과학적 원리를 해결하려 드는 것이다.

하지만 무수히 많은 자음과 모음들을 따로 떼어내 분절해서 읽고 외울 필요 없이, 그림동화책을 읽으면서 재미있게 문해의 문턱을 넘을 수 있다. 물론 그림동화책을 통한 기초문해 교육도 소리값 분석과 탐구(분해와 결합)에 자모 중심 기초문해 교

육의 장점을 수용할 필요가 있다. "가나다라"의 기본 자음과
아야어여의 기본 모음을 어느 정도를 읽을 수 있지만 '겨'와
'울'처럼 '가'의 변형인 '겨', 그리고 '우'에서 받침
인 'ㄹ'이 있는 경우, 이를 읽는 것이 불가능한 문해 발달
시기가 있고, 이 점에서 기본 자음과 몇 개의 단어들을 읽을
수 있는 문해 발달이 한 단계 도약하려면 특별한 도움이 필요
하다. 특별한 도움이란 게 대단한 게 아니라 소리값 탐구와 단
어 카드를 통한 반복 숙달이다.

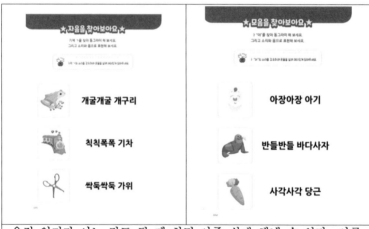

음절 읽기가 어느 정도 될 때 하면 아주 쉽게 해낼 수 있다. 아를
배울 때 도움이 되는 게 아니라 이미 음절을 읽을 수 있을 때
재미있게 하는 활동이다. 자모 교재에서 주로 사용하는 다음과
같은 학습 전략은 그림동화책에서는 이야기의 전체적 얼개 속에서
자연스럽고 재미있게 학습되어 의미 이해의 폭과 문자 해독을
동시에 상승시키게 된다.

소리값 분석이 꼭 필요한 문해 발달 시기가 있고, 필요할 때 때때로 소리값 탐구를 해주면 되는 시기가 있다. 소리값 탐구는 음절과 낱말 읽기가 어느 정도 이루어지면 어휘와 어구에 대한 입체적 탐구로 확장되어 이루어지는 것이 자연스럽다.

1) 그림동화책 기초문해 교육에서 필요한 자모의 과학적 결합 안내(자모와 받침의 소리값 분해와 결합 안내)

(1) 기본 자음과 기본 모음에서 변형되는 자음과 모음 읽기, 받침 읽기
(2) 모국어의 지평에서 다양한 문법 현상 안내(연음현상, 구개음화, 맞춤법, 동음이의어, 다의어 등)

그림동화책을 통한 기초문해 형성에서 결정적인 부분은 음절과 낱말 읽기와 문법 현상(국어지식) 습득이 아니다. 모국어 화자들은 발음과 국어 지식에 대한 이해는 자연스럽게 체득되며, 결정적인 것은 글의 이해와 쓰기로의 전환이라 할 수 있다.

2) 글을 어떻게 이해할 수 있는가?

대부분 언어 사용자들은 문자를 읽을 수 있게 되면 의미를 이해하게 된다고 생각한다. 문자 읽기와 의미 이해가 자동적으로 연결되어 있다고 생각한다.

하지만 초기 문해 학습자가 "잔인하다"를 읽을 수 있다고

해서, 그 이해를 이해할 수 있는 것은 아니다. 유아들은 음성 언어 사용 시 "뭐야?", "왜?", "몰라."를 통해 자신의 이해 어려움을 지속적으로 환기시켜 준다. 말한다고, 읽을 수 있다고 해서 이해할 수 있는 건 아니다.

기초문해에 어려움을 겪는 느린 학습자들과 <냠냠, 옹기종기> 그림동화책 수업을 하면 축자적 읽기가 얼마나 위험한가를 알 수 있다. 느린 학습자들은 호떡, 붕어빵, 군밤, 군고구마의 문자는 축자적으로 잘 읽을 수 있다. 문제는 먹어 본 적이 없어 글자를 의미를 모르는 경우가 있다. 느린 학습자가 되어 문해 부진에 시달리고, 격차가 커지는 것을 발견하는 순간이다.

학습 부진이나 느린 학습자들은 축자적으로 문자를 읽을 수 있는 데, 문자의 의미를 풍성하게 이해하고 만들어갈 수 없어 어려움을 겪게 된다. 그 작은 차이를 초기 단계에서 도와주지 않으면 따라잡을 수 없는 격차가 생긴다. 의미를 더 풍성하고 입체적으로 이해할 수 있도록 묻고 답하며, 기본적 낱말을 두텁게 이해할 수 있도록 살펴줘야 한다. 따뜻한 추억이 될 경험이 함께해야 하지만 그것이 자기주도적(사실은 방목에 가까운) 활동이 아니라 더 많은 상호작용이 필요하다.

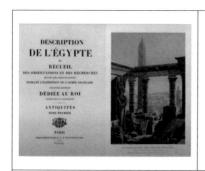

고대 이집트 유적의 문자들은 모두 해독이 된다.
다만 독해가 되지 않는다.

고대 이집트어와 무덤의 기록들은 거의 100% 해독이 된다. 고대 이집트 유적의 해독은 기원전 2세기의 로제타 스톤 덕분이다. 이 유적에는 고대 이집트 상형문자와 고대 이집트 넵모틱, 고대 그리스어 등 3개 문자가 기록되어 있고, 이를 통해 고대 이집트 유적들은 해독이 된다.

하지만 무슨 뜻인지를 아직 거의 대부분 알 수 없다. 문자 해독은 되는데, 의미가 독해가 안 되는 상황이다. 문자 해독은 되는 데 독해가 안 되는 상황, 이를 초독서 현상이라 부른다.

기초문해에 어려움을 보이는 학습자는 물론, 학습에 어려움을 보이는 학생 대부분은 낱말의 읽을 수 있지만, 의미를 모르는 경우는 수도 없이 발견하게 된다. 기초문해 학습자의 경우 '감'과 '단풍잎'을 읽지만 감과 단풍잎이 뭔지 모르는 경우를 허다하게 발견하게 된다.

이 점에서 초기문해력을 단단하게 다져가기 위해서는 문자 해독과 글 해독이 같이 가야 한다. 이를 위해 문자 읽기에 따른 의미 이해를 도와주기 위해서는 의미 이해 여부를 부단히 확인하고, 이해를 도와주는 보살핌과 다양한 활동 등이 필요하다.

(1) 글 이해 나선형적 발달 과정 : 낱말, 어구, 문단, 글로의 나선형적 확장

글 이해는 낱말, 어구, 문장, 문장과 문장으로 확대된다. 낱말, 어구, 문장, 문장과 문장으로 나선형적으로 확충된다.

이 나선형적 확충에서 낱말(어구, 문장, 문단, 글)을 입체적으로, 두껍게 이해하는 것이 문해 발달의 핵심이다. 단지 낱말(어구, 문장, 문단, 글)을 읽을 수 있다는 것이 중요한 것이 아니라(단지 읽는 것에 국한되면 초독서 현상에 빠지게 된다) 이를 얼마나 다양한 경험과 이야기를 통해 입체적으로 소화하느냐가 결정적이다.

(2) 글(낱말) 이해의 방법 : 다양한 경험과 상호작용을 통한 해석

글을 이해의 도탑게 하는 데는 의미 확인하고 안내해주기(영상과 사진으로 확인하기), 입체적 경험(책과 영상, 직접 경험)과 어른과의 상호작용이 결정적이다. 의미 이해의 기본은 읽은 낱말을 실물이나 사진과 영상 등으로 확인하는 것이다. 이를 기본으로 하되 간과하기 쉽지만, 이해를 폭발적으로 성장시키기 위해서는 다양한 어른들과 책을 함께 깊이 읽어주는 것이 결정적으로 중요하다.

최재천은 아이가 문해력을 키우려면 부모 스스로 책을 읽어야 하며, 아이와 함께 책을 읽는 것이 중요하다고 강조한다. 함께 책을 읽고 이야기를 나누어야 아이가 부모라는 거인의 어깨 위에서 책을 읽는 법을 배우게 된다는 것이다. 부모가 함께 읽은 책에 대해 이야기를 나누는 것이 어른의 문해력 수준으로 아이를 도약하게 해준다는 것이다. 이것은 교실 수업에서도 마찬가지다.

학생의 문해력 성장에 있어서 글 이해에 대한 반응과 질문이 핵심이다. 글 이해의 넓이와 깊이를 더해 가는 데 있어서 핵심은 학생이 읽은 것에 대한 반응과 질문이다.

유아도 자신이 읽은 글을 이해하고 표현한 것을 어른이 어떻게 반응하는지에 따라 문해력 발달이 달라진다.

"머리, 어깨, 무릎, 발"이라는 글을 읽고 노래를 부르는 데 이를 "머리, 어깨, 배고파, 배고파"로 바꾸어 부를 때 텍스트를 이해하고, 새롭게 바꾸는 것에 경이와 찬탄을 보낼 때 '내가 제대로 이해하고, 이를 제대로 변주했구나'라는 것을 느끼게 된다. 그리고 글을 읽는 재미를 몸으로 배우게 된다.

어른이 주로 부모나 교사가 반응을 넘어서 글을 제대로 이해했는지를 파고드는 질문으로 학습자의 문해를 도약하도록 도와줄 수 있다.

"그런데 00이는 왜 그랬을까? 너라면 어떨 것 같아?" 등의 추론, 적용 등 메타적 질문을 통해 글을 되돌아보고, 자신이라면 어떻게 할지에 대한 질문과 의견을 나누며 글 이해의 깊이와 넓이를 더해 나갈 수 있다.

음절을 읽는 방법에 대한 메타인지는 어떻게 가능해질까?

---

1) 그림동화책 읽기와 단어 카드의 동시 활용하여 음절과 낱말 읽기를 돕는다.

2) 배운 단어, 알고 있는 단어들을 활용해 음절의 소리값과 낱말을 읽을 수 있도록 해야 한다

3) 기본 자모에서 변형에 따른 음절 읽기를 정리해서 반복 안내한다.

4) 받침에 따라 기본 자음의 소리값 변화를 안내한다.

5) 겹받침과 이중모음 읽기를 안내한다.

6) 낱말과 음절을 읽을 방법, 유추 전략을 안내한다.

기본 자모 읽기와 낱말 읽기는 서로가 서로를 돕는다. 음절과 낱말 읽기가 자신이 잘하는 점을 통해 서로의 부족한 점을 채워 읽기를 가능케 한다.

음절 읽기와 낱말 읽기 능력은 서로를 도와 부족한 점을 채우고, 읽기 능력을 단단한 반석 위에 올려놓는다. 두 가지 능력을 서로를 도와 읽기 능력을 도약시켜 준다. 새끼 꼬듯 음절과 단어 읽기는 서로가 서로를 지탱해준다.

기본 음절을 읽는 능력으로 낱말 읽기를 할 수 있게 되고, 동시에 낱말을 읽을 수 있는 능력으로 음절을 명확하게 읽을 수

2부. 발생적 문해 문제와 문해력 발달 단계

있게 된다. '리'와 '라'의 구분은 기본 단어들을 충분히 습득하고 있을 때 가능해진다. "라면과 개구리"를 배우고 익숙하게 읽고 쓰게 되면 '라'와 '리'를 구별할 수 있게 된다.

'안녕'에서 '녕'을 분리해 음절 읽기를 하면 읽기 어렵지만, '안녕'을 통째로 읽을 때는 쉽게 읽는다. 이를 이용해 '녕' 음절 읽는 능력을 한 단계로 도약할 수 있게 된다. 단어 읽기 능력을 활용해 음절 읽기를 능력을 탄탄히 만들어가는 것이다.

잘한다는 통째로 읽을 수 있을 때 "자에서 ㄹ 받침이 생기면 어떤 소리가 날까"를 응답할 수 있게 된다. 동시에 '자'와 '잘'을 읽을 수 있을 때 '잘한다'와 '잘' '한' '다'를 읽을 수 있게 된다.

"어디 있을까"에서 '이'와 'ㅆ'의 결합으로 만들어진 "있을"은 읽는 능력은 "있을까"를 붙여 읽으면서 더 자연스럽고 쉽게 읽는 음절과 낱말을 능력을 형성하게 된다.

나와 어를 읽어 너를 읽어내는 법을 배워야 한다. "나 여기와 너 거기"를 읽을 수 있게 되면 '나+ㄹ'인 '날'을 읽고, '거+ㄹ'인 '걸'을 읽는 법을 배우게 된다.

1) 그림동화책 읽기와 단어 카드의 동시 활용하여 음절과 낱말 읽기를 돕는다

"어와 여"의 기본 모음조차도 아직 충분히, 완전하게 습득되지 않은 음절일 수 있다. "어디와 어서, 여보, 나 여기" 등을 통해 부단히 확인하고 성취하는 느낌을 쌓아 올려야 한다.

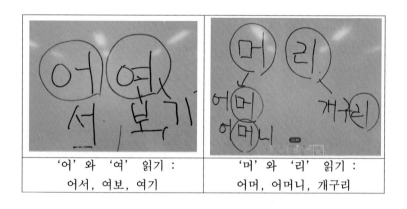

'어' 와 '여' 읽기 : 어서, 여보, 여기	'머' 와 '리' 읽기 : 어머, 어머니, 개구리

  '머' 와 '리' 의 소리값을 알아도 머리를 읽지 못할 수 있다. 초기 문해를 막 시작한 학습자는 통글자 '어머' 와 '어머니' 는 읽어도 '머' 를 읽는데 어려움을 보인다. 개구리와 오리를 읽어도 리를 읽는 데 어려움을 보인다. '머' 와 '리' 를 익히고 나서도 머리를 읽는 데 한참의 시간이 필요하다. 머리의 단어를 장기기억으로 저장하는데, 머리를 작동기억에서 읽는 데 시간과 노력을 요구하는 것이다. 이 점에 유의하여 '어머, 머리, 개구리' 를 반복해서 소리 내어 읽고 쓰는 게 필요하다. 특히 이를 위해서는 그림동화책을 전체로 읽는 것과 함께 단어 카드를 통해 낱말과 음절 읽기를 반복해서 해줘야

한다.

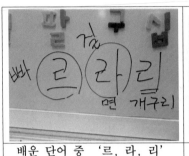	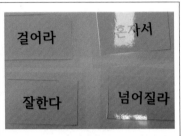
배운 단어 중 '르, 라, 리' 음절은 배운 단어로 반복적으로 확인해 살펴줘야 한다	단어 카드를 통한 놀이와 반복 확인이 필수다

초기 문해 학습자에게 "르, 라, 리"는 헷갈리는 음절들이다. 이 점에서 기존에 배운 것, 아는 것을 통해 다시 확인하고 살펴줘야 한다. '빠르다, 넘어질라'와 '라면, 개구리' 등을 통해 '르'와 '라', '리'를 명확하게 구별할 수 있을 때까지 반복해줘야 한다.

단어 카드로 체득할 때까지 다양한 활동(놀이, 게임 등)을 통해 반복 숙달해야 한다.

2) 배운 단어, 알고 있는 단어들을 활용해 음절의 소리값과 낱말을 읽을 수 있도록 해야 한다.

일단 학생이 알고 있는 낱말과 음절에서 시작해야 한다. "토요일"을 읽을 수 있다면 토에서 시작하면 된다. '토'를 읽는 능력이 다져졌다면 '톡'을 읽는 게 가능해진다. '토'에 기역 받침이 쓰이면 뭘까를 반복해 숙달하면 "발끝을 세워서 톡톡톡"의 '톡'을 자신 있게 읽게 된다.

또한 '차'로 시작해 '처, 치, 추, 츠' 읽기로 확대될 수 있게 도와야 한다.

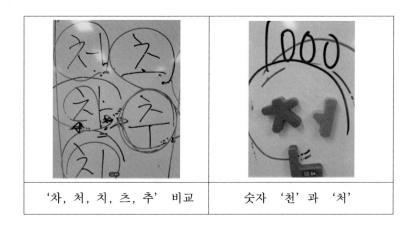

| '차, 처, 치, 츠, 추' 비교 | 숫자 '천'과 '처' |

배운 단어 활용, 아직 확실히 알지는 못하지만, 어슴푸레, 대략 알고 있는 단어들 활용하는 게 중요하다. '천'의 '처', '칠'의 '치', '추위'의 '추', '츠츠'의 '츠'를 안내한다.

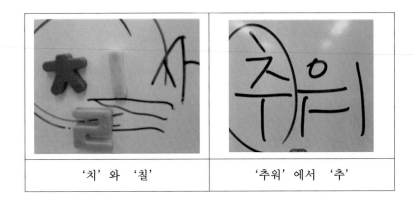

| '치' 와 '칠' | '추워' 에서 '추' |

  물론 이것이 한 번 안내되었다고 학생이 자기 것으로 만들 수 있는 것은 아니다. 나 여기, 너 거기에서 거기를 읽어도 "여기"를 읽지 못할 수 있고, 초기 문해력을 키워가는 학습자에게 이것은 너무나 자연스럽고 당연한 것이다. 한번이 아니라 무한히 반복해서 숙달할 수 있도록 다시 한번 보살펴줘야 한다.

  개구리가 "폴짝폴짝"은 쉽게 읽는다. 이미지와 동작, 흉내 내는 말이 자연언어로 충분히 노출된 낱말이라 '폴짝폴짝'을 읽는 데 어려움을 보이지 않는다. '짝'을 쉽게 읽는 것을 이용하여 '자'와 '짜'의 구별, '짜'에서 기역이 들어갈 때 '짝', '꿍'이라는 일상적 표현 등을 확인하며 읽기 능력의 기초를 다져나가야 한다. 다시 말해 쉽게 읽는다고 생각하는 '폴짝'에서 기본 자음 '자'와 '짜'를 비교해 '자동차'와 '짜장면' 읽기로 확장하고 '포'와 '폴', '짝꿍'을 비교하며 '폴짝'을 읽을 수 있도록 한다.

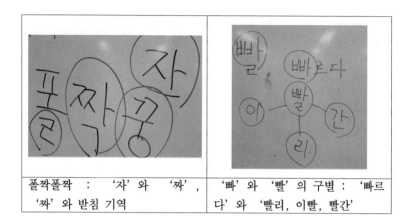

폴짝폴짝 : '자'와 '짜', '짜'와 받침 기역	'빠'와 '빨'의 구별 : '빠르다'와 '빨리, 이빨, 빨간'

'빠르다'의 '빠'를 읽게 되고, 이를 바탕으로 '빠'에 'ㄹ'받침을 더하면 빨리 된다는 것을 단단히 자리잡게 살펴 줘야 한다. <구두 구두 걸어라>에서 배운 '빠르다'와 '오빠, 빨리, 빨간, 이빨'을 통해 비교하며 반복 숙달한다. 학생의 경험에서 나온 '빨리'와 '이빨'과 그림동화책(<뚜껑뚜껑 열어라>)의 '빨간'을 겹쳐 읽으며 '빠'와 '빨'을 배우도록 한다.

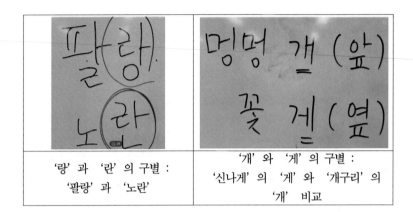

'랑' 과 '란' 의 구별 : '팔랑' 과 '노란'	'개' 와 '게' 의 구별 : '신나게' 의 '게' 와 '개구리' 의 '개' 비교

음절의 정확한 소리값을 배운 단어들을 통해 구별할 수 있도록 한다.

라에 이응과 니은 받침이 있을 때 소리값은 구별하려면 어느 정도 숙달한 낱말들이 필요하다. '랑' 과 '란' 의 구별은 '노란' 과 '빨간' 을 읽을 수 있을 때 효과적으로 가능해진다.

3) 기본 자모에서 변형에 따른 음절 읽기를 정리해서 반복 안내한다.

기본 자음을 통해 모음의 변화에 따른 자음 읽기 안내가 필요하다. 예를 들어 '차' 에서 '처, 치, 츠, 체, 추' 등을 비교해서 읽는 연습이 필요하다. '차' 에서 '창문, 찬물, 처' 에서 '처음, 천, 철, 치' 에서 '치사, 칠, 추' 에서 '추워요', '체' 에서 '체하다, 체육, 츠' 에서 '츠츠, 층' 등

을 반복해서 익혀 '차'와 '처, 치, 츠, 체, 추' 등을 읽을
수 있는 능력을 배워야 한다.

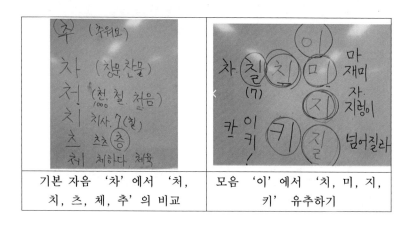

기본 자음 '차'에서 '처, 치, 츠, 체, 추'의 비교	모음 '이'에서 '치, 미, 지, 키' 유추하기

 또한 기본 모음 '이'에서 '치, 미, 지, 키' 등을 비교하
며 음절의 소리값을 단단하게 다져나가는 과정이 필요하다. 기
본 모음 '이'가 자음과 결합해 어떤 소리값을 가지는지 배운
단어들을 활용해 익히는 것이 필요하다. '마'와 '미'를 구
별하고 재미를 읽어 '미'의 소리값을 다지는 것이 필요하다.
'차'와 '치, 칠(7)'을 배우고, '카'와 '키, 이키'를
배우는 활동이 필요하다. 이는 '자'와 '지, 지렁이'와
'넘어질라'에도 동일하게 적용된다.

4) 받침에 따라 기본 자음의 소리값 변화를 안내한다.

2부. 발생적 문해 문제와 문해력 발달 단계

자모에 받침이 생길 때 음절 읽기도 배운 단어들을 정리하며 소리값을 파악할 수 있도록 안내해줘야 한다. 배운 낱말을 활용해 음절 읽기, 음절 읽기를 통해 낱말 읽기 도움이 필요하다.

어가 받침에 따라 어떻게 달라지는 가를 배운 낱말들을 활용하여 하나하나 살펴줘야 한다. 배운 단어들을 통해 어에 'ㄱ, ㄴ, ㅁ' 받침이 쓰이면 소리값이 어떻게 달라지는지 정리해줘야 하는 것이다.

받침에 따른 소리값의 차이는 배운 단어들과 아는 단어들을 활용하는 게 핵심이다. "백천만억조, 억울해, 언니와 언제?, 엄마와 엄지" 등을 통해 받침에 따른 음절 읽기를 다져줘야 한다.

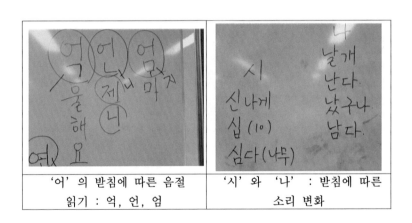

'어'의 받침에 따른 음절 읽기 : 억, 언, 엄	'시'와 '나' : 받침에 따른 소리 변화

기본 자음 나에 받침에 따라 소리가 어떻게 달라지는지 정리

해서 반복적으로 소리값 연습이 필요하다. 날개, 난다, 났구나, 남다 등 이미 배운 낱말들을 다시 정리하여 소리값을 익히도록 한다.

이는 시에서 신나게, 십, 심다 등을 익히는 것도 마찬가지다. "떨어졌다, 떨어진다"를 배워 익숙해지면 학습자는 졌과 진을 통해 "넘어졌구나", "넘어질라"의 받침을 읽는 능력을 감 잡게 된다.

5) 겹받침과 이중모음 읽기를 안내한다.

겹받침과 이중모음 읽기 전략은 배운 낱말들을 활용해 필요할 때마다 살펴줘야 한다. 겹받침은 단모음으로 무시해서 읽기와 낱말로 붙여서 읽는 두 가지 방법을 안내해줘야 한다.

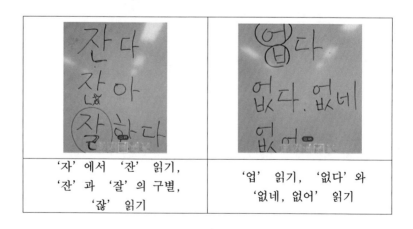

'자'에서 '잔' 읽기, '잔'과 '잘'의 구별, '잚' 읽기	'업' 읽기, '없다'와 '없네, 없어' 읽기

"개구리잖아"와 "괜찮아"에서 '잖' 읽기는 음절을 따로 떼어내 읽을 때는 쉽지 않다. 하지만 단어에 연결해 읽을 때는 읽을 만한 음절이다. 그리고 이를 분리해서 '자'에서 '잔' 읽기, '잔'과 '잘'의 구별, '잖아'에서 '잖' 읽기를 하나하나 살펴주고, 이를 반복적으로 확인하고 안내하는 것이 필요하다.

'없다'는 일상적으로 많이 사용되지만, 문자로 접하면 낯설고 어렵게 느껴진다. 복잡한 것을 간단히 무시해서 읽는 겹받침 읽기 전략과 낱말로 연결해서 읽을 때 어떻게 읽는지를 상황에 따라 안내해야 한다. '업' 읽기, '없다'와 '없네', '없어' 읽기를 지속적으로 살펴줘야 한다.

이중모음(ㅑ, ㅒ, ㅕ, ㅖ, ㅘ, ㅙ, ㅛ, ㅝ, ㅞ, ㅠ, ㅢ) 읽기는 "세워서", "나의", "계속"처럼 단어를 익숙하게 읽을 수 있을 때 정리해서 살펴주는 것이 필요하다. 이중모음 중 " 'ㅒ', 'ㅖ', 'ㅘ', 'ㅙ', 'ㅝ', 'ㅞ', 'ㅢ' " 는 특별하게 따로 떼어서 교육하기보다는 "나와 너", "발끝을 세워서"나 "고양이와 나비가"와 같이 문장 속에서 자연스럽게 익힐 수 있도록 도와주는 게 효과적이다.

6) 낱말과 음절을 읽을 방법, 유추 전략을 안내한다.

낱말(음절)을 읽는 방법은 자신이 아는 기본 자모을 통해 소리값을 유추하는 것이다. 즉 아는 자모를 통해 음절과 낱말의 소리값을 유추할 수 있다. 또한 받침에 따른 소리값을 유추하는 방법을 안내한다.

특히 받침에 따른 읽기, 이중모음 등을 읽는 법을 감 잡을 수 있도록 소리를 분해 결합하는 활동이 필요하다.

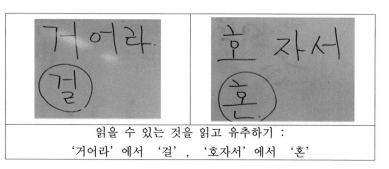

읽을 수 있는 것을 읽고 유추하기 :
'거어라'에서 '걸', '호자서'에서 '혼'

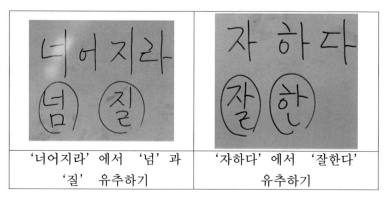

| '너어지라'에서 '넘'과 | '자하다'에서 '잘한다' |
| '질' 유추하기 | 유추하기 |

기본 음절에서 받침이 있을 때 읽는 법은 어떻게 살펴줘야 할까? 예를 들어,

'찾았다, 숨었다'는 '차'에서 'ㅈ', '수'에서 'ㅁ'

이 받침으로 쓰이면 어떻게 읽어야 할까를 묻고 답하는 것에서
시작한다.

"거어라"에서 '거'에 'ㄹ' 받침이 생기면 뭘까? '거어
라'에 'ㄹ' 받침은 어떻게 읽을까?"
"호자서"에서 '호'에 'ㄴ' 받침이 생기면 뭘까?"
"너어지라"에서 '너'에 'ㄹ' 받침이 생기면 뭘까?
'지'에 'ㄹ' 받침은 어떻게 읽을까?"
"자하다"에서 '자'에 'ㄹ' 받침이 생기면 뭘까? '하'
에 'ㄴ' 받침은 어떻게 읽을까?"

음절과 낱말을 읽는 경이는 자음과 모음 분석에 따라 경기를
일으키지 않도록 섬세하게 살펴주어야 한다. 기초 문해 학습자
는 자음과 모음의 결합을 언어 과학자처럼 합리적으로 깨치지
는 못한다. 하지만 기본 자모 읽기와 낱말 읽기가 어느 정도
차오르면 자음과 모음의 결합과 받침이 있는 음절을 직관적으
로 읽어내는 데 성공하게 된다.
다양한 변형이 있는 음절과 낱말 읽기가 어느 순간 가능해지
도록 섬세한 도움이 필요하지만, 이는 그림동화책과 단어 카드
를 재미있고 유창하게 읽고, 쓰면서 부담없이 성취할 수 있다.

그림동화책을 함께 깊이 읽으며 날아오르기 위한 고민거리들

음절 읽기는 자모 결합의 과학적 원리를 이해하면서 가능해지는 것이 아니라 기본 자모와 단어 읽기가 축적되며 낱말과 음절을 직관적으로 이해하게 된다. 백여 개 정도의 단어들을 읽을 수 있게 되면 수많은 음절을 해독하는 신비를 경험하게 된다. 이는 기본 자모와 단어 읽기가 축적되면서 자연스럽게 음절 읽기의 원리를 직관적으로 깨치게 되는 것이다.

기본 자모음 읽기에서 음절 읽기로의 도약은 기본 단어 읽기가 자모 결합과 연계되어서 직관적으로 가능해진다. 따라서 기본 자음이 "차"와 기본 모음인 "아"를 배운 것을 다양한 자모의 변형을 깨쳐야 하기 때문에 이를 효과적으로 안내하는 것이 필요하다.

문자 해독은 되는 데 독해가 안 되는 상황, 이를 초독서 현상이라 부른다.

기초문해에 어려움을 보이는 학습자는 물론, 학습에 어려움을 보이는 학생 대부분은 낱말의 읽을 수 있지만, 의미를 모르는 경우는 수도 없이 발견하게 된다. 기초문해 학습자의 경우 '감'과 '단풍잎'을 읽지만, '감'과 '단풍잎'이 뭔지 모르는 경우는 허다하게 발견하게 된

　　　　　　　　　2부. 발생적 문해 문제와 문해력 발달 단계

다.

 이 점에서 초기 문해력을 단단하게 다져가기 위해서는 문자 해독과 글 해독이 같이 가야 한다. 이를 위해 문자 읽기에 따른 의미 이해를 도와주기 위해서는 의미 이해 여부를 부단히 확인하고, 이해를 도와주는 보살핌과 다양한 활동 등이 필요하다.

가정과 유치원에서 유아는 습득을 통해 문해력을 키우고,
어린이는 학교에서 학습을 통해 문해력을 성장시키게 되는군.

문자 교육 방법으로는 자모 중심의 파닉스 접근법,
그림동화책을 통한 총체적 언어학습,
이 둘을 조화시키는 균형적 접근법 등이 있군.

9. 교육적이고 효율적인 기초문해 교육 방법 탐구

우리는 아이들의 기초문해력의 발달 과정에 대한 다양한 경험들이 있다. 하지만 정작 이를 이론화하는 데 어려움을 겪곤 한다. 그로 인해 우리가 보고 겪은 문해 발달 경험과 상치되는 이론을 믿고, 실천하곤 한다.

우리의 문해 경험과 상충되는 이야기 중 대표적인 것은 한글 교육의 효과적 방법이 파닉스(자음과 모음)의 순서에 따른 교육이라고 믿는 것이다. 유아기 아이에게 그림동화책 읽어주기를 하고, 아이들이 통글자로 한글을 발견한다는 경험이 다들 하지만 한글 교육은 자음과 모음에 순서에 따라 단어 카드를 활용한 한글 교육을 하곤 한다.

우리 아이들은 '아기'를 통글자로 읽을 수 있게 되고 나서 '아'와 '기역'이라는 것을 배우게 되지, '이응'을 알고, '이응'과 '아'(모음)의 결합을 통해 아를 읽을 수 있게 되

지 않는다. 그런데도 우리는 철석같이 자음 순서에 따라 관련 단어들을 학습하는 것이 한글 교육의 기본이라고 생각하곤 한다. 왜 이런 우리의 경험과 직관과 반하는 일이 벌어지는 것일까?

교육의 기본인 모국어 기초문해의 해결방법은 매우 다양하다. 시기도 다르지만, 기초문해의 습득과 학습 과정은 천차만별이다.

모국어 문해 능력의 경우 '선택' 받은 아이들은 가정에서 저절로 자연스럽게 체득하게 된다. 좋은 가정의 문화적 환경 속에서 숨 쉬듯 자연스럽게 문해를 체득하는 이들에게 언어는 부담이 아니라 놀이다. 문자라는 상징은 웃고 즐기면서 어려움 없이 체득하게 되는 '자연' 언어다. 이들에게 모국어는 상호 작용의 언어놀이 속에서 신나고 즐겁고 행복하게 체득할 수 있는 것이다.

이와 달리 어떤 이에게 모국어 문해는 가정에서 만만치 않은 시간과 에너지를 통해 학습해야 한다. 상호작용의 문자 발견 놀이를 통해 자연스럽게 체득할 수 없기에, 상당한 에너지와 부담을 느끼고 인위적인 학습을 통해 배우게 된다.

또 다른 누군가에게 모국어 문해는 학교에서 위축과 상처, 이제야 배우냐는 눈칫밥을 먹으며 배우게 되는 고역이기도 하다. 모국어 문자 학습은 다른 친구들보다 늦었다는 차이를 발견하며 학교에서 스트레스와 압박을 견뎌내야 하는 과정이다. 모국어 학습을 통해 빨리 따라잡고 학습 격차가 크게 벌어지지 않았다면 그나마 다행스럽다. 문제는 문자 학습을 완수해야 하는 시기가 지났는데, 여전히 미해독의 느린 학습자로 남아있을 때다.

모국어 기초문해의 형성 과정이 자연스러운 습득이든, 고통스러운 학습이든 그게 가정이든 학교 든 간에 삶과 학습에 필수다. 모국어 기초문해는 삶과 학습의 기본적 뿌리내림의 근거이자, "고갱이"(고갱이란 나무의 중심, 생장 초기에 형성된 부위다)를 만드는 과정이며, 또 다른 말로 마중물을 주어, 물이 샘솟아 오를 수 있도록 해주는 과정이자, 배움의 물꼬를 트는 일이기 때문이다.

뿌리 만들기, 고갱이 만들기, 물꼬 트기, 마중물 붓기로서의 모국어 기초문해 능력을 제때, 제대로 만들어주는 것은 공교육의 기본적 책임이라 할 수 있다.

유아 문해 교육 : 학습이 아닌 습득

유아 시기 문해 발달은 상호작용과 놀이를 통해 음운론적 인식이 자리 잡게 된다. 아동은 자유로운 놀이와 양육자들과의 상호작용을 통해 세계와 사람들에게 놓은(붙여진) 문자라는 상징들을 발견하게 된다. 아이는 놀이와 상호작용을 통해 '아'나 '이응'으로 발견하게 되고, 이를 발판으로 더 많은 음운과 낱말 등을 탐구하게 된다.

유아의 문해 발달의 관점에서 두 가지 활동이 결정적이다.[29]

3부. 기초문해 교육을 펼칠 때 필요한 것

하나는 문자 발견 놀이다. 아이는 자신의 세계와 사람들에게서 문자를 발견하는 놀이 속에서 즐거움을 체험한다. 문자 발견 놀이는 자신이 문자를 제대로 발견했음을 알려주고, 인정해주고, 격려해주고, 다시 도전하게 하는 상호작용 속에서야 가능하다. 상호작용의 품 안에서 이루어지는 세상의 상징인 문자를 발견하는 것이 바로 문자 발견 놀이다.

가족과 친구, 자신의 이름과 주변 사물들의 문자와 숫자 등을 발견하며 세상과 사람들을 읽는 법, 부르는 법을 알아간다. 특히 다양한 문자들을 가지고 보는 활동(문자 몸으로 표현하기, 문자 만들기, 문자 그리기, 카드놀이, 노래 등) 등을 통해 문자를 발견하고 익히게 된다.

아이는 문자 발견 놀이를 통해 기본 단어(가족과 친구, 선생님 이름, 사물 등의 환경 언어)와 기본 자모(가나다라, 아야어여)는 자연스럽게 체득하게 된다.

다른 하나는 그림동화책을 통한 상호작용 놀이인 '그림동화책 읽어주기'다.

---

29) 발생적 문해 발달을 위해서는 좋은 문해 환경과 적절한 도움과 보살핌이 필요하다. "우리는 '양육이 필요한 본성'을 지녔다. 우리의 유전자가 완성된 뇌를 만들어내려면 적절한 물리적 환경과 사회적 환경, 곧 적소가 필요하다. 아이와 눈을 맞추고 말을 걸고 수면시간을 일정하게 설정해주고 체온을 유지해주는 양육자들로 채워진 적소가 필요하다. 우리는 모두 아이들을 어떻게 대하는지가 중요하다는 사실을 안다. 하지만 수십 년 전에 우리가 알고 있던 것보다 더 중요하다."(리사 펠트먼 배럿, <이토록 뜻밖의 뇌과학>)

그림책 읽어주기는 부모의 읽어주는 말을 듣고, 이를 문자로 확인하고 이것의 의미를 아이의 머릿속에서 가상 세계로 구현해야 하는 일이다. 아빠(혹은 엄마)가 말하는, 아니 읽어준 말이 무슨 말인지를 떠올려야 하는 인지적 부담이 가해지는 활동이 그림동화책 읽기다. 그림동화책 읽기는 그림(이미지)이 도움을 주기도 하지만 부모의 책 읽기와 질문을 이해하고, 문자에 대한 나름의 이해와 해석을 가해야 하는 활동이다. 이 점에서 문자로 된 책 읽기란 유튜브 영상 보기와 달리[30] 재미없고 부담스럽고 어려운 일이다. 책 읽기란 문자 해독의 인지적 장벽을 스스로 넘어서야 하기 때문이다.

그림동화책 읽어주기는 이 부담스러운 문자 해독의 인지적 장벽을 자연스럽고 즐겁게 노출시키며 편안하게 인지하게 도와주는 활동이다. 하나의 단어에 대한 입체적이고 두터운 의미를 형성하게 해준다. 예를 들어, "고양이는 야옹야옹, 고양이가 귀엽고, 고양이가 폴짝 뛰어내리고, 고양이가 눈을 부릅뜨고, 고양이가 세수를 하고[31], 고양이가 털을 삐죽 세우는" 등에

---

30) 영상매체 보기와 게임 등은 너무 재미있는 놀이다. 엄지족 디지털 원주민인 우리 아이들에게 책은 재미없다. 책 읽기는 도저히 혼자서 할 수 있는 놀이가 아니다. 그림동화책 읽어주기는 혼자서 즐길 수 없는 것을 함께 즐기며 재미있게 노는 방법을 알려주고, 혼자 넘을 수 없는 장벽으로 같이 넘어가는 것이다. 세상에는 책보다 재미있는 것이 너무 많고, 책의 재미를 아이 혼자 깨칠 수는 없다.

31) 고양이 세수(그루밍)에 대한 다양한 이야기를 알고 있을수록, 고양이 세수의 장면이 나오는 그림동화책을 펼치고 자신의 가정에서 키우는 반려묘의 행동에서 본(혹은 주변 산책에서 고양이의 그루밍을 보았다면) 것들의 의미를 되새긴 경험이 있는 아이는 전혀 다른 문해 도약을 하게 된다. 고양이 세수를 따라하고, 고양이를 자세히 관찰하

대해 다양하게 그리고 충분히 이야기를 주고받으며 그림동화책
의 문자를 읽게 되면 문해의 어려움을 즐거움과 기쁨으로 바뀌
게 된다.

 다시 말해 그림책 읽어주기는 문자 문해에 필요한 기본적인
것들을 쉽고 용이하고, 폭발적으로 축적하게 해준다.

 물론 가정에서의 그림책 읽어주기는 학습이 아니라 문자와 이

는 것을 한 아이는 고양이와 세수의 문자를 읽어내는 데 어려움을
겪지 않고 좋아하게 된다. 이 문자로의 전환에 필요한 것은 고양이
세수에 대한 깊이 있는 이야기다. 단순히 문자를 축자적으로 읽는 데
그치지 않고 고양이 세수에 대한 다양한 의미를 입체적이고 다층적
으로 가지고 있을수록 문해력을 폭발적으로 증가하게 된다. 고양이
세수에 한정해서 이야기를 진행해보자. "고양이는 밥을 먹고 나면 얼
굴 청소를 한다. 고양이 세수는 입 양쪽 끝에 있는 수염에 집중된다.
고양이는 혀로 핥은 앞발로 수염을 문지르고는 다시 앞발을 핥아 수
염을 문지르는 행동을 반복한다. 고양이 세수는 수염이 깨끗이 하고,
얼굴 전체를 세수한다. 우리가 밥 먹기 전과 후에 손을 씻고 양치를
하듯 고양이는 먹고 나면 몸을 깨끗이 한다. 고양이는 먹잇감을 사냥
할 때 몸에 냄새가 배어 있으면 안돼서 더욱 열심히 자신을 얼굴을
깨끗이 한다. 물론 고양이가 목욕을 하지 않아도 깨끗한 고양이 세수
를 하는 이유는 청결을 좋아해서만 아니다. 고양이는 얼굴만이 아니
라 등을 핥고, 배를 핥고, 다리를 핥는다. 오랜 시간 끈질기게 몸 전
체를 핥고 나면 그 자리에서 숙면에 든다. 고양이뿐만 아니라 대부분
의 동물들은 몸을 핥아주고, 쓰다듬어주면 주면 긴장 이완을 통해 건
강해지고 편안해진다. 핥아주기나 털 골라주기, 쓰담쓰담의 스킨십을
해주면 긴장이 풀리면 혈압과 맥박이 떨어지고 소화액과 성장 호르
몬 분비가 촉진되고, 편안히 잠을 잘 수 있게 된다. 고양이의 그루밍
행동을 통해 자신의 체취를 없애는 것과 동시에 심리적인 안정과 건
강까지 가져다주는 것이다. 건강에도 좋고, 스트레스도 풀고, 식후
달콤한 잠을 보장해 주는 고양이 세수는 최고의 행복한 행동 중 하
나인 것이다." 이러한 고양이 세수(그루밍)에 대한 정보를 아이의 눈
높이에 들려주는 부모(교사)가 있는 아동은 고양이 세수의 그림동화
책 만들을 예사롭게 보지 않게 된다. 단순히 문자를 읽는 것을 넘어
서, 의미를 두텁게 읽어내야만 다층적이고 입체적인 독해와 추론, 상
상 등의 고등 사고력을 발휘할 수 있다.

미지를 가지고 노는 상호작용이 놀이이고, 부모와 아이의 관계를 만드는 관계 형성 놀이다. 그림동화책 읽어주기는 문자를 축자적으로 읽는 학습이 아니라 이야기 속에서 다양한 문자와 그림을 가지고 상호작용을 통한 놀이이고 이를 통해 관계를 형성하는 활동이다. 특히 그림동화책 읽어주기는 감정이입을 통해 주인공이 되어 나의 감정을 표현하고, 공감과 소통의 기회를 가지는 표현과 소통 놀이이기도 하다. 또한 그림동화책(읽어주기) 놀이를 통해 다양한 문자들에 노출되며 동시에 일상에서 발견된 문자를 다시 발견하고 강화하게 된다.

문자 발견 놀이와 그림책 읽어주기는 모두 안아주는 환경의 충분한 상호작용 속에서 아이가 언어를 발견하고 이해하도록 돕는 과정이다. 이 안아주는 환경에서의 상호작용이 놀이를 지켜줄 때 유아의 문해 발달이 이루어지게 된다. 다시 말해 유아 시기는 문자 발견 놀이와 그림책 읽어주기를 통해 학습이 아닌 습득으로 기초문해 역량이 자리 잡게 된다.

어린이 문해 교육 : 습득 아닌 학습

초등학교에 이루어지는 어린이의 문해 교육은 학습이다. 유아의 문해 발생이 자연스러운 체득이라면 어린이의 문해 형성은 인위적 학습이다. 인위적 학습은 자연적인 습득(체득)과 형성되는 역량과 관계의 원칙은 유사하지만 방법상 완전히 다르다. 학습은 자연스럽게 체득되는 것을 밀도 있게 압축해 효과를 만들어내는 인위적인 장이다. 학습은 한정된 자원인 시간과 관심, 에너지를 밀도 있게 압축해 학생의 발달을 강력하게 추구하는 활동이다. 습득처럼 1대 1일 아닌 학습은 여유있게 기다려주고, 지켜주며, 믿어주며 자연스럽게 발달을 도와줄 수 없다. 정해진 커리큘럼이 있고, 평균적으로 이 정도의 학습을 배울 수 있어야 한다는 기준이 있기 때문에 학습은 격차가 벌어지면 안 되고, 이 격차라 벌어지지 않게 배움을 챙겨주는 것이 필수다.

이 점에서 유아 단계의 핵심적 문해 역량 습득이 안 된 경우 초등에 입학하면 이를 온전하게 챙겨줘야 한다. 실질적으로는 유아 과정에서 문해가 대부분 형성되고 있지만, 현 교육과정상 문해력은 초등 교육의 책임이다. 입학하면 기초문해 역량을 먼저 살펴준 다음, 이를 바탕으로 교육활동을 진행하는 것이 당연하다.

하지만 현재의 초등 교육과정은 한글 문해를 하고 나서 다른 교육활동을 진행하는 것이 아니라 적응활동 기간이라는 이유로 한글 교육이 어중간해지고, 한글 교육이 채 이루어지기도 전에 슬·생, 바·생, 즐·생 등의 통합교과와 수학 수업은 학생들이 이미 한글 이해를 완성했다는 것을 전제로 진행되고 있다.

이런 상황에서 기초문해에 어려움을 겪는 느린 학습자들은 문해의 도움을 받지 못한 채 주변화되고 있다. 공식적으로는 초등학교에 입학해서 한글 교육을 받아도 충분하며, 한글 교육은 초등에서 책임지고 진행하도록 교육과정이 운영되고 있다고 하지만 실질적으로 한글을 미 해득한 채 입학한 학생은 소리 없이 위축되고 상처받아 학습 격차가 심화되는 상황이다.

한글 책임교육에 대한 공식적 선언과 실제 초등 교육 현실과의 불일치는 초기 문해에 도움이 필요한 느린 학습자를 지원하는 체계와 문화의 부재를 가져오게 되는 원인 중 하나다. 이 문제를 해결하는 효과적이고 교육적 해결책은 무엇일까?

기초문해 교육의 알맞은 방향과 적절한 방법은 무엇일까?

앞에서 보았듯 오은영은 한글 교육은 학교 가기 1년 전 6세 때에는 배우는 게 필요하다고 이야기한다. 발달에 따른 개인차가 크고, 그것을 배려해야 하지만 학교 입학 전에 한글을 배우는 게 어렵지 않고, 배우는 게 효과적이라고 강조한다.

	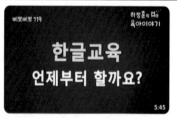
입학 전에 한글의 과학적 원리를 배워야 한다.	학교 입학해서 한글을 배워도 충분하다, 입학 전에는 놀아야 한다.

이와 달리 하정훈은 학교 입학 전 유아 시기 한글 교육에 매달리는 것이 아동 발달에 적절하지 않다고 비판한다. 입학 전에 한글을 배우는 것은 놀이에 집중해야 하는 유아 발달의 요청에 맞지 않고, 한글은 학교에서 배우는 것이 정상이라고 강조한다.

문자 교육은 통글자가 아니라 자모의 과학적 원리를 학습해야 한다.	유아는 놀이에 집중해야 한다, 한글은 학교에서 배워도 충분하다. 그게 정상이다.

　수많은 유아는 이런 사교육 시장을 통해 한글을 학습하고 있다. 학습지를 통한 한글 교육과 태블릿 학습기를 이용한 엄마표 한글 교육은 유아의 놀이와 상호작용을 차단하고, 문자에 대한 흥미와 즐거움을 위축시키는 심각한 문제를 야기하고 있다.

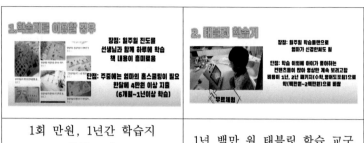

| 1회 만원, 1년간 학습지
한글 교육 | 1년 백만 원 태블릿 학습 교구 |

 내 아이만 늦는 건 아닌가 하는 부모의 불안으로 시작하는 사교육은 만만찮은 부작용에도 불구하고 그래도 한글을 떼야 한다는 압박 속에서 강행되곤 한다. 한글 교육의 제대로 된 방향과 방법을 알지 못한 채 하게 되는 구몬식 사교육, 태블릿 학습기, 혹은 엄마표 학습을 통해 한글을 떼려는 시도는 부작용과 역효과가 만만치 않다. 어떤 문제들에 직면하게 되는 것일까?

자모 중심의 엄마표 한글 교육은 과학적?

아이가 원하는 글자를 자유자재로 만들게됨

오은영의 자칭 과학적 한글 지도법은 첫째, 발달 수준에 맞춰 늦어도 초등학교 입학 전 아동에게 자음과 모음을 가르친다. 둘째, 자음과 모음을 읽을 수 있으면 자음과 모음의 결합을 가르친다는 것으로 이루어져 있다. 과학적 한글 지도법은 자음 'ㅏ(아)'와 모음 'ㄱ(기역)'의 결합을 가르치는 것으로 이루어진다.

　초등학교 입학 전 유아에게 상징체계인 세계의 문자들을 탐구하고, 다양한 환경과 이름 등의 문자를 발견하고, 발견하고 익힌 문자(음운)들로 표현하고 소통하는 것은 발달과 관계 형성에 매우 긍정적인 힘이 되어준다. 한글 자모, 음소 카드들도 이러한 발견과 표현 그리고 소통 놀이의 교구로써 사용된다면 긍정적인 영향을 미칠 수 있다.

자음과 모음의 결합으로 한글 떼기	자음, 모음 인식 영상과 교구들

　문제는 이것이 과학적 학습으로 이루어질 수 있다고 믿고, 이를 관철하려 들 때다. 음운과 문자 발견 놀이의 차원에서 이루어지는 것은 큰 도움을 주지만 이것을 과학적으로 깨칠 수 있다고 믿고 이를 강제하려는 순간 비효율과 부작용 그리고 역효과에 직면하게 된다.

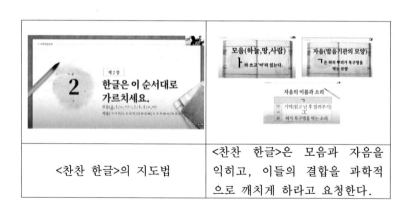

<찬찬 한글>의 지도법	<찬찬 한글>은 모음과 자음을 익히고, 이들의 결합을 과학적으로 깨치게 하라고 요청한다.

사실 오은영이나 한글 사교육 업체, 자모 중심의 기초문해 교육은 동일한 원리에 기초해 있다. 기초문해의 자모 중심 교육은 자음과 모음을 암기하고(기역, 니은, 디귿, 리을 암기, '아야어여' 암기), 이들의 결합('기역'과 '아'의 결합)을 통해 문자를 읽는 능력 키울 수 있다는 '과학적' 전제에 기초한다. 그런데 유아와 어린이가 이런 과학적 원리를 파악하면서 문자를 익히게 될까?

어떤 방법으로 한글을 배워야 할까?

한글은 만들기는 어렵지만 배우고 쓰기에는 참 편한 과학적 글이라고들 한다.

하지만 누군가에겐 한글 문자를 체득하는 건 쉬운 일이 아니다. 대부분 물 흐르듯 자연스럽게 별 부담 없이, 큰 어려움 없이 배울 수 있다고 하지만 발생적 문화가 발생하지 못하는 경우가 왕왕 있다. 그 이유가 문화적 결핍이든, 상호작용의 부족이든 간에 느린 학습자도 성취의 즐거움을 통해 문해 문제를 해결하는 것이 필요하다.

그렇다면 문해를 해결한 효과적인 방법은 무엇일까? 학교 입학 전 아직 한글 문해에 어려움을 겪고 있다면 기존 문해 지도와는 다른 방법의 교육이 필요하다.

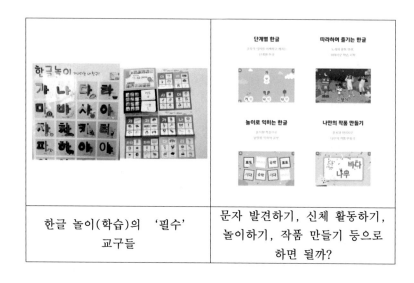

한글 놀이(학습)의 '필수' 교구들	문자 발견하기, 신체 활동하기, 놀이하기, 작품 만들기 등으로 하면 될까?

자모 방식 기초문해가 아닌 그림동화책 방식이 왜 필요하고 좋은
지 명확히 제시해야 한다

 느린 학습자를 위한 기초문해 교육, 어떤 방법을 택해야 하
나? (모든 학습자에게도 마찬가지다.)
 학교에서의 -풀 아웃- 기초문해 교육의 대상은 가정의 기분
좋은 습득으로 뛰어난 문해 능력을 보여주는 학생이 아니다.
초등학교 입학 초 한글 문해 교육으로 쉽지 않지만, 문해를 학
습한 학생 또한 대상이 아니다. 풀-아웃 기초문해 교육의 주체
는 가정의 습득도, 입학 초 교실 수업의 학습을 따라잡지 못한
느린 학습자들이다. 이들에게 자모 중심 교육이 효과적이고 타
당할까?

"<찬찬 한글>도 좋다." *(읽기따라잡기 지도 교사들이 기초 학력 교사에 대한 피드백)*

"가나다라"도 모르는 "아야어여"도 읽을 수 없는 학생에게 기본적인 자음과 모음을 안내하는 것은 필요하고 효과적이다. 그림동화책이나 수준 평정 그림책으로 기초문해 교육을 시도하는 것은 비효율적이고 성취 경험을 축적할 수 없어 기초문해 지도에 문제가 있기 때문이다. 기초 자음과 모음도 모르는 학습자에게 그림동화책을 통한 '패턴 수업'으로 도움을 주려는 것은 무리다.

특정한 문해 발달 상황에서 그림동화책을 통한 수업에 무리가 있다고 해서, 기초문해 교육을 자모 중심 교재로 하는 것도 괜찮다고 하는 것은 새로운 기초문해 교육을 시도하는 이들이 할 이야기는 아니다. 기초문해 지도에 모든 방법에 다 괜찮고, 관점과 상황에 따라 상대주의적으로 다 이해, 긍정될 수 있다면 단권이면 끝나는 <찬찬 한글>류의 자모 중심 교재가 그림동화책(수준 평정 그림책이든)보다 좋은 선택일 것이다. 자모 교재 중심의 기초문해 교육이 괜찮다면 굳이 그림동화책을 통한 기초문해 교육을 논의할 필요가 없다.

어중간한 타협이 아니라 명확하게 (기초 자모음 습득과 그림동화책를 통한 기초문해 교육이라는) 균형적 접근을 안내하고, 왜 그림동화책을 통한(수준 평정 그림책)을 해야 하는지 안내해야 한다. 가나다도 모르는 학생에게 필요한 자모 안내 수준과 이를 통해 그림동화책을 통한 기초문해 교육의 가치와 효과, 의미, 방법을 들려줄 수 있어야 한다.

 "자모 교재보다 그림동화책 기초문해 교재가 더 쉽고, 더 효과적이고, 더 좋고(교육적이고), 더 매력적이다."

라고 이야기할 수 있어야 한다. 기초문해 교육에서 핵심은 "자모 교재 중심과 그림동화책 중심 중 무엇이 더 좋고, 효율적이며, 교육적이며, 쉽고 간단한가?"에 달려 있다. "어떤 방법이 누구에게나 보편적으로 활용 가능한가?", "어떤 방법이 재현성이 더 높은가?", "어떤 방법이 투입 대비 산출이 높은가?". "어떤 방법이 교육적으로 좋은가"가 관권이다.
 그림동화책을 통한 기초문해 지도 방법이 <찬찬 한글>보다 쉽고 간단하고, 효과적이고, 교육적이어야 한다. 어떤 방법이 쉽고 간단하며, 보편적 활용성과 교육적 의미, 전이 가능성이 큰가를 판단할 수 있도록 안내하며, 그림동화책 기초문해 교육을 해야 하는 이유를 명확하게 들려줄 수 있어야 한다.

 "기초문해 문제는 그림동화책을 통해 해결해야 한다."

 자모 중심 기초문해 교육은 문제는 무엇일까?

"맛있는데 별로야. 가성비를 생각하면." "한우가 당연히 맛있지. 그런데 이 가격에?"(빅페이스) 이 서비스라면 맛있는 건가? 들인 에너지와 시간, 투자를 생각하면 이건 노답이다. 자모 중심 기초문해 교육도 바로 특별히 맛있다고 할 수 없는 값비싼 한우 고기와 비슷하다. 자모 중심 기초 문해 교육은 가성비가 떨어지고 역효과가 크다.

첫째, 자모 중심 기초문해 교육은 가성비에 치명적 문제가 있다. 분명 문자 해독을 가능하게 해주는 효과는 발휘하지만, 비효율적이고, 역효과가 크다. 자모 중심 기초문해 교육은 화려하지만, 알맹이가 빈, 효과적으로 보이지만 힘이 많이 들어 효율이 없다.

둘째, 자모 중심 기초문해 교육은 문자 해독을 가능케 하지만, 책 읽는 방법을 안내하지 못한다. 자모 교재는 한글을 떼주지만, 글 읽는 방법을 체득하게 해주지 못한다. 자모 교재는 단순히 문자(글자) 읽기를 가능케 할 뿐, 글을 독해하고 책을 즐기는 법을 알려주지 못한다. 자모 중심으로 한글 해독을 하고 나면 다시 책 읽는 방법을 교육해야 한다. 다시 말해 자모 중심 기초문해 교육은 문자 해독에 갇혀, 결국 글 독해 교육은 다시 해야 한다.

이와 달리 그림동화책을 통한 기초문해 지도는 쉽고 간단하게 해독을 가능케 하는 동시에 독해를 가능케 하며, 책 읽는 방법까지 체득하게 해준다. 기존 자모 중심 기초문해 교육은 '책을 읽지만, 교과서는 잘 못 읽어요'라는 문제를 드러낸다. "이와 달리 그림동화책을 통한 기초문해 교육은 교과서 읽듯 책을 읽고, 책을 씹어 먹을 줄 알아야 한다"라는 교육적 요청에 부응한다.

이 점에서 그림동화책을 통한 기초문해 교육은 효율적이고, 교육적이며, 효과적이다.

균형적 접근법이 필요하다

파닉스(자모) 중심 기초문해와 총체적인 그림동화책 중심 기초문해의 균형적 접근법은 어떻게 조화를 이루어야 하는지에 대한 명확하고 구체적으로 이야기할 수 있어야 한다.

자모 중심 기초문해 교육은 균형적 접근법에 대해 자모 순서와 자모 교재로 한글을 뗀 후 그림동화책으로 확장되면 된다고 이야기한다. 먼저 자모 교재와 자모 순서로 한글을 뗀 후 그림동화책과 이야기책, 그리고 내용 교과의 책들을 독해하면 된다는 것이다.

이와 달리 그림동화책은 어떻게 균형을 이야기할까? 그림동화책을 통한 기초문해 교육은 총체적 언어학습의 지평에서 자모 결합의 과학적 원리를 안내하는 균형적 접근을 시도한다. 그림 동화책의 지평 하에서 자모의 과학적 원리를 소화하는 균형적 접근은 두 가지 측면에서 이야기된다.

첫째는 그림동화책으로 기초문해를 다져가며 필요한 경우 자모의 과학적 결합 원리를 안내한다.

둘째는 초기 문해의 시원적 기초가 부족한 경우 자모 안내가 필요하다. 가정의 습득 환경에서 문자 발견 놀이와 기본 음운에 대한 상호작용이 부족한 경우 발생적 문해가 생기지 않을 수 있다. 이 경우 환경 언어에서 사용되는 기본 단어와 가나다라 송을 통한 학습이 필요하다. 사자, 사과, 가방 등 기본 단어의 습득이 부족하거나, 이름과 기본 자모 등의 음운론적 인식의 발견이 부족한 경우 기본 자모 안내가 필요하다.

안정환은 자신의 유튜브 채널에서 아이에게 맞는 효율적인 훈련을 강조한다. "발달과 필요에 맞지 않는 무리한 훈련은 문제야. 자신에게 필요한, 나에게 맞는 훈련을 해야 해."

안정환은 학생에게 맞춤형 개별 훈련이 제공되어야 한다고 강조한다.
"나에게 맞는 노력이 중요해. 가능한 목표를 정하고 짧은 시간에
능력과 필요에 맞는 집중적 수업을 해야 해. 그럼 애들은 어느새
성장하지." 그때 맞춤형 개별형 코칭은 축구의 기본기를 아이의
필요와 스타일에 맞에 변형한 것이다. 안정환의 코칭은 언제나
기본기를 아이의 발달과 상황에 맞게 살펴주는 것에서 시작한다.

1) 파닉스 중심 지도에서 총체적 언어접근으로 무게중심을 바
꾸어 균형적 문해 교육을 해야 한다.

 자음와 모음 익히고 동요로 확장 심화하는 것은 타당하고 적
절한 접근이다.

-디귿을 잘 모르는 학생에게 동요로 접근하는 것은 효과적이
다. "다람쥐야, 다람쥐야, 재주나 한 번 넘으렴."을 숙달하
며 기초문해의 지평을 여는 것은 쉽고 재미있게 문자의 세계의
첫발을 내딛게 해준다. 동요를 외우고, 낱말 카드로 하나 하나
차근차근 살펴준다면 동요를 통해 기초문해 교육을 시도하는
것은 매우 타당하고 적절하며 교육적이다. 이를 율동이나 공연
극으로 확장하는 것도 연계성이 크다는 점에서 매력적으로 보
인다.

다만 동요를 단어 카드와 음절 카드로 하나하나 꼼꼼이 살펴 주지 않고 다양한 활동으로 확장해 버리면 오히려 문제가 커진 다.

-어떤 동요를 활용해야 할까?

물론 교사가 직접 제작한 동요보다는[32] 우리의 마음을 적셔온 좋은 동요나 동시를 활용하는 것이 더 교육적이고 효과가 클 것이다. '디귿'을 가르치기 위해 교사가 '디귿' 동요(다람 쥐가 도토리는 물고 다리를 달음질 치며 건너요)를 만들고, 이 에 율동까지 활용하는 것은 소중한 성취일 것이다. (앞서 강조 했듯 이 텍스트를 읽고 숙달해 쓰는 데 집중해야 한다. 기초문 해 교육일수록 더더욱 교사의 가르침이 학생의 배움으로 전환 되는 작고 소중한 성취에 집중해야 한다. '다람쥐'와 '도토 리', '다리', '달음질'이 핵심이면 여기에 집중해야 한 다.) 동요를 외우고 이를 숙달하는 것이 기본이 되면, 동요를 통한 기초문해 교육은 긍정적이고 효율적이다.(물론 그림동화 책이 주는 그림과 문자의 텍스트를 동시적으로 활용할 수 없다 는 아쉬움이 드러난다. 결국 교사가 이것을 다시 제작하거나,

---

32) <생각하는 ㄱㄴㄷ>의 도입 문장이 낭송하듯 읽으며 가르칠 수 있 다. 이 글에 곡만 붙이면 즐거운 동료로 부를 수 있다. 하지만 그것 또한 억지스럽고 재미를 주기 어렵다. 음성의 동요 "고추 먹고 맴 맴", 옥천의 동요 "엄마 앞에서 짝짝꿍"처럼 익숙하면서 재미있고 감 동을 주는 동요가 더 효과적이다. 마치 읽기따라잡기의 수준 평정 교 재의 문제가 재미와 감동이 없으며, 기초문해 교육에서도 효과적인지 의문이 들 듯 교사들이 자체 제작한 자모 동요들 또한 이 문턱을 넘 어야 한다.

유튜브 등의 영상을 활용하게 된다.)

다만 시간을 견디고, 여러 사람의 마음을 울린 작품들을 활용하는 것이 더 좋을 것이다. 문해 교육 도구로 제작된 동요가 심금을 울리기는 매우 어려울 수밖에 없다.

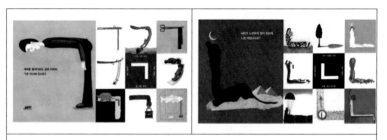

<생각하는 ㄱㄴㄷ>은 파닉스 중심 기초문해 교육의 전형을 단 한권으로 보여준다. 이 책은 자음과 모음 체계를 순서대로 교육할 때 다져가야 하는 기본을 보여준다. 자음 순서에 따라 구성된 이 책은 어느 정도 유아용 그림동화책(보드북)을 읽을 수 있을 때, 효과적으로 한글 문해 역량을 정리하는 데 효과적이다.

물론 동요를 통한 문해 지도는 하나의 자음이나 모음에 갇힐 수 없다. 동요를 통한 기초문해 교육은 파닉스 체계에 기초하기보다는 통글자를 통한 총체적 언어를 활용하는 접근이다.

"다람쥐가 도토리를 먹으려는데 'ㄷ'은 어디에 있을까요?
"다리미, 다홍색, 담요, 돼지, 두더지, 달, 다람쥐, 등대, 도서관, 등대"의 텍스트를 제시하고 있다. 'ㄷ'이라는 부분을 합치면 한글 문해가 해결될 수 있다는 전제에 서 있는 교재의 모든 것이 담겨 있다.

"라라라-라일락 꽃향기 맡을 때 ㄹ이 숨어 있어요. 레이스, 레미콘, 롤러스케이트, 레몬, 라켓, 리코더, 라일락, 리본, 로봇, 레몬색"을 텍스트를 읽고 쓰려면 'ㄹ'을 알아야 하는 것이 먼저일까, 아니면 '라면, 리본, 로봇' 등의 세 낱말 정도면 충분한 것일까?

그림동화책을 함께 깊이 읽으며 날아오르기 위한 고민거리들

자모 교재 중심의 기초문해 교육보다 그림동화책을 통한 기초문해 교육이 좋다는 것을 명확하게 알려줘야 한다. 기초 자모음 습득과 그림동화책을 통한 기초문해 교육이라는 균형적 접근을 안내하고, 왜 그림동화책을 통한 기초문해 교육을 해야 하는지 들려줘야 한다. 가나다도 모르는 학생에게 필요한 자모 안내와 이를 통해 그림동화책을 통한 기초문해 교육의 가치와 효과, 의미, 방법을 들려줄 수 있어야 한다.

"자모 교재보다 그림동화책 기초문해 교재가 더 쉽고, 더 효과적이고, 더 좋고(교육적이고), 더 매력적이다."

라고 이야기할 수 있어야 한다. 기초문해 교육에서 핵심은 "자모 교재 중심과 그림동화책 중심 중 무엇이 더 좋고, 효율적이며, 교육적이며, 쉽고 간단한가?"에 달려 있다. "어떤 방법이 누구에게나 보편적으로 활용 가능한가?", "어떤 방법이 재현성이 더 높은가?", "어떤 방법이 투입 대비 산출이 높은가?". "어떤 방법이 교육적으로 좋은가"가 관권이다.

그림동화책을 통한 기초문해 지도 방법이 <찬찬 한글>보다 쉽고 간단하고, 효과적이고, 교육적이어야 한다. 어떤 방법이 쉽고 간단하며, 보편적 활용성과 교육적 의미, 전이 가능성이 큰가를 판단할 수 있도록 안내하며, 그림동화책 기초문해 교육을 해야 하는 이유를 명확하게 들려줄 수 있어야 한다.

기초문해 교육에 자모에 기초한 파닉스 방법이든, 그림동화책을 통한 총체적 언어접근이든 결국 학생 문해 발달에 가장 도움이 되는 것을 택하면 될 거 같아.

현장의 기초문해 교육은 파닉스 접근법과 활동형, 놀이형, 음미체 통합형 수업을 하고 있어. 그런데 어떤 언어 교육 접근이 우리 아이의 문해 성장에 최고로 좋을까?

10. 자모 중심 기초문해 대 그림동화책을 통한 학습

수업은 학생 발달에 최적화된 방법을 찾게 마련이다. 건축이 '형태는 기능을 따르는(form follows function, 루이스 설리번) 순리를 쫓듯, 수업 방법도 학생 발달에 가장 최적화된 흐름에 맞춰 이루어지게 마련이다.

기초문해 교육도 마찬가지다. 학습자의 문해 발달 수준과 향후 발달에 맞춰 작은 성취를 축적해 문해 도약을 이룰 수 있는 최적의 방법(형태)를 찾아가게 마련이다.

그리고 기초문해 교육의 핵심은 우리 모두의 아이의 성장이다. 따라서 기초문해 수업 방법은 한글을 이미 알고 있는 아이, 기본 자모와 기본 단어를 대충 알고 있는 아이, 완전히 까막눈인 아이도 성장하는 수업을 쫓게 마련이다.

그렇다면 현장의 기초문해 교육은 우리 모두의 아이의 성장을 돕는 최적의 수업 형태를 띠고 있을까? 우리 아이의 성장을 담아내는 현장 기초문해 교육은 어떤 방법과 형태를 띠고 있을까?

첫째, 기존의 기초문해 교육은 자모에 기초한 파닉스 교육이 주를 이루고 있다. 하지만 이 기초문해 교육 방법은 소수를 아니 모두를 배려하기 어려운 한글 수업이다. 이미 알고 있는 아이에게는 재미없고(그래서 자꾸 음·미·체 통합을 하게 된다), 아직 모르는 아이에게는 너무 부담스럽고(수업에서 소리 없이 배제되고), 대충 알고 있는 학생에게는 제대로 다지는 기회가 되지 못한다.

또한 우리 모두의 아이의 성장을 담아내지 못하는 자모 중심 교육의 오류는 부분을 더하면 전체가 된다는 전제에 서 있다는 점이다. 자모 중심 교육은 자음 하나(부분) 하나(부분)를 완성해 나가면 ㅎ을 배우게 되는 순간 한글 문해가 총체적으로 완성된다고 본다.

하지만 "전체는 부분의 합보다 크다(The whole is more than the sum of its parts.)"(아리스토텔레스)는 말처럼, 'ㄱ'에서 'ㅎ'을 차례대로 다 배워 합친다고 해도 여전히 한글 해독은 완성되지 않는다. 그럼에도 자음과 모음을 체계적 순서에 따라 다루는 파닉스 중심 기초문해 교육은 부분의 합이 전체라는 지평에서 기초문해를 진행한다. 이로 인해 자모가 어려운 아이들을 문자의 숲에서 길을 잃게 만든다. 즉 자모 중심 기초문해 교육은 느린 학습자의 문해 발달을 도와주지 못한다는 치명적 문제를 가지고 있다.

둘째, 기존의 기초문해 교육은 활동형, 놀이형, 통합형 수업에 집중한다. 현장의 기초문해 교육의 문제는 자모식 교육 방법에만 있는 것이 아니다. 더 심각한 문제는 활동형, 놀이형, 통합형 기초문해 교육의 문제다. 이를 기초문해 교육의 전형적 사례를 통해 알아보자.

어떤 방법으로 기초문해 교육을 해야 할까?

'ㅈ'을 배우는 데에 자모 체계에 따라 순서대로 학습하는 방법과 그림동화책을 통한 학습 중 무엇이 더 효과적이고 교육적일까? 입학 초 한글 교육, 1학년 국어 교육은 기초문해 학습과 '꽤'를 같이 해야 한다.

'ㅈ'과 관련된 단어 학습과 'ㅈ'이 들어간 그림동화책(이야기)을 통해 배우는 학습 중 무엇이 더 효율적이고 좋은 것일까? 이것은 'ㅈ'을 배우는 데에 있어서 <생각하는 ㄱㄴㄷ>과 자모 순서에 따른 발도르프식 접근법 중 무엇이 좋은지에 대한 질문과 다르지 않다.

1) 파닉스 기초문해 교육 : 자모 순서에 따라 단어 위주 학습

자모 체계에 따른 기초문해 교육은 가나다라를 차례 차례 배우면서 한글을 지도한다. 문자 교육 시 음악, 미술, 체육을 통합적으로 활용하는 정도와 방식에 차이가 있을 뿐 핵심은 'ㅈ' 알려주기와 'ㅈ' 단어 학습으로 이루어진다.

이 지도 방법은 자음과 모음을 부분 부분 가르쳐 종합하면 전체가 된다는 가정에 뿌리내려 있다. 현장에서 많이 이루어지는 자모 중심 기초문해 수업의 전형적 사례를 살펴보자.

(1) 'ㅈ' 이야기 들려주기

이야기로 들려주는 발판 텍스트는 매우 효과적이고 소중하다. 다만 소개하는 발판 텍스트, 이야기를 학생들에게 제시해 주어야 한다. 'ㄷ' 글자는 '디귿'이라고 제시해 준다. 그러나 그에 대한 이야기는 없다. '디귿'을 제시해 주면서 텍스트를 제시하지 않을 이유가 없다.

더구나 음절의 끝소리 규칙의 대표 받침도 아닌 자음들도 다 표기를 적어주는 상황에서 긴 글밥이라는 이유로 발판 이야기를 안내하지 않을 이유는 없다.

이야기는 간략히 들려주고, 텍스트에서 자음 찾기와 그중 중요한 것을 반복 심화해서 배워야 한다. 이야기의 핵심 문장인 "지지배배 제비"에서 자음을 발견하고 이를 읽고 쓰는 것이 필요하다.

(2) 'ㅈ' 대표 그림 : 그림 그리기

제비 그림과 'ㅈ'을 스케치북에 크게 그리는 활동이다.

과연 효과적인 기초문해 배움 전략인지 고민이 필요하다. 기초문해 해결이 더 화급한 학생들이 있고, 그림 그리기는 그림으로 특화될 때 더 효과적이다. 수학 시간에는 미술이 아니라 수학 활동을 해야 한다. 수학은 머리에 땀이 나는 게 필요하지, 체육 활동을 하는 게 능사가 아니다. 마찬가지로 기초문해 교육은 문해 교육을 해야지, 미술 등 음·미·체 통합 활동을 할 필요가 없다. 문해는 문해에 최적화된 수업 활동을 해야 한다.

(3) 'ㅈ'이 있는 단어 찾기 : 칠판에 학생들이 부르는 단어 쓰기 활동, 그중 자신이 적고 싶은 단어 그리기 활동

초등 1학년 학생들은 기초문해 수업 시간에는 그림 그리기보다 필요한 이야기 속에서 배움에 필요한 단어들을 소리 내어 읽고 반복 숙달하는 것이 필요하다. 미술 시간에는 그림으로 표현하는 것이 필요하고 소중하지만, 기초문해 시간에는 낱말을 읽고 의미를 다지는 게 필요하다.

학생들이 찾은 'ㅈ'이 있는 단어를 쓰고 익히는 게 핵심 활동이면 이에 집중하는 것이 필요하다. 1학년 수업이 자꾸 통합으로 해야 아이들의 다양한 재능을 배려하고, 부담 없이 학습 활동이 이루어진다는 생각으로 삼천포로 수업이 흘러가고 한다. 문해 수업은 문해 수업다워야 한다.

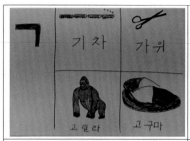

| 교사의 모델 제시 : 기초 문해가 아닌 미술 활동이 된 예시 사례 | 학생의 활동 사례 : 교사의 사례 보다 문해에 집중한 좋은 사례 |

스케치북에 글자 그림을 그리고 쓰는 게 효과적인가? 스케치북으로 한다고 해도, 그림에 시간을 들이는 것은 효과적이지 않다. 그것은 공책으로 하고 간단한 그림과 글자를 쓰고, 소리 내어 읽으며 반복해 쓰는 것이 필요하다.

1학년, 기초문해 학습에서 필요한 것은 그림이 아니라 문자 해독에 필요한 능력을 축적하는 과정이다. 1학년 기초문해 교육에서 핵심은 문자를 읽고 쓰는 것이다. 그런데 파닉스 중심 기초문해 교육은 문해도 아직 영글지 않은 학생들과 그림 그리기나 노래 부르기, 신체 활동 등 부가적인 활동에 너무 많은 시간을 투자한다.

한글 문해의 기초가 탄탄한 학생들

음소를 따라하는 수준에 머무는 학생들

  교실에는 단군 이래 읽기 능력의 최대 능력 격차가 드러난다.
4학년 이상의 문해력을 가진 아이도 있지만, 아직 한글 문해에
어려움을 보이는 학생을 5~6명 찾아볼 수 있다. 음소를 따라쓰
는 수준에 머문 학생들에게 그림 그리기와 색칠하기(신체 활동
이나 노래 부르기 등)는 문해 격차를 더 벌어지게 만드는 의도
하지 않은 활동이 될 수 있다.

| 수업의 초점을 그림이 아니라 읽기와 쓰기가 되도록 |
| 주의를 기울여야 한다. |

그림이 핵심이 아니라 글을 읽고 쓰는 게 핵심이다. 그림이 아니라 글을 읽고 쓰는 활동이 되어야 한다. 모국어 문해 수업이 아니라 미술 수업이 되어서는 안 된다. 미술 수업은 미술 수업답게, 국어 수업은 국어 수업다워야 한다.

2) 총체적 언어접근의 기초문해 교육 : 그림동화책을 통한 한글 교육

자모 중심 수업을 장점을 활용하고자 한다면 어떻게 바꾸면 좋을까?

자음 순서에 따라 하나의 자음을 음·미·체로 통합을 통해 다루는 파닉스 형 한글 수업이라면 <생각하는 ㄱㄴㄷ>을 활용해 2차시에 걸쳐 집중적으로 한글 교육을 하는 게 더 효과적이

다. 그림 그리는 활동을 빼고 그림동화책을 반복 숙달하며 확장해 나가는 것이 더 효과적일 수 있다.

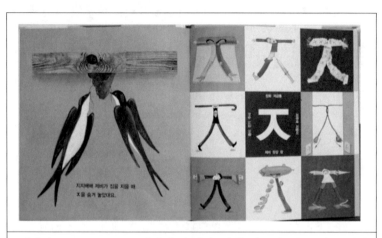

<생각하는 ㄱ ㄴ ㄷ>는 다양한 음절과 변형 자모가 어느 정도 자리 잡은 후 자모 결합의 원리를 확실하게 다져갈 때 매우 유용한 그림동화책이다. 한글 교육을 시작할 때는 유용한 발판은 아니지만, 기존의 자모 중심 교육보다는 차라리 이 그림동화책을 깊이 다루는 게 훨씬 효과적이다. 이때 한글 교육 시간은 그림을 그리는 시간이 아니라 단어와 문장을 읽고 쓰는 활동 그리고 단어 카드로 다양한 활동을 통해 읽기를 반복 숙달하는 게 중핵적 활동이 되어야 한다.

1. 발판 이야기 읽고 탐구하기

"ㅈ, 지금부터 진짜 진짜 재미있게 놀자."

"지지배배 제비가 집을 지을 때 ㅈ을 숨겨 놓았어요."

2. ㅈ 들어간 단어 읽고 쓰기

: 장화, 저금통, 자주색, 지팡이, 제비, 장갑, 종이, 전기, 주사, 잠

3. 단어 카드로 다양한 활동하기

기존 한글 모국어 교육은 보통 자음 순서에 따른 단어, 단어와 사물을 대응시켜 교육한다.

이와 달리 그림동화책은 자음의 순서와 체계가 아니라 이야기를 읽고 즐기면서 자연스럽게 읽기 능력을 키우게 된다. 그림동화책의 재미와 즐거움을 바탕으로 총체적 읽기를 통해 기초문해 교육을 시도한다.

그림동화책은 한글 문해를 위한 도구적 쓸모로도 유용하고 적합하지만 그림책 자체로도 재미가 있다. 예를 들어 <개구쟁이 ㄱㄴㄷ>는 한글의 자모를 배우면서 동시에 털북숭이 도깨비와 함께 노는 재미를 누릴 수 있다.

| <개구쟁이 ㄱ ㄴ ㄷ> | ㄱ 기웃기웃. 고양이가 구멍속에 들어갔는데 |

또한 그림동화책을 통해 자모를 읽는 것은 쉽고, 간단하다. 기존의 자모음 체계에 따라 한글을 교육하는 방식이 아니라 그림동화책을 재미있게 읽으며 자음을 메타적으로 찾고 익힐 수 있다. 그림동화책을 반복해서 재미있게 읽으며 각 자음들이 있는 낱말들을 찾고 익힐 수도 있다.

더구나 <개구쟁이 ㄱㄴㄷ>는 ㄱ부터 ㅎ까지 이야기가 끊어지지 않고 이어진다. 이야기가 진행되면서 다양한 캐릭터가 등장해 친구가 되어준다. 의성어와 의태어로 아름다운 우리말의 재미를 누리며, 기초문해에 필요한 기본 지식을 다져나갈 수 있다. 분절된 자모 교육과 달리 통합적으로 한글의 자음들을 다지고 익힐 수 있다.

ㄴ 누구야, 누구? 너 때문에 놀랐는데!

ㄷ 다다다닥! 도깨비 달아난다

그림동화책으로 기초문해 교육을 하면 한글의 자모를 개별 단어를 통해 분절적으로 익힐 필요가 없다. <개구쟁이 ㄱㄴㄷ>과 <생각하는 ㄱㄴㄷ>을 통해 한글을 익히면 총체적으로, 통합적으로, 쉽고 즐겁고 재미있게 한글 해독과 독해를 배울 수 있다.

\<개구쟁이 ㄱㄴㄷ\> 'ㅈ' 지금부터 진짜 진짜 재미있게 놀자.	\<생각하는 ㄱㄴㄷ\> "지지배배 제비가 집을 지을 때 ㅈ을 숨겨 놓았어요."

그림동화책을 함께 깊이 읽으며 날아오르기 위한 고민거리들

현장의 기초문해 교육은 우리 모두의 아이의 성장을 돕는 최적의 수업 형태로 자모에 기초한 파닉스 수업과 활동형 통합형 놀이형 수업에 집중하고 있다.

첫째, 기존의 기초문해 교육은 자모에 기초한 파닉스 교육이 주를 이루고 있다. 하지만 이 기초문해 교육 방법은 소수를 아니 모두를 배려하기 어려운 한글 수업이다. 이미 알고 있는 아이에게는 재미없고(그래서 자꾸 음미체 통합을 하게 된다), 아직 모르는 아이에게는 너무 부담스럽고(수업에서 소리 없이 배제되고), 대충 알고 있는 학생에게는 제대로 다지지 기회가 되지 못한다.

또한 우리 모두의 아이의 성장을 담아내지 못하는 자모 중심 교육의 오류는 부분을 더하면 천체가 된다는 전제에서 있다는 점이다. 자모 중심 교육은 자음 하나(부분) 하나(부분)을 완성해 나가면 ㅎ을 배우게 되는 순간 한글 문해가 총체적으로 완성된다고 본다. 이로 인해 자모가 어려운 아이들을 문자의 숲에서 길을 잃게 만든다. 이 점에서 자모 중심 기초문해 교육은 느린 학습자의 문해 발달을 도와주지 못한다는 치명적 문제를 가지고 있다.

둘째, 기존의 기초문해 교육은 활동형, 놀이형, 통합형 수업에 집중하고 있다. 현장의 기초문해 교육의 문제는 자모식 교육 방법에만 있는 것이 아니다. 더 심각한 문제는 활동형, 놀이형, 통합형 기초문해 교육의 문제다.

우리글을 읽고 쓰는 능력을 다지는 데 있어서 현재의 급수장 받아쓰기와 받아쓰기 시험은 치명적인 역효과를 낳고 있다는 것에 대한 문제 발견의 감수성이 먼저인 것 같아.

기초문해 시간에 배운 그림동화책을 급수장으로 만들어 받아쓰기 활동을 하는 게 필요하지 않을까? 이야기를 상기할 수 있고, 좋은 문장을 필사해 봐야 하지 않을까?

※ 받아쓰기와 받아쓰기 시험의 교육적 가치와 효과적 방법

교육과정에 없는 받아쓰기와 받아쓰기 시험은 초등 저학년의 핵심 활동이다. 대부분의 초등학교가 1~2학년 때 교과서 텍스트에서 가져온 낱말과 문장으로 이루어진 급수장을 바탕으로 받아쓰기(와 시험)를 진행한다. 아침 시간과 수업 시간, 과제를 통해 받아쓰기 활동은 반복적으로 이루어지고, 이를 평가하여 아동의 언어 능력(학습능력)을 판단하곤 한다.

우리의 받아쓰기와 받아쓰기 교육활동에 대한 성찰적 논의가 필요하다

문제는 관행적으로 이루어지는 받아쓰기와 받아쓰기 시험 활동의 교육적 가치와 효과를 제대로 살펴보고 있지 않다. 효과

대비 과도한 비효율과 역효과 문제를 성찰하고 있지 못하다.

기존의 받아쓰기가 가르치고 배운 것을 제대로 확인하지 않는다는 한계는 명확하다. 더구나 받아쓰기 시험이 우월감과 열등감으로 흐를 위험성에 대해 충분한 주의를 기울이지 않고 있다는 점(모국어 능력과 받아쓰기 시험은 큰 관련성을 찾기 어려운데), 받아쓰기 시험 보는 방식과 평가 결과를 활용하는 방식에 대한 교육적 주의사항 등은 제대로 이야기하고 있지 못하다.

급수장 받아쓰기와 받아쓰기 시험은 이미 배운, 좋은 글을 반복 숙달하는 것의 필요성과 효과 차원에서 꼭 필요한 활동이다. 다만 기존에 이루어지는 받아쓰기와 받아쓰기 시험 활동의 문제점이 무엇이고 대안이 무엇인지 제대로 논의되지 않고 있다.

왜 우리는 관성적으로 교과서에서 뽑아낸 급수장 받아쓰기와 받아쓰기 시험을 당연시할까?

우리는 받아쓰기에 들인 시간과 에너지를 고려하지 않고, 받아쓰기 활동의 대안적 방법을 모색하지 않은 채, 기존의 교과서 급수장 받아쓰기와 시험을 통해 한글 쓰기의 성장이 이루어진다고 믿는다. 그 이유는 무엇일까?

첫째, 안 하는 것보단 뭐라도 하는 게 낫기 때문이다. 아무것도 안 하고 방임하는 것보단 '부수적' 문제가 벌어지기는 하지만 일단 뭔가 그래도 하는 게 있으니 불안을 덜어주고, 도움이 되겠거니 하며 많은 이들을 안심시킨다. 교과서의 문장을 뽑아낸 급수장 받아쓰기와 받아쓰기 시험은 학생을 (학부모들을) 노력하게 하고, 교사도 뭔가를 한다고 믿게 만들어준다.

기존 받아쓰기 시험과 받아쓰기 활동을 교사들은 좋아한다. 이 활동들은 성실한 저학년 교사의 기본 책무로 여겨지고 있다. 특히 받아쓰기와 받아쓰기 시험은. 학생 성장을 돕고, 전문가로 인정받고 싶은 교사에게 아이를 챙기고 있다는 생각이 들게 만든다. 아이 교육에 대한 책임을 다하고 있다는 느낌이 들게 해주는 것이다. 아이를 도와주고 싶고, 도와주면서 성취감과 보람을 느끼고 싶은 교사에게 교과서에서 파편적으로 추려낸 급수장 받아쓰기와 받아쓰기 시험은 피해갈 수 없는 길이다.

더 중요한 이유는 학생과 학부모에게 현재의 능력을 진단하고 노력하게 만들어준다는 점이다. 받아쓰기 시험과 받아쓰는 학부모들이 매우 선호하는 활동이다. 열 문제로 이루어진 받아쓰기 시험은 명확하게 점수로 평가되고, 자신의(내 아이의) "실력이 이 정도구나"라는 것을 알게 해준다. 그리고 분발하게 해준다. 물론 이러한 노력이 효과적이고 제대로 된 방향과 방법인지는 묻지 않는다.

둘째, 쉽고 간단하다. 교과서에서 파편적으로 추려낸 급수장 받아쓰기와 받아쓰기 시험은 특별한 기술이 필요하지 않다. 어떤 교사나 학부모라도 손쉽게 사용 가능하다.

셋째, 다른 방법을 모른다. 수업 중 배운 것을 다시 받아쓰며 익히는 활동은 매우 효과적이고 의미 있는 활동이다. 받아쓰기 시험을 통해 자신의 실력을 확인하는 것과 가르침을 배움으로 확인한다는 점에서 필요한 활동이다. 배운 내용을 얼마나 내 것으로 만들었는지 확인하는 쪽지 시험이 효과적이고 필수적이 듯 받아쓰기와 받아쓰기 시험은 필요하다.

그런데 이 효과적인 활동 외에 대안이 뭔지 알기 어렵다. 실제적 경험 문장으로 표현하기(내 경험 문장으로 쓰기와 과제로 받아쓰기 대체), 읽은 글 중 한두 문장 필사하기(글똥 쓰기 : 내가 읽은 책의 한 문장 쓰기 반복해서 쓰기)를 효과도 의문시되고, 이중의 품이 든다. 수업 시간에 가르치고 배운 것을 다시 반복 숙달해야 한다는 점에서 볼 때 대안적 활동은 대안이 되기 어렵다. 교과서 급수장은 파편화되고, 어디 있는지 알기 어렵지만 적어도 배운 것인 반면, 실제적 경험은 다시 가르쳐야 하고(가르침과 배움의 상호성이 부족하고), 글똥 쓰기는 수업 중 배운 것도 아니다. 또한 실제적 경험 쓰기는 양이 충분하지 않고 글똥 쓰기는 개별 지도나 받아쓰기 시험으로 활용할 수 없다.

관행적으로 이루어지는 받아쓰기와 받아쓰기 시험

기존의 교육 관행에 대한 성찰과 대안적 받아쓰기와 받아쓰기 시험으로의 변화가 필요하다.

그림동화책을 함께 깊이 읽으며 날아오르기 위한 고민거리들

교과서에서 뽑아낸 급수장 받아쓰기와 받아쓰기 시험이 지속되는 이유는 무엇일까?

안 하는 것보단 뭐라도 하는 게 낫기 때문이다. 아무것도 안 하고 방임하는 것보단 '부수적' 문제가 벌어지기는 하지만 일단 뭔가 그래도 하는 게 있으니 불안을 덜어주고, 도움이 되겠거니 하고 많은 이들을 안심시킨다. 교과서의 문장을 뽑아낸 급수장 받아쓰기와 받아쓰기 시험은 학생과 (학부모들을) 노력하게 하고, 교사도 뭔가를 한다고 믿게 만들어준다.

기존 받아쓰기 시험과 받아쓰기 활동은 교사들은 좋아한다. 이 활동들은 성실한 저학년 교사의 기본 책무로 여겨지고 있다. 특히 받아쓰기와 받아쓰기 시험은. 학생 성장을 돕고, 전문가로 인정받고 싶은 교사에게 아이를 챙기고 있다는 생각이 들게 만든다. 아이 교육에 대한 책임을 다하고 있다는 느낌이 들게 해주는 것이다. 아이를 도와주고 싶고, 도와주면서 성취감과 보람을 느끼고 싶은 교사에게 교과서에서 파편적으로 추려낸 급수장 받아쓰기와 받아쓰기 시험은 피해갈 수 없는 길이다.

더 중요한 이유는 학생과 학부모에게 현재의 능력을 진단하고 노력하게 만들어준다는 점이다. 받아쓰기 시험과 받아쓰는 학부모들이 매우 선호하는 활동이다. 열 문제로 이루어진 받아쓰기 시험은 명확하게 점수로 평가되고, 자신의(내 아이의) "실력이 이 정도구나"라는 알게 해준다. 그리고 분발하게 해준다. 물론 이러한 노력이 효과적이고 제대로 된 방향과 방법인지는 묻지 않는다.

그림동화책을 통한 한글 교육이 더 좋은 이유 중 물고기를 주는 게 아니라 낚시를 하는 법을 가르친다는 것처럼 책을 읽는 법을 배운다는 게 제일 소중한 거 같아.

그림동화책을 통한 한글 교육의 매력은 작지만 소중한 성취를 부단히 축적해 확장해 나갈 수 있다는 데 있지 않을까! 부담스럽고 기초문해 교육을 쉽게 만들어주니까!

11. 교육적이고 효율적인 기초문해 교재 탐구

교재는 교사와 학생을 위한 필수 자료다. 교재가 필요충분조건은 되지 못하지만, 적어도 가르침과 배움을 위한 필수 조건이다. 한국 사회는 교과서에 대한 적대적 감정이 가득해 교재에 대한 필요성과 안목을 제대로 다듬지 못하고 있다. 하지만 가르침과 배움에 있어 좋은 교재는 필수적이다.

교재는 교사의 가르침과 학생의 배움의 발판이다. 교재는 가르칠 내용에 대한 연구와 공부를 통해 가르쳐야 하는 것으로 전환한 것을 담고 있다. 교재는 교사의 공부를 가르치고 배울 수 있는 '교수학적 전환'의 산물이다. 교재는 교사의 공부를 학생의 발달과 교육과정에 맞춰 전환해내는 교사 전문성의 산물이다.

동시에 교재는 학생들이 배워야 하는 내용을 담고 있고, 학생들이 배움의 내용을 자기화하고, 평가를 준비하는 발판이 되어준다. 다시 말해 교재는 교사가 가르쳐야 할 것을 담고 있고 동시에 학생의 배움에 관한 내용을 담고 있다는 점에서 교사와 학생의 성장을 위한 발판이다. 가르침의 기본 자료인 교재와 학생들의 배움을 통해 교재를 자기화한 학습 결과물은 다른 차원의 것이다. 교재는 가르침의 발판이고, 학생의 학습 결과물(포트폴리오)은 교재를 자기화하는 것이다

이 점에서 교재는 교사의 가르침과 학생 배움의 기본이다. 교재는 가르침과 배움의 필요조건이다. 이로 인해 교재가 수업과 평가를 결정하기도 하는 것이다.

또한, 교재는 어떤 교육활동이 이루어질지를 살펴볼 수 있는 실마리다. 교재는 어떤 가르침과 배움이 펼쳐질지를 보여주고, 교재를 깊이 이해하고 소화하면 어떤 지식과 기능을 형성 가능한지 그리고 어떤 고등한 활동들을 펼치게 될지를 짐작할 수 있게 해준다. 물론 교재는 수업 후 가르침과 배움이 어떻게 이루어졌는지를 성찰할 수 있는 결정적 기준 중 하나로 작동할 수 있다.

더불어 교재는 수업의 확산과 공유를 위한 장치다. 물론 교재가 단순한 일반화를 위한 것이 아니다. 수업이란 언제나 교사 자신의 내적 특성과 역량 그리고 교육적 관계 맥락에 따라 차이가 있으므로 교재를 일반화하기는 쉽지 않다. 어떤 특정한 수업을 자기 것으로 만들려면 그 수업과 관련된 수업 철학 그리고 수업의 목적과 의도, 수업 기술 등 그 일반화 자료에 보

이지 않는 부분들이 필요하다. 이것을 간과하면 많은 경우 일반화 자료는 보편화하기 어려운 경우가 대부분이다. 많은 경우 교재를 만들어도 다른 교사는 쓰기 어려운 경우가 많다. 교사의 역량과 선 자리와 요청, 맥락이 너무 다르기 때문이다. 이러한 한계에도 불구하고 교재는 보편적 공유와 확산의 가능성을 담고 있다.

그렇다면 기초문해 지도를 위한 좋은 교재는 무엇일까?

그림동화책 교재 & 자모 교재 중 무엇이 좋을까?

기초문해 지도에 있어 교재는 자모체계에 기초한 낱말 읽기로 시작하느냐 아니면 그림책을 통한 낱말 읽기 방식을 선택하느냐에 달려 있다.

모국어 교재가 기본 전제다 : 한글 교재는 모국어 화자들을 위한 교재다.

모국어 교육은 모국어의 특징을 살려서 교재를 구성해야 한다. 모국어의 자연언어와 습득 환경을 활용하여 구성되어야 한다. 모국어 화자들은 문자언어에 익숙지 않더라도 충분한 음성언어에 노출되어 있다.

한글 교재는 외국어 교육 교재와 달리 습득 환경의 장점 속에서 출발할 수 있다. 외국어 교육은 습득의 전제를 활용할 수 없어서 의도적이고 형식적으로 학습을 해야 하는 상황에 놓여 있다. 외국어 교육은 기본 단어 읽기와 암기의 과정을 거치지 않고 배울 수 없는 한계가 있다. 외국어는 재미있는 놀이를 통해 언어를 배울 수 없는 어려움에 놓여 있다. 하지만 한글이 모국어인 경우 인위적이고 의도적인 학습이 최소화되어도 문자언어인 한글을 배울 수 있다.

모국어는 습득 아닌 학습을 해야 외국어와 달리, 습득의 전제 위에서 재미있게 학습을 활용할 수 있다는 장점이 있다.

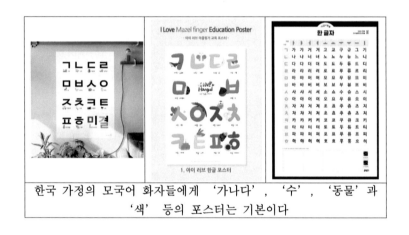

한국 가정의 모국어 화자들에게 '가나다', '수', '동물'과 '색' 등의 포스터는 기본이다

모국어 화자들의 습득 환경에는 다양한 '가나다 송'과 환경언어(이름, 사물 이름 등)를 놀이하듯 발견하며 배울 수 있다. 외국어를 배우는 학생에게는 이것마저도 상당한 인내와 노력을 통해 학습해야 하는 것이지만, 모국어 화자는 학습 과정에 들

어가기 전에 체득된 것이다. 기초문해 교육 교재는 습득 환경에 따른 '자연언어'33)의 노출 차이를 염두에 두어 두고 구성되어야 한다.

한글 문자의 해독에 필요한 전제는 '기본적인 단어' 읽기와 '가나다 송'이다. 이것은 자모 체계 중심의 교재나 그림동화책 교재에 동일하게 숨어 있는 전제다. 자음과 모음에 해당하는 대표 단어들과 '가나다 송'을 배우지 않고 한글 문자 해독을 하는 것은 어렵고, 지난한 일이다. 몇 개의 대표 단어들과 '가나다 송'을 익히고 다시 말해 한국어의 소릿값을 어느 정도 준비해야 한글 문자의 세계로 초대했을 때 부드럽게 여행을 떠날 수 있다.

모음송 : 아야 어여 오요 우유 으이
자음송 : 가나다라마바사 아자차카타파하34)

---

33) 사람들이 일상적으로 사용하고 있는 언어를 말한다. 컴퓨터에서 사용하는 언어를 인공 언어(artificial language)은 규칙과 패턴에 따라 이루어진다면, 자연 언어는 매우 분방하고, 비구조화된 언어라 할 수 있다. 자연언어는 일상의 맥락에 따라 이루어지므로 모호성, 유연성, 문맥 의존성, 부단한 진화 등의 특징을 가지고 있다. 최근의 인공지능은 컴퓨터의 인공언어가 아니라 인간의 자연언어를 기반으로 진화하고 있다.

34) https://www.youtube.com/watch?v=82CBiaIyuoY 예비 초등을 위한 한글 모음송!
https://www.youtube.com/watch?v=92QMHahxqX0 한글 자음송
https://www.youtube.com/watch?v=91bnYPSb9aI 등 유뷰트에만 해도 수많은 한글 자모 송들이 올라와 있다.

'한글 최고로 빨리 가르치는 법을 특허' 까지 내 인기를 얻은 유튜버의 비법은 '모음과 자음을 노래로 만들어 익히기' 다.35)

한글 교재의 접근 방식 : 자모냐 & 통글자냐?

기존 한글 교육은 소리와 글자의 대응 관계에 기초한 파닉스 중심으로 이루어져 왔다. 흔히 발음중심 교육으로 알려진 자소-음소 대응 중심 파닉스 교육은 기초문해 교육의 주류를 형성해 왔다.

자모체계에 기반한 한글 교재는 <또박이 한글>, <한글 한마당>, <찬찬한글>, <아주 쉽고 신나는 한글 읽기>, <1학년 한글 떼기>, <아하 한글 만들기> 등 무수히 많다. 대부분의 자모 중심 한글 교재는 자모 지도 후 한글자(한 음운), 그리고 낱말로 확장되는 방식을 택하고 있다. 또한 읽기(자모 소리-음운에서 낱말로 확장)에서 쓰기로 확장(자모에서 낱말)되는 방식을 사용하고 있다. 이 자모 체계 중심의 교재는 어떤 특징을 담고 있을지 살펴보자.

---

35) 한글 최고로 빨리 가르치는 법 특허
https://www.youtube.com/watch?v=dBltomU6xOs 등의 영상에서 보듯이 한글을 익히는 데 기본 자음과 모음 24자는 필수 발판이고, 이를 익히는 것이 첫 번째 과제다.

첫째, 자모 중심 한글 교재는 장기간 대부분의 한글 교육에서 사용해온 방식이다. 자모 체계에 기초한 한글 교재가 주류다. 자모 체계는 (최세진의 훈몽자회 이후로) 오랫동안 사용해왔고, 널리 사용되고 있다. 교사 직무연수 시 한글 지도 방식도 대부분 자모 체계 방식이다. 다만 이 방식에 활용 가능한 다양한 놀이를 소개하는 특징을 보인다. 원리는 자모 체계인데, 이 딱딱한 내용을 좀 더 재미있게 배울 수 있는 놀이와 활동(음률, 신체, 조형 활동)을 소개하고 있다.

둘째, 자모 중심 한글 교재는 한글의 과학적 원리에 기초한 방식이라 여겨진다. 오은영도 한글은 '과학적' 언어 습득으로 가르쳐야 한다고 주장한다. 그는 어린이들이 한글을 "모음과 자음의 소리가 어떻게 나는지를 배워서, 이를 조합하면 한글을 금방 배우게 된다."고 주장한다. 한글 문해는 자음과 모음의 결합을 과학적으로, 합리적으로 이해하면서 쉽게 깨치게 된다는 것이다.

그는 "통글자로 한글을 배우는 아이는 훌륭한 아이 (특별한 아이)고, 자모체계로 배우는 아이는 평범한 아이다."라고 주장한다. 냉장고에 붙은 낱말을 그림으로 익힌다면 특별한 아이이기 때문에 보편화할 수 없고, 보통의 평범한 아이는 "고, 오 "를 배우는 것으로 시작해야 한다는 것이다. 한글은 소리글자이므로, 소리의 과학적 원리를 배워야 한글 문해를 깨칠 수 있다고 본다.

3부. 기초문해 교육을 펼칠 때 필요한 것

셋째, 자모 중심 한글 교재는 영어를 모국어로 하는 나라의 기초문해 교육 방식이다. 한글의 띄어쓰기가 영어 문자 체계를 번역하면서 만들어졌듯 영어 지도 방법을 차용하면서 한글 지도 방법의 틀이 더욱 강화되었다.

넷째, 자모 체계는 한글을 알고 있는 한국인이면 누구나 알고 있는 방법이고, 교재에 따라 손쉽게 지도할 수 있는 방법으로 여겨진다. 한글 자모 교재의 타당성과 적절성 문제가 필요한 것이 아니라 정성과 열정을 가지고 꾸준히 시간과 정성을 들여 지도하느냐 마느냐의 문제가 있을 뿐이라고 여겨진다. 자모체계 교재는 누구나 손쉽게 활용 가능하다는 장점이 있다.

자모 체계에 기초한 한글 교재는 자음과 모음, 자음과 모음의 결합, 음운과 음절 인식(음소 'ㅁ,ㅜ,ㄹ'과 음절 '물'의 차이, 음절과 음운의 차이)에 기초해 과학적으로 교재를 구성한다. 그리고 음절 수 세기(큐브 놓기, 박수치기), 같은 음절 찾기, 음절 합성과 분리(사과, 사+과) 음절 추가하기(어깨 + 춤 = 어깨춤, 사과와 사자의 같은 음절), 의미 있는 음절(단어)과 무의미한 음절(단어) 등을 활용하여 과학적으로 한글을 지도할 수 있도록 교재를 구성한다. 당연히 자모 체계에 기초한 한글 교재는 자음과 모음에 맞추어 낱말을 도입 안내하고 정확한 발음과 받침을 맞춤법에 맞게 쓰고 읽는 것에 세심한 주의를 기울여 교재를 구성한다.

| 자모 체계로 집필된
<찬찬 한글> | 자모 체계로 집필된
<기적의 한글 학습> |

　<찬찬 한글>, <기적의 한글 학습>, <1학년 한글 떼기>도 이런 원리를 바탕으로 한글 교재가 구성되어 있다. (자음과 모음)의 소리와 글자를 익히고, 이에 기초하여 낱말을 쓰는 것을 효과적인 이미지와 재미있는 활동으로 보조해 한글 학습을 돕고 있다. 파닉스 체계에 기초해서 제작된 한글 교재는 아래와 같은 유형의 특징을 지니고 있다.

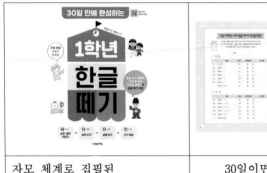	
자모 체계로 집필된 한글 교육 교재 <1학년 한글 떼기>	30일이면 한글 해독이 완성된다고 한다.

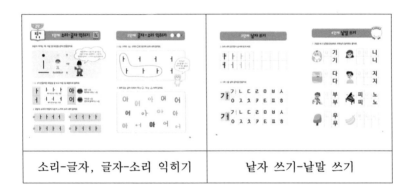

소리-글자, 글자-소리 익히기	낱자 쓰기-낱말 쓰기

낱말 놀이	여러 가지 선긋기

대부분의 자모 중심 교재들의 구성은 선 긋기, 자모 익히기, 낱자 쓰기, 낱말 쓰기, 놀이하기로 구성되어 있다.

이러한 기존 자모 체계에 기초한 한글 교재는 자음과 모음의 결합을 과학적, 합리적으로 이해하면서 문해가 열린다는 전제에 서 있다.[36)]

그런데 우리의 한글 읽기는 과학적으로 자모 결합을 합리적으로 이해하면서 열릴까 아니면 직관적으로 자모 결합을 느끼고 이해하면서 가능해질까?

기존 문해 교육은 자모의 결합이 과학적으로 열린다고 상정하곤 한다. 우리의 문해 경험은 자모의 결합을 직관적 이해를 통해 문해력이 발달한다고 생각하는 반면, 우리의 기존 한글 교육은 자음과 모음의 과학적 결합이 이루어질 수 있고, 이를 체계적으로 도와야 한다고 주장하곤 한다.

---

36) 우리글 문자 교육은 한글의 과학적 창제 원리에 기초해 배워야 한다는 발도르프 한글 교육론도 있다. 한글의 창제 원리가 과학적인 것과 한글 배움은 전혀 다른 문제다. 우리글 문자 교육은 최대한 빨리 문자를 습득하고, 글을 깊고 재미있게 즐길 수 있도록 돕는 게 핵심이다. 한글의 과학적 원리에 기초한 문해 교육은 학습자의 발달에 맞지도 않는 이론가의 환상일 뿐이다. 수학 교육이 수학적 원리와 개념에 기초한 교육이 되어야 하지만 도구적 이해가 충분히 숙달되어야 원리와 개념에 대한 이해가 가능하다. 10의 짝꿍 수가 도구적으로 숙달되지 않으면 받아올림과 받아내림이 불가능하고, 구구단이 기계적으로 자동화되지 않고 곱셈구구의 원리에 다가가기 어렵다. 마찬가지로 한글 창제의 과학적 원리를 배우는 것은 한글 습득 후에 이루어지면 되는 것이지, 한글 교육이 한글 창제 과학적 원리에 바탕해야 한글을 위대함을 제대로 배우는 것이 아니다. 소리글자의 위대함은 한글을 깨치고 나서 과학적 이해해도 늦지 않다.

자음과 모음의 결합을 통한 음절 읽기가 과학적 이해를 통해 열리느냐 아니면 자음과 모음의 결합에 대한 직관적 이해를 통해 열리느냐는 문해 교육의 방향과 방법을 다르게 만든다.

 자음과 모음의 결합에 대한 합리적이고 체계적 이해가 가능하고 필요하다고 생각하면 자음과 모음의 결합을 반복 주입하는 것이 효과적이고 필수적이다. 이와 달리 자모의 결합이 직관적 이해를 통해 가능해진다는 것에 기초하면 자모의 과학적 원리를 안내하는 데 주력하는 것이 아니라 글을 깊이 함께 즐겁게 읽으며 자연스럽게 직관적 이해가 열리도록 기다리고 지켜주는 방식을 택할 수 있다.

 그렇다면 문자 해독은 어떻게 이루어질까? 기존 문해 교육의 주장처럼 과학적이고 합리적 원리에 따라 열릴까 아니면 직관적 느낌을 이해하면서 열리게 될까? 이것은 음절 읽기는 어떻게 가능해지는지를 탐구하면 대답의 단초를 얻을 수 있다.

 기초문해의 문턱 넘기 중 신비로운 것이 음절을 읽는 능력 형성 문제다. 다양한 변형 자모, 기묘하게 변주되는 받침을 어떻게 읽을 수 있게 되는 것일까? 자음과 모음의 결합, 자음과 모음 그리고 자음의 결합에 따른 받침을 어떻게 읽는 것일까? 기초문해 학습자들은 자모의 결합에 따른 다양한 음절을 읽는 능력은 어떻게 형성되는 것일까?

 학생들은 '갸'와 '강'을 어떻게 읽을 수 있게 되는 것일까? 우선 '갸'와 '강'은 '가'를 읽을 수 있는 학습자에게 열리는 세상이다. '가'를 모르는 학생에게 '갸'와

'강'은 쉽게 문을 열어주지 않는다. '나비'에서 '비'는 몰라도 '나'를 알아야, '아기'에서 '기'는 몰라도 '아'는 언뜻 알아야, '다람쥐'에서 '람'과 '쥐'는 몰라도 '다'는 알아야 '나'와 '아', '다'의 변형에 다가설 수 있다.

기본 자음인 '가나다라'를 어느 정도 읽을 수 있게 되면 '아'에서 '어'를, '나'에서 '너'를, '다'에서 '더'의 변형을 읽을 수 있게 된다. 마찬가지로 '가방'과 '가수'에서 "가"를 어렴풋하게라도 읽을 수 있게 될 때 '가'의 다양한 변형에 접근할 수 있게 된다.

기본 자음을 어느 정도 읽을 수 있게 되면 가에 이응이 받침이면 '강', '기역'에 '야'가 결합하면 '갸'가 된다는 것을 발견하게 된다. 이 '갸'와 '강'의 읽기는 자음과 모음의 결합이라는 과학적이고 체계적 이해를 통해 습득하게 될까 아니면 경험 속에서 다양하게 노출된 기본 낱말과 여러 음절을 습득하면서 직관적으로 이해하게 될까? 자음과 모음의 결합을 언어학자처럼 과학적이고 체계적이고 이해하게 될까 아니면 경험 지평 내의 다양한 낱말과 음절들에 충분히 노출되면서 직관적으로 읽기의 문이 열리는 것일까?

기본 자음과 모음 그리고 기본 낱말들을 익히면서 자음과 모음의 결합을 언어학자처럼 과학적으로 이해하게 될지 아니면 특별한 과학적 원리 없이도 다양한 낱말과 음절을 익히면서 자연스럽게 직관적으로 이해하게 될지에 대한 질문이다.

이에 대한 경험적이고 상식적으로 답은 직관적 읽기인 후자다. 한글 모국어 화자들의 자모 결합과 받침 읽기는 직관적으로 느껴지고, 이해된다. 과학적 원리 이해는 직관적 이해가 충분히 열리고 나서 가능해진다. 직관적 이해에 기초해 많은 글을 읽으면서 나중에 이 원리를 (문법의) 과학적으로 이해할 수 있게 된다.

'사자'라는 문자를 해독하는데 '시옷'과 '아'의 결합, '지읒'과 '아'의 결합이라는 과학적 원리를 학습하는 것이 아니라, '사자'를 이미지로 배우고 직관적으로 '사자'를 읽을 수 있게 된다. 직관적 이해로 '사자'를 숙달해 사용하다가 나중에 '사자'의 '시옷'과 '자동차'의 '지읒'과 '사자'의 '지읒'을 학습하게 되면 자음과 모음의 결합 원리에 대해 이해하게 된다.

문제는 우리의 기초문해 교육은 자음과 모음과 과학적 결합이 문해 발달과 교육의 기본이라는 언어학자의 합리주의적 착각이 빚어낸 파닉스 중심에 갇혀 있다는 점이다.

왜 그림동화책인가 : 초기 문해 지도에 그림동화책이 효과적인 이유

첫째, 그림동화책은 학생들의 기초문해 교육에 핵심적인 가치인 작은 성취를 만드는 데 탁월하다. 부정적 방어기제를 통해 웅크린 학습자를 문해의 장으로 초대해 작은 성취 경험을 쌓아가며 문해 역량을 키우는 데 매우 효율적이다. 부모의 그림동화책 읽어주기의 경험을 다시 상기하게 하는 그림동화책을 통한 한글 지도는 쉽고 편안하고 익숙하다.

한글 기초문해 교육에 필요한 교재는 쉽게 배울 수 있어야 하는데 그림동화책이 딱 제격이다. 그림동화책은 한글 낱말을 배울만하다는 느낌을 준다. 이 때문에 그림동화책 교재는 학생에게 작은 성취 경험의 누적시켜줄 수 있다.

그림동화책은 기초문해 지도에서 학생들의 근접발달영역을 고려해 성취 가능한 도전 과제를 제시해 준다. 그림동화책은 학생이 읽을 수 있는 책, 학생에게 성취 경험을 선물하는 책, 도전해 볼 만한 책, 너무 쉽지도 어렵지도 않은 책이 되어 준다.

그림동화책을 통해 기초문해 교육을 하는 '읽기따라잡기'도 그림동화책이 주는 성취 경험의 가치에 주목한다. 그들이 제작한 책발자국 교재는 독립수준, 좌절적 수준 사이에서 교수 수준의 교집합을 찾으려 한다. 학생 스스로 할 수 있는 독립 수준과 할 수 없는 좌절적 수준 그리고 교사의 도움을 통해 성취할 수 있는 교수 수준을 구분하고, 기초문해 교육을 통해 성취 경험을 만들 수 있는 근접발달영역에 주목한다.

그림동화책은 이야기와 이미지의 도움을 받아 음절과 낱말, 그리고 문장을 읽는 성취감을 느끼게 해준다. 유아들이 그림동화책을 보며 아직 문자를 읽지 못하는데 "사과라고 쓰여 있지!" "사랑해! 라고 써있지 "하며 그림동화책 탐구 놀이를 하곤 한다. 부모가 "어떻게 알았어, 우리 OO이 " 라고 하면 아이는 그림동화책의 장면과 이야기를 외워 문자 읽기의 첫발을 내딛게 된다. 문자 해독의 경이와 즐거움을 보여주는 이 사례들은 성취 경험의 힘을 보여준다.

"어, 해볼만 하네. 나도 할 수 있네"의 성취 느낌을 준다.
그림동화책은 문자 읽기의 씨앗을 틔울 수 있다.

근접발달영역은 학습자가 스스로 할 수 있는 것과 다른 이의 도움을 받아 할 수 있는 것의 교집합이다. 근접발달영역을 통한 성장이란 교사가 비계를 놓아, 이를 발판으로 학생이 성장할 수 있도록 하는 것이다. 수업에서 스스로 할 수 있는 것과 가르쳐도 이해할 수 없는 것을 교육하는 것은 쓸모없는 일이다.

당연하게도 학생 성장이 있는 수업이란 교사의 도움으로 학생이 기존에 할 수 없었던 것을 해낼 때 일어난다. 교사의 비계나 모범(본보기), 안내(코칭)를 점차 줄여나가며 학습자 스스로 지식과 기능을 창출하도록 돕는 것이 수업의 기본이라 할 때 그림동화책을 통한 기초문해 교육은 이것을 제대로 품어 실현할 수 있기에 매력적이다.

둘째, 그림동화책은 학생 발달 특성과 경험 지평과 잘 어울린
다. 수많은 그림동화책 중에서 아이의 발달 요청과 경험 지평
에서 이해 가능하고, 즐길 만한 이야기를 골라 기초문해 교육
에 활용할 수 있다.

초등학생의 발달은 할 수 있다는 자신감을 통해 자존감을 획
득하는 시기다. 자신감을 통해 자존감을 형성해 갈 때 초등학
생은 나의 자기중심성 속에서 너와 나, 너와 우리의 관계를 배
워가게 된다. 초등학생은 나의 자신감을 통해 우리 관계를 배
워나가게 된다. 나를 통해 너와 그, 우리를 배워가는 과정에서
자신감과 자존감의 앙상블을 체득하게 된다. 나와 다른 세계와
다른 존재를 경험하는 데 있어서 그림동화책은 학생의 경험 지
평에 맞닿아 있고, 학생의 발달에 요청되는 것들이 풍부하게
담겨 있다.

또한 그림동화책은 경험을 분절하고 파편화 시키지 않고 총체
적으로 연결시켜 하나의 이야기 망을 만들어준다. 그림동화책
은 경험을 스토리텔링으로 표현하며 성장할 수 있게 해준다.
초등학생은 경험을 표현하는 것만으로도 발달이 자극된다. 초
등학생은 경험을 스토리텔링으로 표현하며, 경험과 현상을 지
식으로 바꾸어보는 지식전환형 발달로 성장해 간다. 기초문해
측면에서 스토리텔링에서 지식 전환형으로 발전해 가는 데 있
어 그림동화책은 탄탄한 기초를 쌓게 해준다. 셋째, 어린이의
경험은 상상의 세계와 현실의 세계가 공존해 있다. 초등학생은
상상과 현실의 경계를 맘껏 즐기며 현실의 세계에 단단하게 뿌

리내리게 된다.

이 점에서 그림동화책은 학생들에게 나를 중심으로 관계를 배우고, 스토리텔링을 통해 지식을 전환해 가고, 상상과 현실의 경계에서 모험할 수 있게 해준다. 그림동화책을 통한 기초문해 지도는 초등학생이 상상의 세계와 현실 세계의 경계를 모험하며 상상과 현실의 세계 속에서 주인공이 되어 사건을 탐구하는 장을 열어주게 된다. 예를 들어 초등학생은 공룡을 직접 경험할 수 없지만, 문학과 영상을 통해 매우 밀접한 경험을 하고 있다. 아동의 세계와 경험 속에서 기초문해 교육을 하게 되면 더 강력한 힘과 효과를 낼 수 있게 된다. 자신의 경험과 호기심을 통해 경이롭게 기초문해 교육의 장을 열 수 있는 것이다. 이 점에서 그림동화책을 통한 기초문해 교육은 상상과 현실의 경계를 넘나드는 경험 지평을 열어준다.

셋째, 그림동화책을 통한 기초문해 지도는 이야기의 힘, 내러티브의 매력 속에서 이루어질 수 있다. 한글 읽기와 쓰기를 스토리 속에서 배울 수 있다. 기초문해 해결의 어려움을 스토리 속에서 주인공의 이름과 마음, 사건을 체험하며 낱말과 문장을 자연스럽게 배울 수 있다. 그림동화책은 학생들이 통글자를 맥락과 이야기 속에서 체득하게 해준다.

다시 말해 그림동화책은 맥락과 이야기 속에서 말문, 글문이 터지게 해준다. 스토리 속에서 사용하는 낱말은 실제성을 가지게 된다. 맥락 속에서, 스토리 속에서 지도한다는 것은 문자의 힘과 가능성, 재미를 느낄 수 있게 해준다.

그림동화책을 통한 기초문해 교육은 글을 읽는 재미는 물론 맥락과 상황, 행간을 읽는 능력을 키워준다. 더욱이 복합 문해력 시대에 필수능력인 상황(맥락) 속에서 주인공의 입장과 감정, 행동을 읽는 능력을 키워준다.

그림동화책을 통한 기초문해 교육은 단순히 글(자)만 읽지 않게 해준다. 주인공이 처한 상황 속에서 사건을 탐구하고, 이 사건 속에서 주인공의 감정을 느끼고 해결한 방법을 찾아가게 해 준다.

넷째, 그림동화책을 통한 기초문해 지도는 재미있다. 목숨을 구해주는 천일야화의 힘을 가진 이야기는 재미있을 수밖에 없다. 기초문해 교육이 재미있을 수 있다는 것, 교육의 발판이 재미있다는 것이 그림동화책을 통한 기초문해 교육의 힘이다.

기초문해 교육을 그림동화책으로 활용하면 다시 읽어도 재미있다. **그림동화책은 다시 봐도 재미있고, 봐도 봐도 질리지 않는다.** 그림동화책은 반복적 읽기의 재미로 인해 지루하지 않고 흥미진진한 기초문해 교육을 할 수 있다.

고전이란 "다시 봐도 처음 본 것처럼 느껴지고, 처음 봤는데 어디선가 읽은 거 같은 느낌이 든다"고들 한다. 그림동화책은 10번 봐도 처음 본 것 같고, 처음 봐도 어디선가 보고 들은 이야기 같다.

아이들에게 그림동화책은 다시 읽어도 질리지 않고, 매번 새

3부. 기초문해 교육을 펼칠 때 필요한 것

롭게 즐기는 놀이 도구다. 기초문해에 어려움을 겪는 아동들도 똑같은 그림동화책을 수십 번 다시 읽어도 매번 신명나게 학습에 참여한다. 그림동화책 매번 봐도 새롭고, 처음 봐도 어딘선가 읽은 듯한 기시감이 든다. 다시 말해 좋은 그림동화책은 모든 고전적 작품처럼 한계효용체감의 법칙을 거스르게 된다. 좋은 작품은 다시 볼수록 매력이 뿜어져 나온다.

"좋은 영화는 두 번 봐도 재미있고, 두 번 보면 더 재미있다." (이동진)

마찬가지다. 좋은 그림책은 다시 봐도 재미있고, 다시 봐도 처음 본 것처럼 느끼며, 다시 봐야 더 재미있다. 좋은 그림동화책은 고전처럼 처음 읽을 때 이미 읽어 본 이야기 같아서 술술 읽어낼 수 있고, 다시 읽어도 처음 읽는 이야기처럼 설레며 읽을 수 있는 재미와 감동이 내재해 있다.

다섯째, 그림동화책을 통한 기초문해 지도는 이미지와 글자의 조화가 이루어져 있다. 한 장면, 한 페이지가 이미지와 낱말 그리고 문장의 조화를 가능케 한다. 단어 카드를 활용해 지도한다면 더 강력한 효과를 발휘하게 되지만, 그것 없이도 그림동화책의 이미지와 글은 서로가 서로를 도와 문자 읽기의 가능성을 열어준다. 이미지와 문자가 조화를 이루는 텍스트가 기초문해 교재의 첫걸음이라는 점에서, 그림동화책은 이미 이 필요조건을 갖추고 있다.

더욱이 그림동화책은 디지털 네이티브의 시대적 핵심 역량 중 하나인 영상(이미지)과 문자와의 관계를 읽고, 만드는 눈을 길러준다. 그림동화책을 통한 기초문해 교육은 글과 그림의 상호성과 독립성 그리고 이들의 연계를 보는 눈을 키워주는 장점이 있다.

여섯째, 그림동화책을 통한 기초문해 지도는 반복 가능하다.
이야기로 이루어져 있고, 해볼 만하고, 재미있고, 이미지와 문자가 조화를 이룬 그림동화책은 학생 스스로(어른의 작은 도움을 통해) 반복 가능하다. 반복 숙달이 언어 발달(문자 언어 발달)의 핵심이라면 그림동화책은 자기 힘으로 읽을 수 있는 책이다. 자기 힘으로 반복 숙달이 가능하다는 점이 그림동화책을 통한 기초문해 지도의 결정적 힘 중 하나다.

일곱째, 그림동화책을 통한 기초문해 지도는 반복과 숙달을 통해 단어의 기억과 숙달, 활용에 효과적이다
그림동화책은 처음 봐 신기하고, 다시 봐도 매번 색다르고 즐겁다.
기초문해에 필수적인 것은 기본 자모와 기초적인 낱말들을 읽는 능력이다. 100여개의 기본 자모와 기초 낱말들을 통해 읽기의 지평이 만들어지고, 이 지평을 확장 심화해가면서 읽기 능력이 만들어지게 되기 때문이다.

기본 자모와 기초적인 낱말들에 대한 기억이 만들어지려면 이해와 반복이 필수다. 기억은 기본적으로 1) 인지, 2) 주의집중(대충 읽지 말고 꼼꼼히) 하여 이해, 3) 반복(예: 해당 책 작가의 팟캐스트나 유튜브 청취, 읽은 뒤 요약),

다시 쓰기, 다시 가르치기 4) 관계성 부여하기(연결) (예: 내가 쓰고 싶은 것/주제/글과 연결시키기) 5) 요약하기, 감정적 여파 – 읽은 뒤 내 감정을 기록으로 남기기(주인공이 되어 사건을 해결하는 스토리 속에서 배우면 저절로 관계성이 만들어지고, 감정적 울림과 공명이 만들어진다.)의 4단계 순환 속에서 길러진다.

 그림동화책에 바탕한 단어 카드는 이 기억과 활용에 매우 효과적인 도구다. 학생들은 그림동화책의 스토리와 그림과 함께하는 낱말과 어구들을 자연스럽게 집중하여 인지하고, 문자 읽기를 반복적으로 숙달할 수 있게 된다.

 여덟째, 그림동화책을 통한 기초문해 교육은 가르치고 배울 교재를 선택할 수 있다. 자모 교재와 달리 그림동화책을 통한 기초문해 교육을 한다면 학생의 관심과 학생의 발달, 교사의 필요 등을 고려하여 선택할 수 있다.

 기초문해 교육에 적합한 그림동화책은 학생들의 (상상과 현실의) 경험 지평과 맞닿아 있으며, 신나는 사건을 체험할 수 있고, 이미지와 문자가 조화를 이루며, 반복해서 문자를 익힐 수 있다. 그림동화책은 언어 발달(음성언어 발달 측면에서도) 학

생의 경험과 맞닿은 낱말과 반복되는 문장이 있어 매우 효과적
이다.

또한 그림동화책은 한 장면, 한 사건에 대해 주인공이 되어
이야기 나눌 것이 많다. 그림동화책은 한 장면을 깊이 읽고 다
양한 이야기를 나누고, 이미지에서 많은 것을 발견할 수 있어
문해력 성장을 촉진할 수 있다. 그림동화책은 한 장면을 깊이
보게 만드는 텍스트, 학생들이 경험과 스키마에서 발견할 것이
많은, 이야기 나눌 것이 많은, 사실 확인과 추론이 조화를 이
룰 수 있어 교육적이다. 더불어 다음 장면을 궁금하게 만드는
텍스트, 즉 수수께끼 같은 텍스트와 이야기 간의 연계를 고민
하게 만들고, 다양한 질문을 부를 수 있다.

**아홉째, 그림동화책을 통한 기초문해 교육은 자연스럽게 언어
역량을 키워준다.** 영어 그림책을 통한 영어 지도나, 한글 그림
책을 통한 한글 지도는 너무나 자연스럽게 언어를 배우게 해준
다. 엄마표 영어교육에서

"파닉스 안 해도 그냥 간단하게 영어 그림책을 읽다 보면 자
연스럽게 익혀진다. 아이와 영어 노출을 진행해보니 군이 파닉
스 학습은 별도로 할 필요가 없었다."
"영어 공부의 시작은 파닉스가 아니라 그림동화책 놀이였고,
파닉스는 그 후에 영어 다지기로 활용될 수 있는 것 같다."

는 반응은 영어 모국어 교육의 원리에도 배리되는 이야기지만, 한글 그림동화책을 통한 문제 지도에는 매우 타당하고 적합한 이야기다.

그림동화책을 통한 기초문해 교육은 단어와 단어의 연계, 어구와 문장, 문장과 문장의 연계가 탁월해 어휘력 확장에 효과적이다. 문해 발달에서 '나비'를 읽게 되면 '팔랑'은 자동적으로 연결된다. '고양이'를 말하고 읽는 순간, '야옹야옹'은 자동적으로 따라온다. 자동화된 연결 고리를 이용하면 효과적인 문해 교육이 가능하다.

'나비가 팔랑팔랑', '고양이는 야옹야옹' 같은 자동 연결 고리가 하나만 있는 것이 아니다. '쥐가 찍찍, 소는 음매, 돼지는 꿀꿀' 등 수많은 기본 단어와 연결된 흉내 내는 말이 있다.

그림동화책은 이 자동 연결 고리의 구술을 꿰어 탁월한 문학 작품으로 만들어 놓았다. 이 작품들을 바탕으로 기초 문해교육의 기초를 쌓고, 확장해 나가면 된다.

기초문해 교육에서 아이들은 말과 달리는 소리가 무엇인지를 전형적으로 배우고 나면 이것을 변주하는 말들을 읽어가며 읽는 법을 체계적이고, 과학적으로 읽는 연습을 하게 된다. "얼룩말"은 '따끄닥 따그닥, 다그닥 다그닥, 다끄닥 다끄닥' 등을 헷갈려 하고, 이것을 구별해 나가며 문자 읽기의 능력을 체득하게 된다. 기초문해는 '포올짝 개구리'와 '폴짝폴짝 개구리' 그리고 '팔짝팔짝 개구리'를 비교하고 이를 구별하는 읽기 능력을 길러가면서 성장하게 된다.

그리고 읽기 어려운 '훨훨'도 '독수리는 훨훨'이라는 어구와 그림의 도움을 통해 어렵지 않게 읽는 능력을 체득하게 된다.

이 점에서 그림동화책의 흉내 내는 말은 기초문해력 발달과 기초문해 교육에 있어서 걸림돌이 아니라 디딤돌이다. (읽기따라잡기는 안타깝게도 흉내 내는 말을 기초문해 교육의 디딤돌이 아니라 걸림돌이라고 오해하고 있다.)

열 번째, 그림동화책을 통한 기초문해 교육은 기초문해력과 실질 문해력의 조화를 가능케 한다. 기초문해는 실질 문해의 촉진제가 되어야 하는 데 자모 체계 교육은 문자를 해독하는 기초문해 교육이 책을 읽고 독해하는 실질 문해로 확장되지 못하는 문제를 드러내곤 한다.

해독(단어와 문장의 뜻을 풀어서 읽는 것, 글자와 단어를 소리 내어 읽고 그 뜻을 아는 것)은 되게 만들었는데 정작 독해(문장을 읽고 그 의미를 이해하는 것)는 안 되는 학생이 되지 않도록 책을 읽고 즐기는 능력을 키워줘야 한다. 이 점에서 그림동화책을 통한 한글 교육은 기초문해(글자 해독)가 실질 문해(독해와 추론)로 확장될 수 있는 가능성을 열어준다.

자모체계에 기초한 기초문해 수업이 문제인 이유는 문자 해독에만 치중해 이후 글 독해와 고등 활동에 필요한 역량을 제대로 다지지 못하기 때문이다. 자모를 익히며 문제 풀이를 하거나 이와 정반대로 음·미·체 위주의 즐거운 활동을 하는 것으로 해독에 집중하는 방식이 효과적으로 보이고, 신나 보일수록 실질 문해의 격차를 키우게 된다. 더욱이 자모 체계 수업은 과학적 합리적으로 언어를 이해하는 것처럼 보이지만 모국어 수업 원칙에 부응하는 국어 수업은 아니다.

국어 수업이 기초문해의 어려움으로 인해 정체된 실질 문해력의 격차를 빠르게 줄이고, 모국어 교육의 기본을 학생들이 체득할 수 있도록 도와주는 것이 필요하다. 이 점에 유의하면 자모체계 교재가 아니라 그림동화책을 읽고 즐기는 법을 배우는 것이 필요하다.

열한 번째, 그림동화책을 통한 기초문해 교육은 학생 발달 수준과 관심, 교육적 필요에 따라 유연한 대응이 가능하다.

"긴장될 게 뭐 있어. 안 먹히면 포기해야지. 우리는 요리사가 아니라 사업하는 사람들이라 포기도 빨라. 태세전환이 되게 빨라." (백종원)

안 될 건 포기하고 재빨리 팔리는(돈 되는) 길을 찾아야 한다.
사업의 기본이 소비자의 욕구를 견인하거나, 맞추는 것이라면
교육의 기본도 학생의 발달에 교육을 맞추는 것이다.

교육이란 내가 계획한 걸 어떻게든 해내는 것이 아니라 학생의 발달과 필요에 맞추어 유연하게 계획과 실행을 변경해가는 것이다. 안 되면 되게 하고 그래도 안 되면 포기하고, 다른 활동으로. 이게 안 되면 다른 것으로 바꾸어 학생 성장의 목표를 달성하는 게 교육이다.

문해 발달에 필요한 적절한 자극과 발판, 환경을 제공해 주는지 아닌지를 부단히 살펴 학생 성장에 최적의 것을 찾아가는 것이 교육이고, 이것에 탁월한 교재가 그림동화책이다. 이게 아니라고 판단이 들면 다른 그림동화책으로 갈아타면 된다. 우리에게는 12권의 그림동화책만 있는 것이 아니다.

그림동화책은 학생 발달에 맞게, 작은 성취를 통한 문해 발달이 이루어질 수 있게 유연하고 발 빠른 대응이 가능하다.

그리고 그림동화책 읽기에 깊이 읽기와 겹쳐 읽기를 가능케 하는 다른 활동을 준비해 놓고 있으면 금상첨화다. 단어카드 읽기와 놀이, 원고지 쓰기와 내용 확인 문항을 필요와 상황에

맞게 배치하면 유연하게 학생 발달을 만들어낼 수 있다.

열두 번째, 그림동화책을 통한 기초문해 교육은 실패하기 어렵다. 성공 가능성이 매우 크다. 안 되기 어렵다.

그림동화책이란 멋진 세계가 만들어져 있고, 그 세계를 탐구하는 즐거움을 준다.

그림동화책 문해 지도는 실패하기 어렵다. 일단 그림동화책은 재미있다. 교사가 아동의 문해 수준에 적절한 책만 고르면 기초문해에 어려움을 겪는 아이도 내가 읽을 수 있다는 착각을 던져준다. 스토리와 그림을 통해 통째로 외우고, 그림의 도움으로 글을 읽을 수 있다는 '착각' 혹은 자신감을 가지게 해준다. 그리고 단어카드를 통해 스스로 읽는 능력을 키워간다는 느낌을 만들 수 있다

그림동화책을 통해 기초문해 교육은 실패하기 어렵다. 그림동화책을 통한 문해 교육의 성공은 손가락 뒤집기처럼 쉽다. (물론 그림동화책을 통한 지도의 고수가 되는 게 늘상 쉬운 건 아니다.) 그럼에도 다른 기초문해 교육보다 실패하기는 어렵고, 성공하기는 쉬운 것, 그것이 그림동화책을 통한 기초문해 교육이다.

자모체계가 학생에게 쉽다?

부모의 책 읽어주기가 기초문해의 발판이자 도약대였다는 사

실을 보지 못하고, 자모체계의 과학적 지도를 통해 한글을 깨쳤다고 착각하게 된다. 자모 체계 교재는 모국어의 충분한 습득을 경험하고, 이미 한글을 어느 정도 해독한 학생들이 확인과 체계화에 유용하게 사용될 수 있다. 하지만 자모 체계가 학생에게 효과적인 문해 지도 발판이라고 보기는 어렵다.

자모로 누구나 금방 한글 배울
수 있다?

통글자는 뛰어난 소수가 한글
배우는 방식?

자모체계에 기반한 한글 교재는 아직 한글이 어려운 아이에게는 쉽고 간단히 배우기 위한 교재가 아니다. 오은영의 주장과 달리 자모 체계는 모국어 습득에 충분히 노출된 아이에게 너무 쉽고, 습득 환경이 열악한 아이에게는 너무 어려운 많은 활동이다. 한글이 낯선 아이에게 자음과 모음이라는 한글 원리에 기초한 자모 교재는 너무 번다하고 복잡하고 어렵다. 자모 체계에 기반한 한글 교재는 있어 보이고 재미있고 신나고 좋아 보이는 활동들을 잔뜩 모아놓았다. 그런데 이런 것들을 다 하려 하니 엉뚱한 데 시간이 많이 든다.

아직 한글 독해가 어려운 학생인 만큼 핵심을 간략하게 소화하고 반복 숙달하는 게 필요한 데 이것저것 하며 시간을 보낸다. 친구들은 더 앞서가는 데 재빨리 따라잡아야 하는 데 활동과 놀이로 시간을 쓴다. 다 하면 좋겠지만 놀이도 하고 활동만 하다간 격차가 더 커지게 된다.

 기초문해 문제로 문자언어 체득이 어려움에 처해있다면, 과학적 원리나 재미있는 활동에 치이지 않고 한글이라는 모국에 해독에 필요한 핵심적 활동을 추려 진행할 필요가 있다.

통글자와 자모는 어떤 관계인가?

 문자 읽기와 쓰기에 대한 발달과정, 즉 읽기와 쓰기 발달의 뇌과학적 발달 과정을 고려한 교재가 필요하다. 인간의 언어발달과 기초문해 교육의 역사와 전통을 고려하면 통글자와 자모를 동시에 활용해야 한다는 것은 상식이다. 사실 통글자와 자모가 대립한다고 주장하는 연구자는 거의 없다. 둘이 모두 필요하다는 손쉬운 절충이 문제가 아니라 양자가 어떤 선수와 경쟁, 비중으로 관계를 맺어야 하는지가 문제다. 선후와 경쟁, 비중 문제는 즉 통글자와 자모 중 어떤 지평 위에서 어떻게 양자가 조화를 이루어야 하는 가가 문제다.

통글자 기반 없이 자모 없다.

음절, 자모에서 낱말로 가는 방법은 매우 과학적이고 합리적 접근으로 보인다. 이미 문자를 배운 어른의 눈으로 보면, 아는 자의 덫, 지식의 덫에서 거리를 두고 이제 막 문자 해독의 길에 들어선 아동에게 이 학습법은 쉬운 방법이 아니다. 통글자가 낯선 상황에서 자음과 모음을 배우는 것은 학생의 소화불량을 가져와, 배움에 대한 거부를 부른다. 뇌의 작동기억에서 자음과 모음을 효과적으로 처리할 수 없을 때 자음과 모음을 도입하는 것은 언어학습에 효과적이지 않다. 기초문해에 처한 학생에게 작은 성공경험의 축적이 결정적이다. 이제 막 사과와 사자를 배우는데, '시옷'과 '아'를 배우는 것은 효과적이지 않다. 사과와 사자를 통으로 익혀 읽을 수 있게 되어 어느 정도의 자신감이 형성되었을 때 자음과 모음을 배우는 것이 필요하다.

통글자와 자모의 조화가 필요하다. 통글자를 기초로 해서, 자모 체계로 보완해야 한다.

모국어 환경, 기본 낱말에 대한 전제 없이 자모 체계에 기초한 교재는 학습 불가하다. 자모의 결합, 받침 읽기 등의 과학적 원리에 기초해서 모국어를 체득하려면 기본 낱말을 읽을 줄 알아야만 가능하다

모국어 화자는 사과라는 문자를 익히기 전에 사과라는 음성언어에 충분히 노출되어 있다. 그래서 사과라는 음성언어의 문자 표현이 무엇인지 알게 되면 흥미 있게 탐구하게 된다.

통글자를 어느 정도 인지하면 과학적 원리(소리글자, 자음과

모암, 자음과 모음의 결합)를 안내해야 한다. 통글자를 인지하고 발견하는 게 먼저고, 이후에 한글의 과학적 원리를 도입하면 한글을 체계적으로 이해, 활용하게 된다.

기본 자음과 모음을 읽을 줄 아는데, 받침 글자를 모른다면 기본 자음과 모음을 단단히 하는 게 먼저다. 이게 명확하다면 받침 있는 것을 제시하고 읽는 것을 연습해야 한다.

기존 한글 지도의 전형적 방법은 음절, 자모에서 낱말로 가는 방법이지만 기초문해 지도에서 효과적인 방법은 아동의 발달과 필요를 고려해서 낱말에서 음절, 자모로 자유롭게 오가는 것이다. 사실 '가나다라' 순서가 훈민정음 창제원리에 따라 학습하는 것도 아니다. 'ㄱ ㅋ ㄲ' 순서로 학습하는 게 오히려 글자 모양과 발음에 따른 학습법이다. 그렇지만 자모 체계 중심으로 지도하는 이들이 이 방법이 더 좋은 것이라 생각하지 않는다.

그리고 받침이 나오면 어려워할 것이라는 것도 과학적이지 않다. 기초문해에 어려움을 보이는 학습자들은 <사랑해>에서 '랑'을 읽는 것에 어려움을 보이지 않는다. <찾았다>라는 낱말 읽기에 어려움을 보이는 것도 아니다.

통글자 읽기에서 어려움은 '감사, 미안, 불안' 등과 같이 추상적인 낱말이나 경험 지평에서 먼 낱말이지 받침의 유무가 아니다. <찾았다>, <사과가 쿵>, <달님 안녕>은 한글 처음 배우는 아이와 함께 하는 책이다.(책발자국 교재도 0단계에 이미 받침이 노출되어 있다.) 받침의 유무가 어려움을 주는 게 아니라 낱말을 아는 게 있어야 자음과 모음을 읽는 법, 받침을 읽는 법을 배울 수 있다.

다시 말해, 통글자를 어느 정도 읽을 수 있고, '가나다 송'을 암송하며 이 둘의 관계를 오갈 수 있을 때 자모 체계를 통해 과학적이고 체계적인 문자 안내가 힘을 발휘할 수 있다.

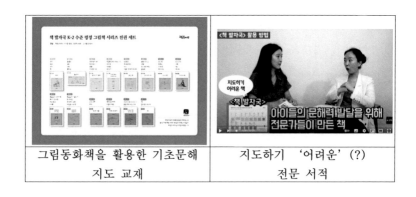

그림동화책을 활용한 기초문해 지도 교재	지도하기 '어려운' (?) 전문 서적

그럼에도 자모 교재보다 그림동화책 중심 한글 기초문해가 이루어지지 않는 이유는 무엇인가?

첫째, 그림동화책을 통한 기초문해 지도는 자모 교재와 달리 구체적인 지도 방법이 그려지지 않기 때문이다. 자모 교재와 달리 그림동화책을 통한 기초문해 지도는 그림동화책만 있다. 그림동화책을 어떻게 활용해 아이의 기초문해 교육을 도와주어야 하는지 당황스러운 것이다.

놀이와 관계의 도구였던 부모의 책 읽어주기 방식의 정수를 뽑아내 그림동화책 활용을 통한 기초문해 지도를 해야 하는 데 그 방법이 잘 정리되어 안내되어 있지 못하다.

둘째, 그림동화책에서 자모 체계의 도입 시기와 방법을 알기 어렵다. 그림동화책을 가지고 책 읽어주기를 하는데, 기초문해가 열리지 않으면 이를 해결하는 방법을 알아야 하는 정작 이를 잘 모른다. 단어카드의 활용과 원고지 쓰기 등에 대해 안내받지 못해 그림동화책을 통해 자모 체계를 깨치는 방법을 알지 못한다.

그림동화책을 함께 깊이 읽으며 날아오르기 위한 고민거리들

 그림동화책은 학생들의 기초문해 교육에 핵심적인 가치인 작은 성취를 만드는 데 탁월하다. 부정적 방어기제를 통해 웅크린 학습자를 문해의 장으로 초대해 작은 성취 경험을 쌓아가며 문해 역량을 키우는 데 매우 효율적이다. 부모의 그림동화책 읽어주기의 경험을 다시 상기하게 하는 그림동화책을 통한 한글 지도는 쉽고 편안하고 익숙하다.

 한글 기초문해 교육에 필요한 교재는 쉽게 배울 수 있어야 하는데 그림동화책이 딱 제격이다. 그림동화책은 한글 낱말을 배울만하다는 느낌을 준다. 이 때문에 그림동화책 교재는 학생에게 작은 성취 경험의 누적시켜줄 수 있다.

 그림동화책은 기초문해 지도에서 학생들의 근접발달영역을 고려해 성취 가능한 도전 과제를 제시해 준다. 그림동화책은 학생이 읽을 수 있는 책, 학생에게 성취 경험을 선물하는 책, 도전해 볼 만한 책, 너무 쉽지도 어렵지도 않은 책이 되어 준다.

읽기따라잡기는 그림동화책을 통해 기초문해 교육을 하는 소중하고 멋진 곳이네. 파닉스 방식이 아니라 총체적 언어접근을 하다니, 멋지네

읽기따라잡기의 그림동화책은 재미가 없어. 그리고 읽기따라잡기 그림동화책이 기초문해 교육의 도구로서 적절하고 타당한지도 검증되지 않았어.

12. 그림동화책과 읽기따라잡기 교재 비교

읽기따라잡기는 그림동화책을 통해 기초문해 교육을 시도하고 있다. 이들은 <달님 안녕> <알사탕> 등의 그림동화책이 아니라 자신들이 직접 문해 교육용으로 제작한 교재를 통해 기초문해 수업을 하고 있다.

이들의 기초문해 지도를 위해 자체 개발되어 활용되고 있는 교재의 타당성과 적절성을 검토해 보자. 이야기의 매력과 체계성, 책 내용요소 분석, 내용 문제, 단계의 의미 등에 기초해 간략히 살펴보자[37].

---

37) 읽기따라잡기의 교재 문제는 부록에서 자세히 다루고자 한다.

외국의 기초문해 지도는 어떤 교재를 사용하는가?

읽기따라잡기의 기초문해 교육용 교재인 그림동화책('책발자국') 분석

1) 그림동화책으로서 재미있는가? 재미없는 그림동화책이라는 형용모순 문제

 그림동화책의 본질적 가치는 재미와 감동이다. 우리가 감동과 재미가 없는 그림동화책을 읽을 이유는 없다. 기초문해를 위해 그림동화책을 활용한다면 당연히 재미있는 사건과 스토리, 캐릭터 속에서의 가상 세계를 탐구하는 것이 핵심 묘미다. 사건을 탐구하는 주인공이 되는 흥미진진함 속에서 음절과 낱말, 문장을 배우는 것이 그림동화책을 통한 기초문해 교육의 핵심적 가치다. 따라서 기초문해 지도를 위해서는 이야기의 매력과 재미가 첫 번째 요건이다.

 그런데 읽기따라잡기의 책발자국 교재는 재미가 없다. 기초문해 학습자도 읽어 볼 만한 쉽고 간단한 이야기를 소박한 그림

을 도움을 받아 제시되어 있기는 하다. 그런데 이 텍스트들은 그림동화책 본연의 가치인 재미있는 이야기라고 보기 어렵다. 이야기가 재미없다면 그림동화책을 통한 기초문해 교육의 효과가 제대로 살아날지 의문이 들 수밖에 없다. 그런데, 읽기따라잡기의 주역들은 기초문해 교육을 위한 그림동화책의 'No잼'은 어쩔 수 없거나 어느 정도 불가피하다고 답하고 있다. 그들은 그림동화책의 재미와 감동에 주목하지 말고 기초문해 교육용 도구로서 가치에 주목해야 한다고 답하곤 한다.

2) 그림과 이미지의 관계가 상생적인가? 문자에 종속된 도구로서의 그림

책발자국 교재는 그림(과 사진), 즉 이미지의 독립적 힘이 없다. 그림동화책에서 이미지와 문자는 서로 연계되어있으면서 동시에 독립적 세계를 만들 수 있어야 한다.

낱말과 문장이 독립적으로도 좋은 글이어야 하듯, 그림(과 사진) 등의 이미지도 마찬가지다. 그림이 글(낱말과 문장)의 도구가 되어 종속되어 있다면 좋은 그림동화책이라 말하기 어렵다. 이 점에서 책발자국 교재의 소박한 그림들은 아쉬움이 크다.

3) 책의 내용 요소 분석

교재의 내용 요소를 분석할 때는 기초문해 교육에 필요한 요

소가 제대로 갖춰져 있는가, 학생의 발달과 경험 지평과 잘 조
응하는가, 문해 경험 발달에 필요한 낱말과 문장을 잘 사용하
는가 등 매우 다양한 요인이 고려되어야 한다. 이 관점에서 책
발자국의 내용 요소를 좀 더 자세히 살펴보자.

일단, 책발자국 교재는 그림동화책를 통한 기초문해 교육에서
가져야 하는 기본적 요소를 잘 파악해 담아내고 있다.

---

1) 스토리 속에서 단어와 문장을 도입한다. 스토리의 내러
   티브 속에서 한글 지도를 시도한다. (아쉽게도 보통 그림
   동화책 보다 미약한 건 사실이다.)
2) 생활 경험과 밀접한 단어를 활용한다. 아이의 생활 경험
   속에서 문해 형성에 필요한 스토리 속에서 기초 어휘를
   찾는다.
   -생활 경험과 밀접해야 반복을 통해 숙달할 수 있다.
   -이미 충분히 경험한 단어의 경우에 흘러넘쳐 문자 해독이
   쉽고 재미있다.
3) 단어와 단어의 체계성을 고려한다. 단어를 나선형적으로
   누적과 확장한다.
   -단어와 문장의 누적과 확장이 제대로 이루어지지 않으면
   어렵다고 느끼게 된다.
4) 문장을 패턴화하여 반복한다.

0단계 교재 : <의자>, <집>, <마트>, <얼굴>

1)<의자>

활용하는 낱말과 문장 : "의자에 앉은 사람은 누구지?"

◦ 의자(엄마, 아빠, 누나, 고양이, 사자)

2)<집>

활용하는 낱말과 문장 : "보이는 것은 무엇이지?"

◦ 집(네모, 세모, 동그라미)

3)<마트>

◦ 사과, 과자, 배추, 무, 파, 양파, 아이스크림

4)<얼굴>

◦ 눈, 코, 입

읽기따라잡기는 그림동화책을 통한 기초문해 교육 첫 단계에서 가족, 모양, 채소, 신체에 관련한 기본 단어를 스토리 속에서 살피고 있다. 0단계에서 다루고 있는 낱말들을 살펴보면

가족 : 엄마, 아빠, 누나, 형, 동생, 강아지, 고양이

모양 : 동그라미, 세모, 네모

과일과 야채 : 사과, 과자, 배추, 무, 파, 양파, 아이스크림

신체 기관 : 얼굴 중 눈, 코, 입

문제는 재미와 감동의 문학의 본질적 측면과 기초문해 교육에

도구적으로 효율적인가 하는 가다.

0단계의 <얼굴>은 신체 관련 동요보다 재미도 없고 신체 기관을 구체적으로 다루고 있지도 않다. "머리 어깨 무릎 발 무릎 발 … 눈 코 입"의 동요보다 재미있고 효과적이라고 보기 어렵다.(학습자가 흥얼거릴 수 있는 동요는 기초문해의 첫출발에서 매우 유용하게 활용될 수 있다)

0단계의 교재들은 학습자가 경험할 법한 낱말들을 다루고 있는데, 낱말과 이미지가 잘 어울리지 않고, 낱말과 흉내 내는 말이 뒷받침되지 않아 재미있게 노래하듯 배울 수가 없다.

첫 단계인데 학습자들이 선호하는 동물(곤충)이 빠져 있고, 해, 달, 구름, 별 등 일상에서 가장 빈번하게 경험하는 말들이 빠져 있다.

1단계 교재 : <좋아요>, <식탁>, <놀이터>, <바다>

학생 발달에 알맞은 단어인가, 문장 패턴이 반복되어 즐기며 재미있게 반복 숙달할 수 있는가 등을 검토해 보아야 한다.

1) <좋아요>

반복되는 문장 패턴 : "나는 00이 좋아요." (나무, 나비, 사과, 우리)

◦ 사과, 토마토, 딸기 등 아동이 자주 경험하고 실제 좋아하는 과일이나 (강아지, 고양이, 기린, 사자, 상어) 동물로 하고,

흉내 내는 말이 있어야 더 재미있게 문장을 배울 수 있다.

2) <식탁>

반복되는 문장 패턴 : "우리 집 식탁이에요. 여기 00이 있어요"(밥, 국, 생선). 누가 다 먹었을까요?

◦ "밥, 국, 생선"을 구체화해야 했다. 하얀 밥, 갈색 보리밥, 뻐끔 뻐끔 물고기, 바다 냄새 파도 소리 들리는 미역국 등으로 학생의 언어 발달과 경험을 더 밀착시켜야 한다.

3) <놀이터>

활용하는 문장 : 형은 자전거를 타요. 누나는 그네를 타요. 나는 친구와 시소를 타요. 나는 모자를 쓰고 있어요. 나를 찾아보세요. "

◦ 반복된 문장 패턴을 통해 문해에 대한 자신감을 줘야 하는 상황 "나는 모자를 쓰고 있어요. 나를 찾아보세요." 대신 "나는 미끄럼틀을 타요. 나와 친구는 씽씽이를 타요"로 하고, 이 중 가장 재미있는 놀이를 자랑하거나("나는 시소 타는 게 제일 좋아요"로 앞에 배운 것을 반복 확인하고, 확장해야 한다. 앞서 배운 가족을 문장에 활용한 것은 매우 효과적이다. -제목과 내용이 분리되어 있다. 놀이터의 내용인데 정작 놀이터라는 단어는 등장하지 않는다.

4) <바다>

반복되는 문장 패턴 : "우리 00를 타요,"(버스, 기차, 택시)
바다가 보여요. 바다에서 무엇을 탈까요?

◦ 앞에서 배운 '타다'를 반복 확장하고 있다. 초기 문해 교육과 교재 구성에서 효과적인 지점이다. 낱말과 문장의 나선형적 확장과 심화를 필수다.

◦ 바다까지 가는 여정을 들고 있다. "자동차를 타요. 비행기를 타요." 등 "부우웅 자동차를 타고 바다로 가요", "쌩쌩쌩 비행기를 타고 바다로 가요" 등이 필요하다.

◦ "칙칙폭폭 기차, 빠앙빠앙 버스, 삐용삐용 응급차" 등을 통해 언어가 발달을 도모할 필요가 있다.

2단계 교재 : 딱지치기, 도토리 키 재기, 토요일 아침, 봄꽃

1) <딱지치기>

활용된 문장 : "두 아이가 딱지치기를 해요. 한 아이가 서서 쳐다보아요. 세 아이가 딱지치기를 해요. 두 아이가 조용히 쳐다보아요. 다섯 아이가 딱지치기를 해요. 어느덧 열 명이에요. 딱지는 모두 몇 개이지요?"

딱지따먹기

강원 사북 초등 4학년 강원식

3부. 기초문해 교육을 펼칠 때 필요한 것

딱지 따먹기를 할 때
딴 아이가
내 것을 치려고 할 때
가슴이 조마조마한다.
딱지가 홀딱 넘어갈 때
나는 내가 넘어가는 것 같다.

◦ <딱지치기> 교재는 초등 2학년 교과서에 제시된 <딱지 따먹기> 시 보다 매력적이고 효과적인 기초문해 교재인지 답해야 한다. 딱지치기의 조마조마함과 흥분과 걱정이 어떤 글에 담겨 있는지 고민해 보면 답은 명확하다. 2단계 교재인 <딱지치기>는 <딱지 따먹기>보다 재미가 없다. 더구나 <딱지 따먹기> 어, 이, 아이, 가슴, 나는 내 등 기본 단어를 발견하고 숙달하게 해 준다. 그리고 '조마조마'와 '홀딱'의 표현을 통해 문해를 효과적으로 확장시켜준다.

◦ <딱지치기>는 수(숫자)를 배우기 위한 의도일까? 아니면 딱지치기 세계로의 탐험과 놀이를 체험하기 위한 것일까? 2단계 교재라면 좀 더 학생의 경험과 밀착되어 이야기와 사건의 힘 속에서 낱말과 문장을 배울 수 있어야 한다.

2) <도토리 키 재기>
활용하는 문장 : (   ) 도토리가 키를 재고 있어요. (둥근,

세모난, 네모난,) 누가 제일 클까요?

◦ 0단계에서 배운 모양(동그라미, 세모, 네모)을 반복하며 확장하고 있다. 다만 길다, 짧다, 크다, 작다를 먼저 도입한 후에 이것을 문장으로 확장하는 것이 필요하다. "코끼리는 크다, 다람쥐는 작다" "버스는 크다, 자동차는 작다" "공룡은 크다, 악어는 작다"

◦ 기초문해 교육에서 크기와 대소, 높이 등을 비교하는 대립어(반의어)는 효과적인 소재 중 하나다. 모양과 가족, 색깔 등과 함께 해독 교육 시 기초적으로 도입하면 좋다. 예를 들어,

---

기차와 자동차를 비교하며 '길다, 짧다'를 가르치고 배우게 한다면, "기차는 기린 목처럼 길다. 자동차는 닥스훈트 다리처럼 짧다."

코끼리와 개미를 비교하며 '크다, 작다'를 가르치고 배우게 한다면, "코끼리는 내 방보다 크다. 개미는 내 주먹보다 작다."를 이미지와 함께 제시하는 게 필요하다.

이러한 방식으로 문해를 안내하는 것은 다양한 유아용 그림동화책에서 찾아볼 수 있다.

반의어(대립어)는 기초문해 교육에서 초기 단계에서
필수적이고 효과적이다

3) <토요일 아침>

활용하는 문장 : 엄마와 아빠는 커피를 마셔요. 동생과 나는
과일을 먹어요. 멍멍이가 나를 쳐다보아요. 나는 사과 한쪽을
떨어뜨렸어요.

∘ 가족 호칭(엄마, 아빠, 동생, 나)과 먹고 마시고 보고, '떨
어뜨리다'를 배우고 있다.

∘ 0단계 <의자>에서 가족 호칭을 엄마, 아빠, 누나, 고양이,
사자로 배웠다. 그렇다면 누나와 나로 하는 게 더 효과적이다.
아니라면 0단계에서 가족 호칭을 좀 더 도입했어야 했다. <아
기 상어>와 <상어 가족>에서 배우게 되는 가족 호칭보다 더 좁
고(할아버지, 할머니 등), 가족마다 가진 고유한 특징과 의미
를 탐구하게 하지 못한다.

∘ 문장 패턴을 좀 더 반복하는 게 필요하다. 동생과 나를 따로
따로 분리해서 하나만 제시하는 것이 아니라 동생과 나는, 엄
마와 나는, 아빠와 동생은 등으로 반복 확장하는 게 효과적이

다. "OO과 ●●는 &&을 먹어요."

4) <봄꽃>

활용하는 문장 : 봄이 왔어요. 엄마와 아기가 산책을 가요. 사과나무에는 사과꽃이 피었어요. 배나무에는 배꽃이 피었어요. 아기 얼굴에는 무슨 꽃이 필까요?

◦ 배나무는 흔히 보기 어렵다. 학생들의 경험 지평과 맞닿은 꽃으로 바꾸는 것이 필요하다. 벚꽃, 매화꽃, 개나리꽃, 목련꽃 등 봄나들이 시 자주 접할 수 있는 꽃 표현이 필요하다. "매화나무에는 매화꽃이 피었어요."

◦ 엄마와 아기가 산책을 나와 이미 꽃이 피었을 것이다. "아기 얼굴에는 무슨 꽃이 피었을까요?"

◦ 성인지 차원에서 아이와 부모 모두가 같이 나오든지, 아니면 아빠와 아기로 바꾸는 것이 필요하다. 정상 가족 호칭 문제를 고민해 보아야 한다.

4) 책발자국 교재의 사용 문제

 교재 사용 문제를 간략하게 정리하면 기초문해 교재가 너무 부족하고, 실질 문해 교재로는 부실하다는 것이다.
 읽기따라잡기의 책발자국 교재로 기초문해 지도를 한 교사에 따르면

"3단계를 하고 나면 하지 않게 된다. 위 단계 책발자국 자료는 기초문해 지도 시 사용되지 않게 된다. 그리고 3~4단계 사이에서 글이 너무 어려워진다. 그림책 상의 위계가 적절하지 않고 비약이 있는 것 같다. 글밥이 너무 많고, 받침 등 어려운 낱말이 너무 많아져 학생들이 어려워한다."

"소리와 글자 인식의 어려움 구체적으로 음절 읽기, 낱말 읽기의 문제, 발음의 문제 등은 <읽기 자신감> 책을 활용했다. 책발자국만으로는 자모 원리 안내가 쉽지 않아 세종이나 전북 등의 자료 등을 활용했다."

책발자국을 사용한 교사들은 '2~3단계 교재를 하고 나면 기초문해 교육에 교재를 더 이상 쓸 수 없었다.', '기초문해 교육을 할 때 0~2단계 교재가 부족했다'는 경험을 이야기했다.

책발자국 그림동화책은 기초문해 교육용으로는 너무 헐겁고 재미없다. 그리고 실질 문해용으로는 맥아리가 없고, 읽을 만한 매력이 부족하다고 자신들의 기초문해 교육 경험을 이야기했다.

좀 더 단호하게 말하면 2단계까지의 자료는 너무 부실하고, 4단계 이상의 자료를 사용할 필요가 없었다고 했다. 어느 정도 한글 해독이 이루어지고 나면 4단계 이상의 교재를 수업하기보다는 더 좋은 교재를 가지고 독해 수업을 할 수 있었기 때문이다. 한글 해독이 이루어지고 나면 굳이 책발자국 교재가 아니더라도 그림동화책을 통해 수업할 자료들이 무궁무진해진 것

이다. 이 점에서 책발자국 교재는 0~3단계 기초문해 자료로서
는 너무 부족하거나 부실하고, 4단계 이상으로 실질 문해 자료
로서는 미흡하고 역부족이라 할 수 있다.

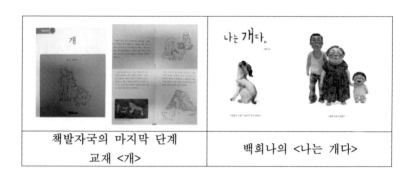

책발자국의 마지막 단계 교재 <개>	백희나의 <나는 개다>

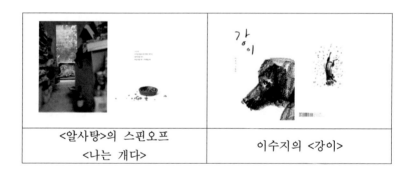

<알사탕>의 스핀오프 <나는 개다>	이수지의 <강이>

읽기따라잡기의 기초문해의 최고 단계인 13단계 교재로 사용
된 <개>에 대한 설명문이다. 기초문해 지도를 할 때 <개> 설명
문과 <나는 개다>나 <강이> 중 어떤 교재가 더 좋을까? 문학작
품만이 아니라 설명문과 주장하는 글 등 다양한 글의 형식을

접하는 것이 필요하므로 읽기따라잡기의 <개>가 더 좋을까?

 알마(ALMA)상 수상작가 백희나와 안데르센(HCAA)상 수상작가 이수지와 비교하는 것은 불공평한 일일까? 가르침과 배움의 교재는 이름값은 필요 없다. 백희나의 <나는 개다>나 이수지의 <강이>, <개> 중 학생의 성장이 도움이 되는 교재라 판단하면 기초문해 교육에 활용하면 된다. 교사가 학생의 문해 발달에 효과적이고 필요한 것을 판단하고 선택해 활용하면 되는 것이다.

그림동화책을 함께 깊이 읽으며 날아오르기 위한 고민거리들

그림동화책의 본질적 가치는 재미와 감동이다. 우리가 감동과 재미가 없는 그림동화책을 읽을 이유는 없다. 기초문해를 위해 그림동화책을 활용한다면 당연히 재미있는 사건과 스토리, 캐릭터 속에서의 가상세계 탐구하는 것이 핵심 묘미다. 사건을 탐구하는 주인공이 되는 흥미진진함 속에서 음절과 낱말, 문장을 배우는 것이 그림동화책을 통한 기초문해 교육의 핵심적 가치다. 따라서 기초문해 지도를 위해서는 이야기의 매력과 재미가 첫 번째 요건이다.

그런데 읽기따라잡기의 책발자국 교재는 재미가 없다. 기초문해 학습자도 읽어볼 만한 쉽고 간단한 이야기를 소박한 그림을 도움을 받아 제시되어 있기는 하다. 그런데 이 텍스트들은 그림동화책 본연의 가치인 재미있는 이야기라고 보기 어렵다. 이야기가 재미없다면 그림동화책을 통한 기초문해 교육의 효과가 제대로 살아날지 의문이 들 수밖에 없다. 그런데, 읽기따라잡기의 주역들은 기초문해 교육을 위한 그림동화책의 'No잼'은 어쩔 수 없거나 어느 정도 불가피하다고 답하고 있다. 그들은 그림동화책의 재미와 감동에 주목하지 말고 기초문해 교육용 도구로서 가치에 주목해야 한다고 답하곤 한다.

3부. 기초문해 교육을 펼칠 때 필요한 것

기초문해에 어려움을 보이는 학습자에게 작지만 결정적인 성취 경험을 줄 수 있는 그림동화책을 단계별로 구분해 정리하면 활용하기 좋을 거 같아.

단계 구분이 감정적이지 절대적인 게 아니야. 경험과의 친숙성, 그림과 낱말(의미)의 대응 정도, 글밥의 양과 낱말의 난이도 등을 고려해 분류할 수는 있지만 교육적 필요와 상황에 맞게 유연하게 활용해야 해.

13. 기초문해 교육에 알맞은 그림동화책 분류

단계	기초문해 도서
1단계	<달님 안녕> <뚜껑 뚜껑 열어라> <투둑> <구두 구두 걸어라> <냠냠냠 쪽쪽쪽> <찾았다> <아빠 해봐> <초록 똥을 뿌지직> <풍덩> <누가 숨겼지?> <누가 먹었지?> <나도 나도> <누구야? 누굴까?> <그건 내 조끼야> <싹싹싹> (<곰 세 마리>, <올챙이와 개구리>, <반짝 반짝 작은 별>, <산토끼 토끼야> 등 어린이가 즐겨 부를 수 있는 동요)
2단계	<두드려보아요> <동물들아, 뭐하니?> <생각하는ㄱㄴㄷ> <사랑해 사랑해 사랑해> <사과가 쿵> <수박수영장> <손이 나왔네>

	<내 모자 어디로 갔을까> <쨍아> <안녕 내 친구> <쏙쏙 봄이와요> <옹기종기 냠냠>
3단계	<눈물 바다> <커졌다> <엄마 왜 안 와> <괴물들이 사는 나라> <나는 개다> <알사탕> <네모> <세모> <삐약이 엄마> <위를 봐요> <찬다 삼촌> <호라이> <호라이 호라이> <벽> <뭐든 될 수 있어> <모자를 보았어> <샘과 데이브가 땅을 팠어요> <이건 내 모자가 아니야> <슈퍼 거북> <슈퍼 토끼> <불만이 있어요> <이유가 있어요> <똥자루 굴러간다>

<단계별 기초문해 도서>

문해 발달 진단하고 이에 적합한 그림동화책을 선정 활용하면 된다.

 당연히 기초문해에 어려움을 보이는 학습자에게 작지만 결정 적인 성취 경험을 줄 수 있는 그림동화책을 단계별로 구분하고 이를 안내하는 것은 필요하고 가능하다.
 기초문해 교육에 적합한 그림동화책 선정해 활용한다는 것은 학생의 문해 수준에 맞게, 필요에 따라 그림동화책을 '단계를 나누어 활용'한다는 것이다. 그렇다면 그림동화책은 문해 발달 단계에 따라 어떤 단계로 구분될 수 있을까?

고기도 먹어본 놈이 맛을 알고, 연애도 해본 년이 잘한다.

하나, 아이가 좋아하고, 부모와 함께 즐긴 유아용 보드북은 기초문해 교육의 첫 단계 교재로 활용될 수 있다. 글밥이 적당하고, 흉내 내는 말이 상황에 맞게 반복되어 노래 부르듯 배울 수 있다. 의성어와 의태어 등은 단순히 낱말 하나만이 아니라 어구로 통째로 배울 수 있어 매우 효과적이다. 또한 아동의 경험 지평에 자리하며, 아동이 친숙한 음절과 단어가 많이 있는 그림동화책일수록 기초문해 교육에 활용하기에 좋다.

둘, 학생의 경험 지평과 관련성이 큰 것일수록 기초문해 교육에 활용하기 좋은 책이다. 아동의 직접 경험과 관련이 크거나, 간접 경험이지만 호기심과 관심을 보이는 단어와 상황이 있는 그림동화책, 이미 알고 있는 단어가 많은 그림동화책을 기초문해 교육에 활용하면 좋다.

셋, 단계 내와 단계별로 확장, 누적이 이루어지는 동화책을 골라 활용한다. <투둑, 떨어진다>에서 '투둑'이 나오고, 이 것이 다시 <옹기종기, 냠냠>에서 이 낱말이 반복되고 확장되면 기초문해에 효과적이다. 아이가 자신의 성취감을 느끼면서 다른 낱말과 어구로 확장하는 발판이 되어주기 때문이다.

따라서 앞에서 배운 낱말과 음절이 많이 사용되고, 확장될수록 같은 단계에 묶거나, 연계 단계별로 활용할 수 있다.

넷, 단순히 글발이 많은 책이 단계가 높은 책이 아니다. 아이가 성취해낼 수 있고, 성취의 기쁨을 누릴만한 책이면 단계에 구애받지 않고 기초문해 교육에 활용할 수 있다.

그림동화책 단계별 분류 핵심은 위계적으로 나누는 것에 있지 않다. 1단계와 2단계, 3단계가 글발의 양이 낱말의 난이도, 경험과의 연관성 등을 고려하면 분명 1단계부터 시작해야 하지만, 학생의 흥미와 경험, 발달의 요청 등을 고려하면 얼마든지 탄력적으로 활용가능하다.

문해 교육에 수학 교과와 같은 위계는 없다

문해 역량 발달은 계단식으로 이루어진다. 물을 넘치게 하는 마지막 방울 즉 임계점을 넘는 순간까지 문해 발달은 이루어지지 않은 것처럼 보이기도 한다. 낙타의 등을 부러뜨릴 지푸라기 하나가 없어지기 전까지는 하염없이 제자리걸음을 하거나, 오히려 퇴행하는 것처럼 보이기도 한다.

하지만 문해 역량은 계단식으로 이루어지기는 하지만 점진적 경사로를 타고 오르는 발달 느낌을 스스로, 주변의 친구와 부모와 교사들도 누적적으로 확인할 수 있다.

문해 발달이 양적 발달의 점진성과 질적 발달의 계단식 도약의 이중성을 가지고 있다고 하더라도 수학 교과와 수학 능력과 같은 위계가 있고, 이를 구분하는 게 가능하고, 효과적일까?

그림동화책의 경우 출판사가 색깔로 발달 단계를 나눈 경우가 있다. 영역별, 단계별로 책을 나눠 판매전략으로 사용하고 있다.(학년 교과서와 연계된 도서의 판매전략처럼) 읽기따라잡기처럼 수준 평정된 책을 출판하기도 했다. 나름의 기준으로 그림동화책의 수준과 단계를 나눈 것이고, 이를 적절하게 참조하여 활용할 수 있다.

하지만 그림동화책을 수준 평정하여 단계를 구분하는 것이 큰 의미와 효과를 가진다고 말하기 어렵다. 그림동화책 단계 구분이 절대적인 것은 아니다. 경험과의 친숙성, 그림과 낱말(의미)의 대응 정도, 글발의 양과 낱말의 난이도 등을 고려해 단계를 나눌 수는 있지만 그건 어디까지나 잠정적 가설이고, 교육적 필요와 상황에 따라 유연하게 활용하면 된다.

실제의 삶의 이야기를 담은 그림동화책에 24개의 기본 자음과 기본 모음만 나오고, 받침이 없는 글자는 나오지 않을 수 있을까? 수준 평정되었다고 자부하는 읽기따라잡기 교재도 이미 0

단계의 첫 교재부터 받침이 나오고, 기본 자모의 변형이 가해진 낱말이 가득하다.

기본 자모가 많은 것을 첫 단계로 구분하고, 이를 활용하는 것이 필요한 것은 사실이지만 변형 자모와 받침이 있더라도 이미 알고 있는 단어나, 놀이하듯 함께 배울 수 있다면 인지적 부담이 크지 않다.

문제는 성취 경험과 소화 가능성 차원에서 이를 다져주는 활동과 쪽수 배분에 따라 다소 어려워 보이는 책도 해볼 만한 그림동화책이 될 수 있다. '아이가 어느 정도 이해 가능하고 좋아하면 글밥이 많아도, 낯선 글자에 받침까지 많아도 도전과 성취가 가능한 경우가 있다.'

올바른 방향과 적절한 방법으로(함께 읽어 가며 스스로 읽을 수 있도록 도와주면, 깊이 읽어 우려내며 제대로 소화할 수 있도록 반복 숙달하는) 그림동화책을 통한 기초문해 교육을 한다면 단계는 그리 큰 문제가 아닐 수 있다.

그렇다면 기초문해 교육에 필요한 그림동화책은 어떻게 선정해야 할까?

그림동화책을 함께 깊이 읽으며 날아오르기 위한 고민거리들

그림동화책은 문해 발달 단계에 따라 어떤 단계로 구분될 수 있을까?

하나, 아이가 좋아하고, 부모와 함께 즐긴 유아용 보드북은 기초문해 교육의 첫 단계 교재로 활용될 수 있다. 글밥이 적당하고, 흉내 내는 말이 상황에 맞게 반복되어 노래 부르듯 배울 수 있다. 의성어와 의태어 등은 단순히 낱말 하나만이 아니라 어구로 통째로 배울 수 있어 매우 효과적이다. 또한 아동의 경험 지평에 자리하며, 아동이 친숙한 음절과 단어가 많이 있는 그림동화책일수록 기초문해 교육에 활용하기에 좋다.

둘, 학생의 경험 지평과 관련성이 큰 것일수록 기초문해 교육에 활용하기 좋은 책이다. 아동의 직접 경험과 관련이 크거나, 간접 경험이지만 호기심과 관심을 보이는 단어와 상황이 있는 그림동화책, 이미 알고 있는 단어가 많은 그림동화책을 기초문해 교육에 활용하면 좋다.

셋, 단계 내와 단계별로 확장, 누적이 이루어지는 동화책을 골라 활용한다. <투둑, 떨어진다>에서 '투둑'이 나오고, 이것이 다시 <옹기종기, 냠냠>에서 이 낱말이 반복되고 확장되면 기초문해에 효과적이다. 아이가 자신의 성취감을 느끼면서 다른 낱말과 어구로 확장하는 발판이 되어 주기 때문이다.

넷, 단순히 글발이 많은 책이 단계가 높은 책이 아니다. 아이가 성취해낼 수 있고, 성취의 기쁨을 누릴만한 책이면 단계에 구애받지 않고 기초문해 교육에 활용할 수 있다.

3부. 기초문해 교육을 펼칠 때 필요한 것

그림동화책 선정기준을 살펴보니 이것에 따라 기초문해 교육에 활용될 수 있는 그림동화책은 우리 스스로 고를 수 있겠네.

부모님과 함께 읽었던 그림동화책은 기초문해 교육에 사용하면 좋은 첫 번째 잇템이군. 선정 기준 6가지를 고려하면 기초문해 교육을 해야겠군.

14. 기초문해 교육에 알맞은 그림동화책 선정 기준

하나, 유아와의 그림동화책 놀이에서 효과적이었던 그림동화책.

둘, 함께 읽어 나가며 스스로 읽을 수 있는 그림동화책.

셋, 학생이 알만한 음절과 낱말이 많은 그림동화책.(학생의 음절과 어휘 발달 수준에 어울리는 그림동화책)

넷, 학생의 경험 지평에 자리한 그림동화책.

다섯, 나선형적 확장을 통해 문해력을 키울 수 있는 그림동화책.

여섯, 이전에 깊이 읽은 그림동화책과 유사한 경험과 주제, 소재로 겹쳐 읽을 수는 그림동화책

하나, 유아와의 그림동화책 놀이에서 효과적이었던 그림동화책

유아, 아기가 좋아하는 책은 문해 교재로 매우 효과적이다. 초기 문해 교육을 위한 그림동화책 선정 기준에서 핵심은 아동의 근접발달 영역 속에서 성취 경험을 선물하는 것이다. 이 성취 경험을 선물할 때 전제가 되어야 하는 것은 그림책에 대한 매력이다.

이 그림동화책의 매력은 그림동화책 읽어주기에서 유아가 좋아했던 것들이다. 그림책 읽어주고 놀 때 아기가 책을 읽어 달라고 가져오며, 책 내용 중 일부를 활동으로 표현하며, 아이가 좋아하는 책으로 꼽는 보드북은 초기 문해 교육에 적절할 가능성이 매우 크다.

유아와 신나는 말놀이와 탐구의 대상이 되었던 그림동화책은
기초문해에 효과적인 발판이 될 수 있다.

유아 시기 재미나고 신기한 그리고 재미난 그림동화책은 손길과 눈길을 받기 마련이다. 우리가 보고 읽는 것 중 '책을 묶은 가죽끈이 세 번이나 끊어지는'(韋編三絶) 것은 유아용 그림동화책이 거의 유일하다. 수백 번 읽고 또 읽은 유아용 그림동화책들은 직간접 경험을 통해 체험하는 동물과 과일 등을 재미난 변형과 특징을 살려 표현한 신기하고 재미난 텍스트들의 천국이다. 특히 입체적이고 역동적인 팝업북이나 움직이는 그림동화책(<동물들아 뭐하나?>), 일상의 부끄러운 경험을 탐정놀이하듯 풀어낸 그림동화책(<누가 내 머리에 똥 쌌어>) 등은 유아 시기부터 우리의 마음을 사로잡기에 그만이다.

이보다 더 결정적인 점은 바로 그림동화책이 가진 스토리텔링의 힘이다. 인간이라면 누구나 감정이입 해 주인공이 되어 사건을 해결하는 체험을 할 수 있는 스토리텔링에 빠져든다. 스토리텔링의 매력이 큰 작품은 어린이와 부모의 사랑을 받게 마련이다.

그렇다면 스토리텔링의 매력은 어떤 요인들이 이야기 속에 잘 녹아 있는 것일까? 킨드라 홀은 <스토리의 과학>에서 스토리텔링의 핵심 요소로 뽑은 것은 1. 분명한 캐릭터(Identifiable characters), 2. 진실한 감정(Authentic emotion), 3. 중요한 장면(Significant moment), 4. 구체적인 디테일(Specific details)이다. 이러한 스토리텔링의 주요 요소들은 이야기의 힘, 그림동화책의 재미와 감동의 핵심 요소가 된다. 이런 스토리텔링의 요소들이 유기적으로 조화되어 생동할수록 흥미있고 재미있으면서도 감동적일 가능성이 크다. (수준 평정 그림책이 재미없는 이유는 바로 스토리텔링의 기본을 갖추고 있지 않기 때문이다.)

재미있고 흥미로우며, 감동까지 만들어내는 스토리텔링의 매력이 큰 그림동화책은 기초문해 교육의 반복 숙달을 어렵지 않게 만들어주고 이를 통해 성취 경험 축적하는 데 매우 유용하다. 소비자와 실제 제품(향수)의 간극을 광고의 스토리텔링으로 이어주듯 이야기의 매력이 넘치는 그림동화책은 대단한 입체 효과나 영상 자극 그리고 작화 수준과 상관없이 비문해와 문해의 간극을 부드럽게 연결시켜 준다.

다시 정리해 보자. 초기 문해 교육에 적절한 텍스트 수준을 가졌다면 유아가 신나게 즐겼던 그림동화책은 기초문해 교육의 결정적 힘을 가지고 있을 가능성이 있다. 유아가 좋아했던 만큼 이야기 자체의 매력이 넘치고, 유아가 소화할 정도로 수준도 적절한 가능성이 크기 때문이다. 아동이 말놀이와 문자 발견 놀이를 통해 세상과 사람, 사물의 경이롭게 만날 수 있었던 그림동화책은 기초문해 교육의 효과적이고 결정적 발판이 될 수 있다.

둘, 함께 읽어나가며 스스로 읽을 수 있는 그림동화책.

기초문해 교육에서 그림동화책은 혼자 읽을 수 있는 책이 아니라, 함께 읽으며 스스로 해낼 수 있다는 책이 필요하다. 문해 교육을 위한 그림동화책의 선택과 활용에 있어서 결정적 측면은 혼자서는 읽을 수 없었는데, 함께 읽으며 스스로 읽을 수 있는 경험을 할 수 있는 그림동화책이 필요하다.

> *혼자 읽을 수 있다* : 혼자 읽을 수 있는 그림동화책은 비문해 상태가 아니라는 말이거나, 너무 쉬워 근접발달영역 내에 있지 않다는 말이다.
>
> *함께 읽어 결국 스스로 읽을 수 있다* : 문해교육용 그림동화책은 혼자 읽기는 어렵지만, 함께 읽으면 해낼 수 있는 근접 발달 영역 내에 있으며, 교사의 도움과 반복 숙달을 통해 스스로 읽고 이해할 수 있는 책이어야 한다.

기초문해 교육이 작지만 소중한 경험을 축적하는 게 결정적이라는 측면에서 함께 읽으며 결국에는 스스로 읽을 수 있는 그림동화책의 선정과 활용이 결정적이다. 혼자 읽을 수 있는 책이 아니라 함께 읽어 나가며 스스로 읽는 능력을 체득할 수 있는 책을 골라야 한다.

<아름다운 책>에서 에르네스트는 좋은 책은 "껍데기가 커다랗고 딱딱한 것. 속에는 재미있는 이야기가 가득한 것"이라고 한다. 혼자 고르게 되면 딱딱하고 재미없어 보여 안 읽게 되는 막상 책을 함께 펼치면 안의 말랑말랑하고 함께 읽을 수 있는 그림동화책이 필요하다.

셋, 학생이 알만한 음절과 낱말이 많은 그림동화책(학생의 음절과 어휘 발달 수준에 어울리는 그림동화책)

문자를 읽고 이해하는 기초문해 교육에서 어렴풋하게라도, 대략적이라도 아는 것으로 활용하는 것이 성취 경험을 통해 문해 역량을 확장하는 데 효과적이다. 기초문해 교육 교재는 대상 학생이 아는 음절과 낱말이 많을수록 효과적이다.

이를 고려하면 주관적 차원에서는 학생의 음절과 어휘 발달을 파악하여 교재를 선택 활용하는 것이 필요하다. 객관적 차원에서는 기본 자모가 많을수록 문해 교육의 적절한 그림동화책이라 볼 수 있다. "가나다라마바사아자차카타파하" 14개 기본 자음, "아야어여오요우유으이" 10개 기본 모음 등 24개의 기본 자모가 많을수록 기초문해 교육에 효과적일 수 있다. 왜냐하면 기본 자모는 문자 발견 놀이나 상호작용을 통해 알만한 단어로 노출되어 있거나, 몇 개쯤은 알 수 있기 때문이다.

넷, 학생의 경험 지평에 자리한 그림동화책

"그림동화책의 사건과 주인공, 낱말 등이 학습자의 경험 지평에 자리하고 있는가?" 기초문해 교육을 위한 그림동화책은 경험적으로 친숙한 낱말이 많을수록 효과적이다. 학생의 경험 지평에 자리했던 자모와 낱말이 많을수록 문해 교육에 적합한 교재가 된다.

물론 학생의 경험 지평이란 직접 경험만이 아니라 간접 경험도 포함된다. 공룡과 우주 등 호기심과 간접 경험을 통해 익숙해진 것들도 기초문해 교육에 적합한 교재가 될 수 있다.

그림동화책의 사건과 인물, 상황이 학습자 경험과 연관성이 클수록 문해 교육이 효과적으로 이루어져 읽고 이해하는 성취 경험에 축적될 수 있다.

경험 지평과의 관련성 판단 기준

하나, 직접, 간접 경험에 자리하는가?

둘, 상황과 사건, 인물을 경험하고, 접해보았는가?

셋, 낱말과 음절을 익숙하게 들어보았는가?

기초문해 교육 차원에서 학습자의 경험 지평과 친숙한 그림동화책은 하다는 것은 상황과 사건, 인물의 익숙함과 관련이 크다. 하야시 아키코의 달님 안녕 시리즈 <달님 안녕>, <싹싹싹>, <구두 구도 걸어라>, <손이 나왔네>가 문해 교육에 효과적인 이유가 바로 상황과 사건, 인물이 경험적 친숙성에 자리하고 있기 때문이다.

옷을 입고 벗을 때의 경험을 손, 머리, 발 등 신체 낱말과 기본 자모를 통해 이루어진 <손이 나왔네>는 기초문해 교재로 효과적이다.	<벗지 말걸 그랬어>는 <손이 나왔네>를 겹쳐 읽으며 한 단계 확장된 문해 교육을 할 수 있다.

똥강아지 봄여름가을겨울의 세트 <쑥쑥, 봄이 와요> <풍덩, 시원해요> <투둑, 떨어진다>, <옹기종기 냠냠>은 낱말과 음절의 익숙함이 큰 그림동화책의 효과를 보여준다. 특히 <풍덩>과 <투둑>, <냠냠>은 그림은 물론 아동에게 익숙한 낱말이 반복적으로 제시되어 기초문해 교육에 효과적이다.

다시 말해 기초문해 교육을 위한 그림동화책은 학습자의 직, 간접적 경험 지평에 자리해 상황과 사건, 인물의 친숙함, 낱말과 음절이 익숙하게 노출된 것일수록 효과적이다.

따라서 경험적 친숙성에 기초해서 어휘의 난이도와 적절성 그리고 글밥의 양 등을 고려하여 그림동화책을 선정 활용하면 된다.

다섯, 나선형적 확장을 통해 문해력을 키울 수 있는 그림동화책

낱말의 이해 가능성, 친숙성과 글밥의 양 등의 적절성을 고려하여 낱말(어구, 문장)의 나선형적 확대가 필요하다.

문해 발달의 특징을 고려하면 음절(낱말)에서 어구, 문장으로 나선형적 확충은 필수적이다. 음절(낱말)에서 어구, 문장으로 확대해 가는 과정은 동시적으로 이루어지지만 이를 섬세하게 나선형적으로 배려해주어야 한다.

음절과 낱말, 어구와 문장의 발달이 동시적이라는 말은 음절과 낱말의 구별이 쉽지 않듯, 낱말과 어구의 선후와 경중을 따지는 것은 쉽지 않다는 것을 주의해야 한다. 사과를 익힐 때 "빨간 사과 먹을까?"가 동시에 노출되어 배우게 된다. 물론 동시에 노출된다고 해서 이를 동시에 배우는 것은 아니다. 빨간 사과에서 보면 사과를 배우며 "사"를 먼저 발견하게 된다. 과일은 못 읽지만 사자를 읽는 것을 고려하면 사과에서 "사"의 음절을 먼저 익힌다는 것을 알 수 있다. 그리고 빨간 사과에서 '빨간'보다 '사과'를 먼저 인지하게 된다는 것도 문해 발달에서 발견하게 된다.

따라서 기초문해 교육을 위한 그림동화책은 낱말과 어구, 문장을 나선형적 확장을 통해 학습할 수 있는 것이 좋다.

1) 스토리의 총체적 의미망 속에서 보는 단어

그림동화책은 하나의 단어(낱말)를 이야기 속에서 그림의 도움을 통해 학습하도록 해준다. 단어는 의미, 관계, 행동을 포함하고 있게 마련이라,[38] 단어를 앎으로써 총체적으로 연관된 세계의 의미를 발견하고 호명할 수 있게 된다. 하나의 단어를 분절된 채 배우는 자모 중심 기초문해 교육과 달리, 그림동화책을 통한 기초문해 교육은 단어를 이야기 속에서, 다양한 의미연관 하에서 배우게 된다.

그림동화책의 단어 판단 기준

하나, 그림동화책 스토리와 사건 주인공 등의 총체적 의미 속에서의 단어

둘, 기본 자음과 모음의 활용 정도

셋, 음절과 단어의 반복과 변주 정도

그림동화책의 단어의 수준과 적절성을 판단하는 경우,

하나, 그림동화책의 총체적 의미망 속에서 단어를 고려해야 한다. 그림동화책에서의 단어의 선정과 활용은 문해 교육을 위한 도구로 제작된 교재가 아닌 한 이야기의 연관 하에서 총체적으로 고려해야 한다. 이 점을 고려하여 그림동화책을 통해

---

38) 거제도 포로 수용소에서 "동무"라는 단어로 동료 포로를 깨울 때, 단어에 사회적 경험이 응축되어 있다. 박문호 tv, "단어의 힘-단어에는 행동과 의미와 관계를 가진다"
https://www.youtube.com/watch?v=PL1Q_sZwx50

어떤 단어를 배우고 익히게 될지 살펴 책을 선정해야 한다. 그림동화책의 단어는 경험 지평에 자리하며, 친숙해 어느 정도 알고 있으며, 놀이를 통해 배울 수 있는 총체적 의미를 갖는 것이 좋을 것이다. 다만 아동마다 총체적 의미는 조금씩 달라질 수밖에 없어 "엄마랑 뽀뽀"를 각 동물의 특징과 비교해가는 <나도 나도>처럼 보편적 활용여부를 고려해 그림동화책을 선정할 필요가 있다. 다시 말해 그림동화책의 단어는 상황과 사건, 주인공의 체험 속에서 고려되어야 하지, 단어를 이야기와 분리해 단순히 고려해서는 안 된다.

둘, 기본 자음과 모음의 활용 정도에 따라 그림동화책의 단어를 판단해야 한다.

단어를 총체적 의미망 속에서 고려해야 함은 당연하지만 음절과 낱말은 "기본 자음과 모음을 얼마나 많이 사용하는가"에 따라 기초문해 교육의 선정과 활동 단계를 구분할 수 있다.

<구두 구두 걸어라>와 <달님 안녕>이 <싹싹싹>과 <손이 나왔네> 보다 기초문해 교육에서 먼저 도입 활용되어야 하는 이유는 기본 자음과 모음이 더 많이 활용되고 있고, 글밥의 양도 적기 때문이다. 24개의 기본 자음과 모음이 많이 사용될수록 단어의 수준이 초기 문해 교육이 적합하다고 느껴지게 된다.

셋, 음절과 단어의 반복과 변주에 따라 기로 문해 교육에 적합한 수준과 관계를 판단해야 한다.

'어디, 어서, 어머나, 먹어, 굳어' 처럼 같은 음절이 다양한 단어를 통해 변주될수록 좋다. 기본 모음 '어'를 읽고, "어디 있지?"라는 문장을 읽어낸 학습자도 '어서, 어머나, 먹어, 굳어' 등을 통해 어를 다양한 낱말을 통해 다시 발견하고 익히는 것이 필요하다. '어'라는 음절을 어떤 낱말에서는 잘 읽는데, 어떤 단어에서는 어려워하는 경우는 매우 빈번하게 발견할 수 있다.

'어머니, 개구리, 머리'처럼 낱말의 음절이 서로 교차되는 것이 많을수록 좋다.

초기 문해 학습자들은 기본 자모에서 변형이 가해진 '머리'는 읽는 데 어려움을 겪는다. '어머니'와 '개구리'처럼 노출이 충분하고, 반복을 통해 익힌 낱말들은 곧잘 읽으면서도 '머리'를 읽는 데 어려움을 보인다. '어머니'와 '개구리'를 읽는다고 해서, 여기에 쓰인 음절들을 충분히 자기 것으로 만든 것이 아니기 때문이다. 동일한 음절이나 음소들이 반복되거나 작은 차이를 통해 변주될수록 나선형적 문해 확장이 일어날 수 있어 효과적이고 긍정적이다.

2) 생동하는 흉내 내는 말과 꾸미는 말로 이루어진 어구

그림동화책의 어구 판단
하나, 흉내 내는 말의 적합성
둘, 꾸미는 말과 꾸밈 받는 말의 적절성

그림동화책의 어구는 낱말과 낱말의 연계성에 대한 질문이기도 하다. 낱말이 따로 분리되어 있지 않고 서로 강력하게 연계될수록 기초문해 교육의 효과는 상승하게 된다. 빨강, 노랑, 초록, 사과, 바나나, 수박 등의 낱말을 따로 배우는 것보다 빨강 사과, 노랑 바나나, 초록 수박을 연계해서 배울 때 훨씬 효과적으로 문해 역량이 자라게 된다.

그림동화책의 어구는 흉내 내는 말, 꾸미는 말과 사물 꾸밈을 받는 말이 잘 어울릴 때 기초문해 교육에 효과적이다.

하나, 흉내 내는 말이 적재적소에 활용되는 그림동화책에 기초문해 교육에 효과적이다. <찾았다!>는 팔랑팔랑 나비와 야옹 야옹 고양이라는 어구를 반복 변주하여 매우 효과적으로 기초문해에 필요한 기초들을 쌓아 올릴 수 있다.

<찾았다!>는 "팔랑팔랑 나비"와 "야옹야옹 고양이"가 매장면마다 반복되고, 이것이 두리번 두리번 고양이와 조용조용 나비로 변주된다.

 의성어와 의태어는 기초문해 교육의 매우 효과적인 발판이 되어 준다. <누구지? 누굴까?>도 "물고기는 뻐끔뻐끔, 고슴도치는 뾰족뾰족, 생쥐는 쪼르르륵 토끼는 깡충깡충과 경중경중, 부엉이는 부엉부엉"의 흉내 내는 말과 동물을 연결하여 기초문해 교육을 할 수 있게 해준다.

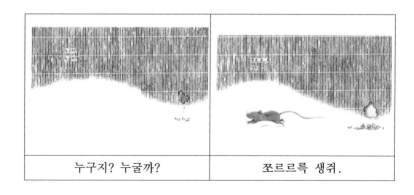

| 누구지? 누굴까? | 쪼르르륵 생쥐. |

 둘, 그림동화책의 어구는 상황과 주인공, 사건에 어울리는 꾸

미는 말과 꾸밈을 받는 말이 있을수록 기초문해 교육에 효과적이다. 빨간 장미, 노랑 바나나, 주황 당근 등은 각각의 낱말을 따로 배울 때보다 효과적이고 강력하다.

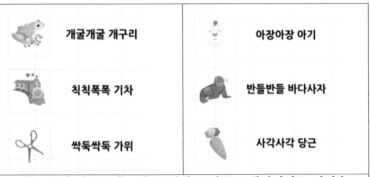

개굴개굴 개구리	아장아장 아기
칙칙폭폭 기차	반들반들 바다사자
싹둑싹둑 가위	사각사각 당근

자모 중심 기초문해 교육도 단어를 어구로 확장시키는 장점을 효과적으로 활용할 줄 안다. 그림동화책의 결정적 차이는 이를 스토리의 상황과 인물, 사건 속에서 입에 착착 감기게 만들어주고, 쉽고 재미있게 배울 수 있게 해준다는 점이다.

3) 차이 나는 문장의 반복

그림동화책의 문장 판단
하나, 문장이 반복되는가? 차이나는 반복이 이루어지는가?
둘, 문장이 상황과 사건, 인물, 장면에 어울리는가?
셋, 문장 속에 적절한 낱말과 어구가 살아 있는가?

유아들이 즐겨보는 그림동화책의 결정적 매력은 문장 패턴이 반복되어, 노래하듯 즐기며 통째로 문장을 암송할 수 있다. <찾아줘>가 고양이가 야옹야옹, 나비가 팔랑팔랑의 어구가 반복되는 재미와 효과를 보여준다면, <뚜껑 뚜껑 열어라>나 <냠냠 쩝쩝쩝>의 경우처럼 낱말과 음절로 읽으면 어렵지만, 문장 속에서 읽으면 가능한 경우가 있다. "뚜껑 뚜껑 열어라"라는 문장은 분리해 음절이나 낱말로 읽고 이해하려면 어렵지만, 명령형으로 놀이하듯 말하면 접근이 가능하고, 매우 쉽다고 느끼게 된다.

하나, 유아용 그림동화책은 문장이 반복되고, 이것이 작은 차이를 만들어내는 묘미가 있어 그림동화책을 통한 기초문해 교육에 효과적이다.

<어디 숨겼지?>처럼 "00을 숨긴 건 누구?" 등으로 문장이 반복되거나, <두드려보아요>처럼 "00 문이에요. 똑! 똑! 누가 있어요? (무엇을 하고 있나요?)" 이 문장들이 차이 나는 반복되는 그림동화책은 기초문해 교육에 효과적이다.

패턴 문장들의 반복을 통해 문해 교육에 효과적인 그림동화책은 문자 인식의 장벽을 낮춰지고, 재미를 더해준다. 이때 문장의 완결성(주어, 목적어, 서술어 등)은 별문제가 되지 않는다. 문장이 길어 글밥의 양이 많다고 해도 함께 읽으며 스스로 읽어낼 수 있을 정도라면 별문제가 되지 않는다.

파란 문이에요.
두드려 보아요.
똑! 똑!

<두드려 보아요>는 파란, 빨간, 초록, 노란 등의
다양한 색의 문을 열러 들어간다.

그림동화책을 통해 재미있는 놀이와 예측 게임을 하면서 기초
문해의 첫걸음을 떼면 어렵지 않게 배움을 시작할 수 있다. 문
장이 반복되고, 경험에서 자주 사용된 음절과 낱말이 노출되면
기본 자모를 배우는 것보다 쉽게 배움에 참여하게 된다.

<뚜껑 뚜껑 열어라>는 신나는 명령 놀이가 반복된다. 이 놀이
가 색과 모양을 탐구하며 문해의 세계에 첨벙 빠져들 수 있다.
하지만 "뚜껑"과 "열어라"의 제목에서부터 음절을 스스로
읽는 것이 어렵다. '뚜껑, 열어라, 들어라, 없네, 없지, 머리,
잖아, 앵무새' 등의 음절 읽기는 쉽지 않다. 그런데도 왜 이
그림책이 기초문해를 시작하는 첫 단계 도서가 될 수 있을까?

'뚜껑 뚜껑 열어라' 와 '들어라' 를 개별 낱말과 음절로는
어렵다. 하지만 상황 속에서 익히기 쉽고 재미있다. 색과 모양을
탐구하며 '빨간, 초록, 까만, 노란' 등의 색을 익히는 데
효과적이다. '팔짝팔짝 개구리, 깡충깡충 토끼, 파닥파닥 앵무새,
뒤뚱뒤뚱 오리' 등도 흉내 내는 말과 맞짝인 동물을 배울 수
있다. '잖아, 네, 없네, 없어' 등의 어려운 음절도 이야기
속에서 반복을 통해 숙달할 수 있다.

그것은 재미있는 놀이를 통해 반복되는 문장 패턴이 경험 지
평에 기초한 단어와 겹쳐져 있기 때문이다. '초록, 노란, 파
랑, 까만, 깡충깡충, 파닥파닥, 개구리, 토끼' 등은 경험 지
평에 자리하는 단어이고, 기초문해를 처음 시작하는 학생은
("글을 모르면 그림을 보면 돼" <아름다운 책>의 이야기처
럼) 그림의 도움을 통해 문자를 읽으며 성취 경험을 축적하고,
문자 문해를 시작하는 자신감을 드러낼 수 있다.

<누가 숨겼지?>에서 "숨긴 건 누구?"는 음절을 따로 따로
보면 결코 읽기 쉽지 않다. 하지만 동일한 문장이 끝까지 반복

되어 음절 자체는 어렵지만 쉽게 익힐 수 있다. 학생들은 숨과 긴, 건, 누, 구를 익히는 데 어려움을 보이지 않는다.

장갑을 숨긴 건 누구?	칫솔을 숨긴 건 누구?

"숨긴 건 누구"를 개별 낱말과 음절로는 쉽지 않다. '장갑, 칫솔, 모자, 자석, 포크, 스푼, 킥보드'도 쉽지 않다. 하지만 그림의 도움과 "숨긴 건 누구"가 반복되어 이를 익히는 데 오히려 도움이 된다.

이건 <안녕, 내 친구>도 마찬가지다. <안녕, 내 친구>는 영어 원문과 달리 번역본이 되면서 문장이 길고 읽기 벅차 보인다. 더구나 연음을 적용해야 하는 글자들이 많다.[39] 언뜻 보면 기

---

39) 모국어 화자들은 읽기와 쓰기가 다르다는 것 발견하고, 이를 반복 숙달하는 것이 필요하다. 하지만 굳이 연음 규칙을 배울 필요는 없다. 예를 들어 '밤이'를 '바미'로 발음해야 할까 아니면 '밤이'로 발음해야 할까? 문법 규칙인 연음의 규칙을 따르면 '바미'로 발음해야 하지만, 모국어 화자들은 '바미'보다 '밤이'로 발음한다. 연음규칙을 무시하고 오해를 줄여 의사소통을 더 명확하게 한다는 것을 본능적으로 알기 때문이다. 모국어에 자연스럽게 노출되면 읽기와 쓰기가 다른 것에 큰 어려움을 느끼지 않는다. 소리 내어 읽는 연습을 반복하고, 쓰기에 특별한 노력에 더해지면 별 문제가 되지 않는다.

초문해 교재로서는 글밥이 너무 많고, 너무 어려워 보인다.

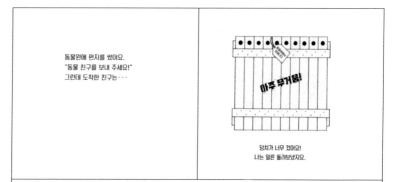

동물원에 편지를 썼어요.
"동물 친구를 보내 주세요!"
그런데 도착한 친구는···

아주 무거워!

덩치가 너무 컸어요!
나는 얼른 돌려보냈지요.

한쪽에 3문장이 나온다. 영어로는 매우 간단한 문장인데
번역하면서 문장이 길고, 많다. 그래도 기초문해에 어려움을 겪는
학생은 연음의 어려움을 빼면 쉽게 읽고 이해한다.

동일한 문장 패턴이 반복되고, 어떤 동물일지 예상해 보고 맞
추는 수수께끼를 풀 수 있어서 학습자들은 어려움을 보이지 않
는다. 더구나 동일한 문장 패턴이 반복되어 이렇게 많은 글밥
의 책도 스스로 읽을 수 있다는 자신감을 가지게 된다.

	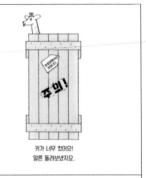
그러자 동물원에서 다른 친구를 보내 줬는데…	키가 너무 컸어요! 얼른 돌려보냈지요.

문장 패턴이 반복된다. 동일한 문장인 "그러자 동물원에서 다른 친구를 보내 줬는데"와 "얼른 돌려보냈지요"가 반복된다.

특히 이 책은 그림동화책을 통한 문해 교육에서 이루어져야 하는 묻기와 답하기를 통한 상호작용의 힘을 다양하게 다룰 수 있는 장점이 있다.

"덩치가 큰 동물은 누구일까?" (코끼리냐 하마냐?),

"키가 큰 동물은 누구일까?" (기린),

"무서운 동물은 누구일까?" (뱀), 성격이 까탈스러운 동물은 누구일까?(알파카냐 낙타냐?",

"짓궂은 장난이 심한 동물은 누구일까?" (원숭이),

"팔딱거리며 뛰는 동물일까?" (개구리),

"사랑스럽고 함께 키울만한 동물은 누구일까?(고양이냐 개냐)

학생들의 그림을 읽고, 이에 대한 자신의 의견을 표현하며 책을 읽어 나갈 수 있다.

"하마가 덩치가 더 크지 않아요?"
"낙타는 사막의 말이잖아요?"
"그런데 개구리는 키울만하지 않나요? 왜 개구리를 돌려보냈지요?"
"전 고양이가 더 좋은데요."

이 점에서 <안녕, 내 친구>는 기초문해 교육의 첫 단계인 1단계의 마지막 도서로 활용해 볼 만 하고, 아직은 무리라고 판단하면 2단계로 활용해 볼 수 있다.(이처럼 1단계냐 2단계냐의 구분보다 중요한 것은 학생의 문해 발달 차원에서 어떤 그림동화책이 효과적일지 교사가 판단해 순서를 조정하면 된다.)

둘, 상황과 장면, 사건과 주인공에 어울리며, 그림과 딱 맞는 문장이 반복되면 배운다는 느낌 없이 문장의 단어들을 통째로 자기 것으로 만들 수 있다.

누가 있어요?
원숭이 네 마리!

방석을 던지며
장난치고 있어요.

<두드려 보아요>는 색깔에 따른 문을 열고 들어가면 다양한
동물들이 신나고 놀고 있는 장면을 유사한 유형으로 반복해서
보여준다. 무슨 놀이를 하는지, 색과 수, 모양 등을 다양하게
이야기 나누며 글을 읽을 수 있다.

셋, 문장 속에 적절한 낱말과 어구가 살아 있을수록 그림동화
책의 문장은 효과적인 문해의 발판이 되어 준다. 하나의 낱말
이해, 어구에 대한 이해가 충분해질수록, 낱말과 어구의 맛깔
스러운 표현일수록 암송한 문장들은 서로 상승 작용을 만들어
내게 된다.

4) 문장과 문장의 유기적 관계

"몇 개지?", "무슨 색이지?"에 대한 대답은 잘하는데,
"이런 상황이구나, 00개 구나. 이런 색이구나."라고 인정하
고 정리해주고 "그런데 다음은 어떻게 될까?", "너는 어떻

게 생각해", "너라면 뭐가 좋아?" 등을 물으면 어려워하는 경우가 있다. 단어와 낱말로 대답하는 질문은 잘 대답하는데, 앞뒤의 선후 문장을 복합해 응답해야 하는 것을 어려워하는 경우가 있다.

"사과를 사각사각 (씹어) 먹었다"와 "빨간 사과를 먹었다"를 읽고 "사과를 어떻게 먹었니?"하면 "사각사각"으로, "사과는 무슨 색이니?"하면 "빨강"이라고 잘 답하는데, "배에서 꼬로록 소리가 났다. 냉장고 문을 열었다. 빨간 사과가 보였다. 냉큼 꺼내 한 입 베어 물었다. 아삭!"이라는 글을 읽고 "주인공은 배가 고파서 무엇을 했지?" "너는 배 고플 때 무엇을 하니?", "사과는 먹을 때 어떤 소리가 났니?" 등의 질문에 대해선 어리둥절해 할 수 있다.

이는 표현이 어려운 내향적 성향이거나, 틀릴 것에 대한 공포, 틀린 경험으로 인한 위축 등으로 인한 경우도 있지만, 선행 문장을 이해하지 못해 답을 하지 못할 수 있다. 학습자가 맥락을 이해하지 못한다고 느끼는 경우는 대부분 한 문장을 넘어서는 이해가 어려운 사례가 있다.

문해가 발달해 갈 때 앞에 읽은 문장과 뒤 문장을 연계하는 능력을 키워나가야 한다. 문해 발달의 초기에 문장과 문장의 관계를 이해하는 데 어려움을 겪는 경우는 매우 흔한 일이다. 작동 기억에서 문장을 처리하는 것이 어려운 경우, 문장과 문장을 동시에 처리하는 것이 부담스러운 경우는 얼마든지 벌어지는 일이기 때문이다.

3부. 기초문해 교육을 펼칠 때 필요한 것

이럴 경우, 2개 문장 이상이 나오면 이해와 표현을 거부하는 사례도 생긴다. 이때에는 병렬형 문장을 연속시켜, 이를 상기하는 능력을 살펴주는 것이 도움이 된다. <이건 내 조끼야>에서 생쥐, 거위, 원숭이, 사자, 말, 코끼리처럼 크기로 조끼를 빌려 입은 순서를 살필 수 있고, <숨긴 건 누구?>는 장갑을 숨긴 건 누구, 모자를 숨긴 건 누구, 촛불을 숨긴 건 누구, 자석을 숨긴 건 누구처럼 병렬형 문장을 연속시켜 이 순서를 기억하는 것으로 문장과의 관계를 파악하는 능력을 키울 수 있다.

이보다 중요한 것은 인과형 문장을 연속시켜 이를 파악하는 능력을 키워줘야 한다. "배가 고팠어요. 배에서 우르르 천둥소리가 났어요. 허겁지겁 라면을 끓여 먹었어요. 라면을 먹고 다니 커어억 트림이 나왔어요. 아 배에서도 신호가 오네요. 빨리 화장실로 달려가야겠어요." 라는 문장처럼 사건의 인과 관계로 벌어지는 다양한 사건들을 탐구하는 것이 필요하다. 이것을 제일 멋지게 해낼 수 있는 것이 바로 그림동화책이다. 그림동화책은 기본적으로 사건을 맞이하고 이를 해결하는 플롯을 가지고 있기 때문이다.

이처럼 그림동화책은 적절한 낱말, 생동하는 어구, 차이나는 반복으로 이루어진 문장, 연결고리를 가진 문장들로 나선형적 확장을 이루기 때문에 기초문해 교육에 효과적이다. 이 점을 고려하여 학생 발달과 문해 상황에 맞게 그림동화책을 선정, 활용하면 된다.

여섯, 깊이 읽은 그림동화책과 유사한 경험과 주제, 소재로 겹쳐 읽을 수는 그림동화책

그림동화책을 통한 기초문해 교육은 재미있는 텍스트를 함께 이야기를 나누고 탐구하며 깊이 읽는 것이다. 하나의 사건과 소재, 주제에 대해 깊이 읽을 그림동화책과 유사한 이야기를 다른 방식으로 펼쳐낸 그림동화책을 겹쳐 읽을 때 문해력은 더 성장하게 된다. 깊이 읽은 그림동화책과 유사한 상황, 소재, 사건, 인물, 주제 등을 다른 그림동화책 겹쳐 읽으면 문해의 성장은 한층 속도를 붙이게 되고, 강화된다.

다시 지금 읽는 책을 확장할 수 있는 책이 그림동화책을 통한 문해 교육에서 효과적이다. 예를 들어 동물과 흉내 내는 말이 나오면 이를 입체적으로 확장해 가는 책을 선택 활용하는 것이 효과적이다. 마치 남자 아이들이 공룡, 차에 대한 책을 흥미 있어 하면 이와 관련된 책으로 겹쳐 읽으며 확장해 가는 것이 아이의 역량을 키우듯 기초문해 교육도 하나의 성장과 관심을 겹쳐 읽으며 확장해 가야 한다.

이상의 기준을 통해 기초문해 교육에 적절한 그림동화책을 분류하고, 검토해 볼 수 있을 것이다.

그림동화책을 함께 깊이 읽으며 날아오르기 위한 고민거리들

초기 문해 교육에 적절한 텍스트 수준을 가졌다면 유아가 신나가 즐겁던 그림동화책은 기초문해 교육의 결정적 힘을 가지고 있을 가능성이 있다. 유아가 좋아했던 만큼 이야기 자체의 매력이 넘치고, 유아가 소화할 정도로 수준도 적절한 가능성이 크기 때문이다. 아동이 말놀이와 문자 발견 놀이를 통해 세상과 사람, 사물을 경이롭게 만날 수 있었던 그림동화책은 기초문해 교육의 효과적이고 결정적 발판이 될 수 있다.

그렇다면 스토리텔링의 매력은 어떤 요인들이 이야기 속에 잘 녹아 있는 것일까? 킨드라 홀은 <스토리의 과학>에서 스토리텔링의 핵심 요소로 뽑은 것은 분명한 캐릭터, 진실한 감정, 중요한 장면 구체적인 디테일이다. 이러한 스토리텔링의 주요 요소들은 이야기의 힘, 그림동화책의 재미와 감동의 핵심 요소가 된다. 이런 스토리텔링의 요소들이 유기적으로 조화되어 생동할수록 흥미있고 재미있으면서도 감동적일 가능성이 크다.

재미있고 흥미로우며, 감동까지 만들어내는 스토리텔링의 매력이 큰 그림동화책은 기초문해 교육의 반복 숙달을 어렵지 않게 만들어주고 이를 통해 성취 경험 축적하는 데 매우 유용하다. 소비자와 실제 제품(향수)의 간극을 광고의 스토리텔링으로 이어주듯 이야기의 매력이 넘치는 그림동화책은 대단한 입체 효과나 영상 자극 그리고 작화 수준과 상관없이 비문해와 문해의 간극을 부드럽게 연결시켜준다.

그림동화책을 통한 기초문해 교육은 작지만 소중한 성취 경험을 만드는 데 좋다잖아. 재미있는 그림동화책을 선생님과 함께, 깊이 읽으며 쑥쑥 클 수 있는 거 같아.

그림동화책을 총체적으로 읽기, 한 낱말과 문장에 대한 두터운 읽기, 배운 것을 나선형적으로 확장하는 확충적 읽기, 확인하며 살피며 읽기를 하니 제대로 문해력이 성장하네.

15. 기초문해 교육의 원칙

첫째 기초문해 교육은 느린 학습자의 발달과 경험을 고려하여 작지만 소중한 성취 경험의 축적에 기초해야 한다.

둘째, 기초문해 교육에서 읽기는 함께, 깊이, 재미있게 읽기다.

셋째, 기초문해 교육은 총체적 읽기에 기초해야 한다.

넷째, 기초문해 교육에서 읽기는 입체적이고 두터운 읽기에 기초해야 한다.

다섯째, 기초문해 교육에서 읽기는 나선형적 반복을 통한 확충적 읽기다.

여섯째, 기초문해 교육에서 읽기는 확인하고 살피며 읽기다.

모든 것이 그렇지만 원칙이 깊고 넓을수록 상황과 필요, 주체에 따라 유연하고 적절한 대응이 가능하다. 기초문해 교육도 원칙의 지평에서 상황과 필요, 발달에 따라 유연하게(전문적으로) 대응할 수 있어야 한다.

발생적 문해를 키우는 기초문해 교육의 행복한 가르침과 배움의 원칙은 무엇일까?

첫째 기초문해 교육은 느린 학습자의 발달과 경험을 고려하여 작지만 소중한 성취 경험의 축적에 기초해야 한다. 느린 학습자의 문해 발달의 어려움과 다른 속도를 고려하여 섬세하고 따뜻하게 배려하는 분위기는 물론, "해보니 되는구나"의 성취경험에 기초해 문해 수업을 만들어 나가야 한다. "나도, 해보니 할 수 있구나", "나도 되는구나"의 성취 경험을 기초문해 수업 과정에서 부단히 느낄 수 있어야 한다. 근접발달영역에서 타당하고 적절한 발판을 깔아주어 문해 능력이 성장할 수 있도록 작지만 결정적인 성장 경험을 축적시킬 수 있어야 한다.

"언어 습득자가 긴장하거나 방어적일 때 입력된 언어를 이해할 수는 있어도, 그 언어가 언어습득을 담당하는 두뇌부위에 도달하지는 못할 것이다. 감정적 여과 장치라는 장벽은 언어를 입력하는 데 방해가 된다." (<크라센의 읽기 혁명>, 146)

느린 학습자는 언어를 배우는 과정이 즐겁기 어렵다. 자신이 할 수 없기에 위축되고, 상처받지 않기 위해 더 많이 자신을 닫아 버리게 되기 때문이다. 따라서 느린 학습자가 언어를 배울 때 몰입의 힘을 체험할 수 있도록 적절한 발판을 주어 성취 경험을 부단히 축적해야 한다. 언어를 배우는 과정이 즐겁고, 신나는 것이 될 수 있음을 몰입의 경험으로 느낄 수 있어야 한다.

"언어를 배우는 과정이 즐거워야 효과가 극대화된다. ... 나는 즐거움이 중요하다고 강조한다. 언어를 배우는 활동은 즐거워야 한다. 물론 활동이 즐겁다고 해서 언어 습득에 유익하다고 단언할 수는 없다. 어떤 활동은 즐겁기는 하나 언어 습득에 전혀 도움이 되지 않을 수도 있다. 즐거움이 언어 습득에 효과가 있다고 장담할 수는 없다."(<크라센의 읽기 혁명>)

"나도 책을 읽을 수 있구나"라는 성취 경험과 나도 "어느새 한 권을 다 읽었구나"와 같은 몰입 체험이 있어야 문해력 성장의 효과가 극대화된다.

기초문해에 어려움을 겪고 있다는 사실을 있는 그대로 받아들여야 한다. 보통의 아이들보다 조금 더 많은 도움이 필요하고, 배운 걸 잘 잊어버리고, 더 많은 반복 연습이 필요하다. 기본 자모를 읽더라도 자모의 변형과 받침에 따른 음절 읽기의 과학적 유추에 많은 어려움을 보인다.

느린 학습자에 대한 적기에(조기가 아니라 응급한) 지원이 여유 있고, 체계적으로 이루어져야 한다. 99도까지 지치지 않고,

상처받지 않고 해낼 수 있다는, 해내고 있다는 느낌을 만들어 주어야 한다. 이미 위축되고 상처받은 아이를 교사가 기다려주고, 버텨주고, 지켜주고, 도와주어야 한다.

"성취경험을 누릴 수 있을 만큼, 좌절과 무기력을 느끼지 않게 여유 있게, 차근차근 학생이 감당할 수 있는 만큼, 감당의 크기를 여유 있게 키워나가게 도와주면 돼."
"학습 활동은 짧은 시간에 가능한 목표를 집중적으로 단련할 수 있도록. 가능한 목표, 목표를 집중적으로 단련, 성취 경험이 누적되도록 기초문해 수업을 해야 하지."

기다려주며, 지켜주고, 도와주며 성장하는 작은 소동극이 벌어진다. 아주 유쾌하고 신나는 희극이다. 이 유쾌하고 신명나는 소동극 속에서 아이는 문해의 신비를 깨치게 된다.
이 작은 소동극은 계단처럼 성장하기에 무수한 노력이 다 헛되이 보이기도 한다. 이렇게 노력했는데 아동의 문해력이 지지부진하고, 후퇴하는 듯 보이기도 한다. 밑 빠진 독에 물을 붓는 느낌이 들 때도 있다. 그때 포기한다면 그건 목적지 코앞에서 포기하는 것과 같다.

"일을 하는 사람을 비유하면 우물을 파는 것과 같다. 우물을 아홉 길이나 팠더라도 샘에 미치지 못하면, 오히려 버려야 되는 우물인 것이다." (<맹자>)

기초문해 교육은 성취를 지켜주면 스스로 문해의 기쁨을 누리면서 배움을 계속하게 마련이다. 기초문해 수업을 통해 성장의 기쁨을 더 많이 발견할수록 스스로 해냈다는 성취감에 놀라워하고 뿌듯해하며, 더 잘하고 싶다는 도전을 하려고 든다. 스스로 해냈다는 것을 놀라워하며 더 잘하고 싶어하는 것이다.

	장점	단점
자모 교재 -<찬찬>류	그림(이미지) 카드를 통해 성취 경험 축적 가능	이야기와 문장으로 확충되기 어려움 낱말 문자 해독에 국한되는 문제
읽기따라잡기 (수준평정 그림책)	이야기 속에서, 문장 속에서 단어 읽기	문장을 통째로 외우는 문제 -단어와 음절로 확인해야 하는데 읽기따라잡기는 더 많은 수준평정 그림동화책으로 대응
그림동화책	이야기 속에서 단어와 음절 발견 보조 교재 활용 -단어카드, 내용확인문항, 원고지 학생의 흥미와 관심 유인	교육 시 교사의 전문성 필요 교재 제작의 번거로움 활용의 전문성 필요

<작지만 소중한 성취 경험 만들기 관점에서 본
기초문해 교육의 장단점>

둘째, 기초문해 교육에서 읽기는 함께, 깊이, 재미있게 읽기다. 기초문해 교육은 교사와 학생이 함께 그림동화책을 깊이 읽으며 읽기의 주인공이 되어 사건을 탐구하는 재미 속에서 문자를 체득해야 한다.

기초문해뿐만 아니라 문해력 형성을 위한 읽기의 3원칙은 1)재미있게 읽기, 2)함께 읽기, 3)깊이 읽기다. 그림동화책은 그 자체로 재미가 있고 인지적 문턱도 낮아 재미있게 읽기는 쉽게 달성될 수 있다.

안정환이 <안정환 19> 축구교육에서 보여주듯 기초문해 교육도 원리는 간단하다. 그림동화책으로 문해의 간단한 원리만 깨치면, 그 다음부터는 신나게 즐기며 연습해 자기 것으로 만들면 된다.

문제는 함께 깊이 읽기다. 이 읽기 원칙을 가능케 하는 읽기는 교사에서 학생으로의 권한 이양으로서의 읽기다. 이를 위해 읽기 전략 3단계(읽어주기, 함께 읽기, 스스로 읽기)를 부드럽고 따뜻하게 만들어내야 한다. 문자를 읽고 책을 이해해 나가는 데 있어서 스스로 해나갈 수 있게 만들기 위해서는 교사의 함께, 깊이, 재미있게 읽어주는 것이 조화를 이루어야 한다.

3부. 기초문해 교육을 펼칠 때 필요한 것

셋째, 기초문해 교육은 총체적 읽기에 기초해야 한다. 기초문해 교육은 듣기와 말하기가 읽기로 매듭지어지고, 읽기는 쓰기로 전환되는 이중적 과정을 요구한다. 읽기가 문자 해독과 글 독해의 이중적 요청이라는 점과 동시에 읽기는 듣기와 말하기를 수용하여 읽기로 전환하며, 읽기는 쓰기로 전환되어야 하는 이중적 과정이라는 점에서 읽기는 총체적 읽기를 요구한다.

기초문해 교육이 총체적 읽기라는 점에서 "읽기는 읽기를 통해 교육"해야 하고, 이럴 때 문해력을 제대로 키울 수 있다. 그림동화책의 이야기는 충분한 이야기(듣기와 말하기, 묻고 답하기, 질문하고 이야기 나누기)를 나눌 발판이 되어준다. 그림과 장면, 글 등을 탐구하고, 주인공이 되어 마음과 행동을 연출해 보고, 다음 이야기를 상상하여 이야기를 만들어가는 과정에서 충분한 이야기를 나눌 수 있다. 이 이야기 속에서 문자 읽기가 이루어져야 읽기 능력이 자연스럽고도 단단하게 자랄 수 있다. 그리고 이 읽기를 바탕으로 한 쓰기가 이루어질 때 문해력의 총체적 역량 속에서 쓰기가 자랄 수 있다.

듣기 말하기 읽기 쓰기를 통합한 총체적 읽기

문해력 발달을 위해서는 듣기 말하기에서 읽기로의 전환과 읽기에서 쓰기로의 전환이라는 총체적 읽기가 필요하다. 유아 시절 부모의 그림책 읽어주기의 흔한 오류는 한 방향의 축자적 읽기다. 아이가 듣던 말던 부모가 문자만 읽어주는 것이 문해 발달에 도움이 될 것이라 착각한 것이다.

부모의 책 읽어주기는 그림책을 통한 풍성한 말놀이인데, 이를 축자적 글 읽어주기로 오해하면 아이를 책을 싫어하고, 문자를 깨치는 데 어려 어려움을 겪게 된다.

기본적으로 유아의 발생적 문해는 부모와의 역동적이고 증폭적이며 즐거운 대화를 통해 그림동화책의 문자를 발견하는 놀이 속에서 이루어진다. 이 그림동화책의 이미지와 상황을 통해 문자를 발견하는 상호작용 놀이는 문해력이 총체적 읽기를 통해 이루어진다는 것을 다시 한번 보여준다.

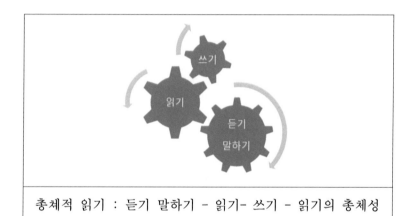

총체적 읽기 : 듣기 말하기 - 읽기- 쓰기 - 읽기의 총체성

총체적 읽기란 말하기 듣기, 쓰기가 선순환해야 한다는 것이다. 그림책(단어 카드)이라는 발판이자 링크를 통해 문해력(읽기와 쓰기)이 하나씩 매듭이 만들어지려면 문자 읽기는 듣기와 말하기가 모여드는 곳이자, 쓰기로 흘러나가는 지점이다.

3부. 기초문해 교육을 펼칠 때 필요한 것

기초문해 교육이 총체적 읽기를 통해 이루어져야 한다는 점은 분절적 문해 교육을 넘어 통합적 문해 교육이 이루어져야 한다는 것이다. 이를 위해서는 한 낱말, 한 장면을 함께 깊이 읽는 상호작용을 통해 읽기와 쓰기 교육이 이루어져야 한다. 기초문해 교육은 말하기, 듣기에서 읽기와 쓰기가 열리도록 해야 한다. 듣기와 말하기가 차오른 후 읽기가 쓰기가 이루어질 수 있는 통합적 문해 교육이 필요하다.

다시 말해 총체적 읽기란 기본적으로 이야기 읽기와 쓰기를 통해 문해에 필요한 기본들을 체득할 수 있게 되어야 한다는 의미다.

자모 교재 중심 기초문해 교육은 자모의 틀과 차례에 따라 기본 단어 읽기와 쓰기 중심으로 이루어져 읽기와 쓰기의 전환에 있어서는 간결하고 반복적인 습득이 가능하다는 장점이 있다. 하지만 충분한 듣기와 말하기를 통해 읽기가 이루어지지 않아 글자 해독이 글과 책 독해로 이어지기에는 문제를 드러내게 된다.

읽기따라잡기 기초문해 교육은 수준 평정 그림책을 통해 읽기 교육을 한다는 점에서 자모 교재 중심보다 이야기를 나눌 여지가 더 큰 장점이 있다. 하지만 실제 읽기따라잡기가 요구하는 패턴수업은 장면과 상황, 주인공이 되어 사건을 나누는 것을 어렵게 만든다. 읽기따라잡기의 패턴 수업이 그림책이 가진 결정적 장점인 이야기가 읽기로 전환되는 과정을 위축시키는 문제를 드러낸다. 또한 읽기따라잡기는 읽기가 쓰기로 전환되는 것이 아니라 쓰기를 위해 또 다른 활동을 하거나, 읽기와 쓰기를 분리시키는 문제를 드러내곤 한다.

	장점	단점
자모 교재 (<찬찬 한글> 등)	읽기에서 쓰기로 확장	듣기와 말하기의 지평에서 읽기로 확장되지 못함
읽기따라잡기(수준평정 그림책)	이야기 읽기를 통해 읽기 능력 성장	충분한 읽기 부족 읽기와 쓰기의 분리
그림동화책	듣기 말하기-읽기-쓰기의 선순환	학생의 발달 속도와 리듬에 맞춰 교사의 전문성 필요

<총체적 읽기 관점에서 본 기초문해 교육의 장단점>

듣기와 말하기가 읽기로 전환되고, 읽기는 쓰기로 전환되는 총체적 읽기 과정의 관점에서 현재의 기초문해 교육 방법들은 모두 한계를 드러내고 있다.

넷째, 기초문해 교육에서 읽기는 입체적이고 두터운 읽기에 기초해야 한다.

기초문해 교육은 문자 세계의 평면성을 풍성하고 입체적 읽기를 통해 3차원 세계로 만들어가는 것이다. 읽기는 문자 읽기에 대한 이야기를 나무며 입체적으로 풍성해져야 한다. 읽기는 단어와 문장, 이야기를 읽을수록 입체적이고 풍성해져야 한다. 풍성한 읽기란 이야기의 가상세계에서 충분히 논다는 의미이자, 듣기와 말하기를 통해 새로운 세계의 읽기로 나아간다는 말이다.

기본적으로 이야기 속의 세상의 주인공이 될 수 있을 때 우리는 수많은 이야기를 나눌 수 있다. 가상세계의 문턱을 넘어 이야기 세계에서 주인공이 되어 나누는 질문과 응답이 입체적이며 두터운 읽기의 기본이다.

이때 읽기가 듣기와 말하기를 입체적으로 감싸 안고, 이를 통해 쓰기로 나아가게 된다. 풍성하고 입체적 읽기란 단순히 문자 읽기에 그치지 않고, 그림과 문자에 대한 다양한 질문과 대답으로 입체적 세계를 만들어간다는 뜻이다.

읽기는 이처럼 이야기를 나누며 평면의 문자 텍스트를 가상세계를 탐구하며 입체적으로 구성해나가는 것이 필요하다. 인류학의 문화적 두터움처럼 해석적 두터움(analytical thickness)을 만들어가는 것이 필요한 것이다.

다섯째, 기초문해 교육에서 읽기는 나선형적 반복을 통한 확충적 읽기다.

그림동화책을 통한 문해 지도는 나선형적 반복을 통해 깊이를 더하고, 넓이를 키워가는 것이다. 느린 학습자의 문해 지도는 한 두 번으로 문해 능력이 성장할 수 없다. 무수한 반복을 통해 문해의 세계를 깨쳐야 하는 학습자에게 중요한 것은 반복의 과정에서 질리거나 지루하거나(이미 아는 것이 너무 많다면) 위축되지 않고(발달 수준을 넘어설 때) 차이 나는 반복을 만들어가는 것이다.

여섯째, 기초문해 교육에서 읽기는 확인하고 살피며 읽기다.

읽기는 학생의 문해 성장을 지속적이고 구체적으로 확인해 나가면서 읽는 것이다. 통째로 암기해 읽기, 거꾸로 한 음절씩 읽기, 단어 카드로 읽기 등을 통해 부단히 학습자의 문해 능력을 확인하고 이에 필요한 도움을 주는 것이 필요하다.

읽기는 상징인 문자를 읽는 능력과 동시에 자의적 기호가 지시하는 이해를 이해하는 이중적 요청에 해내야 한다. 기본적으로 문자 읽기는 문자 읽기이자 이해를 포함하는 것이다. 느린 학습자의 경우 이러한 이중적 과정 양쪽에서 어려움을 겪는다.

하나, 읽기 능력 확인은 음절과 낱말을 제대로 읽을 수 있는지 살펴줘야 한다. 초기 문해 교육에서 있어서 느린 학습자는 '가'는 읽어도 '감'과 '간다', '각', '개'를 읽는데 어려움을 겪는다. 가를 바탕으로 다양한 변형과 받침을 읽는 능력을 반복적이고 입체적으로 도와주며 이를 확인하고 살펴줘야 한다.

<풍덩 시원해요>을 통해 기초문해 교육을 하고자 한다면 그림 동화책에 제시된 텍스트의 기본단어, 예를 들어 '풍덩, 여름, 강아지, 맴맴, 자두, 복숭아, 포도' 등에 집중해야 한다.

한 낱말, 한 장면을 깊고, 다채롭게 이야기를 주고받으며 글자를 읽는 법을 통해 책을 읽는 법을 배울 수 있도록 도와야 한다.

기존 한글 문해 교육의 문제는 한 낱말과 한 문장을 충분히 깊게 이야기 나누지 않는다. "자두, 수박, 포도, 복숭아"에 집중하지 않고, 이를 온전히 소화할 수 있게 살펴주지 않고 '이미 알지, 이제 재미있는 활동해 볼까?' 하는 식의 접근을 하곤 한다.

너무 쉽다고 생각하거나, 너무 어렵다고 치부하면서 깊이 온전히 다루는 수업을 하고 있지 않은 것이다, 처음 한글 교육을 시작할 때도 그렇고, 이후에 중학년 고학년에서도 마찬가지다.

'자두'를 제대로 배워야 '자'를 통해 '자전거, 자신감, 자, 자기야' 등을 알고, '두'를 통해 '두부, 두고 보자, 두근두근' 등을 배우며 확장하는데, '자'에서 '지읒'으로 오그라들게 하거나 자두를 제대로 익히는 데 도움을 주지 않고 건성건성 건너뛰면 배움을 확장할 수 없다.

여름 과일인 자두, 복숭아, 참외, 포도, 수박을 배울 수 있다. 또한 각 과일이 물에 떨어지는 소리를 탐구할 수 있다. 덤으로 이게 가장 큰 재미인데 물방울 개구리를 찾아가며 그림 동화책을 읽을 수 있다. 사라진 과일의 향방을 추측해 보는 재미를 놓칠 수는 없다.

"여름 한낮이에요" : 름, 한, 낮은 음절 자체로는 상당히 어렵다. 그리고 한낮은 읽기와 쓰기가 어렵다. 하지만 사계절 중 하나인 여름과 가장 더운 한때를 나타내는 한낮을 배울만한 낱말이다. 그리고 이 장면에서 결정적인 부분은 혀를 내민 강아지와 청개구리, 그리고 평상 밑의 거미를 찾고, 왜 그늘 밑으로 모이고 있는지 묻고 답해야 한다.

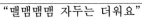

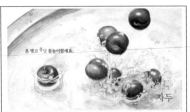

"맴맴맴맴 자두는 더워요" "맴맴 하고 우는 곤충. 자두를 노리고 달려오는 것들은 무엇일까요? 왜 강아지는 평상 밑에 있을까요? 자두는 어디 있나요? 자두는 몇 개 있나요? 어떻게 셀 수 있나요?" 등의 질문을 주고받으며 다시 본문의 텍스트를 읽고 매미와 자두의 낱말 카드로 확인하는 것이 필요하다.	"옷 벗고 퐁당 물놀이할래요. 자두" 무엇이 떨어지지? 몇 개가 떨어지지? 어디에 떨어졌지? 새로운 강아지가 보이나요? 어디 있나요?

한 장면을 깊이 이해할 수 있도록 나누며 사건과 사물의 주인공이 되어 탐구할 수 있도록 도와야 한다.

그런 다음 음절카드와 단어카드로 충분히 읽고 놀이할 수 있어야 한다.

'자두, 참외, 복숭아, 포도, 수박'의 낱말 카드('개미, 강아지, 애벌레, 매미, 돌멩이, 청개구리, 거미' 등도 활용하면 좋다. <퐁당>을 두 번째 읽을 때 활용하는 것이 효과적이다.)와 '자, 두, 참, 외, 복, 숭, 아, 포, 도, 수, 박' 등의 음절 카드를 차례 차례 활용해야 한다.

낱말 카드와 음절 카드를 안내할 때는 자음과 모음의 결합, 받침에 따른 소리의 특성을 음절과 음절, 낱말과 낱말을 비교하고 탐구하는 데에 중점을 두어야 한다.

처음에는 낱말 카드는 반복 숙달해 보고, 이후 음절 카드를 읽고, 이를 조합해 여름 과일 만들기 활용을 한다. 이는 전체 활동 후 개인 활동 그리고 짝 활동(개인 활동과 짝 활동의 순서를 바꾸어도 좋다. 다만 전체적 안내를 통해 어느 정도 개인이 할 수 있는 능력이 형성된 후에 하는 것이 필요하다.)

낱말 카드와 음절 카드를 통해 읽기가 어느 정도 이루어지고 나면 음절을 통해 새로운 낱말 만들기 활동을 할 수 있다. "박자, 포자, 박수, 수도, 복도, 박두, 아자, 도복" 등 그림 동화책과 이야기 속에서 나오지 않았던 새로운 단어들을 찾는 활동을 해 볼 수 있다. 물론 이 활동은 낱말 카드와 음절 카드를 충분히 안내하고 숙달한 후 추가적이고 보조적 활동으로 도입되어야 한다.

여름에 열매를 보고, 맛볼 수 있는 '자두, 참외, 복숭아, 포도, 수박' 등은 자음 순서와 상관이 없다.

'자, 두, 수, 박, 포, 도'는 음절의 구성에 비추어보면 쉽지만, '복, 숭, 아'는 만만치 않다. 하지만 이를 읽는 데 어려움을 보이는 학생은 별로 없다. 낱말이 경험 지평에 놓여 익숙하고, 그림이 도와주기 때문이다.

각각의 열매는 크기와 무게에 따라 흉내 내는 말이 다르다는 것을 배움의 장에 올려놓아야 한다. 물론 흉내 내는 말의 어감을 비교하는 활동은 읽기 발달 수준에 따라 어려움을 다르게 느껴진다. 반복해서 '풍당, 풍덩, 첨부덩, 철푸덕, 촬촬촬' 등의 어감을 비교하고, 물체를 물에 떨어뜨려 보는 활동을 통해 소리에 대한 감을 형성하는 것이 필요하다.

둘, 읽기 능력의 확인은 의미를 제대로 이해하는지 살펴줘야 한다. '감과 밤', '호두'를 경험하지 못한 학습자는 '감과 밤', '호두'를 읽어도 그 의미를 이해하지 못하는 초독서 현상을 겪게 된다. 실제 경험과 영상 자료를 동원해 읽었지만, 의미를 이해하지 못하는 낱말들을 살펴줘야 한다.

자모 교재를 이용한 기초문해 지도는 글자와 대상의 뜻 이해를 효과적으로 도와주는 장점이 있다. 카드의 존재로 인해 글자 읽기가 그것의 뜻을 쉽고 간단하고, 구체적으로 안내하는 장점이 있다. 물론 자모에 기초한 카드는 기초 단어의 읽기에 이해에 장점이 있지만, 추상어, 흉내 내는 말, 다양한 동사와 형용사, 부사 등의 낱말을 읽고 이해하는 데는 한계가 명확하다.

안정환의 지적처럼 "오늘 공부할 것을 다시 복습해 완전히 자기 것으로 만들어야" 한다. "한 번에 숙달되고, 체득되는 건 없다." 제대로 알려주고, 배운 것을 상기해 복습하며 반복해서 자기 것으로 만들어야 한다.

이 점에서 그림동화책을 통한 기초문해 교육에서는 장점과 한계가 있다. 이야기 속에서 다양한 상황의 감정을 이해하고, 흉내내는 말과 동사와 부사 등을 이해하고 배우는 데 효과적이다. 그리고 그림동화책을 통한 기초문해 교육은 자모 교재의 단어 카드의 장점을 효과적으로 견인할 필요가 있다.

그림동화책을 통한 기초문해 교육은 확인하고 살펴 가며 읽을 때 이미지와 단어의 결합을 효과적으로 안내하는 단어 카드의 장점을 포월하면서 동시에 전체 이야기 속에서 어휘를 체득할 수 있도록 도와주어야 한다.

총체적 읽기, 확충적 읽기, 확인하고 살피며 읽기를 가능케 하는 방법

기초문해 교육의 읽기는 풍성하고 입체적 읽기(총체적 읽기),

반복을 통한 확충적 읽기, 확인하고 살피며 읽기가 되어야 한다. 이 읽기 요청에는 당연히 교사와 학생이 함께 그림동화책을 통해 재미있게 읽기, 깊이 읽기가 깔려 있어야 함은 물론이다.

기초문해 교육의 깊이 읽기, 확인하며 읽기는 고등한 탐구 활동을 확충될 수 있다.

<풍덩 시원해요>를 깊이 읽은 후 어떤 고등한 탐구 활동으로 확충될 수 있을까? 자두, 복숭아, 포도 등의 과일과 풍덩 소리, 여름 풍경을 깊이 읽은 후 이에 기초한 고등 활동이 필요하다. 함께 깊이 읽은 텍스트를 정리하면서 고등한 활동으로 확장할 수 있다.

이미 그림동화책에 확장이 담겨 있다. 여름 과일과 흉내 내는 말을 연결하고(이를 표로 정리하고, 공책에 정리할 수 있어야 한다), 흉내 내는 말의 어감을 비교하는 활동을 해야 한다. (철푸덕, 풍덩, 첨부덩 등을 비교하기)

다음으로 각 장면의 말풍선 만들기와 역할극 놀이 등을 할 수 있다. 물론 과일 분석하고 해부하기, 여름 과일 그리기, 여름 과일 찍기, 여름 파일 시장 놀이 혹은 여름 과일 가게 만들기, 여름 과일 물에 던지기, 과일 자르고 아름답게 담기, 과일 껍질로 꾸미기, 화채 만들기 등 여름 과일을 통해 고등 탐구 활동이 가능하다.

그림동화책을 통한 문해 교육이 제대로 되려면 함께, 깊이, 재미있게 읽기의 지평하에서 총체적 읽기, 확충적 읽기, 확인하고 살피며 읽기가 상황과 필요에 맞게 유연하게 작동해야 한다. 기초문해 지도의 총체적 읽기, 확충적 읽기, 확인하고 살피며 읽기를 효과적으로 실행하기 위해서는 무엇이 필요할까?

이를 위해서는 간단하지만 효과적인 교재들이 필요하다. 필요한 교재들로 제안할 것들에는 단어카드, 원고지 쓰기, 내용확인문항 등이 있다.

1) 단어 카드

첫째, 단어카드를 통해 읽기 능력을 확인하고, 확장할 수 있도록 부단히 반복 숙달해 주어야 한다. 기본적으로 기초문해 초기에 학습자는 그림동화책의 이야기를 통째로 암기하게 된다. 외우지 않아도 상황과 이야기, 그림의 도움 등으로 암기하게 되어 음절과 낱말을 아직 완벽하게 읽지 못해도 마치 읽는 듯한 착시 현상을 보여주게 된다. 이 점에서 단어 카드로 맥락과 이미지를 분리해 음절과 낱말 읽기 능력을 확인하고 도와주는 데 매우 중요하다.

기초문해 교육에서 단어 카드는 음절(단어) 읽기와 이야기를
상기하는 데 놀라운 힘을 발휘한다. 자모 중심 기초문해 교육의
장점이 이미지와 결합된 단어 반복해서 읽고 쓰며 숙달하는 데
있다면, 그림동화책 중심 기초문해 교육에서 단어 카드의 활용은
필수적이며, 자모의 분절된 단어 활용과 달리 이야기로 연계되어
있다는 점에서 효과적이다.

또한 단어 카드는 음절과 낱말 읽기를 어느 정도 하는 학생에
게도 발음의 유창성은 물론 어휘의 풍부한 이야깃거리를 확보
하고, 쓰기의 기초를 마련해주는 역할도 할 수 있다.

단어 카드는 이미지와 단어가 함께 포함된 카드, 음절과 단어
(어구, 문장)만으로 만들어진 카드를 통해 학생의 문해 발달과
수업의 상황에 따라 유효 적절하게 사용되어야 한다.

2) 내용 확인 문항

둘째, 내용 확인 문항을 통해 총체적 읽기의 이해와 습득 정
도를 확인하고 도와주어야 한다. 내용 확인 문항은 총체적 읽
기의 교사용 발판이자, 학생의 내용 이해와 반복 숙달을 위한

징검다리이기도 하다. 물론 문해 발달에 따라, 수업 중 나눈 이야기에 따라 풀어야 되는 내용 확인 문항이 변화되어야 한다.

3) 원고지로 그림동화책 텍스트 필사하기 : 배운 것 소리 내어 읽으며 쓰기

셋째, 배운 것을 소리 내어 읽으면서 쓸 수 있도록 하는 도구가 필요하다. 한석봉 어머님의 가르침처럼 배움을 돌봐주는 쓰기 전략이 필요하다. 이를 위해 배운 것을 반복해서 소리 내어 읽으면서 쓸 수 있도록 원고지가 필요하다. 읽기 능력 발달과 쓰기 능력 발달은 시차도 있고, 쓰기를 곤란함을 고려하면 읽기처럼 해볼 만하고, 큰 부담 없이 성취감을 느끼도록 하는 게 중요하다. 현장에서의 쓰기 지도는 단어를 빽빽이 쓰는 반복 숙달하는 과제 활동과 급수장에 기초한 받아쓰기 그리고 경험 쓰기 정도에 국한되어 있는데, 함께 읽고 배운 그림동화책을 소리 내어 읽으면서 쓰는 활동이 매우 중요하다. 물론 학생의 문해 발달에 따라 원고지의 크기를 다양하게 해줘야 하며, 소화할 수 있는 정도와 배운 양에 따라 글발의 양을 조절해 주어야 한다.

그림동화책을 함께 깊이 읽으며 날아오르기 위한 고민거리들

 기초문해 교육은 총체적 읽기에 기초해야 한다. 기초문해 교육은 듣기와 말하기가 읽기로 매듭지어지고, 읽기는 쓰기로 전환되는 이중적 과정을 요구한다. 읽기가 문자 해독과 글 독해의 이중적 요청이라는 점과 동시에 읽기는 듣기와 말하기를 수용하여 읽기로 전환하며, 읽기는 쓰기로 전환되어야 하는 이중적 과정이라는 점에서 읽기는 총체적 읽기를 요구한다.

 기초문해 교육은 문자 세계의 평면성을 풍성하고 입체적 읽기를 통해 3차원 세계로 만들어가는 것이다. 읽기는 문자 읽기에 대한 이야기를 나무며 입체적으로 풍성해져야 한다. 읽기는 단어와 문장, 이야기를 읽을수록 입체적이고 풍성해져야 한다. 풍성한 읽기란 이야기의 가상세계에서 충분히 논다는 의미이자, 듣기와 말하기를 통해 새로운 세계의 읽기로 나아간다는 말이다.

 기본적으로 이야기 속의 세상의 주인공이 될 수 있을 때 우리는 수많은 이야기를 나눌 수 있다. 가상세계의 문턱을 넘어 이야기 세계에서 주인공이 되어 나누는 질문과 응답이 입체적이며 두터운 읽기의 기본이다.

기초문해 수업은 함께, 깊이, 재미있게 읽는 교육 활동이
되어야 한대. 그림동화책은 재미있으니까 우리는 함께
깊이 읽는 것만 잘하면 되는 건가!

교사에서 학생으로의 권한 이양이 이루어지기 위해서는
읽기 3단계가 물 흐르듯 이루어져야 해. 안내된 읽기에서
함께 읽기로 함께 읽기에서 스스로 읽기가 자연스럽게.

16. 기초문해 수업 방법

"음식점을 한다고 음식으로 모든 게 결론 날 거라고 생각하면
참 그게 잘못된 거예요. 사람의 마음을 읽어야 해요.
음식만 잘한다고 장사가 되는 게 아니에요." (백종원)

백종원의 말처럼 음식만 맛있다고 장사가 잘 되는 게 아니다. 소비자
가 맛있는 음식을 유쾌하게 즐기게 해주어야 한다. 수업도 마찬가지
다. 교재가 잘 갖추어지면 교육의 절반은 마련이 된 것이지만, 그것만
으론 충분치 않다. 교사와 학생의 능동적이고 증폭적 상호작용을 통해
교재를 발판 삼아 성장으로 도약할 수 있어야 한다.

첫째, 기초문해 수업은 수업의 기본 원칙인 깊이, 함께, 재미 있게 하는 교육활동이어야 한다. 온작품 수업의 원칙은 기초문해 수업 원칙과 동일하다. 교사에서 학생으로의 권한 이양 과정이라는 수업 원칙은 기초문해 수업에서도 동일하다. 메가스터디의 문해력 교과서가 효과적이라면 수업도 그렇게 해야 한다. 마찬가지로 자모 체계 문제집이 기초문해 교육에 효과적이고 효율적이라면 교실 수업도 그렇게 해야 한다. 기초문해 수업은 문제집 풀이로 해결될 수 없다. 문해의 원리를 구체물을 조작하면서, 텍스트 읽기와 문제풀이를 통해 소박하게 해결될 수 있다면 '밀크티'나 '구몬식' 사교육으로 공교육이 대체되는 게 더 나을 것이다.

연령	활동과 필요 사항
만 4세 ~ 입학전	소리내어 읽어주기와 말놀이 음운론적 인식 능력과 이야기를 이해하는 능력이 자란다.
초등학생	그림동화책 소리 내어 읽기 소리 내어 읽으면서 글을 이해하고 요약한다.
중학생	어휘력 향상 교육 핵심 어휘를 정확하게 이해하고 교과에 활용하는 능력
기존 문해력 연구들은 연령별 발달에 필요사항을 다음과 같이 구분하고 있다. 하지만 소리 내어 읽기, 말놀이, 유창하게	

> 읽기, 낱말의 뜻 알기(어휘력)는 연령별(학령별) 과제가 아니
> 라 모든 요소들이 문해력 발달의 기본적인 핵심이다. 이 핵
> 심 요소들을 균형 있게 발달시키는 것이 필요하다.

교과서 전달과 재미있는 활동이라는 이분법으로 수업이 이루
어지면 안 되고, 문제집 풀기식 수업이 이루어지면 안 된다면
기초문해(기초학력) 수업은 우리가 지향하는 수업 활동의 원칙
과 동일해야 한다. 다만 기초문해의 상황에 맞게 고등 활동들
을 줄이고, 기초를 더 탄탄히 하는 데 초점을 맞추어야 한다.
이 원칙에 기초해 기초문해 수업에 깊이, 함께, 재미있게 텍스
트를 읽고 고등한 활동으로 확장되는지 성찰해야 한다.

둘째, 나의 기초문해 수업은 좋은 교재 속에서 통글자와 자모
체계를 잘 조화시키는 교육활동인가? 기초문해 교육은 좋은 교
재로 함께 이루어져야 한다. 성취 가능한 교재, 재미있게 함께
읽을 수 있는, 반복 가능한, 스스로 할 수 있는, 아니 도움 속
에서 할 수 있는, 해보니 할 수 있게 되는 교재 속에서 진행되
어야 한다. 영어는 파닉스(자모)가 기본이 되는 지평을 통해
교육해야 하지만 우리 모국어인 한글은 총체적 언어학습의 기
반하에서 자모 체계를 보조적으로 활용하면서 이루어져야 한
다. (물론 어느 언어 교육이든 낱말에 대한 최소한의 이해가
있어야 자모에 접근 가능하다.) 다시 말해 우리는 기초문해 수
업이 통글자와 자모를 잘 조화시키고 있는지 응답할 수 있어야

한다.

셋째, 나의 기초문해 수업은 읽기의 권한 이양 과정이 잘 반영된 교육활동인가? 기초문해 수업은 기본적으로 듣기와 말하기의 토대 위에서 문자언어를 읽고 쓰는 교육활동이다. 기초문해의 핵심은 읽기라고 할 수 있고, 이 점에서 읽기의 교육 전략이 무엇인지 구체화할 수 있어야 한다.

기초문해의 읽기 원칙은 기본적으로 함께, 깊이, 재미있게 읽기일 것이다. 이것은 수업의 기본 원칙이기도 하다. 다만 우리에게 더 필요한 것은 읽기의 구체적 과정과 전략이다. 그림동화책을 통한 기초문해 교육은 부모의 책 읽어주기의 즐거운 놀이에서 핵심 요소가 되는 부분을 학습 부분으로 추출하는 것이다. 그림동화책 읽기 부모의 책 읽어주기와 원형질을 공유하지만 습득이 아니라 학습이라는 점에서 구체적이고 명확한 흐름과 절차를 요구한다.

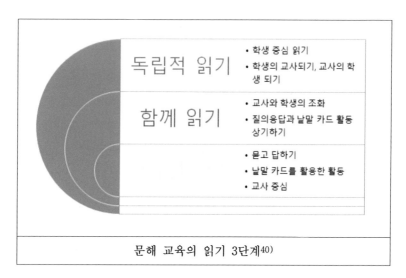

독립적 읽기	• 학생 중심 읽기 • 학생의 교사되기, 교사의 학 생 되기
함께 읽기	• 교사와 학생의 조화 • 질의응답과 낱말 카드 활동 상기하기
	• 묻고 답하기 • 낱말 카드를 활용한 활동 • 교사 중심

문해 교육의 읽기 3단계[40]

이 핵심 추출을 통해 정리할 수 있는 3단계는 무엇일까? 기초 문해 형성을 위한 그림동화책 읽기 전략의 3단계는 읽어주기, 함께 읽기, 스스로 읽기로 정리할 수 있다.

첫 번째, 읽어주기 단계는 교사 중심이다. 첫 단계에서 교사 는 학생과 함께 그림동화책을 읽어주며 이야기 나누기(묻고 답 하기)고 단어와 관련된 게임과 활동을 하게 된다.

두 번째, 함께 읽기 단계는 교사와 학생이 서로 도와가며 그 림동화책을 읽는 단계다.

---

40) 엄훈은 읽기의 방식은 크게 자율적 독서와 교수적 독서로 나눈다. 그리고 교수적 독서를 읽어주기와 안내된 일기로 나눈다. 다시 읽어 주기는 일방향 읽어주기와 함께 읽기로 나누고, 안내된 읽기는 소그 룹 읽기와 일대일 읽기로 나눈다. 그리고 일대일 읽기는 자기 주도적 인 교수적 읽기와 자기 주도적인 독립적 읽기로 나눈다. 혼자 즐겨 읽는 자율적 독서가 아닌 교수적 독서에 대한 구분은 안내된 읽기, 함께 읽기, 스스로 읽기로 간단하게 정리할 수 있다.

세 번째, 스스로 읽기 단계를 학생이 주도적으로 교사가 되어 그림동화책을 교사나 부모, 친구에게 읽어주는 단계다. 당연히 학생이 교사가 되어 읽어주니 교사(부모, 친구)가 학생 역할을 하게 되는 단계다.

기초문해 수업 방법 : 그림동화책 수업 방법의 원칙

> 바깥에서만 열 수 있는 문은 문이라 할 수 없습니다.
> 다른 사람이 열어주는 문도 문이라 할 수 없습니다.
> 자기 손으로 열고 나가는 문이라야 합니다.
> 자기 발로 걸어나가는 문이어야 함은 물론입니다.
> (신영복, <감방문 안쪽>)

첫째, 기초문해 수업은 교사 중심에서 학생 중심으로의 권한 이양 과정이다. 교사의 공부와 안내와 도움 없이 학생 주도성 형성은 불가능하다. 먼저 교사가 그림동화책과 기초문해에 대해 단단한 공부가 필요하다. 그리고 이를 좋은 기초문해 수업으로 만들어가는 노력이 필요하다.

"아이들에게 책 읽기를 지도하기 위해서는 교사가 먼저 아이들과 함께 읽을 책에 대하여 많이 알고 있어야 한다. 어린이 책, 특히 그림책을 많이 읽어 봐야 하고, 아이들에게 많이 읽어 주는 경험을 쌓아야 한다. 아이에게 꼭 맞는 그림책을 찾아보고, 그림책을 소리 내어 읽어 주고, 책에 대해 이야기를 나

누고, *책 읽기의 책임을 점차로 이양하는 것을 기본으로 삼는 것이 좋다.*" (엄훈, <학교 안의 문맹자들>, 163)

기초문해 수업에서 교사에서 학생으로의 권한 이양 과정은 수업 계획하기, 읽기(안내된 읽기, 함께 읽기, 자기주도적 읽기)와 쓰기 모든 과정에 적용된다.

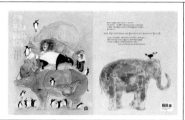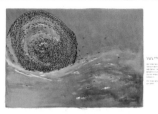

비문학 텍스트도 어휘를 이해하면 얼마든지
재미있고 신기하고 경이로울 수 있다.

둘째, 기초문해 수업은 수업 원칙과 동일하게 깊이 읽기, 함께 읽기, 재미있게 읽기다. 기초문해 수업은 도움이 많은 느린 학습자들인 만큼 재미있게 읽기와 깊이 읽기, 함께 읽기가 지켜져야 한다. 재미있기 읽기는 단순히 문학 텍스트에만 해당되지 않는다. 인지적 장벽이 거의 없어 문자 해독만 되면 즐길 수 있는 문학 텍스트는 재미있을 수 있다. 다만 비문학 텍스트도 이해되면 재미있다. 이해가 되고 새롭고 신기한 이야기를 배우는 성취 경험이 축적되면 비문학 텍스트도 얼마든지 재미

있다. <로켓 펭귄과 끝내주는 친구들>을 읽고 이해하게 되면 과학과 사회책들도 얼마든지 재미있다.

이처럼 재미는 깊이 읽기를 통해 가능하다. 문학 텍스트를 깊이 읽는 경험이 비문학으로 전환되어야 한다. (사회와 과학) 비문학에서는 어휘력과 내용 이해를 도와주는 깊이 읽기가 전제되어야 문해력이 성장하게 된다.

당연히 이 재미있게 읽기와 깊이 읽기는 교사와 학생의 함께 읽기를 통해 가능하다. 재미있게 읽기와 깊이 읽기, 함께 읽기는 서로가 서로를 전제한다.

셋째, 기초문해 수업은 언어능력 발달과 조응해야 한다. 인간의 언어 발달은 듣기와 말하기, 읽기, 쓰기의 관계 속에서 역동적으로 성장한다. 이 관계를 고려하여 기초문해 수업을 구상 실행해야 한다.

듣기가 말하기가 충분히 차올라 흘러넘치게 되면 문자 읽기기를 시작해야 한다. 그림동화책을 통한 기초문해 지도는 말하기와 듣기 바탕 하에서 이루어지는 읽기 교육이다. 충분한 말하기의 상호작용의 노출되어야 문자 교육 즉 읽기가 가능하다. 듣기와 말하기가 어느 정도 이루어져야 읽기가 가능하다. 가정에서 주양육자와의 모국어의 풍요로운 상호작용(자연언어의 노출과 습득)이 전제되지 않은 상황에서 읽기 교육(학습)을 하려면 생활 속 환경 언어와 (구구단 암기나 ABC송)처럼 자모의 노래 암기가 이루어지는 게 동반되어야 한다. 자연언어 상황에 충분히 노출되어 다시 말해 말의 풍요로움에 노출되지 않은 상태에서(이름이나 제품과 광고 등의 환경언어와 경험언어, 가나다라송과 아야어여송의 암기 등) 읽기를 하는 것은 성급하다. 말하기와 듣기가 먼저다. 읽기는 환경언어와 자모 노래 등의 보완 속에서 이루어져야 한다. 자연언어에 충분히 노출되어 있지 못할 때 압축적인 책 읽어주기 환경을 조성하여 수업을 진행해야 한다. 언어 습득의 핵심적 원리에 기초한 학습을 진행해야 한다.

그림동화책 읽기는 '읽어주기와 이야기 나누기, 함께 읽기, 스스로 읽기' 3중 겹쳐 읽기로 구성된다. 1단계의 읽기는 교사의 읽어주기다. 읽기 전략 중 '교사의 읽어주기(안내된 읽기:Guided Reading)'라 할 수 있는 데 이 단계에서 장면 깊이 읽고 이야기 나누기(묻고 답하기)와 낱말 카드놀이(필요시 자모 안내)를 진행한다. 2단계는 함께 읽기(학생이 읽되, 교사의 도움 속에서)다. 이 단계는 교사와 학생의 함께 읽기로서 읽기 전략 중 '자기주도적 교수적 읽기'라 볼 수 있다. 이 단계에서는 앞서 진행한 질문과 응답 그리고 단어 놀이를 다시 확인하고 발견하는 상호작용이 필요하다. 3단계는 스스로 읽기(교사에게 읽어 주기) : 학생 스스로 읽기다. 읽기 전략 중 '자기주도적 독립적 읽기'라 할 수 있다. 학생이 교사가 되어 학생이 된 교사에게 수업 시간 동안 배운 이야기들을 들려준다.

기초문해 수업에서의 읽기는 학생 발달 상황에 맞게 읽기 수준을 조절해야 한다. 1단계에서 3단계로 확장해 나가는 것이

한 차시에 불가능한 경우 1단계를 충분히 하는 것이 필요할 수 있다. 한 차시에 3단계를 모두 하는 것이 꼭 필요한 것이 아니라 교수적 필요와 학생 발달 상황에 맞게 교사가 조절해 주는 것이 필요하다.

특히 1단계의 두 활동은 구체적으로 살펴볼 필요가 있다.

1단계 시 텍스트 깊이 읽기를 위한 질문하고 응답하기는 세심하고 체계적으로 계획되어 자연스러운 수수께끼 말놀이 될 수 있어야 한다. 1단계의 교사와 학생의 상호작용을 통해 학생은 한 장면과 낱말 문장을 충분히 여유 있고 깊고 재미있게 읽을 수 있어야 한다.

이를 위해 한 장면의 이름씨, 반복되는 문장, 흉내 내는 말 등을 주의 깊게 읽고 나누어야 한다. 사물과 사람, 사건과 보이지 않지만, 알 수 있는 것들을 충분하게 이야기 나누어야 한다. 그리고 장면과 다음 장면의 이야기를 탐정 놀이하듯 수수께끼를 풀어나가야 한다.

◦어떤 채소가 있나요?

◦초성 퀴즈로 어떤 과일인지 맞춰보아요.

◦어떤 동물들이 있나요?

◦나비와 강아지의 사이는 어떤 거 같나요?

◦강아지의 표정을 보니 어떤 기분일 거 같나요?

◦계절 중 보라색으로 쓰여진 계절은 무엇인가요?

◦야채들은 초록색으로 막 무엇이 나오고 있나요?

◦싹이 트는 소리를 무엇으로 표현했나요?

◦이 책의 제목은 무엇인가요?

◦쏙쏙 소리를 내며 무엇이 온다고 하나요?

◦이 책에서 무엇을 만날 수 있다고 하나요?

　예를 들어 <쏙쏙>을 함께 읽는다면 봄을 알려주는 채소, 싹을 틔운 채소와 봄에 보이는 동물들을 아는 게 기본이다. "감자, 마늘, 양파, 무, 고구마, 병아리"의 이름씨를 정확히 읽고 쓸 수 있도록 한다. 그리고 반복되는 문장들 "무슨 소리야?"

"아하, 00이구나", "00 싹이 났구나"를 익힐 수 있도록 한다. 이것이 충분히 숙달되면 소리와 모양을 흉내 내는 말을 음절을 살려 정확하게 읽을 수 있도록 살펴준다.

한 장면을 깊이 읽고 함께 이야기 나눌 꺼리를 <풍덩>을 통해 좀 더 구체적으로 살펴보자.

◦어떤 과일이 있는지 이야기해볼까?

◦제목을 읽어볼까?

◦말풍선에 어떤 말이 써있지?

◦어떤 계절일까? 봄, 여름, 가을, 겨울 중 어느 계절이지?

◦강아지는 모두 몇 마리일까? 3마리일까 아니면 5마리일까? 왜 그렇게 생각하지?

◦강아지 물방울은 어디 어디 있을까요?

◦제목은 무엇을 흉내낸 것일까?

◦어떤 계절일까? 주인공을 누구일까? 어떤 과일을 좋아하니?

◦강아지의 이름은 무엇일까?

1단계 시 단어(낱말 카드)를 활용한 놀이와 자모 안내는 학생 발달 수준에 맞게 다양하게 활용되어야 한다. 낱말 카드 놀이는 낱말과 문장을 체화하는 활동이자, 자모의 원리를 파악하는 도움 자료다.

낱말이 차올라 흘러넘칠 때 자모체계로 언어의 과학적 이해를 도와야 한다. 낱말 읽기가 되어야 자모의 과학적 원리가 힘을 받는다. 낱말 이해가 차올라 흘러넘칠 때 자모체계를 안내해야 한다. 통글자로서의 인지에 기초하여 초기 문식성이 발달하고, 이후 자모체계 접근이 가능해진다. 맥도날드의 맥, 삼다수의 삼 = 숫자 3 등은 최소한의 낱말 읽기가 가능할 때 문자 해독의 발판이 된다.

	•다 + ㄹ은 달 : 다 와 달
	•니 + ㄴ은 님 : 니 와 님
	•아 + ㄴ은 안 : 아 와 안
	•녀 + ㅇ은 녕 : 녀 와 녕

<달님 안녕>의 자모 분할 : 기본 자모와 기본 단어를 읽을 수 있을 때 음절 분할을 통해 음절 읽기의 규칙을 발견할 수 있게 도와야 한다.

<달님 안녕>의 자모 분할 예를 들어 '다 + ㄹ'은 '달(다

와 달)', '니 + ㄴ'은 '님(니 와 님)', '아 + ㄴ'은
'안(아 와 안)', '녀 + ㅇ'은 '녕(녀 와 녕)' 등을 분할
해 이 소리와 표기의 관계를 체계적으로 가르치는 것은 매우
효과적이고 필요한 활동이다. 물론 기본 자모와 기본 단어를
읽을 수 있을 때 음절 분할을 통해 음절 읽기의 규칙을 발견할
수 있게 도와야 한다.

낱말 카드를 이용한 다양한 활동 : 단어 분류하기, 문장 만들기

단계에서 낱말을 자모로 분리해 자모 원리를 확인하고 다지는
활동으로 활용되어야 한다. 즉 1단계의 낱말 카드 이용 활동은
낱말을 익히며 체계적 문자 이해를 위한 것이다. '가가 가'
자로 시작되는 말, '미미 미'자로 끝나는 말 등의 다양한 말
놀이, 낱말 카드 찾기와 짝짓기 놀이 등도 필요하고, 낱말카드
를 이용해 소릿값과 자모를 파악하는 활동으로 파고들 수 있어
야 한다.

자음 순서에 따라 만들어진 문해 교육용 그림동화책이 많다[41]

그림동화책을 통한 기초문해 지도에서 자모의 원리를 안내하는 과정은 낱말 카드는 통한 자모 안내만이 아니라 자모 원리에 안내에 효과적인 동화책을 활용하는 것이 필요하다. 여러 교재를 활용할 수 있겠지만 깊이 있게 자모를 정리할 수 있는 <생각하는 ㄱㄴㄷ>을 활용하는 방법을 살펴보자.

---

41) 이것에 대한 자세한 논의는 <자음 순서에 따라 만들어진 그림동화 책 교재 검토>를 참조하면 된다.

○누구와 무엇이 있나요?

○낙타는 어디에 있나요?

○지금 시간은 언제인가요?(아침, 점심, 저녁)

○낙타는 마음이 급한가요? 아니면 여유 있나요?

○여유있게 쉬는 모습을 나타내는 낱말은 무엇인가요?

○어떤 자음이 보이나요?

○ㄴ자음이 있는 낱말은 무엇인가요?

자모의 과학적 형성 원리를 체득하게 할 때도 기초문해가 항상 실질 문해 즉 책을 읽는 법을 학습할 수 있는 점에 주의해 수업을 진행해야 한다.

기초문해 수업에의 쓰기 수업 활동은 다음에 주의해야 한다.

기초문해 수업에서의 쓰기는 나선형적 쓰기다. 쓰기는 낱말 쓰기, 문장 쓰기, 내용 확인, 받아쓰기 등을 활용할 수 있다. 단어와 문장 쓰기, 받아쓰기, 내용 확인 풀기 등 쓰기가 점차적으로 확장·심화되어야 한다.

쓰기는 읽기가 차올라 흘러넘칠 때 쓰기로 전환해야 한다. 쓰기 능력은 읽기 능력이 차오른 후에야 제대로 자란다. 읽기와 쓰기가 조화를 이룰 수 있어야 쓰기의 힘이 증폭된다. 낱말 쓰기와 문장 쓰기는 읽기와 말하기가 충분히 차오른 후 흘러넘치게 해야 한다. 최소한의 읽기가 되어야 쓰기가 도움이 된다. 읽기가 어느 정도 차올라야 쓰기가 가능하고, 쓰기가 이루어져야 한다.

읽기가 어느 정도 가능해지지 않은 상황에서의 쓰기는 조급하다. 읽기와 쓰기의 조화로운 교육은 무조건적 동시 진행이 아니다. 읽기와 쓰기는 따로 또 같이 이루어지면 된다. 쓰기는 읽기가 어느 정도 궤도에 오른 후에 진행되어야 효과를 볼 수 있다. 작은 성취 경험이 누적이 느린 학습자, 기본 문해의 어려움을 겪는 학생에게 필수적인 요청이라는 점에서 읽기 수업이 어느 정도 수준에 올랐을 때 천천히 낱말 쓰기를 도입하고, 차후에 문장 쓰기를 도입해야 한다. 다시 말해 쓰기는 그림동화책 텍스트 읽기와 단어 놀이, 말놀이, 학생의 책 읽어주기 등이 충분히 이루어진 후 진행되어야 한다.

읽기가 되어야 쓰기가 된다. 쓰기 과제는 배운 것에 한정해서, 소리내어 읽어가며 밀도 있게 쓰도록 살펴주는 것이 필요하다.

매우 초보적인 쓰기는 글자 쓰기가 아니라 '글모양 그리며 놀기'라고 생각하면 된다. 쓰기는 숙달과 반복이 필수적인 부분이고, 소리 내어 읽으면서 배운 것을 쓸 수 있도록 지속적으로 살펴줘야 한다.

"기초문해를 시작하는 학습자에게 쓰기의 첫출발은 (선 따라 그리기가 아니라) 글 모양 그리며 놀기다. 쓰기는 큰 부담이 되는 활동이므로 읽기가 충분히 차오른 후에 하는 내재적 배려와 동시에 이미지와 도움과 칸 공책, 종이 재질 등 세심히 살펴줘야 한다."

읽기 능력이 어느 정도 이미 자리잡기 시작하면 기초문해 수업에서도 말풍선 놀이나 내용 확인 문항 풀기를 통해 맘껏 발산할 수 있도록 해야 한다. 쓰기는 읽기의 자리를 잡기 시작하면서 쓰기의 다양한 수준차를 허용하고 배려해서 학습자의 문해 성장을 담아낼 수 있어야 한다.

과제 제시는 배운 것을 숙달하고, 자기화하는 데 있어 도움이 된다.

알맞은 과제는 학생 성장과 다음 가르침을 위해 필수적일 수 있다. 특히 원고지로 제시된 받아쓰기 과제나 단어쓰기 과제는 효과적이다.

첫째, 배운 것을 숙달하는 과제를 내야 한다. 수업에서 배우고 안내하지 않는 것을 과제로 제시하면 안 된다. 수업에서 텍스트를 제시하지 않더라도, 과제가 나간다면 그것은 배운 것이어야 한다. 배운 것은 어와 우의 소리와 음가, 그리고 이것의 문자 표현인데 이것을 넘어서는 과제가 제시된다면 문제다. 기초문해 과제의 경우 배운 그림동화책의 낱말과 문장을 바탕으로 한 과제나 혹은 간단한 낱말들을 고르고, 소리 내어 읽는 정도가 좋다.

둘째, 과제는 스스로 해볼만 한 과제여야 한다. 과제는 아직 못하는 학생이 혼자하기 너무 어려운 것이면 안 된다. 그림동화책을 바탕으로 스스로 할 수 있는 과제여야 한다. 부모의 도움이 필요한 과제는 지양해야 한다. 물론 부모가 잘 했는지 살피고 약간의 도움을 줄 수 있는 과제는 필요하다.

셋째, 우리 모두의 아이에게 성취 경험을 주는 과제여야 한다. 초기 문해에 어려움을 가진 학생인 만큼 과제를 하며 스스로 작지만 큰 성공 경험을 가질 수 있는 과제여야 한다.

읽기따라잡기의 패턴 수업과 기초문해력을 형성을 위한 그림동화책 수업과의 차이를 간략하게 정리하면 다음과 같다.

첫째, 학생의 문해 발달에 따른 유연한 수업이 필요하다. 책발자국 수준 평정 교재의 문제는 단어카드 없이, 낱말 숙달 없이 더 어려운 자모를 매시간 가르치려 한다. 자모음을 매시간, 성급하게 도입하지 않아야 한다. 어느 정도 낱말 읽기가 자리잡은 후 자모 도입을 하는 것이 효과적이고 도움이 된다. 소리 나누기와 소릿값 알기는 효과적이고 필요한 활동인데 낱말 읽기가 자리 잡은 후에 해도 늦지 않다.

둘째, 읽기는 말하기와 듣기가 자리 잡으면서, 쓰기 활동은 읽기가 어느 정도 자리 잡은 후에 해야 한다. 우선은 쓰기보다 소리 내어 읽기에 집중하여 지도하고, 문장보다 단어 쓰기가 단어 읽기가 우선이다. 쓰기보다 중요한 것은 단어 놀이를 통해 단어의 실제적 쓰임과 읽기 능력을 숙달하는 것이다.

왜 함께 읽기인가?

1) 혼자 읽기 문제 : 한국 교육은 혼자 알아서 읽고 문제풀이를 독립적 학습으로 착각한다

책 읽기는 왜 즐거운 놀이(습득)가 아닌 지겨운 교과서 읽기와 같이 것이 되어 버릴까? 기존의 읽기 전략은 깊이 읽기, 함께 읽기 없는 대충 읽기, 혼자 알아서 읽기라 할 수 있다. 기존 교과서 수업은 1) 한 눈으로 훑어 읽기(정독이 아닌 통독)와 2) 문제풀이를 위한 도구적 읽기라 할 수 있다. 수업은 교과서 (통독으로) 읽고 교과서 제시 문제만 제대로 풀면 잘 읽었다는 평가를 받을 수 있다. 그리고 텍스트와 별 상관은 없지만 요구된 활동들을 재미있고 신나게 '학생중심'적으로 수행하면 충분했다. 함께 책을 깊이 읽으며 재미있게 이야기를 나누는 과정이 사라진 채, 단지 문제풀이를 위한 문자 텍스트 읽기만 자리잡은 것이다.

기존의 혼자서 대충 읽고 문제 풀기에는 깊이 읽기, 입체적으로 읽기, 함께 놀이하듯 읽기가 없었다. 기본 사실 독해와 추론 독해, 상상 독해 등 입체적으로 버무리는 화학적 책 읽기가 없었다.

<당신의 문해력> 다큐에서 보듯 혼자 읽기는 책을 싫어하고 거부하게 만든다. 또한 혼자 알아서 읽기는 보여주기식 책 읽기와 대충 읽는 독서를 만들게 된다.

이런 읽기에 내던져져 있으면 책을 싫어하는 건 이상한 일이 아니다. 오히려 책을 좋아하는 게 기이한 일이다. 책을 혼자 읽을 수 있다면 그게 괴이한 일이다. 누군가 그게 부모라도 책을 읽으라고 시킨다면 당연히 짜증과 분노가 생기고, 마지못해 읽는 척 할 수는 있다. 읽은 척 할 수는 있지만, 책의 세계에 빠져드는 일은 일어날 만한 일이 아니다. 만약 책을 시키지도 않았는데 혼자서 읽는다면 그게 참 신기한 일이다.

책이 아무리 많아도 책을 좋아하는 건 쉬운 일이 아니다. 책은 혼자 읽기 어렵고, 도서관과 같은 환경이 갖추어져도 자동적으로 독서를 즐기는 사람으로 자라나기는 어렵다. 부모가 스스로 책을 읽고, 책을 발판으로 이야기를 나누는 습관이 만들지 않는다면 책이라는 환경이 아이에게 독서습관을 만들어주기는 어렵다. 책을 어떻게 읽어야 하고, 책이 어떤 부분이 얼마나 즐겁고 재미있는지를 함께 나누지 않으면 책은 불편하고, 어려운 텍스트에 불과하다.

우리는 책을 읽는 법을 단순히 문자 해독 정도로 생각한다. 문자 텍스트를 해독할 수 있으면 책을 읽을 수 있고, 책을 즐길 수 있다고 생각하는 것이다. 이렇게 문자 해독이 가능해지면 읽어주기와 소리 내어 읽기를 종료한다. 책을 읽는 법은 이미 숙달했고, 혼자 열심히 읽기만 하면 책을 즐길 수 있다고 생각하는 것이다.

하지만 미국의 유명인사들이 아이들에게 책 읽어주기를 하는 것처럼 책은 혼자 읽는 것을 통해 습관화되고, 쾌락주의적 독서 수준으로 자라지 못한다. 함께 깊이 읽는 충분한 시간과 과정을 통해서야 혼자 읽기는 어느 정도 가능해진다.

부모의 책 읽어주기 즉 함께 읽기를 확산시키려는
미국의 유명인사들

2) 함께 책 읽기(shared book reading) : 함께, 깊이, 재미있게 읽기가 교육혁신의 시작이다.

 책을 읽은 원형질은 부모의 책 읽어주기로부터 시작한다. 책은 고독하게 혼자 알아서 읽는 것이 아니라 함께 읽으며 이야기를 나누는 것으로 시작했다. 이 점에서 책 읽는 법을 알려주고, 쾌락적 독서로 책을 즐기게 만들고 싶다면 혼자가 아닌 함께 읽기가 필수적이다. 우리는 함께 읽기, 깊이 읽기를 너무 빨리 종료해 버린다.
 책 읽어주기에서 우리는 한 장면에서 주인공이 사건에 휩쓸려 어떤 마음과 행동, 어떤 환경에 놓여 있는지를 자못 진지하고 유쾌하게 이야기 나누게 된다. 한 장면에 멈추어 서서 우리들의 경험을 함께 나누고, 다양한 질문과 답을 함께 나누고, 흥미 있는 장면과 좋아하는 것들을 함께 이야기 나누며 깊이 있

4부. 기초문해 수업 방법과 구체적 사례

고 재미있게 노는 것이다. 함께 책을 읽어가는 과정에서 책은 즐거운 놀이 도구였다.

"함께 책 읽기 경험은 다양한 방식으로 아동의 읽기 발달을 강화한다. 규칙적으로 상호작용하는 함께 책 읽기를 경험한 아동은 이해 어휘력과 표현 어휘력이 훨씬 커진다." (*<독서심리학>, 53*)

이 즐거운 놀이 속에서 관계가 만들어지고, '부수적으로' 정서와 인지 발달이 이루어졌다. 함께 책을 읽으면, 아니 더 정확히 말하면 함께 책을 가지고 놀면서 아동의 정서와 인지 발달은 가속도가 붙는다. '책 읽는 속도와 상호작용을 조절해 함께 읽어나갈 때 언어능력이 매우 강력하게 발달' 하게 마련이기 때문이다. 함께 책을 읽으면 어떤 좋은 점이 있을지 살펴보자.

함께 읽기는 책 읽는 법을 알려주고, 책 읽기를 좋아하게 해 준다.

첫째, 함께 책을 읽으면 해독이 되는지, 해독이 어느 정도 되는지 알 수 있게 된다. 아동의 발달과 필요를 부단히 확인하고 발견하게 된다. 아동이 정확한 소릿값(음절)을 아는지 아니면 대충 때려 맞춰 읽고 있는지 알 수 있고, 정확한 소릿값을 유창하게 읽는 방법을 살펴줄 수 있다. 당연히 '떠듬떠듬 읽는 가? 유창하게 읽는가?'를 확인하고 발견하며 아이의 읽기 유창성과 인지 발달 정도를 가늠할 수 있다. 낱말을 읽는 데 뇌를 사용하게 되면 이해(독해와 추론)에 문제가 생기게 마련이다. 느릿느릿 읽더라도 읽을 수 있으니 괜찮은 것이 아니라 낱말과 문장 읽기 유창성이 독해의 기본이기에 적극적으로 살펴주어야 한다는 것은 함께 읽어야만 알아낼 수 있고, 도와줄 수 있다.

둘째, 함께 책을 읽으면 해독을 넘어 독해의 과정을 도와주며 발달 양상을 확인할 수 있다. 도서관에서 책을 빌리고, 책상 위에서 책을 읽는 모습을 보여준다고 해서 책을 읽는 게 아닐 수 있다. 떠듬떠듬 낱말과 문장을 읽는다고 독해하지 못하는 위험에 처할 수 있는 것처럼 책을 가까이 한다고 책 읽는 방법을 아는 것이 아닐 수 있다. 책을 읽고 있지만, 의미를 이해하지 못하고 보여주기용 초독서를 할 가능성이 매우 크다. 성인도 책을 소장하는 것을 좋아할 뿐, 책을 읽지 못하는 독서광(사실은 수집광)들이 꽤 많다. 부모에게 보여주며 인정받고, 나는 책을 읽는 착한 아이라는 착각(부모가 만들어준 자기최면)에 빠져 책을 제대로 읽지 못할 수 있다. 함께 책을 읽으며 해독을 넘어 텍스트를 제대로 독해하고 있는지 살펴주지 않는 다면 말이다.

"좋은 독서습관을 지니고 있는 아이라도 교과문제집을 풀다 보면 유독 질문을 이해하지 못해서 엉뚱한 답을 내거나 아예 문제를 풀지 못하는 경우가 있습니다. 그중에는 집중하지 않고 문제를 대~충 읽어서 실수하고, 다시 풀어보면 이번에는 제대로 답을 하는 경우도 있습니다만, 상당수의 아이는 다음번에도 똑같은 행동을 하는데요. 혼내는 건 당연히 효과가 없고요. '주의를 기울여라!' ' ' 집중해라! '라고 조언하는 것도 하루이틀이지, 문제 틀리고 가장 속상한 아이들 입장에서는 이런 조언마저도 상당한 부담이 됩니다. 고쳐지지도 않고 아이, 부모 모두에게 스트레스가 된다면 이런 방식은 절대 근본적인 해결책이라고 할 수 없습니다. 그래서 저는 이 문제의 해결방법으로 아이들이 질문을 이해하지 못하는 ' 원인 '을 정확히 파악하고" (<1일 1페이지로 완성하는 초등 국영수 문해력>)

함께 책을 읽으며 나는 어떻게 이해했고, 너는 어떻게 느끼는지 부단히 나눠줘야 한다. 서로의 독해를 나누고 과정을 통해 글을 제대로 읽는지 확인해야 한다. 소위 글에 대한 문해력, 책을 제대로 읽는 방법의 첫걸음은 함께 읽은 것을 묻고 답하는 과정이다.

혼자 책을 읽게 되면 빠지는 함정 : 잘못된 방법, 수준과 주제의 한정되는 문제 등

단지 사과를 읽을 수 있는 게 중요한 것이 아니다, <사과가 쿵!>을 읽는다면 첫 장에서 멈추어 서서,

"우리가 본 사물은 무엇이지?"
"사과는 무슨 소리를 내며 떨어졌지?"
"이건 어떤 소리를 내며 떨어질까?"
"하늘에서 쿵 떨어진 사과는 무슨 색이지?"
"처음 달려온 동물은 누구지?"
"두더지는 어떻게 사과가 떨어진 줄 알았을까?"
"사과는 먹는 소리는 무엇일까?"
"사과의 크기는 얼마나 될까?"

등을 다양하고 입체적으로 나누며 즐겨야 한다.

4부. 기초문해 수업 방법과 구체적 사례

스키마와 어휘력이 있어야 이해 가능한, 접근 가능한,
활동 가능한 수업이 된다.

셋째, 함께 책을 읽으면 독해의 과정에서 핵심적 발판이 되는 어휘력을 자연스럽게 성장시켜 줄 수 있다. 인지 교과의 경우 어휘력이 기본이다. 어휘력이 문해의 전부는 아니지만 기본은 된다. 어휘력은 문해력에서 충분조건은 아니지만, 필요조건인 것이다. "선생님 이게 무슨 뜻이에요?" 어휘가 무슨 뜻인지 모른 채 무작정 읽는다고 성장할 수는 없다. 서희의 외교 "담판"에서 담판이 뭔지 모르면 텍스트를 이해하고 활용할 수 없다. 인지 교과의 경우 "어휘의 한계는 문해의 한계고, 문해의 한계는 학습의 한계다."

| 읽어도 이해가 안 되면 딴짓하게 된다. | 어휘력이 부족하며 수업을 포기하게 된다. |

초기 문해에 어려움을 겪는 학생은 문자 텍스트를 읽지 못하니까 집중할 수 없다. 텍스트를 독해하려 해도 시선은 엉뚱한 곳을 향하게 된다. 어휘력이 부족한 학생도 당연히 낮은 점수를 받게 되고, 텍스트를 집중할 수 없다.

너무나 당연하게 지식을 이해하지 못하면 집중할 수 없다. 텍스트를 읽을 때 시선 변화를 추적한 자료를 보자. 어휘가 이해 가능하면 차례차례 글을 따라 시선이 움직인다. 하지만 이해가 어려운 낱말들을 만나면 글을 이해하지 못하고, 엉뚱한 데로 시선이 흐트러지고 만다. 결국 어휘가 이해되지 않으면 끝까지 읽지도 못하고, 글이 의미하는 바를 이해하지도 못한다.

문해력 형성은 혼자서 알아서 할 때가 아니라 함께 책을 읽어가는 부드럽고 편안하고 역동적인 배움의 관계를 만들어갈 때 폭발적으로 성장할 수 있다.

문해력 형성에 필요한 징검다리(발판)들은 그냥 좋은 텍스트만이 제시해 주고 알아서 하라고 해서 자라지 않는다. 좋은 텍스트를 함께 깊이 읽어줄 어른(부모나 교사)이 필요하다. 좋은 문학 작품이나 비문학 자료를 제시해주고, 과제를 스스로 해결하라고 한다고 문해력이 자라는 것이 아니다. 소수의 비범한 학생들은 어느 정도 성취해내겠지만 대부분의 학생들에게는 아니다. 아니 소수의 비범한 학생들마저도 혼자서 알아서 할 때가 아니라 함께 깊이 읽을 때 더욱더 깊고 넓게 성장할 수 있다.

문학 작품과 문제들을 담은 <문해력 교과서>도 학생 혼자서 할 수 없다. 함께 읽고 나누며 배울 때 제대로 문해력을 키울 수 있다.

창비에서 출간된 <문해력 교과서>는 좋은 작품과 문해에 필요한 질문들을 (부족하지만) 간략히나마 담고 있다.

좋은 텍스트일수록 함께 나누며 읽을 때 깊고 넓게 배울 수 있다. 문제풀이용 혼자 읽기가 아니라 함께 읽으며 기본적 어휘를 확인하고 내용을 확인하고, 다양한 상황과 입장을 추론하며, 자신의 상상을 나래를 필 때, 진짜 자신의 주장을 펴나갈 때 독립적 독자로서 자랄 수 있게 된다. 좋은 책일수록 함께 읽으며 깊이 읽는 방법을 배워야 한다. 학생에게는 함께 읽으며 깊이 읽을 것들을 정리하고 다지며 표현하는 과정이 필요하다.

함께 읽어주는 어른(부모, 교사, 대부 혹은 대모 등)이 필요하다

아이에게 필요한 어른은 수평적 친구 같은 부모(교사)인가 아니면 좋은 관계 속에서의 멋진 어른(교사)인가? 서천석은 좋은 부모가 필요하지, 친구 같은 부모는 위험하다고 한다. 아동 발달과 치료 전문가인 서천석은 왜 이런 조언을 하는 것일까?

관계는 힘이 있다. 좋은 관계를 만들면 명령과 지시, 통제와 감시 없이도 얼마든지 아이 성장을 도울 수 있다. 사람이란 무릇 '옳은 사람을 따르지 않고 좋아하는 사람을 따라 배운다' 부드럽고 평화롭고 상호 존중하는 관계 속에서 좋은 어른이 되는 것은 아이에게 성장과 사랑의 초석이라 할 수 있다. 그런데 이 배려하는 관계 속에서 상호작용하는 좋은 어른을 친구라고 착각하는 오해가 벌어지곤 한다.

지난 시기 폭력과 힘, 명령과 지시에 기초한 권위주의적 아빠, 관계없이 돈만 벌던 아빠는 역사의 뒤안길로 사라졌다. 하지만 우리는 부모의 편리와 힘을 과시하기 위한 권위주의에 혹독하게 당해 아이를 책임지고 도와주는 권위에 대해 부정적으로 반응한다. 권위주의의 폭력과 명령에 치인 어떤 부모는 친구 같은 아빠가 되려 한다. 친구 같은 아빠랑 사실 부모의 책임과 부담을 지지 않으려는 것에 불과하다.

"부모로서 어떻게 아이를 이끌어야 할지 모르겠는데 친구는 부담 없이 할 수 있으니까. 그래서 친구 같은 아빠가 되고 싶다는 아빠들도 많다. 하지만 쉽지 않다. 자꾸 역할 갈등에 빠진다. 아이가 너무 만만하게 대하면 기분이 상한다. 친구라지만 아이를 편하게만 대할 수는 없다. 돌보는 역할도 해야 한다. 친구는 함께 즐겁고 등등하게 주고받아야 하는데 아이와 놀 때는 아이에게 일방적으로 맞춰줘야 할 때가 많다. 그러니 말만 친구지 자칫하면 '하인 같은 아빠'가 되고 만다. 그게

마음에 걸려 아이 버릇 좀 들이려 하면 아이는 울고 아빠는 엄마에게 야단맞는다." (서천석,<세 살, 이제 막 시작하는 육아>, 140-141)

그리고 친구 같은 아빠는 아이 성장을 돕고, 좋은 부모 자식 관계를 만들기보다는 오히려 버릇없는 아이의 행동에 속이 상하는 결과를 만들 가능성이 더 크다. 친구 같은 부모를 만만히 보고, '하인'처럼 부리는 일이 벌어지는 것이다.

교사도 마찬가지다. 교사는 사랑과 인정을 주는 존재이지, 사랑을 받는 존재가 아니다. 사랑을 주고받는 존재 & 사랑을 주는 존재 & 사랑을 받는 존재 중 교사는 사람을 주는 존재가 먼저이고 핵심이다. 교사는 학생에게 사랑과 인정을 주는 존재, 학생의 사랑을 받고 싶어 갈구하는 존재가 아니다. 성장을 위한 도움 속에서 이루어지는 교육적 인정과 존중 속에서 부수적으로 학생의 사랑을 받게 되는 것은 자연스러운 일이지만, 교사가 교육 행위보다 사랑에 대한 갈구에 치이게 될 때, 교육도 망가지고, 관계도 망가지게 된다.

아이는 어른에게 사랑과 인정을 받고 싶어 한다. 아이는 이 사랑과 인정 속에서 성장에 필요한 것들을 하나하나 배울 수 있다. 그런데 만약 부모가 아이의 사랑을 갈구하며 낮은 자세를 취하게 되면 어떻게 될까?

"부모의 마음이 급해서 아이를 쫓아다니는 것이다. 아이를 통해 하고 싶은 일이 있다 보니 아이에게 휘둘릴 뿐이다. 그냥 놔두면 아이는 부모에게 다가온다. 사랑받고 싶은 것은 아이다. …. 아이처럼 굴면서 굳이 아이와 어울리려고 노력하지 마시라. 그런 행동은 부모를 가벼운 사람으로 인식하도록 만든다. 당연히 부모도 아이에게 사랑받고 싶다. 아이가 자신에게서 조금이라도 멀어진 느낌이 들면 마음이 편치 않다. 더 많은 관심을 줘서라도 아이가 자신을 사랑하게 만들려고 노력한다. 특히 자기 자신에 대한 믿음이 약한 부모라면 더욱 그런 경향이 있다. … 부모는 아이를 기다려야 한다. 아이에게 사랑을 갈구하지 말고 주는 것만으로 만족해야 한다. 아이가 다가올 때까지 느긋하게 기다려야 한다. 다행히 기다리면 아이는 다가온다. 부모에게 아이가 필요한 만큼 아이에게도 부모가 필요하다. 실은 더 많이 필요한 쪽은 아이다. 그리고 그렇게 다가왔다면 이제 기쁘게 웃으며 사랑을 주어야 한다." (<세 살, 이제 막 시작하는 육아>, 145-146)

부모가 아이에게 사랑을 애걸할 때 자식의 성장을 제대로 도울 수 없듯이, 교사가 학생의 사랑에 의존할 때 교육은 성장에 뿌리내리지 못하고 부유하게 된다. 교사는 사랑의 관계 속에서 교육과 성장을 만들어가는 존재이지, 사랑받으려 하는 연인이나 친구가 아니다. 학생이 교사의 인정과 사랑을 받고 싶어 하고, 교사가 학생의 성장을 인정하고 존중하는 것이 중요하다.

기초문해 수업 방법 : <찾았다!>를 통해 본 기초문해 수업

　그림동화책을 기초문해에 활용하려면 함께, 깊이, 재미있게 읽는 읽기 전략을 활용해야 한다. 그림동화책을 통한 기초문해 수업은 읽기 3단계를 학생의 발달과 필요에 맞춰 탄력적으로 적용하는 것이 핵심 중 하나다.

읽기 3단계 활동

1) 교사 중심의 읽어주기

　(1) 그림동화책 읽어주며 묻고 답하기

　(2) 단어 카드 활동 : 기초문해가 부족한 학생일수록 고양이, 나비, 팔랑팔랑, 야옹야옹, 두리번두리번, 조용조용, 커튼, 화분, 꽃, 모빌, 숨바꼭질, 찾았다, 숨었다, 어디 있을까?, 안녕, 같이 등의 단어카드 놀이를 충분히 해야 한다.

　예를 들어 단어 연결 짓기 : 고양이- 야옹야옹, 나비- 팔랑팔랑, 고양이-두리번두리번, 나비-조용조용, 찾았다 -숨었다 등이 필요하다.

　그리고 필요와 상황에 따라 단어를 쪼개 음절과 자모 안내하기를 할 수 있다. 초기 그림동화책을 몇 권 정도 다루고, 통글자 읽기에 익숙해지면 소릿값과 자모를 들어가 과학적이고 체계적인 한글 이해를 도와주면 좋다.

　물론 학생들이 모국어 한글을 체계적이고 과학적으로 이해하려면 소화 가능할 때 도입해야 한다. 소화불량에 걸리지 않으

면서 모국어를 쉽고 재미있게 배울 수 있는 방법은 써야 한다.

이를 위해서는 친숙한 단어들에서 시작해야 한다. 그리고 알고 있는 것을 어느 정도 차올랐을 때 과학적이고 체계적인 자모 결합의 세계로 안내해야 한다. 자모의 과학적 체계는 어느 정도의 단어를 익히고 나서야 효과를 발휘한다.

2) 함께 읽기

3) 학생 스스로 읽기

정리 활동 : 내용 이해, 쓰기 활동, 놀이

1) 내용확인 문항 풀기. 내용 확인 문항은 답보다 문제를 읽는 게 더 어려운 활동이 될 수 있다. 반복적으로 책을 읽은 후에 그리고 어느 정도의 기초문해력이 자리 잡은 후에 하는 것이 필요하다.

2) <찾았다!> 원고지 필사 활동 : 받아쓰기 활동도 읽기가 어느 정도 궤도에 오른 후 양을 조절해서 반복 숙달할 수 있게 양을 조절해야 한다.

3) 놀이 : 신체 활동, 역할극 놀이(고양이와 나비가 되어 역할극 하기), 숨바꼭질 놀이 등을 충분히 낱말 읽기와 의미 이해가 된 후 활용해 볼 수 있다.

낱말 카드 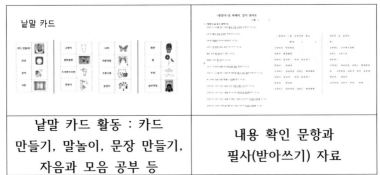	내용 확인 문항과 필사(받아쓰기) 자료
낱말 카드 활동 : 카드 만들기, 말놀이, 문장 만들기, 자음과 모음 공부 등	**내용 확인 문항과 필사(받아쓰기) 자료**

　기초문해력이 고등 사고력의 바탕이다. 기초문해력이 충분히 다져진 후에야 고등 사고력에 바탕한 활동들의 의미가 배가 된다. 글에 대한 독해와 추론, 비판과 상상이 충분히 이루어진 후 고등 탐구 활동을 해야 한다. 편지쓰기, 역할극하기, 연극, 조각가 놀이, 인터뷰하기, 핫시팅 등은 텍스트에 대한 기본적 해독과 독해가 이루어진 후에 해도 늦지 않다.

　기초문해의 어려움을 겪는 학습자도 주인공이 되어 사건을 추체험하며 즉 읽기와 이해에 성공하면 얼마든지 비판과 상상 등의 고등한 활동을 할 수 있다.

1) 어디에 숨으면 고양이가 찾기 어려울까? 이 방법을 그림으로 그려 표현해 보아요. 이것을 동화책으로 꾸며 보아요.
2) 누가 나비를 찾는 것일까? 고양이가 찾는 나비는 찾는 것일까? 아니면 내가 나비를 찾는 것일까? 그도 아니면 빨간 옷을 입는 소녀일까?
3) 나비와 고양이가 함께 숨는 최고의 방법은 무엇일까? 이 방법을 그림으로 그려 표현해 보아요. 이것을 동화책으로 꾸며 보아요.

교사들은 상상의 세계 속에서 지식 위주가 아닌 전인적 발달을 도와주고 싶다. 지식 위주 수업에 치인 교사들은 음미체를 두루 활용하는 교과 통합적 전인적 수업을 동경하고 선호한다.

통합, 활동 수업의 문제를 직관적으로 파악하고 있는 교사들이라면 익숙하고 진부한 코드들에 식상함을 느끼게 되겠지만 북구 유럽 수업에 대한 동경과 과거의 주입식 수업에 진저리를 치는 이들이라면 활동형 수업은 여전히 매력적이다.

이 활동형 수업의 지평 속에서 기초문해 학습(읽기능력의 기초 형성)의 기본을 살피는 것은 여전히 쉽지 않다. 극단적인 주입식 교과서 수업의 문제와 활동형 수업의 극단처럼 자모체계 학습지와 이것의 또 다른 극단인 활동을 통한 문해 습득이 존재하고 있기 때문이다.

이 점에서 기초문해 수업은 습득의 장점을 취하되, 효율적이고 효과적인 학습이어야 한다. 기초문해 형성을 위한 그림동화

4부. 기초문해 수업 방법과 구체적 사례

책 수업은 가정에서 부모가 해온 그림동화책 읽어주기의 장점을 수업으로 전환하는 것에 기초한다. 기초문해 수업은 습득으로서의 그림책 읽기의 핵심을 가져와 학습으로 구현해야 하는 것이다. 이를 위해 앞에 강조한 그림동화책의 선정 기준과 기초문해 교육의 원칙 등을 주의 깊게 살펴볼 필요가 있다.

그림동화책을 함께 깊이 읽으며 날아오르기 위한 고민거리들

초기 문해에 어려움을 겪는 학생은 문자 텍스트를 읽지 못하니까 집중할 수 없다. 텍스트를 독해하려 해도 시선은 엉뚱한 곳을 향하게 된다. 어휘력이 부족한 학생도 당연히 낮은 점수를 받게 되고, 텍스트를 집중할 수 없다.

너무나 당연하게 지식을 이해하지 못하면 집중할 수 없다. 텍스트를 읽을 때 시선 변화를 추적한 자료를 보자. 어휘가 이해 가능하면 차례차례 글을 따라 시선이 움직인다. 하지만 이해가 어려운 낱말들을 만나면 글을 이해하지 못하고, 엉뚱한 데로 시선이 흐트러지고 만다. 결국 어휘가 이해되지 않으면 끝까지 읽지도 못하고, 글이 의미하는 바를 이해하지도 못한다.

문해력 형성은 혼자서 알아서 할 때가 아니라 함께 책을 읽어가는 부드럽고 편안하고 역동적인 배움의 관계를 만들어갈 때 폭발적으로 성장할 수 있다.

문해력 형성에 필요한 징검다리(발판)들은 그냥 좋은 텍스트만이 제시해 주고 알아서 하라고 해서 자라지 않는다. 좋은 텍스트를 함께 깊이 읽어줄 어른(부모나 교사)이 필요하다. 좋은 문학 작품이나 비문학 자료를 제시해주고, 과제를 스스로 해결하라고 한다고 문해력이 자라는 것이 아니다. 소수의 비범한 학생들은 어느 정도 성취해내겠지만, 대부분의 학생들에게는 아니다. 아니 소수의 비범한 학생들마저도 혼자서 알아서 할 때가 아니라 함께 깊이 읽을 때 더욱더 깊고 넓게 성장할 수 있다.

대충 많이 하는 교육은 역효과와 비효율은 물론 내재적 동기부여를 만들지 못해. 자기 효능감은 하나라도 제대로 해서 성취감을 느껴야 만들어져.

하나라도 제대로 배워 성취감을 통해 성장하려면 재미있는 그림동화책을 교사와 학생이 함께 텍스트와 이미지를 깊이 읽어나가야 한다는 거지?

※ 문해력 성장의 비밀 : 하나를 함께 읽으며 깊이 파고드는 재미를 느껴야 한다

문해력이 성장하려면 하나를 제대로 깊이 읽어야 한다. 한 낱말을 제대로 읽으려면 깊이 함께 재미있게 읽어야 한다. 문해력 성장의 비밀은 하나의 낱말을 재미있게, 깊이 있게, 함께 읽어내는 데서 시작한다.

기초문해 교육 논의의 문제

기초문해를 배우기 위한 자리, 기초문해 교육에 대한 경험을 나누기 위한 자리는 너무나 소중하다.

공교육이 우리 모두의 아이의 성장을 위한 도전의 연속이라는 점, 공교육의 기본 과제가 우리 모두의 아이의 성장을 책임지는 교육의 실현이라는 점에서 보자면 배움의 기초를 다지는 기초문해를 위한 자리의 가치는 두말할 필요가 없다.

기초문해 교육에 대한 배움과 논의의 자리가 가뜩이나 부족한데, 이 자리마저도 제대로 된 논의가 이루어지지 않곤 한다.

자신이 설정한 합리주의적 틀에 맞춰 현장의 기초문해 교육을 제단하거나, 유명한 권위에 의존하여 기초문해 교육의 문제와 성취를 잘못 파악하는 경우가 있다.

낭만적 합리주의자들이 루소, 듀이, 프레이리의 몇 마디 말에 혹해 취해 버리듯 기초문해력과 기초 수리력('수해력') 논의가 현장 교사들과 교수들의 제대로 된 검증을 거치지 않고 권력을 행사하는 경우들을 보게 된다.

1) 기초문해 교육의 성취와 문제를 있는 그대로 드러내 살펴보는 자리가 필요하다.

어떠한 지향과 의도, 방법 속에서 어떤 성취가 있는지 솔직 담백하게 드러내야 한다. 자신의 교육적 도전과 연구가 의미 있을수록 지향과 의도는 대단할지 몰라도 방법과 성취는 소박하고 간단하기 마련이다. 자신을 포장하고 감추면 감출수록 안에는 치명적 문제가 있게 마련이고, 그 문제를 더 곪게 마련이다. 학생 성장을 위한 도전에 나서고 있다면 적어도 검토의 자리에서는 가면을 벗고, 맨 얼굴에 직면할 수 있어야 한다.

대단해 보이지만 안에서 곪거나 자멸해가는 곳일수록 질문과 비판에 대해 권력과 권위로 찍어 누르게 마련이다. 기초문해 교육의 경우 연수가 권력이 되어 현장의 기초문해 교육 경험을 찍어 누르거나, 특정 권위를 내세워 질문을 무시하는 일이 벌어지고 있다.

기초문해 교육에 대한 평가와 검증은 기초문해 교육의 소중함만큼 당연한 요청이다. 먼저 앞서 나가고 있고, 먼저 시행착오를 거치고 있기에 그 기여와 도전을 인정하고 격려해야 하지만, 그것이 특권이 되지 않도록 부단히 현장의 교육을 통해 검증해야 한다.

(1) 교사의 기초문해 교육적 경험에서 나온 질문과 비판을 인정하고 존중해야 한다.

"당신이 안 해 봐서 그래.",
"안 해 보고 뭘 안다고 그래",
"이대로만 하면 되는데, 당신이 제대로 안 해서 그래.",
"이 틀과 방법이 문제가 아니라 당신의 성실함과 무능이 문제야."

등으로 현장의 질문과 비판에 반응하고 있다면 그건 완장질에 다름 아니다.

교사들의 질문과 비판은 그 자체로 소중하다. 현장 교사들은 기초문해 교육을 정통으로 해보지 않았을지라도 누구나 아무리 해도 안 되는, 시작조차 하기 어려운 학생들을 만나 악전고투의 늪에 빠져본 경험이 있게 마련이다.

(2) 효과성에 눈이 멀지 않고 효과의 효율성과 교육성을 검증해야 한다.

어떤 시도든 에너지와 시간, 자원을 투자하면 나름의 효과가 있기 마련이다. 문제는 그 효과가 투입 대비 효과가 어떠한지에 대한 효율성 검증과 과정과 결과에서의 교육성 검증을 통과해야 한다는 점이다. 거대한 투입으로 미미한 효과를 냈다면 그것은 보이지 않은 장기적인 엄청난 역효과를 낳게 마련이고, 그것의 비효율에 주목해야 하는 것이 상식이다.

"해 보니 이게 좋았다",
"이렇게라도 해 보니, 좋았다."
"도움이 되는 거 같았다. 안 하는 것보단 이게 낫지 않느냐."
"다른 나라도 이렇게 해서 성공했다고 하니, 이렇게 해야 한다."

는 등으로는 충분치 않다. 어떤 도전과 시도의 검토 자리는 다각도로, 다양한 주체의 관점에서 치열하고 체계적이며, 치밀하게 검토가 이루어져야 한다.

그 효율성과 교육성 검증의 기본은 술이부작(述而不作)이다.

학생과 교사의 교육적 경험을 있는 그대로 풀어내되, 자신의 설정한 권위적 틀(합리주의적 틀)에 이를 억지로 끼워 맞추지 않도록 조심해야 한다.

"바보는 기존에 하던 대로 똑같이 하면서 달라지길 기대한다"고들 한다.

바보도 문제가 있다는 걸 안다. (물론 확신에 찬 권력자 바보는 문제 자체를 모르거나, 문제는 남 탓이라고 한다.) 어처구니 없는 바보는 잘못된 길을 간다는 것을 알아도 바꾸지 않고, 문제가 해결될 것이라 기대한다. 하던 대로 계속하고, 문제가 해결되길 원한다. 하던 대로 하는 버릇과 관행을 바꾸지 않고 문제가 해결되길 바란다.
하지만 기본을 바꾸지 않으면, 내용과 형식을 바꾸지 않고 변화는 오지 않는다.

문해력, 학습 역량의 성장은 어떻게 가능한가?

기초문해 교육에서 교사의 역할을 최소화하고, 다시 말해 그림동화책을 읽을 때 학생과의 충분한 상호작용을 담아내지 못한 기초문해 교육을 하는 경우가 있다.
그림동화책을 통한 기초문해 교육을 이야기하면서 정작 읽기는 읽기대로, 쓰기는 쓰기 대로 하고, 읽기의 과정에 충분한 교사와 학생의 상호작용을 만들지 않고 기초문해 교육의 효과성을 말하는 것을 보게 된다.

과연 그림동화책에 대한 충분한 질문과 응답을 나누지 않고, 이를 반복 숙달하는 발판과 과정 없이 그림동화책을 통한 기초문해 교육이 제대로 이루어질 수 있을까?

"교사의 제대로 된 에너지와 품, 노력이 제대로 들어간 만큼 학생은 달라질 수 있다."

"한 단어, 어구, 한 문장을 함께 깊이 읽어가며 이해와 기억을 다져주어야 한다. 한 낱말을 충분히 자기 것으로 만들 수 있도록 살펴주어야 한다."

공부의 시작은 한 단어에 대한 이해다. 한 단어에 대한 깊이 있는 이해(인류학이라면 두터운 기술)가 축적될 때 공부가 시작된다.[42] 한 단어를 이해해 사용하는 경이감을 느낄 때 공부에 대한 참여와 몰입이 가능해진다. 한 음절, 한 낱말을 읽고 사용할 수 있을 때 배움의 경이가 폭발하기 시작한다. 다시 말해 공부의 몰입과 즐거움, 하고 싶음의 정서는 한 단어를 이해

---

42) 공부는 언제나 경험과 사유의 조화를 통해 이루어진다. 선학이후사 주학이종사(先學而後思主學而從思)의 경구처럼 경험과 사유의 조화는 배움의 기본이다. 경험과 사유의 조화 속에서 박학심문신사명변독행(博學審問愼思明辨篤行)은 가르침과 배움을 만들어가는 핵심 중 핵심이다.

하고 발화할 수 있을 때 만들어진다.

이 점에서 공부는 하나의 낱말에서 시작해 어구, 문장 그리고 문단, 문단과 문단으로 이루어진 문장과 문장 간의 이해, 그리고 문단을 이해하고 요약하고, 이를 표현하면서 공부가 시작된다. 따라서 공부는 낱말, 어구, 문장, 문단, 문단과 문단과의 관계를 보는 눈을 길러야 하고, 그 시작은 낱말에 대한 깊이 있는 탐구와 소화다.

이 배움의 과정을 <아빠, 해봐!>라는 그림동화책을 통해 살펴보자.

이제 문자의 세계에 첫발을 디딘 기초문해 학습자를 위한 배움, 어떻게 열어야 하나?

<아빠, 해봐!>라는 주로 유아가 즐기는 매우 단순한 그림동화책이다. (아이들) 혹은 학생들은 이 그림동화책에서 "아빠, 해봐!"라고 요구하는 아빠들의 요구와 이에 제대로 답하지 못하고 아기 동물들이 내는 자기 동물 특유의 소리들을 듣게 된다.

아빠의 간절한 요청과 달리 자신의 동물 소리밖에 내지 못하는 아기 동물들의 내용이 반복되는 텍스트를 통해 학생들은 재미를 느끼고, 모두 함께 모여서 드디어 "아빠"를 외치는 순간과 감동(첫걸음을 떼 걸었을 때 아이의 감동 부모의 감동이 크듯 감동은 부모의 몫이다. 재미는 아이의 몫이지만 감동은 부모의 몫인 그림동화책이다.)을 느끼게 된다. 더불어 아직 아

빠를 하지 못하는 아기 오리의 안타까움 상황을 함께 느끼며 재미와 감동을 누리게 된다. (읽기따라잡기는 흉내 내는 말이 가득한 이 책을 기초문해 교육에 부적절하다고 판단할 것이다. 하지만 이 책은 이제 막 24자의 기본 자모 정도를 뗀 학습자도 교사와 함께 읽는 데 별 어려움을 겪지 않는다. 기초문해에 도움을 필요로 하는 학습자는 이 책을 반복 숙달해 읽으며 재미와 감동은 물론 기초문해에 필요한 여러 요소들을 쑥쑥 빨아들인다.)

읽기 어려운 <아빠, 해봐!>의 책 제목과 작가들

아빠가 아이에게 "아빠"를 요구하고, 이를 해내지 못하고 동물들의 소리만 내는 상황 반복

<아빠, 해봐!> 아빠 따라하기의 동일한 상황을 반복하면서, 매우 간단한 문자가 제시한다. 이 글 나오는 글발은 "아빠! 음매, 매에, 꽥꽥, 붕붕, 멍멍, 쿵쿵, 야옹, 찍찍, 히힝, 꿀꿀, 개굴개굴, 꼬꼬, 따그닥, 이제 모두 모여서 다 같이 한 번 더. 아빠!"가 전부다. 그림동화책 한 권에 나오는 낱말이

"한, 번, 더"를 하나의 낱말로 쳐서 22개다. 총 22개에 불과한 낱말로 이야기가 입체적으로 구성되어 있다.

가장 짧은 슬픈 소설이 젊은 부부가 "신지 않은 아기 신발 팝니다."라는 말이 있듯, <아빠, 해봐!>는 고작 22개의 낱말로 아빠와 동물 울음 소리, 따라하기 놀이를 통해 재미와 감동을 만들어낸다.

이렇게 보면 <아빠, 해봐!>는 작가 이름들(지미 팰런 글, 겔 오르도네스 그림, 엄혜숙 옮김)과 책 제목(해봐!)과 출판사 낱말이 가장 읽기 어려운 낱말이다. 이 표지의 읽기 어려운 낱말을 제외하면 본문 내용은 지극히 단순하고 읽기 쉽다. 유아를 초점으로 한 <아빠, 해봐!>는 그림동화책의 밖(표지)은 정보량이 많은 데 책의 안(본문 내용)은 지극히 적은 정보량으로도 아동들의 접근성과 활용 가능성을 확보하고 있다.

한 장면을 교사와 학생이 함께 깊이 읽어야 한다

기초문해 교육은 대부분의 사람에게는 (너무) 쉬운 일이지만, 누군가에겐 너무 어렵고 고통스러운 일이다. 이미 아는 자에는 지식의 덫에 빠져 무감각해지기 쉬운, 이미 사다리를 타고 오른 이들은 사다리 걷어차기의 함정에 빠지기 쉬운 것이 기초문해 교육이다.

<아빠, 해봐!>는 이미 아는 자의 함정에 빠지지 않으면서 문자의 세계를 여는 열쇠를 마련하게 해준다. 아미 문자를 아는

이들에게 이 그림동화책을 축자적으로 읽어내는 건 매우 간단하고 쉬운 일이다.

하지만 기초문해에 어려움을 보이는 학습자에게는 여전히 돌로 금을 만드는 연금술만큼이나 어려운 일이다.

아빠는 어렵지 않게 읽을 수 있지만, 기초문해 교육에서 일상적으로 노출된 명사가 아닌 흉내 내는 말을 읽어내는 것은 버거워 보인다. 읽기따라잡기는 그래서 흉내 내는 말은 기초문해 교육의 장애물이라고 진단하곤 한다. 대상을 찾을 수도 없고, 읽기 어려운 음절이고 기초문해 교육에서 다루면 안 되는 것처럼 보이기도 하다.

하지만 기초문해에 어려움을 겪는 아이들도 그림과 상황(이야기)의 도움을 통해 얼마든지 흉내 내는 말을 익히며, 문자의 세계를 여는 열쇠를 마련하게 된다.

<아빠 해봐!> 그림동화책은 기본적으로 "소, 송아지, 양, 오리, 꿀벌, 개, 강아지, 토끼, 고양이, 생쥐, 말, 돼지, 개구리, 닭, 병아리, 당나귀"의 동물 이름을 배우게 된다. 이름이 노출되어 있지 않지만, 소리와 장면을 통해 이 장면의 누구인지 이야기를 나누며 자연스럽게 동물들의 이름을 소환해 기억할 수 있다.

<아빠 해봐!>의 숨겨진 어휘와 한 장면을 입체적으로 깊이 읽어내면 이 20여자의 낱말들은 강력한 상호작용을 통해 엄청난 문해의 장을 열게 된다. 그림동화책의 글자와 이미지 텍스트를 제대로 음미하게 되면 22개의 낱말은 서로 증폭적으로 상승 효

과를 낸다.

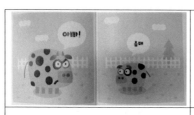

동물들의 소리는 익히 들어보았기에 이를 활용하여 문자 해독의 여정을 멋지게 해낼 수 있는 것이다. 이는 단순히 하나의 낱말을 해독하는 것을 넘어서 동물의 명칭과 흉내 내는 말을 연결하여 배우게 된다. 아는 것 하나를 매개로 다른 것까지 읽는 힘이 생기는 것이니, '도랑치고 가재 잡는 격'이라 할 수 있다.

그리고 어른과 아이의 이름이 다른 동물들도 발견하게 된다. 소와 송아지, 개와 강아지, 닭과 병아리의 명칭을 배우고 이들과 개구리와 올챙이 그리고 어른과 아이의 이름이 구별되지 않는 동물들의 이름과 왜 어른과 아이의 이름이 다른지 등의 이유를 묻고 탐구하게 된다.

더불어 각 장면을 깊이 읽다 보면 함께 탐구해야 할 이야깃거리들이 무궁무진하다. 소의 장면에서는 구름이 몇 개인지, 구름처럼 짝은 이룬 것은 무엇인지(눈, 콧구멍, 안경, 다리, 울타리 풀 등), 코 색깔은 무엇인지, 구름은 몇 개인지, 풀은 몇 개인지 등을 탐구하게 된다. 고양이 장면에서는 고양이는 어디에 있는지, 고양이 아빠와 고양이 아기의 다른 점과 같은 점은 무엇인지, 고양이는 어디에 있는지, 고양이는 언제 지붕 위에 있는지(야행성이라 밤이다, 달과 별이 빛나니 밤이다, 아니 새벽이다 등), 귀는 어떤 모양인지, 몸통은 어떤 모양인지, 코는 어떤 모양인지, 별은 모두 몇 개인지 등을 묻고 답하며 이미지와 글을 깊게 읽는 법을 함께 배울 수 있다.

학년과 발달에 따라서는 수해력 자료로 활용해 볼 수 있다. 받아올림이 있는 덧셈과 받아내림이 있는 뺄셈을 다져나가는 시간을 했다면 돼지 장면에서 구름에서 비가 올 때 빗방울의 수를 3단, 4단, 6단 등으로 발견하는 활동을 할 수 있다. 꿀꿀 돼지의 색과 모양, 아빠 돼지와 아기 돼지의 공통점과 차이점을 함께 찾아가며 텍스트를 글 문해 차원에서 접근하는 것과 동시에 이를 수 문해 차원에서 활용할 수 있다.

구름에서 떨어지는 빗방울을 세는 방법은?	모든 아이들이 아빠라고 할 때 부모와 아이의 마음은?

또한 "이제 모두 모여서 다 같이 한 번 더. 아빠"라고 외칠 때 부모들은 어떤 마음인지 그리고 그것을 해낸 아이들은 어떤 마음일지를 이야기해볼 수 있다. 그리고 이것을 해내지 못한 오리는 왜 못한 것인지,(장난 일지, 아직은 어려서 해내지 못했는지) 못한 것이라면 어떻게 도와주면 될지(기다려준다, 속상했을 테니 도닥거려 준다 등) 등을 이야기 나누게 된다.

이처럼 아주 작고 간단한 낱말과 텍스트도 함께 깊이 공부해야만 역량이 단단하게 자라나게 된다. 20여 개의 낱말들도 배울 수 있는 내용들은 무궁무진하다. 이렇게 교사와 학생이 함께, 텍스트를 깊이 우려낼 때 텍스트를 읽는 능력들이 천천히 그리고 단단히 자라나게 된다.

"공부는 어차피 혼자 하는 것이다."
"교과서를 아이(학생) 혼자 읽어내면 되고, 이후에 재미있고

4부. 기초문해 수업 방법과 구체적 사례

신기한 탐구활동을 하면 된다"

는 생각은 교과서를 함께 깊이 읽는 힘을 키워야 하는 우리 모두의 아이들에게 매우 위험천만한 단견이다. 대충 많이 하는 교육이 아니라 하나라도 제대로 하는 교육을 통해 기초문해를 열어야 한다.

그림동화책은 바로 하나를 제대로 깊고 재미있게 함께 여는 교육이 무엇인지를 보여준다.

그림동화책을 함께 깊이 읽으며 날아오르기 위한 고민거리들

<아빠, 해봐!> 대충 많이 하는 비효율적 교육노동이 아니라 하나라도 제대로 배우는 교육이 무엇인지를 보여준다.

<아빠, 해봐!> 아빠 따라하기의 동일한 상황을 반복하면서, 매우 간단한 문자가 제시한다. 이 글 나오는 글발은 "아빠! 음매, 매에, 꽥꽥, 붕붕, 멍멍, 킁킁, 야옹, 찍찍, 히힝, 꿀꿀, 개굴개굴, 꼬꼬, 따그닥, 이제 모두 모여서 다 같이 한 번 더. 아빠!"가 전부다. 그림동화책 한 권에 나오는 낱말이 "한, 번, 더"를 하나의 낱말로 쳐서 22개다. 총 22개에 불과한 낱말로 이야기가 입체적으로 구성되어 있다.

가장 짧은 슬픈 소설이 젊은 부부가 "신지 않은 아기 신발 팝니다."라는 말이 있듯, <아빠 해봐!>는 고작 22개의 낱말로 아빠와 동물 울음소리, 따라하기 놀이를 통해 재미와 감동을 만들어낸다.

<아빠 해봐!> 그림동화책은 기본적으로 "소, 송아지, 양, 오리, 꿀벌, 개, 강아지, 토끼, 고양이, 생쥐, 말, 돼지, 개구리, 닭, 병아리, 당나귀"의 동물 이름을 배우게 된다. 이름이 텍스트로 노출되어 있지 않지만, 소리와 장면을 통해 이 장면이 누구인지 이야기를 나누며 자연스럽게 동물들의 이름을 소환해 기억할 수 있다.

<아빠 해봐!>의 숨겨진 어휘와 한 장면을 입체적으로 깊이 읽어내면 이 20여자의 낱말들은 강력한 상호작용을 통해 엄청

난 문해의 장을 열게 된다. 그림동화책의 글자와 이미지 텍스트를 제대로 음미하게 되면 22개의 낱말은 서로 증폭적으로 상승 효과를 낸다.

이미 동물들의 소리를 익히 들어보았기에 이를 활용하여 문자 해독의 여정을 멋지게 해낼 수 있는 것이다. 이는 단순히 하나의 낱말을 해독하는 것을 넘어서 동물의 명칭과 흉내 내는 말은 연결하여 배우게 된다. 아는 것 하나를 매개로 다른 것까지 읽는 힘이 생기는 것이니, '도랑치고 가재 잡는 격'이라 할 수 있다.

<투둑, 떨어진다>가 왜 기초문해 교육의 첫걸음에
사용되기에 타당하고 적절하며, 효율적이며
교육적인지를 구체적인 수업 사례로 살펴보자.

재미있는 그림동화책은 교사와 학생이 함께 텍스트와
이미지를 깊이 읽어나가다 보면 어느새 문해력이 쑥쑥
자라는 경험을 하게 돼. 구체적 사례로 살펴보자.

17. 기초문해 수업 사례 탐구 : <투둑, 떨어진다>

그림동화책을 통해 기초문해 교육을 할 때 유아 시절 가정에
서 그림동화책 읽기 주기를 넘어서 문해 수업이 되기 위해서는
어떻게 해야 할까? 어떻게 교사나 부모가 아이를 살펴줘야 학
습자의 문해력이 자연스럽고 폭발적으로 커질까?

대(大)무지의 시대, 아무 말이나 멋져 보이는 말들을 쏟아내면
좋은 줄 안다.

그림동화책을 통해 수업을 하면 대단한 일을 해내는 것 같다.
그림동화책을 통한 수업은 뭔가 훌륭한 작품이 나오는 것 같
다. 슬로리딩을 통한 "생태환경수업, 이야기가 넘치는, 낭독

극이 피었다, 행복한 온작품, 나와 세상을 만나는, 아이의 삶
을 만나다" 등등. 그림동화책, 동화책, 청소년 도서 등을 통
한 수업에 대한 장밋빛 찬사와 요란한 자랑이 넘쳐 난다.

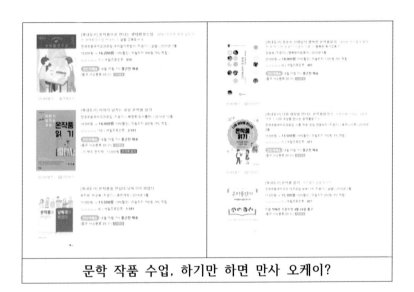

문학 작품 수업, 하기만 하면 만사 오케이?

그림동화책을 통해 교육 활동을 하면 어떻게 해도, 원하는 대
로, 하고 싶은 대로 하면 다 좋은 수업이란다. 어떻게 해도,
하기만 하면 나와 세상을 만나고, 행복한 미래역량을 키우고,
기후위기에 맞서 생태 감수성까지 키울 수 있다고 한다.

동시, 그림동화책을 통한 한글 지도, 수준 평정된 읽기따라잡
기 교재, 경험적, 실제적 글쓰기 지도 등은 과연 타당하고 적
절한 것일까?

모국어 기초문해 교육은 함께 깊이 읽기가 기본이다

기초문해 교육의 핵심은 다양한 텍스트(글, 영상, 그림 등)를 얼마나 입체적으로 넓고 깊이 읽어내는가에 달려 있다.

문자 문해력 형성은 하나의 낱말, 어구, 문장, 그림을 복합적으로 읽어 자기 것으로 만드느냐가 관건이다. 텍스트를 두텁게 읽는 것은 2차원의 문자들을 3차원의 입체적 가상 세계로 만들어 읽어내는가에 달려 있다.

이를 위해서는 텍스트를 교사와 학생이 **함께, 깊이 읽는 것**이 필요하다.

함께 : 학습이란 언제나 교사와 학생의 관계에서 일어난다. 먼저 배운 거인(교사, 어른)의 어깨 위에 학습자(학생, 아이)를 올려 새로운 세상을 보게 하는 여정이게 마련이다. 초등 공교육의 목표와 지향은 스스로 혼자 공부할 수 있는 역량을 길러주는 것이지만, 이를 위해서는 교사의 도움과 지지, 안내가 절실하다. 자기주도적 학습을 위해서는 권한 이양의 교사의 도움과 안내가 효과적으로 이루어져야 한다.

깊이 : 학습이란 하나를 제대로 소화해 내 것으로 만드는 것이다. 많은 것을 대충 얼레벌레(얼렁뚱땅) 훑어보는 것이 아니라 하나를 넓고 깊게 소화해 내 것으로 만들려면 텍스트를 온

전히 읽어내는 것이 필요하다. 텍스트를 온전히 소화해 내 것으로 만들려면 한 낱말, 한 어구, 문장을 깊이 읽어야 한다.

재미있게 : 기본적으로 문학 텍스트는 가상세계에 들어가 주인공이 되기만 하면 즐길 수 있다. 이는 정보량이 적고 그 자체로 재미있어 누구나 손쉽게 읽을 수 있는 장점이 있다. 함께 깊이 읽을 때 정보의 장벽(문턱, hurdle, threshold, 문지방)이 있는 비문학보다 현저하게 낮아 문해력을 키워나갈 때 매우 효과적인 발판이라고 볼 수 있다.

<투툭, 떨어진다>

<투툭, 떨어진다>를 함께 깊이 나누는 법 : 그림동화책 상호작용, 어떻게 해야 깊이 읽는 것일까?

"**투둑, 떨어진다**"의 책 표지의 앞면과 뒷면을 보고 이야기를 주고 받을 것은 무엇일까?
◦ 제목은 무엇이지?

◦말풍선에 있는 말은 무엇인지?

◦주인공은 누구지?

◦왜 강아지 앞에 똥을 붙였을까? 똥이라고 붙여서 쓰는 말에는 뭐가 있을까? (귀엽고 사랑스러울 때 똥이라 붙이기도 해. 좋아할 때 매우 좋을 때 '개-'를 붙여 '개좋아' 하고 하지)

◦봄, 여름, 가을, 겨울을 무엇이라 부르지?

◦이 책은 어떤 계절을 다루고 있을까? 왜 가을일까?

◦어떤 계절이 제일 좋아? (겨울이요.) 왜? (눈싸움해서요.) 그렇구나. 선생님은 00계절이 좋은데? (왜요?) 왜냐하면~

◦어떤 열매가 좋아? (기초문해에 어려움을 겪는 학생들은 생각지도 못하게 모르는 열매가 많다. 같이 사진이나 실물을 만지면서 촉감을 이용한 수업을 할 수 있다면 더 좋다)

◦단풍잎 사이의 곤충은 누구지? (단풍잎이나 감과 밤, 밤송이를 모르는 아이도 많다. 기초문해에 어려움을 겪는 아이는 세상과 사물에 대한 경험이 부족하다. 만나 불러본 경험이 없어, 이를 불러보는 상호작용 부족이 기초문해의 어려움과 직결된다. 당연히 까치나 달팽이, 무당벌레를 낯설어하기도 한다. 기초문해에 어려움을 겪는 학생의 경우 당연히 청설모나 호두를 아는 경우는 매우 드물다.)

◦밤 열매 속의 곤충은 누구지?

◦나무를 오르는 동물은 누구지?

 이상의 이야기를 주고받으며 책의 세계로 진입해 들어가야 한다. 그냥 <투둑, 떨어진다>의 제목을 읽고 작가와 출판사를 읽는다고 기초문해 교육을 하는 것이 아니다.

"떨어진다, 떨어진다."

∘ 떨어지는 가을 열매는 무엇이지?

∘ 열매를 떨어뜨리는 동물은 누구지?

∘ 까치와 강아지는 뭐라고 이야기할까?

∘ 말랑말랑한 감은 뭐라 부르지?

∘ 단단한 감은 뭐라 부르지?

∘ 단감과 홍시 중 뭐가 좋아? (단감과 홍시를 모르는 경우도 많다)

∘ 감은 강아지 어디에 떨어질까?

∘ 감은 몇 개일까?

그림동화책의 텍스트는 글자와 이미지를 동시에 읽고 나누어야 한다. 학습자가 단순히 '떨어진다'의 문자 텍스트를 읽는데 그치지 않고 가을에 떨어지는 것들을 탐구하고, 이에 대한 호기심과 경이를 가질 수 있도록 도와주어야 한다. 특히 이 가을 관련 낱말들을 함께 깊이 읽으며 입체적 의미망을 형성해주어야 한다.

"픽, 떨어졌다. 감"

◦ 어떤 가을 열매가 떨어졌지?

◦ 감은 어떤 소리를 내며 떨어졌지?

◦ 감이 떨어졌을 때 달려온 곤충은 무엇인지?

◦ 개미는 몇 마리가 달려왔을까?

◦ 개미는 뭐라고 이야기했을까? (여왕님에게 어서 감을 가져다드리자. 개미핥기가 올지 몰라. 빨리빨리 하자. 줄 맞춰서 와. 정신 차리라고!)

◦ 감은 몇 개일까?

 감나무 잎, 홍시가 된 감, 달려오는 개미 등을 탐구하고 이를 실제 체험으로 확대할 수 있어야 한다. 쉽고 간단한 낱말과 계절과 어우러져 있고, 이를 어느새 읽으면서 다양한 이야기와 신체 활동까지 할 수 있는 <투둑, 떨어진다>는 기초문해는 물론 <통합> 가을 교육에서 빠질 수 없는 그림동화책이다.

"떨어진다, 떨어진다."

- 어떤 가을 열매지?
- 누가 떨어뜨리고 있지? (청솔모를 모르는 경우가 매우 많다. 사진과 영상 자료를 활용하는 게 필요하다)
- 청솔모와 개들은 어떤 이야기를 주고 받을까? (내가 던질테니 잘 받아. 응 고마워. 머리 맞으면 아프다. 조심해. 어서 던져)
- 호두는 몇 개 열렸을까?
- 어떤 호두가 제일 단단할까?

기초문해에 어려움을 겪는 학습자에게 호두, 청설모는 매우 낯선 대상이다. 이 문자를 해독하는 것도 어렵지만, 이 대상 자체가 낯설다. 이 대상을 이해할 수 있도록 사진과 영상 등을 보여주고 같이 이야기를 나눠야 한다. 대상에 대한 직접 경험이 없거나, 가정에서의 일상적 상호작용에서 노출이 적으면 대상을 읽는 것은 물론 알려줘도 발음하는 것이 어렵다. 새로운 대상과 세계에 대한 흥미와 호기심 그리고 제대로 된 탐구를 도와주어야 기초문해의 재미와 성취감이 만들어진다.

"딱, 떨어졌다. 호두"

◦ 어떤 열매가 떨어졌을까? ◦ 호두는 어떤 소리를 내며 떨어졌을까? ◦ 달팽이 껍질은 왜 호두 옆에 있을까? (호두가 떨어져 달팽이가 맞아 죽었다. 달팽이가 호두 열매를 먹으려고 호두 열매에 달라붙어 있다.) ◦ 호두는 몇 개일까?	

이때, '따가닥'에서 배운 것을 활용하면 '따'에 기역이 결합한 것을 '딱'으로 읽을 수 있게 된다. 기초문해 교육은 직관적으로 자연스럽게 변형자모와 받침을 읽을 수 있게 된다. 따라서 기초문해 교육의 첫걸음을 뗄 때 어렵고 난해한 과학적 자모 결합에 에너지와 시간을 쓸 필요는 없다.

"떨어진다, 떨어진다."

○ 무엇이 떨어지고 있을까?

○ 나무를 오르는 동물은 누구일까?

○ 밤송이에 맞으면 어떻게 될까?

○ 밤송이의 가시는 무엇과 비슷할까?

○ 밤송이는 몇 개일까?

○ 다람쥐와 강아지는 어떤 이야기를 주고받을까?

다람쥐와 밤송이를 배우고 나면 직접 체험해보는 경험이 필요하다. 밤송이를 까 보고, 고슴도치 같은 밤송이를 느껴보고, 다람쥐는 눈으로 체험하는 것이 필요하다. 기초문해에 어려움을 겪는 학습자는 상징적 교육과 직접 체험의 조화가 부재한 경우가 대부분이다.

"투둑, 떨어졌다. 밤"

◦ 무엇이 떨어졌지?
◦ 밤은 어떤 소리를 내며 떨어졌지?
◦ 밤송이에 몇 개의 밤이 있었지?
◦ 밤 속에 있는 동물은 누구지?
◦ 떨어지는 밤에 있는 애벌레는 뭐가 이야기 할까? 기분은 어떨까? (떨어지는 기분이 짜릿짜릿할 거 같아요. 야호 신난다. 구해주세요. 살려주세요.)
먹을 수 있는 밤은 몇 개일까? (2개, 0개 등)
◦ 왜 못 먹지? (애벌레가 혼자만 있을 리 없어요. 분명히 옆에 있던 밤들도 애벌레 친구가 있을 거에요. 밤을 먹다가는 토할 거에요. 우웩)
◦ 밤송이는 어떤 방법으로 까야 할까? (손으로 이렇게요) 그러면 고슴도치같이 날카로운 밤가시에 찔려 피나지 않을까? (그럼 나무나 돌을 이용하거나..) 선생님 은 신발을 신고 한 발로 잡고 한 발로 까 곤 했어. (아 그래요. 저라면 ..)
◦ 밤송이와 함께 떨어진 밤은 몇 개지?

투둑
떨어졌다.

밤

티끌에 '우'가 붙으면 '투', '두'에 기역이 결합하면 '둑', '바'에 미음이 결합하면 '밤'이라는 것을 배우는 것은 기본이다. 이 기본을 다져가는 것은 당연한 요구다. 그림 동화책을 통한 기초문해 교육은 이것에 바탕해서 밤과 밤송이, 밤과 애벌레의 관계를 자유롭게 탐구하고 이야기하는 과정 속에서 풍성해지고, 충만해진다.

※ 밤, 호두, 감에서 표로 정리하면서 읽은 내용을 요약한다 (칠판 판서를 활용하는 게 더 효과적이다.)

다시 정리해서 밤이 떨어지는 소리는, 호두가 떨어지는 소리는, 감이 떨어지는 소리는 무엇인지 이야기하고 표에 써 본다.
밤을 떨어뜨린 동물은, 호두를 떨어뜨린 동물은, 감을 떨어뜨린 동물은 누구인지 이야기하고 표에 써 본다.
밤과 함께 떨어진 곤충은, 떨어진 호두 옆의 곤충은?, 감이 떨어졌을 때 달려온 곤충은 누구인지 이야기하고 표에 써 보아야 한다.

"떨어진다, 떨어진다."

◦무엇이 떨어지지? 어떤 열매가 떨어지고 있을까?
◦단풍잎은 무엇이 떨어뜨리는 것일까? (바람이 불면은 잘 찾는데 가을이 깊어져 겨울 준비하려고는 거의 나오지 않는다. 계

절의 원리를 과학적으로 안내해 줄 필요가 있다. 월동준비와 겨울 병충해를 막기 위한 것이라는 단풍의 원리를 아동의 눈높이에 맞게 알려주는 게 필요하다)

◦똥강아지들은 무엇이라 이야기할까?
◦단풍은 몇 개가 되는지 어림해볼까?

"팔랑팔랑 떨어졌다. 단풍잎"

◦단풍잎은 무슨 소리를 내며 떨어질까?
◦단풍잎은 몇 개 떨어졌지?
◦단풍잎 사이의 곤충은 누구지?
◦곤충은 왜 단풍잎 사이에 있을까?
◦무당벌레는 뭐라고 이야기할까? (강아지가 나를 잡아 먹으려해. 구해줘. 바람 타고 팔랑팔랑 비행하는 거 너무 신나.)
◦ "가을길"이란 노래 아니? 같이 불러 볼까? (유튜브 영상을 활용해 같이 노래 부르고, 필요하다면 이 노래를 단어 카드로 활용해 숙달해 볼 수 있다)

"떨어진다, 떨어진다."

◦뭐가 떨어지려고 하지?
◦누가 떨어뜨리지?
◦왜 그러는 걸까? (장난쳐요, 먹으려고요)

∘ 고양이의 장난을 지켜보는 하늘 위 곤충은 누구지?

∘ 고추잠자리와 고양이, 똥강아지는 뭐라고 할까?

"통, 안 떨어졌다. 호박"

∘ 호박은 어떤 소리를 내며 떨어졌지?

∘ 왜 호박은 안 떨어졌을까? (줄기는 모르는 학생이 대부분이다. 줄기와 잎, 씨와 새싹을 차근차근 알려주는 게 필요하다)

∘ 호박이 떨어지는 걸 지켜본 곤충은 누구 누구일까?(나비와 나방은 아는데, 메뚜기는 잘 모른다)

∘ 호박에는 애호박과 단호박, 늙은 호박 등이 있는데 그림의 호박은 어떤 호박일까?43)

애호박	단호박	늙은 호박

43) 호박은 크게 단호박과 늙은 호박, 애호박 3가지로 분류한다. 품종에 따른 영양소 차이는 그렇게 크지 않다. 다만, 속이 노랄수록 식이섬유와 비타민 E 함유량이 높다.

하늘을 나는 곤충은 무엇이지? 고추잠자리와 된장 잠자리 중 무엇일까?

온통 빨간색의 고추잠자리	**꼬리 부분만 빨간 된장잠자리** : 태풍을 타고 티벳과 인도에서 온 된장잠자리

"떨어진다, 떨어진다."

◦빨래 걸이에 걸려 있는 것들은 무엇이지?
◦누가 넘어뜨리려 하지?
◦왜 그렇게 생각하니?
◦고양이와 똥강아지는 뭐라고 할까?
◦뭐가 제일 좋으니?

"퍼들썩 와르르, 다 떨어졌다."

◦빨래걸이의 물건들은 어떤 소리를 내며 쏟아졌지?

◦ 고양이는 뭘 하고 있니?

◦ 똥강아지들은 뭘 하고 있지?

◦ 엄마, 주인 아저씨(아주머니)는 뭐라고 할까?

◦ 이 책은 왜 가로가 아니라 세로로 되어 있을까? 왜 책 넘기는 방향이 다를까?

◦ 제일 멋지게 떨어진 것은 무엇일까?

※ 단풍잎, 호박, 빨래걸이를 표로 정리하면서 읽은 내용을 요약한다.

(감, 호두, 밤을 다시 한번 묻고 답하며 정리한다)

◦ 단풍잎이 떨어지는 소리는? 호박이 떨어지는 소리는? 빨래걸이의 물건들이 떨어지는 소리는?

◦ 단풍잎과 함께 있는 곤충은? 호박이 떨어질 때 하늘 위에 날아다니던 곤충은?

◦ 호박을 떨어뜨린 동물은? 빨래걸이를 넘어뜨린 동물들은?

◦ 호박만 안 떨어진 이유는 무엇이지?

※ 그림동화책 텍스트를 읽고 상호작용하며 나눈 것을 표로 정리해 다시 나누어야 한다.

떨어지는 것	흉내내는 말	떨어뜨리는 것	숫자	함께한 동물
감	퍽	까치	1	개미 5마리
호두	딱	청솔모	2	달팽이
밤	투둑	다람쥐	3	애벌레
단풍잎	팔랑팔랑	바람, 겨울(얼어죽지 않으려고 스스로 떨어뜨린다)	4	무당벌레
호박	퉁 안	고양이		메뚜기, 나비, 된장잠자리 2마리
빨래, 말린 열매	퍼들썩 와르르	고양이, 똥강아지들		

단어 카드는 통해 떨어지는 것과 흉내 내는 말을 읽고, 연결 짓는 활동을 매 시간 반복 숙달해야 한다.

이것이 익숙해 지면 떨어뜨리는 것과 숫자, 함께하는 동물까지 연계하는 단어카드 놀이가 필요하다.

(기초) 문해 교육의 기본은 풍성한 상호작용이다.

상호작용은 글을 깊이 읽도록 함께 도와가는 과정이다

학생 발달 수준과 필요에 맞추어 다양한 질문들을 던져주어야 한다. (충분히 질문들을 던져주면 어느 순간 학생이 그 책을 가지고 교사에게 질문을 하는 일이 벌어진다. 권한 이양을 통해 교사와 학생의 역전이 벌어지는 유쾌하고 보람찬 순간을 맞을 수 있다.)

색과 모양이 필요한 수준이면 같이 묻고 답하는 상호작용을 해주는 것이 필요하다.

기본 자모만 알고 아직 받침을 읽는 데 어려움을 보이면 이를 안내하는 과정이 필요하다.

	내 용
안내된 읽기	함께, 깊이 읽기이자 묻고 답하며 읽기
단어 카드 활용	안내된 읽기를 하고 나면 이제 단어 카드 음절과 낱말을 익혀야 한다.
스스로 읽기	스스로 읽기가 되기 전에는 단어카드와 그림동화책 읽기를 반복해 주는 것이 필요하다. 그림동화책 읽기가 충분히 된 후에 쓰기로 확장되어야 한다.
내용 확인 문항 혹은 필사하기	1) 내용 확인 문항 풀기 : 사실 확인 문항과 내용 추론과 상상문항 풀기(내 생각 쓰기와 말풍선 활동) 2) 필사하기 : 원고지로 그림동화책 내용 다시 쓰기

<기초문해 교육의 수업 흐름>

정답과 더 좋은 답을 찾는 교육이 모국어 교육의 기본이다.

정답을 찾는 과정과 더 좋은 답을 찾아가는 과정이 조화를 이루어야 한다.

이는 상황과 사건, 주인공과 주인공의 상황과 감정 등에 대한 사실 질문과 추론 질문(상상질문)이 적절히 조화를 이루어야 가능하다.

4부. 기초문해 수업 방법과 구체적 사례

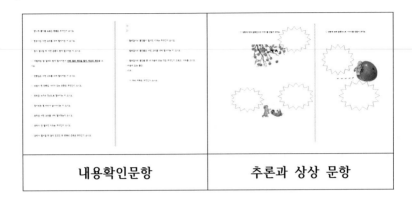

내용확인문항	추론과 상상 문항

정답을 찾는 것이 더 좋은 답을 찾는 과정으로 확장되게 수업을 진행해야 한다. 더 좋은 답은 상황을 이해하고, 상황 속에서 주인공이 어떤 처지이며 어떤 감정(느낌)을 느끼고, 어떻게 행동할지 정확하게 이해하면 할수록 더 좋은 답을 찾을 수 있게 된다.

원고지 필사하기	단어 카드 : 텍스트 낱말, 그림과 상황 낱말

모국어 문해 교육은 책 읽는 법은 체득하는 교육이 되어야 한다.

 단순히 문자를 해독하는 시간이 아니라 글을 읽고 즐기며, 글
읽는 법을 배우는 과정이어야 한다.
 하나하나 자세히, 깊이 읽을 수 있도록 안내해 문자 해독과
더불어 낱말과 글 독해를 이룰 수 있게 함께 이야기를 주고받
아야 한다.

하나하나 깊이 읽고 나누려면 교사의 공부가 필요하다.

그림과 상황을 자세히 깊이 읽고 나누어야 한다.
"선생님, 저 삼각형 열매는 뭐에요?"
그러다 보면 교사도 모르는 것들이 나올 수 있고
이를 공부해야 한다.

 교사들이나 학생들은 옥수수, 감, 밤은 알아도 꽈리는 잘 모

른다. 대부분의 교사들도 꽈리는 생소하다. <투둑, 떨어진다>
에서 학생이 물어보면 교사도 몰라 당황할 수 있는 열매다.

　과거에는 말려서 해열제로 쓰곤 했고, 말릴 때 바스락거리는
소리도 재미나고, 동그란 열매를 감싼 망사 옷도 신기해서 작
가는 이 열매는 넣었을 것이다. 참 신기한 열매인데 이제는 거
의 키우질 않아 알기 어렵다. 대추, 석류, 사과, 고구마, 배
등이 아니라 꽈리를 고른 이유와 그것의 타당성을 고민해 보면
좋을 것이다.

고양이는 공범인가 아니면 똥강아지의 말썽을 막으려 하는가?

**고양이는 친구들과 함께 말썽을 부리는 걸까, 아니면
하지 말라고 막는 걸까?**

　그림동화책을 통해 해독을 넘어 독해로 나아가려면 함께 깊
이, 재미있게 읽어야 한다. 이를 위해 사건과 상황 속에서 주
인공이 되어 표현해 보는 것이 필요하다. 단순히 책의 문자를

읽고 끝나는 것이 아니라 문자와 그림을 바탕으로 다양한 이야기와 몸짓을 탐구하고 표현해 보는 것이다.

떨어지는 애벌레의 감정과 느낌, 행동과 말을 표현해 보는 것은 물론 감을 향해 달려가는 개미들의 말과 행동을 글짓기 해보고, 이를 역할극으로 표현해 보는 것이 필요하다. 또한 고양이가 과연 말썽꾸러기들의 공범인지 아니면 이를 막는 멋쟁이인지를 나눠볼 수 있어야 한다.

그림동화책을 함께 깊이 읽으며 날아오르기 위한 고민거리들

모국어 기초문해 교육은 함께 깊이 읽기가 기본이다. 기초문해 교육의 핵심은 다양한 텍스트(글, 영상, 그림 등)를 얼마나 입체적으로 넓고 깊이 읽어내는가에 달려 있다.

문자 문해력 형성은 하나의 낱말, 어구, 문장, 그림을 복합적으로 읽어 자기 것으로 만드느냐가 관건이다. 텍스트를 두텁게 읽는 것은 2차원의 문자들을 3차원의 입체적 가상 세계로 만들어 읽어내는가에 달려 있다. 이를 위해서는 텍스트를 교사와 학생이 함께, 깊이 읽는 것이 필요하다.

그림동화책을 통해 해독을 넘어 독해로 나아가려면 함께 깊이, 재미있게 읽어야 한다. 이를 위해 사건과 상황 속에서 주인공이 되어 표현해 보는 것이 필요하다. 단순히 책의 문자를 읽고 끝나는 것이 아니라 문자와 그림을 바탕으로 다양한 이야기와 몸짓을 탐구하고 표현해 보는 것이다.

떨어지는 애벌레의 감정과 느낌, 행동과 말을 표현해 보는 것은 물론 감을 향해 달려가는 개미들의 말과 행동을 글짓기 해보고, 이를 역할극으로 표현해 보는 것이 필요하다. 또한 고양이가 과연 말썽꾸러기들의 공범인지 아니면 이를 막는 멋쟁이인지를 나눠볼 수 있어야 한다.

기초문해 능력이 부족한 초등 1학년에서 그림일기를
사용하곤 하지. 그런데 그림일기를 어떻게 쓰고,
어떻게 활용해야 하는지 궁금해. 알려줄래?

그림일기는 초등 1학년만 하는 게 아니야. 글 쓰는
실력이 부족해서 그림일기를 하는 게 아니라 우리
경험을 더 멋지게 표현하는 방법들 중 하나지.

※ 초등 1학년 그림일기 쓰기 방법

첫째, 그림 읽기를 쓰는 경우 교육활동의 목적을 분명히 해야
한다.
그림 읽기는 경험을 깊게 파고들어 자유롭게 표현하기 위해
하는 활동이다. 또한 그림일기는 그림을 발판으로 이야기(쓰
기)를 나누고, 그림으로 이야기(쓰기로)를 매듭짓기 위한 것이
다. 그리고 글과 그림의 조화를 통해 자신의 경험을 표현하는
방법을 배우는 활동이다.
그림일기는 첫 번째 핵심은 자신의 경험을 표현하는 효과적인
수단이라는 점이다. 그림일기는 문자를 통한 표현력이 부족한
아이를 위한 어쩔 수 없는 선택이 아니라 더 풍부하고 다채로

운 이야기를 경험한 주체가 표현할 수 있도록 기회를 주는 활동이다. 따라서 그림 읽기에서 대상의 재현 능력(데생능력, 조형적 능력)은 중요하지 않다. 어떤 그림이든 표현할 수 있는 기회를 주고, 그 그림을 통해 이야기를 나누고 할 수 있는 만큼의 문자적 표현을 포용하는 것이 중요하다.

그림일기의 두 번째 핵심은 그림일기를 바탕으로 이야기를 나누고, 그림일기 작가를 주인공으로 만드는 것이다. 자유롭게 표현하는 것만큼 중요한 것이 그림일기에 대한 이야기를 나누며 그림일기의 작가를 주인공으로 만들고, 그림일기를 함께 공유하는 것이 중요하다. 학생들은 그림일기의 작가의 작품 덕분에 그림과 글을 통해 또 질문을 하고, 작가의 생각에 대해 이야기를 나누게 된다.

그림으로 표현된 상황에 대해 자유롭게 연상하고, 질문을 던지는 것에서 그림일기는 새롭게 시작된다. 그림은 보는 이에게 질문을 던지게 만들고, 이 그림을 그린 화가는 자신의 경험에 대해 들려줄 수 있다. 누구나 넘볼 수 없는 경험에 대한 독점적 주인공인 화가가 이야기를 들려줄 수 있다. 그림과 글은 이를 읽는 이의 궁금증과 질문을 떠오르게 하고, 이에 대해 경험의 주체가 답을 들려주는 활동이 핵심이 된다.

그림읽기의 그림과 글은 경험을 표현하는 수단이자 매듭이며, 경험에 대해 더 속 깊은 이야기를 나누는(묻고 답하는) 발판이다.

1학년 그림일기에서 핵심은 그림의 조형 능력이 아니다. 그림일기의 핵심은 경험을 자유롭게 표현하고, 이에 대해 집중적 이야기를 나누고, 이를 문자와 그림으로 표현해 보는 기회를 가지는 것이다. 그리고 이 그림과 글에 대해 다시 이야기를 나눠보는 것이 중요하다.

물론 그림과 글의 조화에 대해 수업을 초점을 맞추기는 어렵다. "이야기에 어울리는 그림은 무엇일까?"는 1학년 학생에게 필수적이고 효과적인 활동이라 보기 어렵다. (물론 이를 하는 재미와 효과를 부정하는 것은 아니다.)

1학년 학생이 그림과 글의 조화에 초점을 맞추기는 어렵다. 오히려 <점>이 들려주는 주제처럼 어떤 그림이든 허용하고, 경험 이야기에 초점을 맞추는 것이 필요하다.

그림일기는 비문해 아동도 자신의 경험을 그림이라는 도구를 통해 표현할 수 있다.

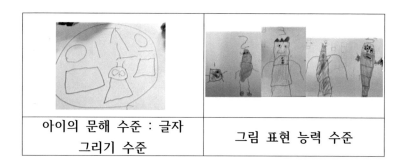

아이의 문해 수준 : 글자 그리기 수준	그림 표현 능력 수준

글자는 그리는 수준이고, 그림 표현 능력도 서툴기 그지없는

　　　　　　　4부. 기초문해 수업 방법과 구체적 사례

5살 미문해 아이도 다양한 도구와 매체 등을 활용해 자신의 경험을 상기하고, 표현의 즐거움을 누릴 수 있다.

| 상추씨를 뿌린 장면 표현하기 | "상추씨를 뿌렸어" 읽기 |

다양한 표현 방법 중 그림일기를 통한 경험 표현 핵심은 자신의 경험을 표현하는 즐거움이고, 이를 친구들과 함께 나누는 활동이다.

쓸 줄 아는 아니 그릴 줄 아는(혹은 읽을 줄 아는) 문자는 자기 이름과 몇 개의 기본 자모음 정도인 유아에게 그림일기는 자신의 경험을 표현하는 멋진 기회가 되어준다.

"00이랑 00랑 비오는 날 산책 나가서 찰방 찰방, 첨벙거리며 물장구치며 노는 그림이에요."

비오는 날 경험 사진으로 찍기	경험 그림으로 표현하고 발표하기

둘째, 그림일기의 특성과 필요 학년을 이해해야 한다.

  그림일기는 1학년에 해야 한다? 글을 길게 못 쓰니 1학년에 어울리는 활동이라는 단견이 있다. 하지만 그림일기는 그림과 글을 모두 활용할 수 있는 고학년에서 더 적절한 활동이다. 그림일기는 저학년의 전유물이 아니라 시화, 그림동화책처럼 모든 학년의 효과적인 경험적 글쓰기와 문학적 글짓기의 산물이다.

  굳이 학년을 따지자면 고학년일수록 완성도와 내실이 높아질 수 있다. 시화가 고학년일수록 더 적절한 활동이듯 그림일기도 저학년에서 활용하기 쉽지 않다. 따라서 그림일기는 글을 모르는 저학년에서 해야 한다는 생각을 내려놓을 필요가 있다.

  또한 그림 읽기를 교육적으로 활용할 때 문자 강박에서 벗어날 필요가 있다. 우리는 표현과 소통을 할 때 문자의 효과는 제한적이고 한정적이다. 우리는 표현과 소통, 공감에 있어서 다층적인 매체와 도구(문자와 이미지, 문자와 이미지를 통한 3차원의 의미 전달, 표정과 몸짓, 영상 등)를 활용한다. 우리는 글로 다 담을 수 없는 것을 표현하기 위해 사진, 그림, 영상 등의 다양한 이미지를 활용하곤 한다.

이슬람 세계처럼 상징과 그림은 우상숭배고 문자로만 모든 것을 표현해야 한다는 강박에 놓이면 그림일기는 글을 못 쓰는 미해독자 혹은 글을 빽빽하게 채울 수 없는 기초문해자가 어쩔 수 없이 그림의 보조를 받아 양을 채우는 것이 되고 만다.

그림일기는 경험을 더 효과적으로 표현하고 나누기 위한 방법 중 하나다. 따라서 우리는 그림일기를 통해 글과 이미지로 서로 각기 독립적으로, 서로 종합적으로 표현하는 능력을 키울 수 있다.

따라서 그림만이 아닌 다양한 이미지를 상황과 필요에 따라 활용하는 능력이 중요하다. 글의 상황에 맞는 그림 그리기, 이미지 찾기(사진이나 그림, 잡지 이모티콘 등으로 표현하기), 사진으로 표현하기 등이 중요하다.

셋째, 경험을 그림과 글, 그림동화책이나 시화 등으로 표현하는 법을 가르치고 배우는 두 가지 접근법을 상황과 필요, 학생 발달 수준 등을 고려해야 활용해야 한다.

(1) 글을 통해 이미지에 접근하는 법

경험을 표현하는 방법에는 글에 어울리는 이미지 찾기(그림과 이미지 오려 편집하기, 영상과 그림 사진 등 편집해 만들기, 경험에 어울리는 이미지 구성하기)활동이 있다.

경험을 표현할 때 중요한 것은 그림 그리는 능력이 아니라 중요한 경험을 포착하고, 이를 표현하는 효과적인 수단을 선택해 이를 적절하게 구성해 내는 것이다. 글에 어울리는 그림을 재현하는 능력은 그림 그리는 능력이 전제되므로, 이것에 메이지 않도록 특별한 주의를 요한다.

따라서 그림에 어울리는 그림을 찾고, 이를 효과적으로 표현하는 적절한 도구를 선택하는 것이 중요하다. 잡지나 책의 이미지를 오리거나, 촬영한 사진이나 영상을 이용해 경험을 이미지로 표현해 보는 활동이 중요하다.

(2) 이미지와 영상을 통해 글에 접근하는 법

사진, 그림, 영상을 보고 이야기를 만드는 활동을 할 수 있다. 경험을 구체적으로 생생하게 그리고 감동적으로 표현하는 능력을 키우려면 그림을 보고 이야기를 만드는 활동이 필요하다. 글에 어울리는 이미지 만들기보다 문자적 측면이 강하지만, 좀 더 자유롭고 다채로우며 큰 부담 없이 가상세계를 만들 수 있다. 그림이나 사진, 영상 등의 보편적 이미지를 통해 자신의 구체적 경험을 소환해 학생들 간의 경험을 나눌 수 있는 장점이 있다.

이 점에서 그림동화책의 이미지나, 다양한 작가들의 그림을 통해 학생들의 보편적 경험을 특별하고 개별적인 학생 체험과 비교해 보는 이야기의 장이 필요하다.

	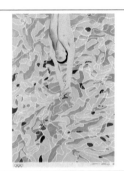
데이비드 호크니의 <더 큰 첨벙>	호크니의 뮌헨 올림픽 포스터 디자인

데이비드 호크니 <더 큰 첨벙>를 보고 이야기 나누며 글을 쓰는 방법은 무엇일까?

"여기는 어디일까?"
"날씨는 어떨까?", "어느 계절일까?"
"뭐하는 걸까?"
"누가 뛰어들었을까?"
"뛰어들었을 때 어떤 기분이었을까?"
"얼마나 높았어? 어떤 기분일까?"
"나는 이런 비슷한 경험이 없었니?"

"어디로 갔던 일이냐?"
"누구랑 같이 갔어?"
"뭐 먹었어?"
"살이 타지는 않았어?"
"튜브나 공은 없었어?"

 등의 질문을 통해 그림을 깊게 파고들어야 한다. 그림을 깊게 파고든 후에 이와 유사한 경험들 예를 들어 목욕탕, 수영장, 놀이터, 계곡, 분수대, 바다 등에서 물에 뛰어든 경험, 첨벙거리며 놀았던 보편적이고 경험을 학생의 개별적이고 특이한 체험을 통해 풀어낼 수 있도록 살펴주어야 한다.

 화가의 그림을 통해 보편적 물놀이 경험을 학생 개개인의 특별한 체험으로 풀어내는 방식도 가능하지만 다른 그림을 통해 이야기보따리를 풀어내는 것도 가능하다.

사진이나 그림을 보고 이야기 나누기

이런 점에서 초등 1학년에서 대상을 이미지로 재현하는 능력에 아직 발달하지 못한 아동에게는 그림일기가 아니라 사진 일기가 더 효과적일 수 있다. (사진 읽기를 통해 그림일기로 확장해 보는 활동이 효과적이고 유용하다.)

그림으로 표현하는 것이 미숙한 아동에게 비오는 날 첨벙 첨벙 물놀이한 경험을 표현하는 데 사진이 좋을까, 아니면 그림이 좋을까?

넷째, 그림 실력이 중요한 것이 아니라 자신의 경험을 적절히 표현하는 여러 가지 방법들을 활용하는 능력이 중요하다.

영어 문장을 쓰면 그림으로 바꾸어주는 인공지능 등을 활용하는 것도 가능하다. 생성형 AI인 Dall-E 프로그램은 월-E와 살바도르 달리에서 따온 것으로 현재 DALL·E 2가 활용 가능하다. 문자 텍스트를 입력하면 이를 그림으로 만들어주는 생성형 AI 프로그램은 Dall-E, 미드 저니 그리고 칼로(카카오브레인) 등이 있다. DALL·E 2는 영어로 텍스트를 입력하거나 이미지 파일을 삽입하면 인공지능이 알아서 다양하고 적확한 그림을 생성해주고, 칼로는 한국어로 가능하다.

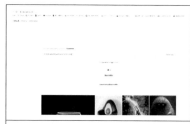	
DALL·E 2에 "비오는 날 첨벙거리며 뛰노는 아이"라는 문장을 영어로 어울리는 다양한 그림을 생성해준다	칼로에 "비오는 날 첨벙거리며 뛰노는 아이"라고 명령어를 쓰면 다양한 사진을 생성해준다

눈싸움하는 어린아이들	초등학교 교실에서 발표하는 아이

4부. 기초문해 수업 방법과 구체적 사례

경험하는 글쓰기 방법 배우기 : 그림동화책을 읽은 경험 쓰기

경험적 글쓰기의 기본 특히 그림일기 쓰기의 기본 모델은 그림동화책에 담겨 있다. 경험적 표현을 그림과 글을 동시에 활용하여 시도하려면 그림동화책을 활용하는 것이 매우 효과적이다.

일단 그림동화책을 읽고(경험하고) 자신이 좋아하는 장면 하나 고르고 그 이유와 생각을 이야기하는 것이 첫 단계다. 그리고 장면에서 기억에 남는 대사와 주인공들이 어떤 말을 했을지 자신의 생각을 이야기한다. 다음으로 상황 속에서 주인공들은 어떤 감정과 느낌이었을지 나의 생각을 이야기해보는 것이 필요하다.

이렇게 나눈 이야기를 정리해 보고, 이를 바탕으로 글을 쓰면 된다.

<다음 그림에 어울리는 이야기를 만들고 글로 써 보아요, 혹은 그림의 상황과 비슷한 나의 경험을 써 보아요.>

<달님 안녕>의 한 장면을 골라 그 장면을 깊이 함께 이야기 나누고 글쓰기

보름달이 떴어요. 노랗고 커다란 둥근 달님을 보러 엄마랑 나갔어요.

"엄마, 더 커지고, 더 완전 동그랗게 변했어요."

"그렇네, 며칠 전에는 반달이었는데 오늘 보니 정말 동글동글해졌네."

"지붕 위 고양이도 나처럼 보름달님을 보러 왔나 봐요."

"엄마, 고양이 아가랑 엄마도 우리처럼 달맞이하러 왔나 봐요"

"정말이네, 야옹 야옹 고양이가 달에 사는 토끼랑 놀려고 하는 건 아닐까?"

"달 토끼가 떡방아 찧어서 떡 만들어 줄까요? 고양이들이랑 엄마랑 나에게도 주면 좋겠어요."

"그럼, 그럼. 울지 않고 멋진 행동 많이 하니 산타클로스 할아버지가 선물 주듯 달 토끼도 00이에게 떡 선물을 줄 거야."

"야호, 달 토끼가 떡 선물 주면, 난 맛있는 우유를 고양이에

4부. 기초문해 수업 방법과 구체적 사례

> 게 선물할 거예요."
>
>   나는 엄마 손을 꼭 잡고 고양이 소리를 들으며 달맞이를 했다.
>
>   엄마는 모를 거다. 달에는 토끼도 안 살고, 산타클로스 할아버지는 아빠라는 걸 내가 알고 있다는 걸.

<달님 안녕>를 깊이 함께 읽고 자신의 감상을 담은 글쓰기는 이야기 나누기와 글쓰기를 통해 경험적 글쓰기에 필요한 기본들을 체득시킬 수 있다.

그림동화책을 함께 깊이 읽은 정도에 따라 완전히 다른 감상이 나오게 마련이다. 엄마랑 아기가 어떤 이야기를 나누고, 어떤 감정일지 그리고 고양이와 달은 어떤 마음일지는 달님 안녕을 함께 깊이 읽은 과정이 글쓰기의 질을 결정해준다.

<그림의 상황과 유사한 나의 경험을 이야기 나누고, 글로 써 보아요.>

<벗지 말걸 그랬어>를 읽고 한 장면을 고르고, 자신의 경험을 떠올려 글쓰기

"아이 더러워. 뭐 하고 왔길래 옷이 걸레가 된 거야?"

엄마가 내 옷을 걸레라고 했다. '멋지기만 한 내 옷이 왜 걸레라는 거야.' 엄마는 오늘 내가 피구할 때 얼마나 멋지게 슬라이딩해서 공을 피한 줄 모르는 거다. 친구들이 네가 공을 받고 피할 때 얼마나 부러워했는지 몰라서 하는 소리다.

"어서 씻어. 거지가 친구하자고 하겠다."

"싫어, 싫어. 게임할 시간이잖아. 맛있는 간식 먹으면서 게임할 거야."

"씻기 전에는 아무것도 못해. 어서 더러운 옷 세탁기에 넣고 씻고 나와."

"아니야, 싫어."

도망가도 소용없었다. 집은 엄마의 손바닥 안이었다. 엄마가 나를 붙잡고 강제로 옷을 벗겼다. 하지만 땀이 가득한 옷은 벗겨지지 않았다. 머리에 걸린 옷은 아무리 발버둥 쳐도 벗겨지지 않았다

"내가 한다고 했잖아요. 머리 아프다구요. 왜 억지로 해서. 엄마 미워."

엄마는 내가 얼마나 속상한지 들은 척도 안 했다. 엉덩이를 철석하며,

"가서, 깨끗이 씻고 와. 옷은 세탁기에 잘 넣고."

엄마는 너무 무섭고 밉다.

그림동화책을 함께 깊이 읽었다면 그림을 보고 혹은 한 장면을 고르고 이에 대한 다양한 상상의 나래를 펴며 이야기를 나누고, 이를 바탕으로 자신만의 이야기를 쓸 수 있도록 해야 한다.

장면과 어울리는 이야기 만들기, 그림 깊게 읽고 이야기 만들기, 이야기에 어울리는 그림 그리기 등은 이와 동시에 이루어질 수 있는 창작 활동 중 하나다.

이는 그림동화책의 한 장면을 읽은 경험을 바탕으로 한 글쓰기는 문학적 글짓기가 경험적 글쓰기와 만나는 지점이다. 문학적 글짓기와 경험적 글쓰기의 조화는 상상적 세계와 사실적 세계를 넘나드는 초등학생의 발달 특성을 고려할 때 매우 효과적이라 할 수 있다.

다만 그림일기의 핵심적 요청은 읽기나 쓰기의 발달 수준과 차이 없이 동일하다. 경험을 표현하는 데 필요한 핵심 기술(하나의 사건을 구체적으로 묘사하기, 말과 행동 그리고 생각과 느낌 표현하기)과 그림과 글이 어울리도록 해야 하는 기준을 알려주는 것은 학생의 문해 수준과 상관없이 중요한 요청이다.

그림동화책을 함께 깊이 읽으며 날아오르기 위한 고민거리들

그림일기는 1학년에 해야 한다? 글을 길게 못 쓰니 1학년에 어울리는 활동이라는 단견이 있다. 하지만 그림일기는 그림과 글을 모두 활용할 수 있는 고학년에서 더 적절한 활동이다. 그림일기는 저학년의 전유물이 아니라 시화, 그림동화책처럼 모든 학년의 효과적인 경험적 글쓰기와 문학적 글짓기의 산물이다.

굳이 학년을 따지자면 고학년일수록 완성도와 내실이 높아질 수 있다. 시화가 고학년일수록 더 적절한 활동이듯 그림일기도 저학년에서 활용하기 쉽지 않다. 따라서 그림일기는 글을 모르는 저학년에서 해야 한다는 생각을 내려놓을 필요가 있다.

또한 그림 읽기를 교육적으로 활용할 때 문자 강박에서 벗어날 필요가 있다. 우리는 표현과 소통을 할 때 문자의 효과는 제한적이고 한정적이다. 우리는 표현과 소통, 공감에 있어서 다층적인 매체와 도구(문자와 이미지, 문자와 이미지를 통한 3차원의 의미 전달, 표정과 몸짓, 영상 등)를 활용한다. 우리는 글로 다 담을 수 없는 것을 표현하기 위해 사진, 그림, 영상 등의 다양한 이미지를 활용하곤 한다.

이슬람 세계처럼 상징과 그림은 우상숭배고 문자로만 모든 것을 표현해야 한다는 강박에 놓이면 그림일기는 글을 못 쓰는 미해독자 혹은 글을 빽빽하게 채울 수 없는 기초문해자가 어쩔 수 없이 그림의 보조를 받아 양을 채우는 것이 되고 만다.

그림일기는 경험을 더 효과적으로 표현하고 나누기 위한 방법 중 하나다. 따라서 우리는 그림일기를 통해 글과 이미지로 서로 각기 독립적으로, 서로 종합적으로 표현하는 능력을 키울 수 있다.

따라서 그림만이 아닌 다양한 이미지를 상황과 필요에 따라 활용하는 능력이 중요하다. 글의 상황에 맞는 그림 그리기, 이미지 찾기(사진이나 그림, 잡지 이모티콘 등으로 표현하기), 사진으로 표현하기 등이 중요하다.

그림동화책을 통한 기초문해 교육도 문학 교육이야. 문학 교육에 대한 흔한 미신들에 **빠져들면** 그림동화책을 통한 기초문해 수업을 바로 세울 수 없어.

그림동화책에 대한 해독과 독해, 추론과 상상의 과정이 충분히 다져지면 체험과 놀이, 탐구의 체험이 제대로 이루어질 수 있어.

18. 기초문해 교육과 수업의 기본 다시 보기

한국 교육은 지식과 기능과 분리된 활동형 수업을 공교육 혁신의 대안이라고 생각한다. 기초 지식과 기본 기능을 통한 고등 활동이 필요한 것이 아니라 학생이 즐거워하고, 교사의 안내와 도움 없이 학생 스스로 조사 발표하는 활동형 수업을 교육의 대안이라고 생각하고 있다.

기초 지식과 기본 기능과 분리된 활동형 수업을 교육혁신의 대안이라고 생각하고 있다. 문제를 대안이라고 거꾸로 선 상황을 "고치기가 쉽지는 않을 것이다. 하지만 반드시 고쳐야 한다."(It will not be easy to fix it. But fix it we must.)

엉뚱한 방향과 잘못된 방법으로 노력하면 배신당한다.

"노력은 배신하지 않는다" 라고 하지만 사실이 아니다. "노력은 배신할 수 있다." 올바른 방향으로 효율적인 방법으로 노력할 때만 배신하지 않는다. 교육의 변화와 혁신도 마찬가지다. 방향과 방법이 잘못되어 있다면 아무리 노력하고 발버둥쳐도 헛발질이고, 탈진만 부를 수 있다.

"많이 훈련하는 게 중요한 게 아니다. 나에게 필요한 게 뭔지 정확히 알고 그것에 맞는 노력을 해야 한다." (엘링 홀란)

괴물 같은 축구 역량을 보여주는 홀랜드는 훈련의 양이 아니라 질이 중요하다고 이야기한다. 나에게 필요한 훈련을 적시적소에 활용해야 한다고 강조한다.

그의 말처럼 방향과 방법이 잘못되면 아무리 노력해도, 오히려 역효과를 낼 뿐이다. 엉뚱한 방향으로 잘못된 방법으로 아무리 노력해도 잘 될 수가 없다. 노력했으니, 좋은 뜻으로 한 것이니 라며 자신을 합리화지 말고 제대로 된 방법과 방향으로 효율적으로 해야 한다. 잘못된 방향, 엉뚱한 방법으로 노력하면 결국 탈진할 수 밖에 없다.

교사와 교육 문제 핵심도 노력, 열정, 선의가 부족해서가 아니라 교재와 평가라는 방향과 수업 방법(깊이 읽기와 이에 연관한 고등 활동)이 제대로 되지 않아서다.

올바른 방향과 적절한 방법을 알고 노력하는 자에게만 성취와 성공, 보람과 행복은 다가온다.

자기 속도에 맞게 하면 된다. 차근차근 여유있게 해도 괜찮다. 실패해도 다시 도전하면 된다. 방향과 방법이 맞다면.

문학 수업(그림동화책과 이야기책)의 기본을 다시 보아야 한다

경로와 생각은 서로 달라도 결국 교육의 이치는 같다. 교육이란 바다가 모든 물을 품어 안 듯 동귀수도(同歸殊塗)하기 마련이다.

"세상이 모두 같은 곳으로 돌아가지만 길이 다르고, 세상이 모두 한 곳으로 이르지만 생각이 수백 가지가 된다.(천하동귀이수도天下同歸而殊塗, 일치이백려一致而百慮.)" (주역 「계사전」하)

교사와 스타일과 의도, 관점과 취향은 달라서 학생의 발달 수준과 선호는 천차만별이지만 결국 성장을 만드는 활동이라는 교육의 이치는 동일하다.

4부. 기초문해 수업 방법과 구체적 사례

교육이란 먼저 배운 이의 가르침의 도움을 통해 학생이 배움의 주도권을 만들어가는 과정이다. 교육이란 가르침이 배움으로 전환되는 과정이고, 이것은 동귀수도 하기 마련이다.

교육은 기초 지식을 이해하고, 기본 기능을 숙달하여 실제적 문제 해결에 적용해 보며 고등한 탐구(표현, 체험) 활동을 하는 것이 중요하다.

또한 학생의 근접발달영역에서 교사의 도움을 통해 성장해야 한다. 교사가 알맞은 발판을 제공하고, 이를 통해 학생이 성장의 도약을 이루어야 한다. 다시 말해 교육은 학생이 어느 정도 할 수 있는 능력을 바탕으로 아직 못하는 능력을 성취할 수 있도록 발판을 제공하고, 이에 도전하며 부단한 실패와 실수 속에서 드디어 성취해내도록 돕는 과정이다.

이것이 문학 수업이라고 다를 이유도, 다를 수도 없다.

그림동화책, 이야기책은 자연스럽게 학습 능력을 키워주는 습득 놀이가 아니다. 어떤 성장도 그저 되는 것이 아니듯, 문학 수업도 그냥 자유롭고 편안하게 느끼는 활동으로 되는 것이 아니다. 문학 수업도 깊이 읽는 입체적이고 다각적인 지원과 효과적인 교재와 교구 등의 발판을 깔아주는 것에 바탕해 고등한 탐구와 표현, 체험 활동이 이루어져야 문해력이 자라게 된다.

그림동화책 수업에 대한 통념(미신, 오해)

그림동화책과 이야기책(문학 작품)에 대한 가장 강력한 미신

중 하나는 가르치지 말고 스스로 감상하게 하라는 것이다.

1) "인위적으로 읽어주거나, 작품을 분석하지 말고 스스로 자유롭고 읽고 감상하게 하라."는 문학 수업에 대한 강력한 통념이다. 이 통념은 "유아 시절은 책 읽어주기가 효과적이나, 초등 시절은 스스로 읽는 게 좋다. 아침 책읽기는 하더라도 분석하고 가르치려 하지 말고 그냥 책을 읽어주면 된다."고 한다. 문학작품을 "교사가 학생에게 매일 읽어주기만 하면 학습역량은 저절로 올라가고, 책을 좋아하게 된다."고 한다.

하지만 문해력과 쾌락주의적 독서 능력은 책은 어떻게 읽어주느냐에 따라 달라진다. 책을 많이 읽어주는 게 핵심이 아니라 책을 함께 깊이 읽어 하나라도 제대로 읽는 법을 배울 수 있느냐가 관건이다. 그냥 문자를 축자적으로, 매일 읽어준다고 도움이 되는 게 아니다. 책을 깊이 읽고, 읽은 내용에 대한 대화를 나누고, 그에 대한 다각도의 입체적 이야기를 나눠야만 책을 좋아할 가능성이 생기고, 책 읽는 법을 배울 수 있다.

학생 문해력 형성에 있어서 누가 읽어주느냐, 스스로 읽느냐의 문제가 결정적이지 않다. 책 읽기는 (읽어주기-함께 읽기-스스로 읽기)처럼 권한 이양의 과정이 중요하지, 한 부분을 잘라 누구 읽느냐가 핵심 질문은 아니다. 누가, 어떻게 읽느냐는 상황과 필요에 맞게 읽으면 된다. 최소한의 읽는 능력이 갖춰져 있다면 문제는 책을 깊이 읽고, 책을 메타적으로 바라볼 수 있는 감수성과 안목을 가지느냐다.

2) "문학 작품은 분석하는 것이 아니라 느끼는 것이다." 도 문학 수업에 대한 강력한 통념이다. 가르치지 말고 느끼게 하라. 저자의 죽음과 독자의 자유를 고려하여 자유롭게 개인적 취향에 따라 느끼면 된다. 비경쟁독서 토론처럼 자신의 느낌을 자유롭게 나누면 된다.

  하지만 문학 수업을 분석을 통한 감상, 감상을 통한 탐구의 이중적 과정이다. 책을 많이 읽어주고(읽도록 한다고 해서) 쾌락주의적 독서광이 되지 않는다. 문제는 책을 씹어 먹을 역량이 만들어질 때 책이 효과적인 정보 습득의 통로가 되고, 책을 통해 새로운 이야기를 만들 수 있을 때 쾌락주의적 독서광이 된다. 이를 위해서는 독서는 공부하듯, 교과서 읽듯 텍스트를 분석하고 소화해야 한다. 문해 역량이 책 읽는 역량, 공부 역량이 책을 통해 길러지려면 수필이나 소설읽듯 자유롭게 읽는 것으로는 불가능하다.

  사실 독해와 추론, 비판과 논증과 상상 독해를 혼돈하는 것은 치명적 문제다. 사실 독해가 명확하고, 엄정할수록 추론과 상상, 비판과 논증이 개연성 있고, 그럴듯해진다. 사실 독해에는 정답이 있고, 추론과 상상, 비판과 논증에는 더 그럴듯하고 멋진 답들이 있다.

  문학 수업은 더 분명한 사실 독해를 통해 더 그럴듯하고 멋진 추론과 상상, 분석과 논증을 찾아가는 과정이다. 이 과정을 거세한 채 자유로운 느낌만을 강조하면 수업도, 학생 성장도 일어나지 않는다.

3) "그림동화책 수업 감상 놀이고 자유로운 표현과 놀이 활동 이면 충분하다." 도 문학 수업에 대한 강력한 통념이다. 그림 동화책을 함께 깊이 읽고 나누는 과정 없이 핫시팅, 역할극, 하브루타, 토론 수업 등 작품에 대한 자유로운 표현의 장을 만 들면 충분하다는 것은 문학 수업에 대한 미신일 뿐이다.

교실에서 수업시간에 해야 하는 것은 놀이를 통한 습득이 아 니라 수업을 통한 학습이다. 놀이, 관계, 소통의 도구인 그림 동화책을 학습에 활용한다는 것은 학습이라는 기준에 맞게 해 야 한다. "놀 땐 놀고 공부할 땐 공부해야 한다."

"지식과 기능에 기초하지 않은 활동을 하려들면 안 된다. 전 인적 교육, 음악, 미술, 체육을 통합적으로 고려한 수업은 가 뜩이나 뒤처진 학생들을 더 격차 속으로 몰아넣는다."

<거울 나라 속으로>에 사는 붉은 여왕은 세상과 보조를 맞추 려면 미친 듯이 달려야 한다. 최소한 제 자리를 지키려면 쉬지 않고 달려야 한다.

"여기서는 같은 곳에 있으려면 쉬지 않고 힘껏 달려야 해. 어 딘가 다른 데로 가고 싶으면 적어도 그보다 두 배는 빨리 달려 야 하고." (붉은 여왕, <거울 속으로>)

단군 이래의 최대 격차 속에서 던져진 느린 학습자에게 한가롭고 부담 없는 통합 수업은 지극히 해롭다. '미친 듯이 노력해서 겨우 먹고살게 되는' 라이언 일병의 어려움처럼. 이미 벌어진 격차 속에서 따라잡기를 하려면 응급하게 문해에 필요한 역량을 효과적으로 키워야 한다. 응급한 지원이 필요한 상황에서 통합적으로 여러 활동을 곁들이면 선의와 달리 오히려 격차는 커지고, 느린 학습자는 더욱 무기력해진다.

수업은 수업답게, 학습은 학습다워야 한다. 깊이 읽기, 재미있게 읽기, 함께 읽기가 기본이 되어야 한다. 그렇지 않으면 문학의 표현 수업은 소수의 학생들만 주인공이 된다. 만약 우리 모두의 아이의 성장을 만들지 못하고 남보다 조금 일찍 인지적 발달이 일어난 학생들에게 발표와 표현의 장을 독점하게 만든다는 이것은 반교육적이고 뛰어난 소수의 학생만 주인공을 만든다는 점에서 반민주적이다.

(사과) 통합 수업의 기본은 그림동화책 깊이 읽기다

<사과가 쿵>을 바탕으로 사과를 가르치고 배운다면

우리가 어떤 교육과정의 요청과 학생발달을 기초로 하여 역량을 키우는가가 핵심 문제다. 예를 들어 <사과가 쿵>을 가르치고 배운다고 해보자.

우리는 사과를 가지고 하는 체험과 놀이에 집중할까 아니면 사과 텍스트에 집중하게 될까?

아무리 디지털 원주민이라 하더라도 아니 디지털 원주민이기에 초등 교육의 핵심적 과제는 문자 텍스트를 읽고 쓰는 것이다. <사과가 쿵>의 텍스트를 온전히 이해하고 소화하느냐 기본이다. <사과가 쿵>의 텍스트를 온전히 즐길 수 있느냐가 고등 사고력 활동을 펼치는 관건이 된다.

초등 교육이라면 의당 <사과가 쿵>의 세계에 들어가 주인공이 되어 사과를 먹고, 친구들을 만나고, 비를 맞고 피하며 문학적 세계를 향유하느냐가 기본이다. 이를 위해서는 글을 해독하고 독해할 수 있어야 한다.

다시 말해 글의 사실적 이해를 할 수 있느냐가 첫 번째 문턱이다. 제일 먼저 달려온 동물이 누구이고, 다음으로 온 동물들이 누구누구인지 알 수 있어야 한다. 그리고 어떤 동물이 어떤 소리를 내며 먹는지를 탐구할 수 있어야 한다. 또한 사과가 어떤 것으로 쓰이는지(배불리 먹을 먹이이자, 비가 올 때 우산이자) 등을 사실적으로 독해할 수 있어야 한다.

다음 두 번째 문턱이 이야기와 장면, 주인공의 마음 등을 추론할 수 있느냐다. 애벌레는 사라져 어디로 가는가, 어떻게 되었을지 추론해 보고, 왜 동물들은 먹고 나서 한쪽에 머물러 있는지, 머무르면서 뭐라고 이야기할지, 또 사과가 얼마나 커야 저렇게 다 먹고도 남고, 우산으로도 쓰일 수 있을지 등을 추론하고 상상할 수 있어야 한다.

이 해독과 독해, 추론과 상상의 과정이 충분히 다져지면 체험과 놀이, 탐구의 체험 고등하게 이루어질 수 있다. 텍스트의 지식을 깊이 이해하게 되면 고등한 탐구 활동이 내실 있게 열릴 수 있다. <사과가 쿵>을 깊이 읽어 온전히 텍스트를 소화하게 되면, 그림동화책에 대한 역할 놀이, 핫시팅, 하브루타 등의 고등한 탐구 활동 수업이 얼마든지 가능하다. 또한 사과를 따고(꼭지 부분을 들어 올리듯 따면 된다), 씻고, 깎고, 먹고, 정리 정돈하고, 사과 재배(열매가 아름다운 색으로 익는 것은 동물들에게 자신을 잘 익었으니 먹어달라. 그리고 씨앗을 퍼뜨려 달라고 외치는 것이다)나 수확 체험 등도 이루어질 수 있다. 더불어 사과 해부 수업을 겹쳐서 진행한다면 금상첨화의 수업이 될 것이다.

하지만 우리 교육은 사과가 쿵 수업의 기초(텍스트 깊이 읽기와 함께 읽기)를 우회한 채 체험과 놀이, 역할극 활동 등에만 시선을 빼앗기고 한다. <사과가 쿵>의 이해와 사과 체험이 분리되어 있다는 것이다.

프로젝트 수업의 첫 번째 과제는 <사과가 쿵>을 충분히 깊이 이해, 소화하는 것이다. 우리 교육의 결정적 문제는 이 문제를 우회한 채 활동형 수업에 빠져 있다는 점이다. 기존의 한국 교육은 문자 텍스트를 입체적으로 깊이 읽으며 소화하는 것이 아니라 문제 풀이를 위한 분석과 주입에 국한되곤 했다. 기존 우리 교육은 <사과가 쿵>을 이해하고 즐기는 교육이기보다는 시험 문제 풀이를 위한 주입식 도구에 한정되는 문제를 보이곤 했다. 특히 시험 문제 풀이를 위한 주입식 교육은 닦달과 모욕, 상처로 얼룩지게 되었다.

이 점에서 한국 교육은 텍스트 이해와 소화에 있어서 체계적이고 부드럽고 따뜻하게 배울 수 있도록 수업을 여는 게 매우 긴요하다. 우리 모두의 아이가 텍스트를 온전히 독해하고, 이를 통해 추론 상상 비판할 수 있도록 살피는 것이 우선이 되어야 한다. 이 함께 깊이 읽기가 체계적으로 어우러질 때 섬세하고 부드럽고 따뜻한 도움주기가 가능해진다. 우리 아이들이 텍스트에 대한 지식이 깊어질 때 아이 하나의 성장을 도와주는 것이 가능하다.

그림동화책 텍스트 하나를 교사와 학생이 함께 깊이 읽고, 재미있게 읽을 수 있을 때 아이의 문해력은 달라질 가능성이 생기게 된다.

음식을 잘 못 먹으면 원인을 분석하고 이에 맞게 대응해야 한다. 몸에 좋은 음식이니, 억지로라도 먹어보면 된다는 식의 강권이 도움이 되는 게 아니다. (예외적으로 몇 사례는 긍정적일 수 있으나 대부분은 그 강권에도 불구하고 아이가 음식을 즐기게 된 것이다.) 몸에 좋은 음식이니 먹어보면 다 도움이 되는 게 아니다. 음식에 대한 거부감이 커지고, 오히려 여유 있고 부드럽게 다가서면 충분히 즐길 수 있는 것도 윽박지르고 닦달해 그것으로 인해 음식을 즐길 수 없게 만들다. 좋은 음식, 맛있는 음식일수록 강요와 몰아세움이 아니라 부드럽고 따뜻하게 포용해, 발달에 맞게 체계적이고 효율적으로 다가서 온전히 즐길 수 있게 해줘야 한다.

두 번째 문제는 지식 이해 교육과 활동(체험, 표현, 탐구)이 조화를 이루어야 한다는 것이다. 기존 한국 교육은 활동과 놀이 중심 교육은 지식과 분리된 채 자신의 독자성(재미있으면 다 좋다, 교육을 통해 아이들이 행복해야 한다)을 강박적으로 주장하곤 했다. 마치 지식 교육을 하면, 교사 중심의 안내가 나쁜 것인 양 착각하는 극단에 시달리곤 했다. 문제는 지식(기능) 교육과 고등 활동의 조화이지 분리가 아니다.

<사과가 쿵>을 충분히, 제대로 소화하고 나면, 다양한 활동이 매우 의미 있는 상승작용을 일으킬 수 있다. 사과가 쿵 역할극과 글쓰기, 사과 재배와 요리 체험은 물론 해부 체험은 문자 텍스트를 제대로 소화했을 때 상승작용을 일으키게 된다.

그림동화책을 함께 깊이 읽으며 날아오르기 위한 고민거리들

디지털 원주민이라 하더라도 아니 디지털 원주민이기에 초등 교육의 핵심적 과제는 문자 텍스트를 읽고 쓰는 것이다. <사과가 쿵>의 텍스트를 온전히 이해하고 소화하느냐 기본이다. <사과가 쿵>의 텍스트를 온전히 즐길 수 있느냐가 고등 사고력 활동을 펼치는 관건이 된다.

초등 교육이라면 의당 <사과가 쿵>의 세계에 들어가 주인공이 되어 사과를 먹고, 친구들을 만나고, 비를 맞고 피하며 문학적 세계를 향유하느냐가 기본이다. 이를 위해서는 글을 해독하고 독해할 수 있어야 한다.

다시 말해 글의 사실적 이해를 할 수 있느냐가 첫 번째 문턱이다. 제일 먼저 달려온 동물이 누구이고, 다음으로 온 동물들이 누구누구인지 알 수 있어야 한다. 그리고 어떤 동물이 어떤 소리를 내며 먹는지를 탐구할 수 있어야 한다. 또한 사과가 어떤 것으로 쓰이는지(배불리 먹을 먹이이자, 비가 올 때 우산이자) 등을 사실적으로 독해할 수 있어야 한다.

다음 두 번째 문턱이 이야기와 장면, 주인공의 마음 등을 추론할 수 있느냐다. 애벌레는 사라져 어디로 가는가, 어떻게 되었을지 추론해 보고, 왜 동물들은 먹고 나서 한쪽에 머물러 있는지, 머무르면서 뭐라고 이야기할지, 또 사과가 얼마나 커야 저렇게 다 먹고도 남고, 우산으로도 쓰일 수 있을지 등을 추론하고 상상할 수 있어야 한다.

4부. 기초문해 수업 방법과 구체적 사례

그림동화책으로 한글 교육을 시작하려면 의례 자음 순서에 따라 만들어진 그림동화책을 찾게 돼. 한글 교육을 위해 자모 순서에 따라 만들어진 그림동화책 중 어떤 것이 좋을까?

자모 순서에 따라 만들어진 그림동화책을 기초문해에 활용할 때는 문해 발달이 어느 정도 이루어진다고 써야 해. 음절과 낱말 읽기가 되야 효과과 있지.

19. 자음 순서에 따라 만들어진 그림동화책 교재 검토

한글 교육을 시작할 때 자음 순서에 따라 만들어진 다양한 그림동화책을 활용하는 경우가 많다. 기초문해 교육 시 자음 체계에 기반한 그림동화책 중 어떤 것이 좋고, 어떻게 활용하면 좋은지에 대해 살펴보자.

한글 교육(기초문해교육)의 두 가지 양상

1) 파닉스 중심의 기초문해 교육

기초문해 교육은 주류는 자음과 모음 순서에 따라 낱말을 익히는 방식이다. 이 기초문해 방법은 자음과 모음 순서에 따라 관련 낱말들을 익히는 교재는 사교육과 공교육에서 널리 활용되고 있다.

자음과 모음 순서에 따라 관련 낱말을 익히는 이 방식은 낱말카드를 통해 쉽게 가르칠 수 있다는 장점과 직관적으로 당연해 보이며, 자음과 모음의 결합을 통해 과학적 문해 안내를 한다는 점 그리고 낱말에서 자음과 모음을 발견하는 것을 쉽고 간단하게 안내하는 점, 영어교육도 파닉스로 이루어진다는 점 등을 통해 기초문해 교육의 주류로 자리매김하고 있다.

2) 그림동화책을 통한 기초문해 교육

한글 문해 교육에서 그림동화책을 활용한 교육 경험을 들려주고, 이 방법을 안내해주는 것은 매우 소중하다.

한글 교육을 책임지기 위해 그림동화책 활용하려면 다음에 주의해야 한다.

첫째, 까막눈으로 고통받는 학생들을 도와주는 기초문해 교육 경험이 필요하다. 기초문해 교육은 낫 놓고 기역자로 모르는 까막눈인 학생을 위한 기초문해 교육에 전문성을 가지고 있어야 한다. 대부분 어느 정도 한글을 아는 학생들과 함께한 그림동화책 수업에는 경험들이 있지만, 까막눈 학생을 도와주는 기초문해 수업 경험은 부족한 상황이다.

이로 인해 그림동화책으로 기초문해 교육을 할 때 자모 순서로 된 그림동화책을 출발로 삼으려는 실수를 하기도 한다.

둘째, 자모 순서에 따라 만들어진 그림동화책은 문해 발달 시기에 따른 활용에 주의해야 한다. 자모 순서에 바탕해 만들어진 그림동화책이 효과적인 문해 교육 교재가 되기 위해서는 이 학생의 문해 발달 정도가 어느 정도 궤도에 올라야 한다. 기본 자모와 음절을 어느 정도 유창하게 읽고 쓸 수 있을 때 자모 순서에 따른 그림동화책이 힘을 발휘할 수 있다.

기초문해 교육에서 그림동화책을 활용할 때 기본이 되는 교재를 먼저 다루어야 한다. 까막눈 학습자의 첫 출발을 위한 그림동화책은 자모 순서에 기초한 그림동화책이 아니다. 첫 출발은 <구두 구두 걸어라>, <달님 안녕> 그리고 <뚜껑 뚜껑 열어라>, <초록 똥을 뿌지직>, <누가 숨겼지>, <투둑>, <나도 나도>, <파도야 놀자> 등의 기초문해 열기에 적합한 그림동화책이다.

셋째, 자음 순서대로 제작된 그림동화책을 한계와 가치를 유념해야 한다. 자음 체계에 따른 그림동화책은 그림동화책의 장점인 스토리와 사건의 역동성이 살아 있기 어렵다. 자음 순서에 따라 제작된 그림동화책은 그림동화책의 자기목적성이라는 감동과 재미를 가지기 어렵고, 한글 지도를 위한 도구의 한계를 가진 경우가 많다. 이 한계와 장점 살펴 기초문해 교육에 활용해야 한다.

자음 체계에 따른 그림동화책 활용의 시기와 방법

자음 체계에 따른 그림동화책 활용의 시기와 방법은 기초문해 교육에서 핵심적 물음 중 하나일 것이다. 이에 대해 간략히 살펴보자.

첫째, 기초문해 교육 시 자음 체계에 기초한 그림동화책 활용 시기를 살펴보자.

기초문해교육 시 자음 순서에 따라 만들어진 그림동화책은 언제 도입하는 것이 좋을까?

자음의 순서에 따라 꾸며진 그림동화책 활용은 학생의 문해 발달 수준에 달려 있다. 예를 들어 <생각하는 ㄱㄴㄷ>은 기초문해에 어려움을 겪는 까막눈 학생을 위한 그림동화책이 아니다. 한글에 자연스럽게 노출되지 않은 이주 노동자의 자녀나, 모국어의 문화적 환경에 적절하게 노출되지 못한 혹은 가정에서의 문화적 상호작용의 도움을 충분히 받지 못한 아이, 그도 아니면 뇌 발달의 어려움을 겪은 아이에게 <생각하는 ㄱㄴㄷ>는 너무 수준이 높고, 정보량이 많은 텍스트다. 따라서 이 그림동화책을 기초문해 교육에 활용하려면 학생의 문해발달 상황에 적합한지를 살펴야 한다.

자모 순서에 따라 만들어진 다양한 그림동화책은 기본적 낱말과 기본 자모를 어느 정도 알고 있을 때는 매력적인 작품이 되고, 기초문해 교육에 효과적 발판이자 도약대가 될 수 있다.

다시 말해 자음 체계를 활용한 그림동화책은 어느 정도 자모와 낱말을 읽을 수 있을 때 활용해야 하고, 그래야 효과를 볼 수 있다.

둘째, 자음 체계에 기초한 그림동화책 활용 방법은 기초문해 교육에 대한 세심한 안내를 요구한다. 앞서 보았듯 <생각하는 ㄱㄴㄷ>을 적절한 문해 발달 단계에서 효과적으로 활용하면 매력적이고 효과적인 발판이 되어줄 수 있다. 문해발달의 효과적인 도약대가 되기 위해서는 단순히 읽기에 그쳐서는 안 된다. 기초문해 교육에 활용되는 그림동화책이라면 효과적인 읽기 전략(안내된 읽어주기, 같이 읽기, 스스로 읽기 등의 권한 이양의 3단계 읽기 전략)과 이를 단어 카드를 통해 숙달하기, 자모의 결합에 대한 체계적 안내와 단어카드를 통한 읽기의 숙달과 쓰기로의 전환, 그리고 단어카드를 통한 다양한 놀이와 활동 등이 같이 이루어져야 한다.

<생각하는 ㄱㄴㄷ>는 기초문해의 첫 단계 교재로는 글밥이 너무 많고, 읽기 어렵고, 재미도 부족하다.

<생각하는 ㄱㄴㄷ>는 자음의 순서에 따라 기역, 니은, 디귿을
차례로 배우게 된다. 그리고 각 자음이 들어있는 낱말을
배우게 된다. 그림동화책 한 권으로 파닉스 방식의 기초문해
교육을 종합하고 있다.

아동의 기초문해 교육에서 자모 결합의 '과학적 이해'의 수
준 문제

오은영이나 학자들 중에는 자모 결합에 대한 과학적 이해를
하는 게 한글 문해에 필요하다고 생각하곤 한다. 자음과 모음
의 결합을 원리를 수준에서 추상화해서 이해하고, 이를 통해
한글 독해가 가능해진다는 것이다. '가'와 '거'를 알면 이
원리를 통해 '마'와 '머'를 읽고, '하'와 '허'를 읽을
수 있다고 보는 것인데, 언어의 과학적 원리를 다른 자모에 적
용해 읽을 수 있다고 보는 것이다. 어린 학습자들이 어른들의
문해 해독과 유사한 발달을 거칠 것이라 보는 것이다.
하지만 현장에서 자모 결합을 추상적 수준에서 과학적으로 깨
치는 것을 발견하는 것은 매우 희귀한 일이다. 차라리 대부분

4부. 기초문해 수업 방법과 구체적 사례

의 학생들은 어른과 달리 한글의 자모 결합의 과학적 원리를 직관적으로 깨친다. 문해 발달상에서 보면 어린 학습자들은 자신이 읽을 수 있게 된 낱말들을 활용해서 이렇게 읽게 되지 않을까를 직관적으로 응용(활용)하지, 이것의 과학적 원리를 추상화하지는 못한다.

자모 순서에 따라 제작된 그림동화책의 활용은 이 자모 결합과 받침에 따른 읽기의 직관적 활용을 착실하게 다져주는 데 도움이 된다. 지금까지 배운 자모 결합의 직관적 원리를 안정적으로 정리하고 다지는 데 매우 효과적인 교재가 된다.

어린 문해 학습자들은 "가방이고, 거미니까, 기역에 아, 기역에 어" 등을 더듬으며 읽는 능력을 확장시켜나간다. 이것은 과학적 원리를 추상화하는 수준이라기보다는 직관적으로 이를 응용해보는 것이라 볼 수 있다. 특히 느린 기초문해 학습자들은 "일어날 거야"을 읽을 때 기본 자음과 모음을 활용하면서 직관적으로 자신이 아는 것을 활용해 문해를 확충시킨다. 이에 "리을 받침이면 무엇이지, 나에 리을 받침이면, 가와 달리 기역과 어가 붙으면, 거미에서 거니까 거구나." 등의 사고실험을 통해 읽기 능력을 키워가게 된다.

<달님, 안녕?>을 읽을 때도 '다'에 '리을' 받침이면 '달'을 읽을 수 있다. 달을 읽을 수 있게 되면 '날'과 '달'의 유사성을 탐구하며 두 차이와 음절을 읽는 법을 직관적으로 깨치게 된다.

다시 말해 자음과 모음의 결합, 받침의 결합에 따른 읽기의

원리는 연역적으로 깨닫는 것이 아니라, 다양한 낱말 읽기가 어느 정도 이루어진 후 귀납적으로 깨치게 된다.

자음 체계에 기초한 그림동화책 분석

1. <고양이는 다 된다 ㄱㄴㄷ>

<고양이는 다 된다 ㄱㄴㄷ>는 ㄱ~ㅎ까지 14개의 한글 자음을 귀엽고 사랑스러운 고양이 그림을 통해 안내하고 있다. 아름다운 그림으로 책의 세계로 유혹하는 매력과 더불어 "고양이는 다 된다는 문장이 반복되고 있어 정보량이 적기에 아동들이 즐기며 자음을 배울 수 있다. 이 그림동화책은 낱말에 대한 자연스러운 노출과 이미지를 통한 낱말 습득에 장점이 있다.

다만 기역, 니은, 디귿 등의 명칭은 알파벳 송처럼 사전에 노래나 영상 등을 통해 배우고 즐기는 게 더 효과적인 책이다. 이 책의 어려움은 정작 배워야 하는 기역, 니은, 디귿 읽기이기 때문에 이를 더 쉽고 편하고 빠르게 익히는 것이 필요하다.

기초문해가 어느 정도 된 후에 가벼운 놀이를 위해(혹은 고양이를 반려동물로 돌보고 있다면) 읽을 만한 교재이지 기초문해 교육용으로 권할만 하다고 보기는 어렵다.

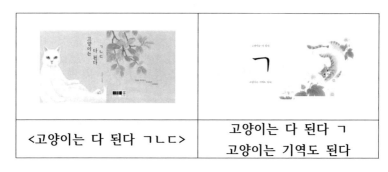

| | 고양이는 다 된다 ㄱ |
| <고양이는 다 된다 ㄱㄴㄷ> | 고양이는 기역도 된다 |

| 고양이는 다 된다 ㄴ | 고양이는 다 된다 ㄷ |
| 고양이는 니은도 된다 | 고양이는 디귿도 된다 |

2. <ㄱㄴㄷ 뷔페>

<ㄱㄴㄷ 뷔페>는 기초문해가 어느 정도 된 아이가 즐길 수 있는 그림동화책이다. 이 자음 순서에 따른 그림동화책은 특정한 상황 속에서 스토리가 있어 뷔페를 추체험하거나, 가족과 함께 뷔페에서 식사한 경험을 되살려 책을 읽기에 좋다. 다양한 음식이 소개되어 있어, 음식을 탐구하고 즐기는 데 활용하는 데도 효과적이다.

다만 문제는,

첫째, 기초 자음과 모음 이외의 정보량이 너무 많다. 기초문해 교육용으로는 너무 다양하고, 연계성이 적은 낱말들이 사용되고 있다. 이로 인해 기초문해용으로는 과식 소화불량의 위험성이 크다.

그림과 이미지의 도움으로 읽는 것처럼 보일 수 있지만, 아동이 모르는 음식들이 너무 많다. '너비아비, 두부김치, 잡채, 타코' 등 낯선 음식들은 읽기 어렵고, 읽고 나서도 음식을 떠올리기 어렵다.

기초문해에 어려움을 겪는 아동의 경우 <투둑> 그림동화책을 읽을 때 '달팽이, 호두, 밤, 감, 청솔모, 까치' 등을 처음 접했다고 이야기하는 경우도 왕왕 있다. 다람쥐와 새는 알아도 청솔모와 까치는 모르고, 감과 밤 그리고 호두는 처음 보았다는 아이들이 왕왕 있다. 이런 상황을 고려하면 <ㄱㄴㄷ 뷔페>는 기초문해 교육용으로는 위험성이 크다.

둘째, 낱말과 낱말이 서로 연결되어 있지 않다. 문해 교육 차원에서는 '깡충깡충 토끼, 팔랑팔랑 나비'처럼 낱말의 확장성이 담보된 그림동화책이 매우 효과적이고 필요하다. 단어의 연계성과 확충성은 물론 흉내 내는 말은 리듬과 운율을 통해 글을 노래로 만들어 즐기게 해준다.(읽기따라잡기는 이 흉내 내는 말과 사물과의 연계성과 확장성을 제대로 살피지 못하고, 흉내 내는 말을 읽기 어렵다는 이유로 이를 거세한 그림동화책을 제작해 기초문해 수업을 하고 있다. 기초문해 교육의 실패 원인을 적절하지 못한 그림동화책 선정과 이에 대한 효과적인 기초문해 수업 방법이라는 점에 주목하지 못하고, 흉내 내는 말로 이루어진 그림동화책이 기초문해 교육의 어려움을 가중시킨다고 오해했다. 자신의 그림동화책 선정과 기초문해 교육의 내재적 문제를 그림동화책의 글밥 수준 문제로 오인한 것이다. 이로 인해 수준 평정 된 읽기따라잡기 그림동화책은 재미도 없고, 기초문해 교육용으로서의 효과도 떨어지는 문제를 드러낸다.)

<ㄱㄴㄷ 뷔페>는 음식 글밥을 소개할 때 "모락모락 만두, 바스락 바스락 튀김" 등 낱말의 확장성과 연계성을 가진 흉내 내는 말이 사용되고 있지 않아 기초문해 교육에 사용하기에 효과적이지 않다.

셋째, 스토리로 연결되었다고 느낄 수 있지만, 자음에 맞는 낱말을 억지 춘향식으로 끼워 맞춘 격이다. 이런 상황이면 파닉스 중심의 낱말 카드를 통한 기초문해 교육보다 그림동화책을 통한 기초문해 교육이 효과적이지 않을 수 있다.

물론 어느 정도 수준에 오른 학습자에게는 기초문해를 배워가는 책으로 활용할 수도 있다. 다만 기초문해를 위한 학습 교재로 사용하려면 특별한 발판을 조심스럽게 살펴주어야 한다.

4부. 기초문해 수업 방법과 구체적 사례

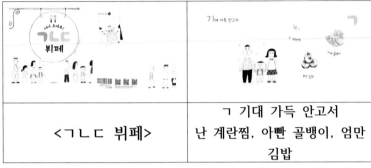

<ㄱㄴㄷ 뷔페>	ㄱ 기대 가득 안고서 난 계란찜, 아빠 골뱅이, 엄만 김밥

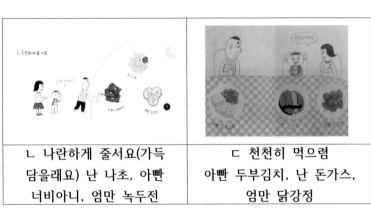

ㄴ 나란하게 줄서요(가득 담을래요) 난 나초, 아빠 너비아니, 엄만 녹두전	ㄷ 천천히 먹으렴 아빠 두부김치, 난 돈가스, 엄만 닭강정

3. <소리치자 가나다>

<소리치자 가나다>는 '기역 니은 디귿'이 아니라 '가나다
라마바사'에 집중하여 글이라는 상징을 습득하는 첫걸음을 떼
게 해준다.

<소리치자 가나다> 아동의 첫 문해 발달에 필요한 작은 성취
감을 축적한다는 측면에서 매우 효과적인 교재라 할 수 있다.

상징체계인 문자 공부의 첫걸음을 떼려면 아동이 이미 경험해 본 상황 속에서 정보량이 제한된 문자를 부담없이 익히는 것이 효과적이다. 반복해 배울 때, 자신이 글자를 읽는다는 '착각'을 주는 교재일수록 기초문해 교육에 적합하다. <소리치자 가나다>는 스토리 속에서 어떤 글자를 읽으며, 내가 해낼 수 있다는 성취감을 주는 매력적인 그림동화책이다. 상황과 사건에 딱 들어맞는 말들을 하면서 누구라도 읽어볼 만한 글자 하나를 읽어낼 수 있기 때문이다.

똥을 싸고 있는 나에게 매달린 개에게 "저리 가!"라고 이야기하고, '나'비처럼 팔랑팔랑 '나'는 모습, 동생에게 빼앗기지 않고 장난감을 '다' 갖겠다고 욕심부리고, 아빠가 아이스크림을 먹었다며 아빠가 빼앗아 먹자 엄 '마'를 부르며 으앙 울음을 터뜨리고, 강아지와 아빠와 산책하다 어부'바'를 하고, 놀이공원에서 가서 풍선을 '사' 달라고 조르고, 치과에 가서 입을 크게 '아'하고 벌리고, 아빠와 등산을 가 콜라를 시원하게 '카'하면서 먹는 장면은 상황극을 벌이며 책을 읽어내게 된다.

<소리치자 가나다>	(저리) 가

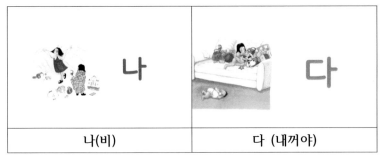

나(비)	다 (내꺼야)

4. <표정으로 배우는 ㄱㄴㄷ>

   <표정으로 배우는 ㄱㄴㄷ>은(<소리치자 가나다>도 포함해서) 가정에서 아동과 문해를 습득해 나갈 때 독보적인 가치를 가지는 그림동화책이다. 아동이 부모의 책 읽어주기를 통해 발생적 문해를 자연스럽게 습득해 나갈 때 효과를 발휘하는 책이다. 문해를 시작하는 아동에게 문자 정보량이 적절하고, 아동이 즐길 수 있는 그림체에다, 웃으며 재미있게 낱말들을 배울 수 있어 자연스럽게 기초문해를 키워 나갈 수 있는 좋은 그림동화책이다.

| <표정으로 배우는 ㄱㄴㄷ> | 깔깔 웃어요. |

| 냠냠 맛있어요 | 드르렁드르렁 코를 골아요 |

5. <움직이는 ㄱㄴㄷ>

  <움직이는 ㄱㄴㄷ>도 어느 정도 기초문해의 수준에 오른 학습자와 함께 자음 인식과 낱말 확장을 위해 효과적인 책이다. 그림동화책의 경지에 오른 이수지의 작품답게 장점이 많다. <생각하는 ㄱㄴㄷ> 보다 정보량이 적어 기초문해 학습자들이 도전해 볼만 하고, 이미지와 문자에 효과적으로 어울려 낱말 읽기의 재미를 주는 동시에 읽기의 부담을 덜어줄 수 있다.

  따라서 <움직이는 ㄱㄴㄷ> 와 <표정으로 배우는 ㄱㄴㄷ> 낱말

카드로 만들어 기초문해 교육에 활용하면 매우 효과적이다.

다만 이 책은 그림동화책 자체의 감동과 재미보다는 문자 교육을 위한 교육용 교재로서 가치가 있다. 교육의 도구적 기능이 부각된 <움직이는 ㄱㄴㄷ>는 그림동화책의 자기목적성이 극대화된 <파도야 놀자>와 비교해 보면, 기초문해 교육에서 그림동화책을 활용할 때 어떤 책이 필요한지 느끼게 될 것이다.

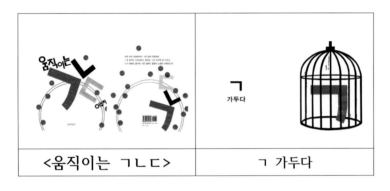

| <움직이는 ㄱㄴㄷ> | ㄱ 가두다 |

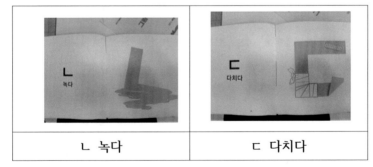

| ㄴ 녹다 | ㄷ 다치다 |

어떤 그림동화책을 자모 교육용으로 활용하는 게 좋을까?

기초문해 교육을 위해서는 스토리텔링에 기초한 그림동화책이 효과적이고 교육적이다. 만약 어느 정도 기초문해에 궤도에 올랐을 때, 이를 다지기 위한 교육적 전략으로서 자음(혹은 모음) 관련 그림동화책을 활용할 수 있다. <생각하는 ㄱㄴㄷ>, <움직이는 ㄱㄴㄷ>, <소리치자 가나다>, <표정으로 배우는 ㄱㄴㄷ> 등은 효과적인 기초문해 교재로 활용 가능하다.

다만 기초문해 교육을 여는 차원이라면 자모 순서 그림동화책이 아니라 말놀이 그림동화책들이 더 효과적이다.

자모를 깨치게 하는 데는 다양한 말놀이 그림책이 효과적이다. 자모의 과학적 원리를 직관적으로 깨치게 하는 데 도움이 되는 건 자음 순서대로 배열된 것을 차례차례 배우는 것 보다 자음의 순서에 얽매이지 않고 익숙하게 노출되고, 많은 경험으로 강렬하게 각인된 낱말을 배우는 것이 효과적이다.

이미 다양한 경험과 충분히 노출된 낱말들을 말놀이의 즐거움을 누리며 한글을 배우는 게 효과적이다. 충분히 노출되어 익숙한 낱말, 다양한 층위에서 경험한 낱말을 놀이하듯 배울 수 있는 게 자음 순서대로 배우는 것보다 억지스럽지 않고, 작은 성취 경험을 축적하는 데 있어서 훨씬 효과적이다.

예를 들어 <말놀이 그림책>은 "기차"를 배우고, 칙칙폭폭 기차의 이야기와 연결하여 기의 앞말을 따 기린을 배우게 된다. 기차와 칙칙폭폭 기차를 연결하여 기초문해에 체득에 필요한 낱말을 충분히 익힌 후에 뒤에 어떤 낱말이 나올지 상상하며 수수께끼를 푸는 재미까지 누릴 수 있다.

6. <말놀이 그림책>

<말놀이 그림책>

칙칙폭폭 기다란 기차가 기찻길을 신나게 달려요. 누가 탔을까요? 기차	기린 기린이 꽃마을에 놀러왔구나. 반가워!

빵빵 자동차 슈웅 달려가고, 빨간불 초록불 신호등에 대한 이야기를 나누며, 초록 자동차를 배우고 나면 "자"로 끝나는

동물 맞추기 놀이를 할 수 있다. 그러고 나서 다시 사자가 자동차 타고 어디로 가는지에 대한 이야기를 통해 상상의 나래를 펼 수 있다.

부릉부릉 오토바이를 타고 쌩쌩 달리고, 이 오토바이에 탄 동물은 "토"로 시작하는데 무엇인지 맞춰볼 수도 있다. 귀가 길고, 당근을 좋아하는 동물의 특징을 나누며 토끼의 낱말을 익힐 수 있다.

이 말놀이 그림동화책은 반복적으로 책을 읽으면서도 계속해서 낱말을 익히며 책 읽는 재미를 누릴 수 있다. 또한 한 장면을 충분히 익힌 후 다른 장면에 대한 호기심을 불러일으킬 수 있다는 점에서 큰 매력이 있다.

물론 학생의 문해 발달을 고려하여 읽기의 수준을 고려해야 한다. 기초문해 차원이라면 낱말이나 어구 정도에 집중하면 된다. 다시 말해 기초문해 교육 차원에서 이 그림동화책을 활용하려면 문장 자체를 통째로 완전히 읽으려 하지 말고 간단히 낱말에만 집중하는 것이 필요하다.

빵빵, 빠바방! 멋쟁이 자동차가 슈웅 달려가요. 누가 탔을까요? 자동차	사자 사자야, 자동차 타고 어디 가니?

부릉부릉! 날쌘 오토바이가 쌩쌩 달려요. 누가 탔을까요? 오토바이	토끼 토끼야, 오토바이를 탄 모습이 멋진걸.

7. 다양한 말놀이 그림동화책 : <땍때굴>, <꿈틀꿈틀>, <부릉부릉>, <방긋방긋> 등

  기초문해 교육을 위한 도구로써 그림동화책을 사용하려면 말놀이 그림동화책 효과적인 도구가 될 수 있다. 효과적인 문해 도구로서 말놀이 그림동화책은 무수히 많다. 아이가 좋아하고,

우리가 일상적으로 많이 쓰는 어구(야옹야옹 고양이, 팔랑팔랑 나비)가 사용되고, 경험 지평에 놓은 어구가 사용되는 경우라면 대부분 효과적으로 사용될 수 있다.

<땍때굴> 그림동화책의 경우, "쏴쏴, 바람이 쏴쏴 불어요"나 "졸졸, 시냇물이 졸졸 흘러요" 등의 반언어와 비언어 그리고 언어를 통해 입체적으로 습득할 수 있다. 바람은 쏴쏴, 시냇물은 졸졸의 어구를 배우면서 동시에 "바람이 분다", "시냇물이 흐른다"의 어구도 같이 배울 수 있다.

<꿈틀꿈틀>도 "꿈틀꿈틀, 지렁이가 꿈틀꿈틀 기어가요"와 "갉작갉작, 생쥐가 갉작갉작 구멍을 파요"도 지렁이가 꿈틀꿈틀과 생쥐가 갉작갉작을 배우면서 '지렁이가 기어가요'와 '생쥐가 구멍을 파요'를 배우는 입체적 배움을 해낼 수 있다.

<땍때굴> 말놀이 그림동화책

졸졸	쏴쏴
시냇물이 졸졸 흘러요	바람이 쏴쏴 불어요.

<꿈틀꿈틀> 말놀이 그림동화책

꿈틀꿈틀	갉작갉작
꿈틀꿈틀, 지렁이가 꿈틀꿈틀 기어가요	갉작갉작, 생쥐가 갉작갉작 구멍을 파요

<부릉부릉> 그림동화책은 "째깍째깍, 시계가 째깍째깍 가

요.", "윙윙, 세탁기가 윙윙 돌아요.", "부릉부릉, 자동차
가 부릉부릉 출발해요." 등으로 구성되어 있는데, 이것은 낱말
과 낱말의 연계성과 확장성이 뛰어나고, 아이들의 경험 지평에
서 재미있게 문해를 습득해낼 수 있다.

<방긋방긋>도 "방긋방긋, 아이가 방긋방긋 웃어요.", "초롱
초롱, 아이 눈이 초롱초롱 빛나요.", "벌름벌름, 아이 코가
벌름벌름 움직여요." 등으로 꾸며져 있고, 이것을 다양한 말놀
이를 통해 자연스럽게 문해의 문턱을 넘을 수 있게 해준다.

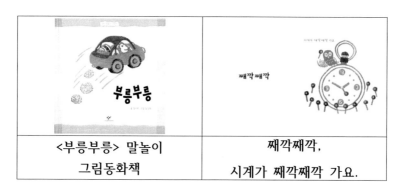

<부릉부릉> 말놀이 그림동화책	째깍째깍, 시계가 째깍째깍 가요.

윙윙, 세탁기가 윙윙 돌아요.	벌름벌름, 아이 코가 벌름벌름 움직여요.

4부. 기초문해 수업 방법과 구체적 사례

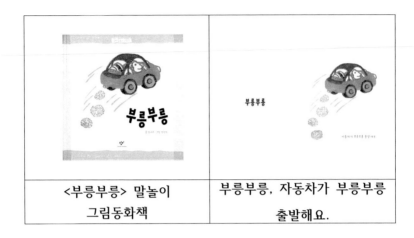

<부릉부릉> 말놀이 그림동화책	부릉부릉, 자동차가 부릉부릉 출발해요.

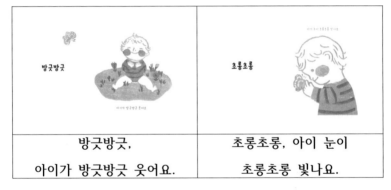

방긋방긋, 아이가 방긋방긋 웃어요.	초롱초롱, 아이 눈이 초롱초롱 빛나요.

그림동화책을 함께 깊이 읽으며 날아오르기 위한 고민거리들

기초문해교육 시 자음 순서에 따라 만들어진 그림동화책은 언제 도입하는 것이 좋을까?

자음의 순서에 따라 꾸며진 그림동화책 활용은 학생의 문해 발달 수준에 달려 있다. 예를 들어 <생각하는 ㄱㄴㄷ>은 기초 문해에 어려움을 겪는 까막눈 학생을 위한 그림동화책이 아니다. 한글에 자연스럽게 노출되지 않은 이주 노동자의 자녀나, 모국어의 문화적 환경에 적절하게 노출되지 못한 혹은 가정에서의 문화적 상호작용의 도움을 충분히 받지 못한 아이, 그도 아니면 뇌 발달의 어려움을 겪은 아이에게 <생각하는 ㄱㄴㄷ>는 너무 수준이 높고, 정보량이 많은 텍스트다. 따라서 이 그림동화책을 기초문해 교육에 활용하려면 학생의 문해발달 상황에 적합한지를 살펴야 한다.

자모 순서에 따라 만들어진 다양한 그림동화책은 기본적 낱말과 기본 자모를 어느 정도 알고 있을 때는 매력적인 작품이 되고, 기초문해 교육에 효과적 발판이자 도약대가 될 수 있다. 다시 말해 자음 체계를 활용한 그림동화책은 어느 정도 자모와 낱말을 읽을 수 있을 때 활용해야 하고, 그래야 효과를 볼 수 있다.

4부. 기초문해 수업 방법과 구체적 사례

일기쓰기는 하루 종일 있었던 일들을 쭉 나열하고, 마지막에 생각과 느낌 딱 쓰면 되는 아닌가? '아침에 일어나 밥 먹고, 학교가고, 등등 쓰고 좋았다'라고 쓰면 끝!

경험적 글쓰기는 다양한 사건을 나열하는 글이 아니라 인상 깊었던 한 장면(한 사건)을 뽑아 그때의 대화와 생각과 느낌을 생생하게 그려내는 거야.

※ 경험적 글쓰기 방법 : 일기 쓰기를 도와주는 방법은 무엇일까?

경험적 글쓰기란 무엇인가?

경험 글쓰기란 자신의 구체적 체험에 대한 공개적 표현이자 소통적 나눔이다. 경험적 글쓰기의 다양한 방법 중 하나가 일기 쓰기인 것은 사실이지만 '경험 글쓰기 = 일기 쓰기'는 아니다.

경험 글쓰기는 일기 쓰기보다 광범위하고 깊이가 있고 다채롭다. 경험 글쓰기를 일기 쓰기보다 더 큰 범주다. 경험을 표현하는 글쓰기는 일기 쓰기뿐 아니라 에세이, 독서 경험(독서 감상문), 영화감상, 여행기 등 다양하고 다채롭다.

몽테뉴의 <수상록>을 통해 알려진 에세이도 경험을 통해 얻은 감정과 사유를 표현하는 경험적 글쓰기다. 우리는 경험 글쓰기를 일기 쓰기로 환원해, 다채롭고 다양한 경험 글쓰기의 가능성과 가치를 차단하고 있다. 경험 글쓰기를 할 때 우리가 해야 할 첫 번째 '뇌리렛'[44]은 일기 쓰기를 경험적 글쓰기의 전형으로 여기는 강박에서 한 걸음은 물러서는 것이다. 한 걸음 물러서 경험적 글쓰기가 무엇이고, 어떤 가치가 있고, 어떻게 도와주어야 하는지 성찰해 보아야 한다.

대부분의 교사와 학부모, 사람들은 일기 쓰기가 경험적 글쓰기의 대표이자 전형이라고 여긴다. 마치 일기 쓰기 이외의 경험적 글쓰기는 없는 듯, 일기 쓰기가 경험적 글쓰기를 대체할 수 있다고 믿는 듯하다. 레버리지 상품이라고 다들 투자가 몰리니까 군중심리로 따라가듯 일기 쓰기에 모든 사람이 이목과 실천이 쏠려 있다.

마치 일기 쓰기를 반복 숙달하면 경험 글쓰기를 체화하게 될 것처럼 다른 가능성과 경로를 지우고 오로지 일기 쓰기에 매진하고 있다. 하지만 경험 글쓰기는 일기 쓰기로 한정되지도, 대체되지도 않는다. 변비로 고생하는 글, 바지에 똥 지린 글, 선암사 해우소나 신라 호텔 스위트룸 화장실에 앉아 똥 싸고 닦는 경험, 똥 닦는 화장지에 대한 새삼스런 고마움에 대한 글쓰

---

44) 손오공 증후군이라고 불리곤 한다. <드래곤볼>에서 손오공은 폭포 위에서 떨어져 머리를 세게 부딪혀 사이어인의 포악한 성격이 사라지고 순진하고 착한 사람으로 완전히 돌변한다. 뇌가 리셋된 것이다.

기를 한다고 해보자. 어떻게 써야 멋진 경험적 글이 될까?

경험적 글쓰기는 프라이버시를 공적으로 노출하는(아웃팅이 허용되어서는 안 되듯) 활동이 아니다. 경험적 글쓰기는 공공적 쓰기로서 자신의 사생활로 철저히 프라이버시 영역에 한정되는 일기 쓰기와는 다르다. 일기 쓰기는 비밀스러운 자신의 사생활로 누구에게도 공개, 노출되지 않은 것을 전제로 하지만 경험적 글쓰기는 공개성을 전제로 해 자신의 경험을 표현해 많은 이들과 공유하기 위한 글이다.

일기는 철저히 프라이버시에 기초한 글이다. 일기는 나만의 비밀인데, 교사에게 공개되고. 교사에게 읽혀지기를 원하는 글이 되고 만다. 일기는 아무리 잘 쓴 글, 친구들과 함께 나누면 좋은 글도 교사와 나만의 비밀이기에 모두와 함께 나눌 수 없다.

일기 쓰기(와 검사)는 교사와 학생의 감정적 교류와 학생의 개별적 쓰기 능력을 이해하고 도와주기 위한 자료로 의미가 있다고 주장된다. 하지만 정작 우리 반 모두의 아이의 쓰기를 살펴주고 도와줄 발판으로 활용되지 못한다. 공개적인 경험적 글쓰기가 아닐 사적인 일기 쓰기로 경험을 표현하도록 요구했기 때문이다. 경험 글쓰기를 일기 쓰기로 한정(환원)시키면 좋은 글을 함께 탐구하고, 쓰기 능력을 키우는 기회를 놓치게 된다.

1) 일기 쓰기의 딜레마

(초등)교사들은 학생들에게 글쓰기의 즐거움을 나눠주고 싶

다. 아직 과학적 지식과 문학적 상상력이 부족한 아이들이지만 "실제 경험"을 표현하는 즐거움을 길러주고 싶다. 교사들은 학생들에게 경험적 글쓰기를 가르치고 싶어 한다.

그래서 초등교사들은 엄청난 에너지와 시간을 일기 쓰기에 실행한다. 초등 저학년에서 일기 쓰기는 교육과정에 없지만(한 두 번 하는 활동에 불과한데) 실제로는 엄청난 교육활동을 차지한다. 이유는 매우 직관적으로 명확하다.

첫째, 교사들은 일기 쓰기가 학생에 대한 이해(일상 파악)와 일상 공유를 통해 관계를 깊게 만들 수 있다고 생각한다. 하지만 일상을 교류하며 감정적 깊이를 쌓아가는 데 있어서 사생활을 공유하는 게 필요한 것이 아니다. 아이가 부모싸움 이야기, 가정의 경제사정을 미주알 고주알 이야기한다고 아이를 더 깊이 이해하고, 도와줄 수 있는 게 아니다. 오히려 아이는 자신의 생활에서 프라이버시를 발견하고 이를 지킬 줄 아는 능력도 배워야 한다. 저학년이라고 해서 보여주지 않아도 될 가정사나 경제적 영역, 사적 생활을 보여주어야 교육적으로 성장하는 것은 아니다.

둘째, 글쓰기 능력 개별적 진단과 도움주기를 통해 글쓰기를 습관화 시킬 수 있다고 생각한다.

쓰기 능력의 진단과 도움주기를 위해 일기 쓰기가 필요한 것은 아니다. 수업에서 글쓰기는 다반사로 이루어지고, 굳이 일

4부. 기초문해 수업 방법과 구체적 사례

기 쓰기 없이도 학생들의 쓰기 능력 진단과 도움주기는 언제나, 어디서나 가능하다.

그리고 일기 쓰기를 해 쓰기 능력을 진단하는 것은 가능하다, 도움주기는 여간 어려운 것이 아니다. 빨간펜으로 맞춤법이나 띄어쓰기를 알려주거나, 필요한 지식을 알려줄 수 있기는 하다. 하지만 이것이 우리 반 많은 학생들에게 필요한 지식이나 기능이라면 공적으로 활용하는 것이 필요하다.

그런데 정작 일기는 공식적 수업의 교재이자 발판으로 쓰이지 못한다. 프라이버시에 기초한 비공개적, 사적 글이기 때문에 좋은 글이라도 공개적으로 수업에서 다루기가 쉽지 않다. 경험을 쓴 멋진 글이라 반 친구들과 나누고 싶어도 이를 개별적으로 살펴줄 수 있어도 우리 반 모두와 함께 나눌 수가 없다. 일기 쓰기는 들어간 공력과 에너지에 비해 좋은 글을 함께 탐구하며, 좋은 글의 기준을 체화하지 못하는, 서로에게 배우지 못하는 글이 되고 만다.

받아쓰기 시험과 일기 쓰기는 교육과정에 없지만, 교육의 핵심을 차지하는 활동이다. 저학년의 핵심 활동인 이 두 가지는 제대로 검토하지 않고 초등 저학년 교육활동을 제대로 진행할 수 없다. 일기 쓰기와 받아쓰기(와 받아쓰기 시험) 활동이 자신의 교육적 의도대로 관철되는지 제대로 직시할 필요가 있다.

2) 일기 쓰기의 문제

첫째, 일기 쓰기는 글쓰기에 대한 거부감을 만들어낸다. 일기 쓰기는 쓰는 것을 고통으로 만든다. 일기 쓰기 교육의 선의와 달리 일기 쓰기의 의도하지 않는 효과는 치명적이다.

채은 | 재미없다고 생각했어

채운 | 손이 아파서 쉬고 싶은 마음이 많이 들어요

많은 남자 아이들이 글쓰기는 싫어한다. 글쓰기는 "재미없어. 손만 아프고, 그만하고 싶어"라고 고충을 토로한다.

"왜 글쓰기는 고역이 되는가"에 대한 첫 번째 답은 일기 쓰기에 있다. 쓸 것이 없는데 써야만 하는, 쓰는 방법을 알려주지 않는 채 써야 하는 반복적 일기 노동, 의미와 효과를 알 수 없는 반복 노동인 일기 쓰기로 인해 글쓰기를 싫어하게 된다.
물론 글쓰기를 싫어하는 더 큰 이유는 쓸 내용에 대해 충분히 모르기 때문이다.

둘째, 경험을 보는 눈을 길러주지 못하고, 상투적 글 형식에 길들여진다. 일기 쓰기는 쓸 내용이 없는데 쓰게 한다. 글을 쓴다는 것은 경험을 특별하게 보는 눈을 기르는 것인데, 특별한 경험을 포착하는 법을 거세시키고, 오히려 판에 박힌 형식이 소중한 경험을 지워버리게 만든다.

일기는 대부분의 글이 대동소이하다. 일기는 대부분 하루 중의 경험 대충 차례대로 쓰다가 그중 색다른 경험은 조금 더 자세히 쓰고 나서 감상을 쓰곤 한다. 일기의 감상은 언제나처럼 좋았다, 재미있었다, 또 하고 싶다, 신났다 등 단답형 감정이고, 감정의 이유와 근거를 알 수 없다.

셋째, 글의 내용이 아니라 문법 등의 글의 형식에 매이게 된다. 일기 쓰기는 글의 가치와 쓰기의 기본을 맞춤법과 띄어쓰기 등 국어문법에 얽매이게 된다. 모국어 화자라면 문법적 실수로 오해가 생길 가능성은 크지 않다. 글의 문법적 실수보다 중요한 것은 글의 내용과 맛인데 일기 쓰기 지도가 문법에 치중하게 되면 글의 가치를 보는 감수성과 안목이 사라지게 된다.

"우리글의 맞춤법과 띄어쓰기를 강조하는 수많은 책과 연구들이 있다. 하지만 모국어 화자들에게 맞춤법을 틀려도 큰 문제가 생기지 않는다. 차근차근 모국어를 교육하다 보면 맞춤법과 띄어쓰기는 자연스레 교정된다. 저학년에서 강박적으로 교정할 필요가 없다."

맞춤법과 띄어쓰기를 못하면 표현 능력을 키울 수 없다?

맞춤법과 띄어쓰기에 대한 강박은 생각을 표현하는 힘을 그리는 데 디딤돌이 되는 것이 아니라 방해물이 된다. 맞춤법과 띄어쓰기로 인해 오해가 생길 가능성은 실제로 매우 적고(모국어 화자들은 특별한 오해가 생기지 않는다), 오히려 이에 대한 자기검열 때문에 표현의 힘을 기르는 데 장애가 된다.

보통 문법이라는 국어 형식에 강박적이 되면 상대방의 표현하고자 하는 뜻을 이해하려 하지 않고 맞춤법의 흠을 잡게 된다. 메시지를 읽지 않고 메신저를 공격하듯, 글을 이해하지 않고 맞춤법의 트집을 잡으려만 들게 된다.

"맞춤법과 띄어쓰기에 자신감을 얻고, 올바른 표현을 골라서 한 문장을 멋지게 써 보는 과정을 통해 문장력을 향상시키고 올바른 자기표현 능력을 키울 수 있다."고들 하는데 정작 자기표현 능력을 기르는 데 문법(국어 지식, 형식)이 기여하는 바는 얼마큼일까?

모국어 화자에게 표현 능력을 키우는 데 글의 가치와 힘을 알려주지 않고 국어 지식의 도덕적 당위만 강조하는 건 우리 말과 글의 힘을 느끼지 못하게 만든. 표현과 소통에 필요한 기술들을 도와주지 않고 글의 형식인 맞춤법과 띄어쓰기를 강조하는 건 오히려 득보다 실이 많다,

넷째, 일기 쓰기는 우리의 쓰기 교육이 어떻게 이루어지는지 보여준다. 즉 반복적 일기 쓰기 교육은 우리 쓰기 교육의 전형적 문제와 한계를 보여준다. 일기 쓰기는 우리의 쓰기 교육이

쓸 수 있도록 내용을 채워주지 않고, 쓰는 방법을 안내하지 않고, 맞춤법과 띄어쓰기라는 부차적이고 지엽적이고 부정적 피드백의 한계에 갇혀 있는 쓰기 교육의 전형적 양상을 보여준다.

경험을 표현하는 방법은 다양하다.

경험을 표현하는 방법은 다채롭다. 우리의 신체를 통해 음악, 미술, 신체 표현으로 표현할 수도 있지만, 시대에 따른 다양한 매체로 표현할 수 있다. 경험은 신체와 매체를 통해 다양하게 표현할 수 있다. 경험을 표현하는 방법은 글(시, 수필, '소설', 에세이, 시나리오 등), 그림, 글과 그림(시화, 그림동화책, 만화, 웹툰), 행동(연극, 마임, 춤, 노래, 뮤지컬), 영상(사진, 유튜브, 영화, 애니메이션 등 다양하다.

초등학생도 경험을 표현하는 수많은 방법 중 적절한 도구와 방법을 선택할 수 있다. 초등학생은 사진, 사진과 글, 그림, 글과 그림(이미지), 영상, 글로만, 이미지로만 등 다양한 도구와 매체를 활용해 자신의 경험을 표현할 수 있다.

일단 우리는 여기에서는 글로 표현할 때 필요한 이야기에 집중해 보자. (글과 그림을 동시적으로 활용하는 그림일기에 대해서는 앞에서 다룬 바 있다.)

경험 글쓰기에 대한 교육적 기준과 방법을 배워야 한다.

경험적 글쓰기를 교육해야 한다. 경험적 글쓰기의 역량을 키우려면 교육적 도움이 필요하다. 이 도움에 필요한 활동과 절차를 구체화해야 한다.

현재의 경험적 글쓰기는 일기 쓰기에 국한되어 있다. 그리고 일기 쓰기에 필요한 기술을 제대로 안내하고 있지 못하다. 경험을 쓸 기회를 주고, 매일 매일 쓰게 하면 경험적 글쓰기를 잘하게 되고, 습관화할 수 있을까?

"경험한 것을 자유롭고 진솔하게 멋지게 써 보라."고 한다고 그렇게 쓸 수 있는 게 아니다. 매일 매일 글쓰기를 시킨다고 글쓰기를 습관화할 수 있는 게 아니다. 무릇 뭐든 할 수 있게 되고, 잘 할 수 있게 되어 나에게 의미가 있다는 스스로의 느낌이 들어야 즐길 수 있고 하고 싶은 마음이 생긴다. 경험적 글쓰기도 마찬가지다. 경험을 표현하는 방법을 알고, 이를 반복 숙달하면서 경험을 표현하는 기술을 체득해 나가도, 이를 내가 좀 잘한다는 느낌이 들어야 스스로 하고 싶은 마음이 생긴다. 경험적 글쓰기를 할 수 있게 되고, 잘할 수 있어, 스스로 하고 싶은 경지로 안내하고 싶으면 매우 섬세한 도움이 필요하다.

첫째, 경험적 글쓰기의 좋은 모델을 통해 기준을 알려줘야 한다. 경험적 글쓰기를 생활화하고 싶으면 경험 글쓰기를 사례를 검토하며 경험 글쓰기의 기준을 배워야 한다.

경험적 글쓰기는 문학적 상상에 기초한 글짓기와 달리 자신의 진솔한 경험에 바탕한다. 하지만 문학적 글짓기와 동일하게 하나의 사건을 구체적이고 생생하게 그려내, 생동하는 감정으로 보편적 공감을 일으킬 수 있어야 한다. 이를 위해서는 글을 쓰는 데 필요한 기술과 기준 등을 하나하나 차근차근 수업을 통해 배워나가야 한다.

할 줄 알면, 좀 잘하게 되면 싫어하던 것도 좋아지게 된다.
할 줄 모르면, 잘 못하면 싫어하게 마련이다.

둘째, 경험(간접, 직접)과 지식이 흘러넘칠 수 있도록 살펴줘야 한다. 경험을 읽는 눈, 내용을 이해하고 표현하는 방법을 배우면 좋은 글을 쓸 수 있다

과학에 대한 글을 쓰려면 일단 그 내용에 대한 앎이 충분해야 한다. 지식이 쓸만하고 충분하게 축적되지 않았다면 아무리 쓰라고 해도 쓸 수가 없다. 과학 분야의 글을 쓰려면 지식을 이해하고, 이를 체계적으로 소화할 수 있고 나서야 쓰기가 가능해진다. 과학적 지식에 대한 이해와 소화 없이 표현은 불가능

한 법이다. 충분히 지식을 소화하고, 이를 표현할 수준에 이르렀을 때 이야기하고 싶은 대상을 고려해 글을 쓸 수 있다. 경험적 글쓰기도 마찬가지다. 강력한 경험을 체험하고 나면(이야기가 바탕이 되면) 글을 쓸 수 있게 된다.

쓸 내용이 없다는 학생들의 아우성은 쓸 내용을 모른다는 표현이다. 자신이 경험하고 어떻게 모를 수 있냐고 황당해 보이겠지만, 이를 정리해 보지 못하고, 이를 표현할 어휘를 잘 모르면 이상한 일이 아니다. 우리는 경험하고도 그 경험이 무엇인지 모를 수 있다. 사과가 떨어진다고 만유인력의 법칙을 알고, 물에 몸을 담근다고 부력의 법칙을 발견하는 게 아니다. 경험을 해도, 그것이 무엇인지 어휘의 도움을 받지 못하면 표현하지 못한다.

1) 누구나 소설 한편으로는 담을 수 없는 서사를 가지게 마련이다. 누구나 누구도 대체할 수 없는, 아무나 겪을 수 없는 강렬한 경험을 가지고 있기 마련이다. 문제는 그 강렬한 사건과 상황을 포착하느냐에 달려 있다.

경험적 글쓰기는 쓸만한 꺼리가 있을 때 해야 한다. 일기 쓰기처럼 매일, 반복적으로 의무적으로 해야 하면 글쓰기를 정서적으로 싫어하게 된다. 경험적 글쓰기는 감정적으로 강렬한 꺼리가 있을 때, '와, 이건 정말 쓸만하다.'는 드는 소재가 있을 때 실행해야 한다.

글을 쓸만한 강렬한 사건(옷이나 이불에 똥 싼 날, 핸드폰 잃어버린 날, 친구랑 싸운 날, 수업 시간 지각해서 청소한 날. 내 능력치 도둑맞은 날 등)이나 매력적 경험(시험 100점 받은 날, 부모님과 뷔페 간 날, 내 생일날, 내 글이 뽑혀 발표한 날, 피구 경기에서 내가 마지막 생존자가 되어 승리한 날, 게임 레벨업해서 주도한 날 등)이 있는 날 써야 한다. 쓸만한 꺼리가 있는 날, 그걸 놓치지 않고 쓰기에 도전해야 한다.

2) 물론 그냥 아동의 글재주에 맡겨 글쓰기를 해서는 안 된다. 먼저 경험에 대한 이야기를 나누어야 한다. 강렬했던 사건과 그 장면에 나눈 대화와 생각과 느낌을 나누고, 이를 기록해야 한다. 그리고 이를 간단하게 정리해야 한다.

3) 경험적 글쓰기의 기준을 살려 글을 써야 한다. 글을 쓰는 기준을 메타인지로 삼아 써야 한다.

경험적 글쓰기의 출발은 간단명료하다. 먼저 경험을 읽고, 지식을 이해하는 눈을 길러야 한다. 쓰기와 짓기는 모두 (지식 내용이든, 경험 내용이든, 문학적 사건과 주체의 상황이든) 내용을 충분히 이해해야 시작이 가능하다. 내용을 충분히 이해하고, 이를 쓰는 독특한 형식들을 하나하나 배워갈 때 글의 질이 달라진다. 경험하는 글쓰기, 문학적 글짓기, 사회 과학의 내용적 글쓰기는 모두 내용을 이해하는 정도에 따라 글의 내실이 달라진다.

셋째, 경험 글쓰기도 혼자 알아서 쓰는 글쓰기가 아니라 함께 써 가는 과정 중심 글쓰기가 필요하다.

경험적 글쓰기도 교사와 학생이 함께 과정 중심 글쓰기를 거쳐야 한다. 경험적 글쓰기는 학생 혼자 스스로 쓰게 하도록 허용(사실상 방임)하는 것이 아니라 교사와 학생의 상호작용 과정을 거친 후 글쓰기가 이루어져야 한다.

예를 들어 영화를 본 경험에 대한 글을 쓴다고 해보자. 보통 영화를 본 경험적 글쓰기는 영화 줄거리를 쓰고 이후 짧은 감상을 덧붙이는 전형적이고 판에 박힌 글쓰기를 하곤 한다. 보통 누구랑 영화관에 갔고, 줄거리를 소개한 후 간단함 감상을 덧붙이곤 한다. 줄거리 소개와 "재미있다." "짱이다, "겁나 연기를 잘한다.", "감동이다", "시간 아깝다." 등의 단순한 감정적 선호를 표현하는 글쓰기가 천편일률적으로 이어지곤 한다.

영화를 체험한 후 이루어지는 글쓰기는 교사와 학생의 상호작용과 이에 대한 글쓰기의 발판으로 작용하는 판서가 기본이다. 영화를 본 경험을 쓰려면 교사와 학생의 구체적 상호작용과 이를 한눈에 볼 수 있도록 정리한 판서가 필수다. 교사와 학생은 어떤 장면에서 어떤 대사와 행동, 연기가 멋지고 기억이 남는지를 이야기 나누어야 한다. 그 장면과 대사, 행동, 연기와 연출이 어떤 느낌이었는지를 다양한 관점과 입장에서 이야기하고, 이를 정리하는 게 필요하다. 한 번에 전체적 느낌을 이야기하는 것으로 그치는 것이 아니라 그 느낌을 만든 구체적 장면과 대사, 행동이 무엇인지를 다양한 학생들이 입체적으로 이야기하고 정리하는 게 기본이다.

이러한 다양한 이야기를 나누고, 이를 정리한 후 영화 경험에 글쓰기가 이루어져야 한다. 경험을 하고, 이제 글쓰기를 해보라는 것이 아니라 영화의 장면과 대사, 행동과 연기 등을 구체적으로 이야기 나누고, 이를 체계적으로 정리한 후 이를 바탕으로 자신의 영화 감상 경험에 대한 글쓰기가 이루어져야 한다. 이것이 경험적 글쓰기에서 필요한 과정 중심 글쓰기의 기본이다.

<영화의 인상 깊은 장면 골라 이야기 나누고 영화 감상 경험 글쓰기>

먼저, 영화에서 가장 인상 깊게 본 장면 고르고 이야기를 나누어야 한다. 각자 기억에 남는 장면을 이야기하고, 그 장면을 꼽은 이유를 말한다. 그리고 이에 대해 질문을 주고받는 과정을 거친다.

-인상 깊은 장면 : "아빠가 돌아올 때쯤 우리가 같은 나이일지도 몰라."라고 했는데 "아빠가 돌아왔을 때 딸은 할머니가 되었고, 아버지는 우주여행을 갈 때의 모습이었다.
-인상 깊은 이유 : 타임머신을 타고 시간 여행을 가야만 되는 줄 알았는데, 우주여행을 하고 와도 시간 여행을 된다는 사실을 알고 깜짝 놀랐다.

"아빠는 그대로인데 딸은 할머니가 되었다. 엄청나게 빠른 속력으로 우주여행을 하면 시간차가 발생해 타임머신을 타는 것과 같은 일이 벌어진다."(<인터스텔라>)

 그러고 나서 이 장면을 바탕으로 영화 경험에 대한 글쓰기를 하고 발표한다.

"아빠는 그대로인데 딸은 할머니가 되었어요."

 놀란 감독의 <인터스텔라>에서 주인공 쿠퍼가 우주여행을 하고 돌아오니 딸 머피가 할머니가 되어 있었다. 중년의 아빠가 지구로 돌아왔는데 딸은 할머니가 되어 병원에 누워있었다. 놀란 감독이 놀라운 이야기를 들려준다.
 중력이 어마어마한 파도 행성의 3시간이 지구의 23년이었고, 여기에 다녀온 주인공 쿠퍼는 지구인과 달리 늙지 않는다.
 아인슈타인의 특수상대성 이론에서 시간이 다르게 흐른다. 속도는 절대적이지 않고 상대적이라는 것이다. 빛은 초속 30만 킬로미터. 이것은 불변이지만 빛의 속도에 가깝게 움직이면 시간이 느려지고, 공간은 줄어들게 된다. 빛의 속도에 가깝게 움직이면 공간이 줄어들고, 시간이 느려져 다른 사람과 비교해보면 미래로 가는 타임머신을 타는 것이 된다. 또한 중력이 강할수록 시간은 느리게 흐르게 된다.

4부. 기초문해 수업 방법과 구체적 사례

> 이 과학의 신기한 이야기를 <인터스텔라>는 쿠퍼와 딸의 이야기로 들려준다.
>
> **"속도가 빠르고, 중력이 강하면 시간이 천천히 흐른다."**니 정말 말도 안 된다.
>
> "충분한 발달한 과학 기술은 마법과 구분할 수 없다." 아서 클라크의 말처럼 이제 과학과 인공지능이 하는 일은 인간이 이해(해석)하는 것은 너무 어렵다. 이세돌과의 대국에서 알파고가 던진 한 수 한수를 인간이 이해하기는 어렵듯, 원시인이 스마트폰의 작동 원리를 이해할 수 없듯이 "블랙홀의 특이점에서 밀도와 시공의 곡률은 무한대. 시간이 정지해버린다는 현상이 나타난다."고 한다. 그런데 이걸 이성적으로는 이해하기 참 어렵다.
>
> 이 이해하기 어려운 것을 <인터스텔라>는 과학적 영상으로 보여준다. 노벨상을 탄 과학자의 자문을 받은 과학적인 영화라고 해서 봤는데, 정말 이해가 안 되는 것을 신기하게 보여준다.

경험적 글쓰기는 과정중심 글쓰기의 단계를 거쳐야 한다.

경험적 글쓰기는 초등학교의 쓰기와 짓기의 모든 글쓰기가 그렇듯 과정 중심 글쓰기이자, 함께 쓰는 글쓰기여야 한다. 일기 쓰기처럼 학생 혼자 알아서 쓰게 하는 것은 혼자 알아서 결과를 책임이라는 결과 중심 글쓰기라 할 수 있다.

　초등학교의 경험적 글쓰기는 학생과 교사, 학생과 학생이 함께 만들어가는 공동의 글쓰기이자, 자신의 경험을 통해 편집한다는 점에서 개별적이고 특이한 글쓰기다.

　그리고 이야기는 나누고, 체계적으로 정리하여 이를 바탕으로 자기만의 글을 쓴다는 점에서 과정 중심 글쓰기다. 이야기 나눔과 정리의 과정 없이 글을 쓰게 하는 일기 쓰기는 "너희 사적 경험이니, 너 알아서 쓰라"면서 학생 스스로 알아서 쓰도록 방임한다. 경험적 글쓰기의 과정 중심 절차를 제대로 살펴주지 못하는 것이다.

　글을 쓰는 데 필요한 정보를 모으고(사건의 상황, 주인공들의 대화, 주인공들의 생각과 느낌, 사건의 결말 등) 카테고리별로 정리해 쓰기 전 흐름을 어루만지고 나서 글을 쓰는 과정이 거세되어있는 것이다. 그렇기 때문에 일기 쓰기는 글쓰기의 역량을 효과적으로 키워주는 학습 전략이라고 말할 수 없다.

경험을 다시 공부해야 제대로 쓸 수 있다

　최민준 치료사는 남자아이의 쓰기 혐오와 쓰기 능력 부족에 대응하여 자신들이 좋아하고 경험하는 게임 캐릭터 만들기 글쓰기 활동을 한다.[45] 남자아이들에게 게임 캐릭터 관련 자료들

---

[45] 최민준은 자신의 유튜브에서 글쓰기를 거부하는 혹은 거부하는 남자아이들을 어떻게 쓸 수 있도록 만들 수 있는지를 보여준다. 그에

을 제시해주고, 게임 캐릭터 만들기 글을 쓰게 했다. 쓰기를 혐오하고 거부하던 아이들이 자신이 좋아하고 늘상 하는 일로 글을 쓰니 글쓰기에 대하는 태도와 능력이 완전히 달라졌다.

더 중요한 것은 자신이 하는 경험이 무엇인지를 배우고 혹은 도움을 받으니 집중해서 많은 양의 글을 신나게 썼다. 남자아이들은 처음에 글쓰기를 혐오하고 어려워하고 재미없어했지만, 막상 자신이 좋아하고, 자신이 잘 할 수 있도록 도움을 받은 후의 글쓰기는 재미있고 멋진 경험이라고 이야기했다.[46]

따르면 쓰기 능력의 격차는 학년에 따라 나타나지 않고, 남녀 성차에 따라 나타나는 사실에 주목한다. "학생들은 학년에 따른 쓰기 동기의 차이는 잘 보여주지 않지만, 성별에 따른 차이는 뚜렷하게 보여주기 때문이다. 남녀 성별에 따라 쓰기 동기 수준의 차이가 크게 나타나고 이를 학력과 학교생활에 치명적 문제로 이어진다." 남학생들은 쓰기를 귀찮아하고 하찮은 일로 여기고, 이것이 학력의 차이로 이어진다. 2021년 고2의 성별 기초학력 미달 비율을 보자. 국어의 경우 기초학력 미달이 남자는 11%, 여자는 3%다. 영어의 경우 남자는 14%, 여자는 5%다.(최민준 아들tv, 공부 지지리 안 하는 아들, 즐겁게 공부하게 만드는 3가지 방법)

46) 하고 싶고, 쓰고 싶은 마음은 할 수 있음의 과정속에서 만들어진 부산물이자 좋은 결과이지 시작하게 되는 원인이 아니다. 할 수 있어야, 잘하는 방법을 알고 이를 실현할 수 있어야 쓰고 싶어진다. 우리는 하고 싶다는 것을 동기로 여기로 첫 단추이자 첫출발로 여기는데 하고 싶은 마음은 어느 정도 궤도에 오른 이후 스스로 더 잘하고 싶고, 타인의 인정과 지지 속에서 만들어진다.

첫 번째 가설	첫 번째 증명
남자아이들은 자신이 관심 없는 주제에 대한 글을 쓰는 행위에 흥미를 느끼지 못한다 그러므로 그들이 좋아하는 주제로 글을 쓰게 한다면 반드시 좋아할 것이다	관심 없는 주제에 대한 글쓰기를 재미없어하는 남자아이들에게 좋아하는 주제로 글을 쓰게 하니, 실제로 글쓰기 동기가 올라갔다

아이가 좋아하는 것부터 시작해야 한다. 아이의 경험 지평 내에서 좋아하는 것을 쓰게 해야 한다

그가 글쓰기를 싫어하는 초등학교 남학생을 아이들을 뽑아 진행한 실험에서 내린 글쓰기 결론은 의미로 간단하다.

1) 글 쓰는 소재가 익숙하고 친숙하며 되도록 좋은 것, 강력한 것일수록 좋다. 글쓰기를 어려워한다면 학생이 경험한 것, 좋아하는 것일수록 좋다. 쓰기에서 결정적 소재는 좋은 것이라기보다는 강렬해서 기억에 남는 사건일수록 좋다. "자신이 좋아하고 일상적으로 경험하는 일이어야 한다."는 치료사의 지적은 "자신이 강력하게 경험한 일이여야 한다."가 더 타당하고 적절하다.

2) 쓸 내용에 대해 충분히 이해하고 소화해야 한다. 글쓰기는 관련 경험과 쓰는 내용에 대해 표현하고 정리하며 이해가 되어야 한다. 경험한다고 다 쓸 수 있는 게 아니다. 경험에 대해 충분히 이야기를 나누며 경험의 한 사건과 장면을 포착해

야 하고, 경험을 통해 표현에 필요한 어휘들을 익혀야 한다. 경험에 대한 이야기에서 어휘 이해와 활용에 적극적 도움과 안내가 필요하다.

최민준은 "글 쓰는 내용에 대해 이야기를 나누고 써야 한다. 게임 캐릭터를 쓰려면 캐릭터에 대한 이야기를 나누고, 정리하는 것이 필요하다."고 강조한다.

학생들이 자신이 쓰는 내용에 대한 어휘들을 이해하고, 활용할 수 있어야 한다. 경험한 일이지만 쓰는 내용을 몰라 못 쓰는 경우가 많다.

따라서 학생들이 자신이 쓰는 내용에 대한 어휘들을 이해하고, 활용할 수 있어야 한다. 경험한 일이지만 쓰는 내용을 몰라 못 쓰는 경우가 많다.

두 번째 가설

남자아이들은 뭘 써야 할지 몰라
글쓰기를 어렵게 여기는 경향이 있다

그러므로 난이도와 흥미에 맞는 어휘를
제시해 주면 수월하게 글쓰기를 이어갈 것이다

두 번째 증명

무엇을 써야할지 몰라
글쓰기를 어렵게 여기는 남자아이들에게

난이도와 흥미에 맞는 어휘를
제시해 주니 수월하게 글쓰기를 이어갔다

어휘에 대한 기초 지식이 부족하면 어떻게 써야 할지 알 수 없다.

어휘가 이해되고 숙달되어야 한다. (최민준 치료사의 글쓰기 실험은 학생들이 게임 관련 어휘 카드는 보고 스스로 찾아보도록 구성되어 있다. 다만 어른들의 도움을 받을 수 있었다.) 공통 경험을 바탕으로 충분한 교사와의 상호작용과 도움이 필요한 이유도 바로 이 어휘에 대한 이해와 경험의 체계적 정리가 쓰기의 결정적 기초이기 때문이다.

경험적 글쓰기를 하려면 어휘에 대한 기초 지식이 필요하다.

경험적 글쓰기의 기본을 체득하며 쓰게 하라

어떤 경험적 글쓰기든 기본은 먼 산 위에서 보는 듯한 글이 되어서는 안 되고 현미경처럼 구체적이고 세밀해야 한다. 감사의 편지가 '늘 살펴주셔서 감사합니다, 사랑해요 00님'이라고 상투적이고 진부한 글이 아니라 구체적인 일화와 감정이 살아 있어야 하는 것이 기본이듯 경험적 글쓰기는 구체적이고 생생한 사건의 행동과 감정이 살아 있어야 한다. 이를 위해서는,

첫째, 강렬했던, 매력적인 경험의 한 사건, 한 장면을 포착하라. 어떤 장면과 어떤 상황과 사건인지를 구체적으로 써야 한다. 경험을 대서사시로 전개하지 말고(하루종일 일을 있었던 일을 쭉 나열하는 일기 쓰듯 쓰면 안 된다.) 강렬한 한 장면, 인상적인 한 사건을 잡아라.

따라서 학생들에게 필요한 경험적 글쓰기의 메타인지 **첫번째** 기준은 **"다 쓰지 말고 한 사건, 한 장면만 쓰라"** 는 것이다.

둘째, 누가 어떤 사건을 겪었는지를 구체적으로 묘사해야 한다. 이를 위해 강렬한 사건과 상황에서 어떤 말을 했는지, 어떤 생각과 느낌이 들었는지 써야 한다. 경험적 글쓰기는 사건과 장면을 구체적으로 묘사하는 데서 시작한다. 사건의 상황 안내, 사건 속 주인공들의 말과 행동, 주인공들의 생각과 느낌을 구체적으로 그려내야 한다. 다시 말해 **경험한 주인공들의**

대화(큰 따옴표)와 그때의 생각과 느낌(작은 따옴표)을 살려 써야 한다.

따라서 학생들에게 필요한 경험적 글쓰기의 메타인지 두 번째 기준은 "한 사건, 한 장면에서 나눈 이야기와 생각을 쓰라. 그때 나온 대화(큰 따옴표)와 든 생각과 느낌(작은 따옴표)을 쓰라."는 것이다.

셋째, 매력적인 방식으로 멋스럽게 표현하라. <풀꽃>의 시의 핵심은 "자세히 보아야 예쁘다 오래 보아야 사랑스럽다"가 아니다. 자세히 보고 오래 보면 사랑스러워지고 예뻐지는 데 바로 "너도 그렇다"가 시의 핵심적 요청이다. 풀이 아니라 이 시를 함께 읽은 너를 오래보고 자세히 보고싶은 마음을 표현한 것이다. 풀꽃 이야기인 줄 알았는데 정작 하고 싶은 이야기는 너를 오래 보고 자세히 보는 사랑의 관계가 되고 싶다는 마음의 표현이다.

풀꽃처럼 타인의 이야기를 따라가며 하나의 세상 이야기를 듣고 있는데 다른 이야기로 도약하며 뒤통수를 맞는 느낌을 주는 글은 매력적이고 멋스럽게 마련이다. 경험적 글쓰기도 이러한 매력적이고 멋있는 표현 방법을 활용할 수 있어야 도와주어야 한다.

다시 말해 경험적 글쓰기는 이야기의 묘미와 재미를 살려 써야 한다. 반전의 묘미가 살아 있는지, 이야기의 리듬이 살아있는지 등을 살펴 써야 한다. 매번 똑같은 형식으로 재미없고 판에 박힌 듯 진부한 글을 쓰면 안 된다. 날짜와 날씨 쓰고, 하루에 있었던 일 쓰고(학교에 갔다. 학원에 갔다. 밥을 먹었다. 게임을 했다 등), 감정(참 좋았다, 다시 하고 싶다, 고마웠다. 즐거웠다, 맛있었다, 고마웠다 등) 식의 상투적 글쓰기는 더 이상 필요 없다. 굳이 쓸만한 강렬한 사건이 없었다면 차라리 난중일기처럼 하루 날씨를 쓰고 종결하는 게 더 낫다. 물론 난중일기를 날씨는 해가 쨍쨍, 맑음, 비, 흐림 정도가 아니라 날씨를 구체적으로 묘사하고 있다.

'찌는 더위',
'쇠를 녹일 더위'
'살을 에는 듯이 추움'
'추위가 배나 혹독해짐'
'강풍으로 지붕이 벗겨져서 비가 새었다'
'배를 정박하기 어려울 정도로 큰 비바람이 불었다'
'바람막이가 산산조각이 나고 삼대 같은 폭우가 내렸다'

<난중일기> 중에서[47]

학생들에게 필요한 경험적 글쓰기의 메타인지 **세 번째 기준은**

---

47) 이순신의 '난중일기(亂中日記)'는 430여 년 전 7년간의 날씨가 기록되어 있다. 7년 중 42일을 제외하고 1593일 중 1551일 날씨가 기록되어 있다. 난중일기에 가뭄과 우박·서리·번개·무지개·안개 같은 기상 현상과 일식·월식·유성우 등 천문 현상들에 대한 기록 덕분에 16세기 말 남해안 지역 기후 특성과 오늘날 날씨를 비교하는 연구도 진행될 수 있었다.

"색다르게, 재미있게, 멋지게, 매력적으로 쓰라"는 것이다.

경험적 글쓰기의 맛, 매력, 재미, 묘미

상투적이고 뻔한 글은 아무도 재미있지 않다. 심지어 쓰는 사람도 고역이다. 글을 읽으면 재미있는 글은 쓰는 사람도 재미있다. 글쓰기는 설정과 발생이 신선할 뿐 아니라, 이야기의 흐름과 진행 과정 그리고 결과도 흥미진진해야 한다. 경험 글쓰기를 재미있게, 색다른 맛을 주려면 무엇이 필요할까?

첫째, 좋은 글을 암송해야 한다. 반전을 주는 묘미, 다양한 화자가 살아있고, 대구와 말놀이 등이 살아 있는 짧은 글들을 암송해 체화하고 있어야 나중에 자신의 글에서 써먹을 수 있다.

"너무 맛없다"고 했는데 알고 보니 나만의 맛집으로 남기기 위한 광고의 경우처럼 혹은 나태주의 <풀꽃> 연작시처럼 "너도 그렇다." 나 "앗, 이것은 비밀"인데 괜히 말해줬네, 혹은 <대추 한 알>처럼 "대추야 너도 통하였으냐?" 라는 식의 글들을 암송해 나의 글쓰기에도 적용할 수 있는 가능성을 열어주어야 한다.

청개구리형 글쓰기를 통한 반전. "죽고 싶지만 떡볶이는 먹고 싶어", "다음 생에는 엄마가 내 딸 해. 내가 엄마 할게."("다음 생엔 엄마의 엄마로 태어날게")처럼 극적 묘미가 문장, 주고받는 대구가 재미있는 문장, 복화술사의 글의 묘미를 체득하고 나면 이를 모방, 활용하는 꼬마 작가가 생기가 되고, 이를 적극적으로 격려 인정 평가하게 되면 다른 친구들도 복사하고 짜깁기, 편집하며 자기 글로 창조하게 된다.

둘째, 나 중심 글쓰기에서 벗어나 다른 입장이 되어 쓰기를 시도해야 한다. 이 상황과 사건을 "내가 엄마라면 어떻게 될까"의 글쓰기가 필요하다. 나 중심 세계에 사는 아이일수록 내가 아니라 다른 사람이나 사물이 되어 글쓰기를 시도해야 한다.

누구, 어떤 입장에 서느냐에 따라 글의 맛은 완전히 달라진다. 이것은 문학적 글짓기처럼 보이지만 나의 경험을 다른 사물이나 사람의 입장에서 쓴다는 점에서 경험적 글쓰기다. 예를 들어 산에 간 경험을 쓴다고 해보자. 산에 가 개고생을 한 경험을 신발과 양말의 입장에서 쓴다면 어떻게 될까?

<다른 입장에 써서 글쓰기 : 나의 신발이 되어 글쓰기>

나를 얼마나 아껴주고 고이 간직하던 너였니!
늘 깨끗한 길로만 다녔지. 물웅덩이는 폴짝 뛰어넘어 조심했고.
비 올 때는 나를 꺼내지도 않고 장화만 신고 다녔지.
뭐라도 잠시 묻으면 바로 물티슈로 닦아주곤 했지.
이렇게 깔끔, 깨끗, 정갈하게 아끼고 보살피더니. 오늘 도대체 왜 그런 거니.

오늘, 완전 똥 또오오오옹 밟았다. 세상에 구룡산을 오르고
내리다니.

"아이"내 몸에 상처나게 까끌까칠한 바위를 오르지 않나.

"콜록콜록" 먼지 풀풀 나는 흙 길을 가지 않나.

"냄에에새" 발에서 땀이 나 꼬린내 나는 냄새가 너무 고약하
게 나기까지.

도대체 왜 구룡산을 오르는 거야.

대박.

비극은 아직 시작도 안 한 거야.

"다리도 아프고 땀도 많이 나 힘들었지만 오늘 너무 좋았어
요. 내일 또 가고 싶어요. 엄마"

'너 뭐라는 거니? 잊은 거니, 나야 나, 신발이라고, 니가 그리
애지중지 하던 신발이라고.'

"그래, 우리 아들. 엄마도 아들이랑 가니까 너무 좋았어. 다음
에 또 가자."

"좋아요, 엄마, 아빠도 같이 가요."

'망 했 다'

발달 수준에 알맞은 경험적 글쓰기가 필요하다.

모든 교육활동이 기본이 학생의 관심과 필요, 발달 수준에 맞
추어 교육이 시작된다. 경험적 글쓰기도 당연히 학생의 발달과
필요를 고려하여 시작되고, 유지된다. 책을 읽고 이루어지는

경험적 글쓰기도 마찬가지다.

경험적 글쓰기는 아동의 문해 발달 수준에 맞춰 이루어지게 마련이다. 책을 읽고 그에 대한 경험을 쓰는 활동도 학생의 문해 발달 수준에 대응하여 쓰기 지도가 이루어져야 한다.

(1) 문자 해독이 어느 정도 이루어지면 쓰기가 가능해진다.
(생활 경험을 쓰는 일기 쓰기보다 책 읽는 경험에 대한 쓰기가 훨씬 더 가르침과 배움의 연관성이 크고, 효과적일 수 있다.) 최소한의 문자 해독 이후 이루어지는 독서 경험에 대한 쓰기는 낱말, 어구, 문장으로 점차적으로 확충해 나가게 된다.

<달님 안녕>에 대한 생각과 느낌을 쓰는 활동을 하려면 일단 한 낱말 쓰기부터 해야 한다. 처음에는 가장 기억에 대한 남는, 인상적인 낱말을 베껴 쓰고(이 발달 수준에서는 쓰기보다 이야기와 소리 내어 읽기가 결정적이다), 어느 정도 낱말 쓰기가 이루어지면 감정과 느낌을 나타내는 낱말 쓰기, 어구 쓰기, 문장 쓰기로 확장할 수 있다.

핵심적인 낱말과 어구 그리고 문장 베껴 쓰기가 이루어지고 나면 낱말과 어구 그리고 문장 쓰기로 확대하면서 쓰기 역량을 키워주어야 한다. 쓰기 발달 수준에 따라 다양한 성취과제가 있다. 문자 쓰기가 아직 어려우면 그림으로 이야기를 나누고 간단한 낱말과 어구로 표현하는 것이 중요하다. 문자 쓰기 발달 단계를 고려하여 쓰기를 요구해야 한다. 단어와 낱말(나비, 벌, 보다)에서 어구로(팔랑 팔랑 나비, 앵앵 벌), 어구에서 문

장으로 쓰기(팔랑 팔랑 나비가 꽃 위에 날아다니는 걸 보았어요)로 확장해야 한다.

시도, 그림도 안되는데 시화를 욕심내는 건 무리다. 시화는 시를 쓰는 법과 글에 어울리는 그림을 그리는 법(글과 그림의 조화와 그림의 독립성), 그리고 낭송하는 법을 차근차근 배워야 한다.

만약 어구가 되면 문장을 쓰는 게 중요하고, 문장이 되면 문단으로 자신의 경험을 표현하는 능력이 중요하다. 충분히 문단 쓰기가 되는 아이에게는 경험하는 글을 효과적으로 표현하는 기술을 배우는 것이 중요하다.

(2) 읽기와 쓰기는 동시 진행이 아니라 듣기와 말하기의 이야기라 충분히 자리하면서 읽기가 어느 정도 차오른 후 쓰기를 차근차근 진행해야 한다.

책에 대한 경험과 느낌 쓰기의 핵심은 무리하게 읽기와 쓰기를 동시에 진행해서는 안 된다. 쓰기는 발달 수준에 어울리게 이루어져야 하며 이때 핵심은 읽기와 쓰기의 동시 진행이 아니라 책을 읽으며 충분히 묻고 답하는 이야기를 나누어야 하며, 읽기가 어느 정도 궤도에 오른 후에 쓰기가 이루어져야 한다.

학생의 문해 발달 수준에 따라 다른 성취과제가 있다. 문해가 어려우면 그림을 통해 이야기를 나누는 게 핵심이다. 글을 쓸 수 없는 아이에게 그림은 하나의 표현수단이 된다.

그래도 비문해와 문해의 경계에 선 학생에게 중요한 것은 그

4부. 기초문해 수업 방법과 구체적 사례

림보다 이야기와 최소한의 낱말 정도의 읽기가 더 중요하다. 그림의 조형 능력이나 문자로 쓴 텍스트의 표현 능력 보다 이야기를 나누며 경험을 더 깊게 파고드는 것이 중요하다. 이야기를 나누며 거기에 발판이 되는 낱말을 읽을 수 있는 능력에 집중해 주는 것이 효과적이다.

그림동화책을 함께 깊이 읽으며 날아오르기 위한 고민거리들

영화를 본 경험에 대한 글을 쓴다고 해보자. 보통 영화를 본 경험적 글쓰기는 영화 줄거리를 쓰고 이후 짧은 감상을 덧붙이는 전형적이고 판에 박힌 글쓰기를 하곤 한다. 보통 누구랑 영화관에 갔고, 줄거리를 소개한 후 간단한 감상을 덧붙이곤 한다. 줄거리 소개와 "재미있다." "짱이다, "겁나 연기를 잘한다", "감동이다", "시간 아깝다." 등의 단순한 감정적 선호를 표현하는 글쓰기가 천편일률적으로 이어지곤 한다. 이런 진부한 글에서 벗어나려면 어떻게 해야 할까?

영화를 체험한 후 이루어지는 글쓰기는 교사와 학생의 상호작용과 이에 대한 이야기가 먼저다. 영화 경험에 대한 감상문을 쓰려면 교사와 학생의 구체적 상호작용과 이를 한눈에 볼 수 있도록 정리한 판서가 필수다.

교사와 학생은 어떤 장면에서 어떤 대사와 행동, 연기가 멋지고 기억이 남는지를 이야기 나누어야 한다. 그 장면과 대사, 행동, 연기와 연출이 어떤 느낌이었는지를 다양한 관점과 입장에서 이야기하고, 이를 모든 학생들이 볼 수 있도록 정리하는 게 필요하다. 한 번에 전체적 느낌을 이야기하는 것으로 그치는 것이 아니라 그 느낌을 만든 구체적 장면과 대사, 행동이 무엇인지를 다양한 학생들이 입체적으로 이야기하고 정리하는 게 기본이다.

이러한 다양한 이야기를 나누고, 이를 정리한 후 영화 경험에 글쓰기가 이루어져야 한다. 경험을 하고, 이제 글쓰기를 해보라는 것이 아니라 영화의 장면과 대사, 행동과 연기 등을 구체적으로 이야기 나누고, 이를 체계적으로 정리한 후 이를 바탕으로 자신의 영화 감상 경험에 대한 글쓰기가 이루어져야 한다. 이것이 경험적 글쓰기에서 필요한 과정 중심 글쓰기의 기본이다.

어떤 편지글이 좋은 글일까? 좋은 글을 보는 눈을 먼저 살펴줘야 해. 그리고 편지글과 같은 경험적 글쓰기는 제대로 피드백을 해줘야 해.

편지글 등 경험적 글쓰기는 구체적인 경험과 이에 대한 내 생각과 느낌 즉 마음이 담겨야 해. 구체적인 사건에 대한 섬세하고 다층적인 주인공의 느낌이 핵심이지.

※ 편지글에 대한 피드백 방법

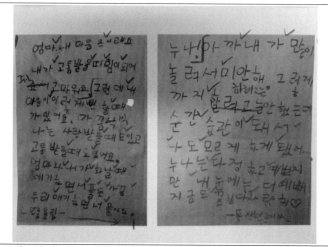

소중한 경험 글쓰기(편지글)를 빨간펜이 망쳐 버린다. 엉뚱한 빨간펜의 위력 행사가 쓰기를 싫어하게 만들고, 좋은 글쓰기를 방해한다.

4부. 기초문해 수업 방법과 구체적 사례

"위의 글에 대한 피드백 어떻게 해주시겠어요?"라고 묻거나, 이 글에 대해 우리는 "어떻게 피드백하고 있을까요?" 물으면 "빨간펜으로, 좀 더 정성을 들인다면 몇 마디 댓글로 평가(칭찬과 감상평)을 해오고 있지요."라고 답하게 될 것이다.

초등 교사들은 생동하는 감성과 감동이 살아있는 아이들의 글쓰기 지도를 할 때 지엽적이고 형식적인 것에 치우치곤 한다. 쓰기에 필요한 핵심인 감정과 마음, 경험을 읽고, 이를 표현하는 데 집중하지 않고, 부차적인 글의 형식과 문법 등에 함몰되곤 한다. 우리는 글의 형식(편지글, 일기)과 문법(띄어쓰기, 맞춤법, 문장부호 등)에 눈이 멀어 아이의 쓰기 능력 형성을 제대로 살펴주지 못한다.

경험 글쓰기의 하나인 일기와 편지쓰기에 대한 지도도 마찬가지다. 글의 형식과 문법에 집중하여 빨간펜으로 아이의 글쓰기에 대한 동기와 기술을 망치고, 쓰기에 필요한 기술과 방법을 제대로 피드백해주지 못하곤 한다.

아이의 경험 글쓰기를 도와주고 싶다면 문법과 글의 형식보다 내용과 좋은 글의 기준에 집중해야 한다. 모국어 화자들은 글의 형식과 문법은 좋은 글을 자주 접하다 보면 자연스럽게 익히게 된다. 쓰기의 핵심은 글의 내용과 좋은 글의 기준을 자기화하는 데 있다.

그렇다면 경험 글쓰기에서 어떻게 해야 경험적 글쓰기를 멋지게 쓸 수 있도록 도와줄 수 있을까?

글쓰기 어떻게 피드백해야 하나

우리는 아동의 경험 글쓰기 교육 시 무엇에 집중하고 있을까?

우리는 보통 아이의 글을 보면 띄어쓰기, 문장부호, 맞춤법 등의 문법과 글의 형식을 제대로 지켰는지에 눈이 가곤 한다. 하지만 아이는 물론 누구나 글의 평할 때 이런 것에 먼저 시선을 빼앗기면 안 된다.

아이의 표현과 소통의 핵심인 쓰기 능력을 키워주고 싶으면 띄어쓰기, 문장부호, 맞춤법 그리고 글의 형식에 눈이 멀면 안 된다. 생각과 경험, 마음을 표현하고 나누는 소중한 징검다리를 빨간펜으로 망가뜨리면 안 된다.

띄어쓰기와 몇 개의 맞춤법 문제(되어줘서, 가끔, 애기)가 아이의 마음을 이해하고, 서로의 감정을 표현하고, 사건의 경험과 감정을 나누는 데 아무런 문제가 되지 않는다.

	엄마.
	내 마음은 이래요. 내가 고통받을 때 힘이 되어죠서 고마워요. 그런데 내 마음이 이렇게 변할 때가 있어요. 가끔식 나는 사랑받을 때도 있고 고통받을 때도 있어요. 엄마와 내가 화날 때 애기하면서 풀듯 가끔 우리 애기하면서 풀어요. -민준 올림-
아들이 엄마한테 혼나고 쓴 마음의 편지	

글쓰기의 핵심은 경험 되새겨, 마음을 온전히 표현하는 것이다. 편지에서 핵심은 상대에게 내 경험과 감정을 표현하고 전하는 것이다. 엄마는 아이의 편지를 받고 벅찬 감격과 고마움, 미안함 등을 느끼게 될 것이다. 그렇다면 아이는 편지글의 형식과 문법에 상관없이 더할 나위 없는 최고의 편지를 쓴 것이다.

쓰기 능력 향상을 위해 여기에 더하면 좋은 것은 문법과 형식이 아니라 더 깊고 구체적으로 경험과 마음을 함께 공유하는 것이다. 어떤 때 고통스러웠는지(힘들고, 속상하고, 아쉬웠는지), 내 마음이 어떻게 변했는지(짜증과 화, 어둡고 답답하고,

강한 바람이 부는 것 같은), 우리가 이야기로 풀었을 때의 경험을 상기하고 그때로 되돌아가는 소통의 경험이 중요하다.

그리고 이 경험과 마음을 나눈 것이 다음 글에 담아주기를 부탁하는 것이 필요하다. 이미 아이는 틀린 글자를 고치고, 마음을 제대로 표현하고자 했다. 문법과 글의 형식은 지극히 부차적이고, 이는 억지로 조장하지 않아도 자연스럽게 습득되는 것들이고, 필요에 맞게 다양하게 활용할 수 있으면 된다.

교사들은 아이가 경험과 마음을 더 풍성하고, 구체적으로 표현할 수 있도록 이야기를 주고받으며 돕는 게 아니라, 이것을 문법과 글의 형식으로 글을 재단하고, 아이의 마음을 어루만지지 못한다. 재미없고 지루하고 따분한 틀로 아이의 쓰기를 짓눌러 버리는 것이다. 결국 글쓰기를 도와주기 위한 노력이 오히려 쓰기의 매력과 재미를 거세해 버리고 마는 것이다.

누나 생일 편지!!

누나!

생일 축하해.

내가 누나를 얼마나 사랑하는지 알지?

나한태 1위잖아. 온 세상 생물들을 전부 모아도 누나만큼은 사랑하는 생물은 없어. 엄마, 아빠보다 2.1 퍼센트나 사랑해.

맨날 다투기만 하지만 서로 사랑할 때도 있잖아.

사랑하고 행복하게 지내자.

안녕!

2023년 6월 13일 화요일

-사랑하는 동생 민준이가-

생축!!

누나에게 쓴 동생의 생일 축하 편지

"나한태", "만큼(은)"이라고 맞춤법이 틀려서, 띄어쓰기를 아직 제대로 못해서 아쉬울까? "생축"이라는 줄임말을 써서 문제일까? 온점(마침표)이나 느낌표가 없어서 부족한 글일까? 편지 형식을 아직 제대로 지키지 못해서 문제일까?

이 글은 누나에게 생일을 축하할 목적으로 100% 이상 달성하고 있다. 누군가 이런 편지를 내가 태어난 기념일에 보내준다면 기쁨과 고마움이 물결치듯 나를 덮치게 될 것이다. 엄마 아빠가 이 축하 편지를 보았다면 샘이 날 정도로 누나에 대한 사랑이 넘친다. 지우개로 퍼센트를 지워 다시 쓸 만큼 아무렇게나 쓴 글이 아니다. 둘 사이에 2.1%가 어떤 의미인지 궁금증을 자아내고, 구체적으로 다툴 때와 사랑할 때를 이야기 나누는 것이 더해진다면 더할 나위 없는 글이다.

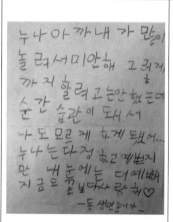	**누나!** 아까 내가 많이 놀려서 미안해. 그렇게까지 할려고는 안 했는데 순간 습관이 돼서 나도 모르게 하게 됐어… 누나는 다정하고 예쁘지만 내 눈에는 더 예뻐. 지금도 꽃보다 사랑해♥ -동생 민준이가-
누나와 다툰 후 보낸 사과 편지	

  글의 형식과 문법은 사소한 문제고, 좋은 글들을 소리 내어 읽고 좋은 글을 쓰는 경험을 통해 자연스럽게 능력이 형성될 수 있다.

  이 글을 받고 "누나는 이 글을 받고 어떤 마음일까?", "누나는 어떤 꽃일까?", "어떤 때 누나는 꽃보다 멋지고, 예쁘고, 다정할까?", "민준이는 이 글을 어떻게, 어떤 마음으로 썼는지" 등에 대한 이야기를 나누어야 한다.

그리고 더 멋진 글은 좀 전에 놀리고 다툰 장면을 구체적으로, 생생한 기록이 되게, 그 장면이 떠오르게 쓰면 좋다는 것을 들려주는 것이 필요하다.

지금 당장 이를 살펴주고 싶다면 '조급한' 마음이 든다면 아이가 쓴 글을 다시 쳐서 출력해서 비교하는 시간을 통해 어떻게 하면 더 멋진 글이 될지를 살펴보면 된다. 다른 그림 찾기처럼 아이가 직접 쓴 생일 편지글과 출력한 글을 비교하면서 어떤 점이 다르고, 어떻게 하면 더 좋을지를 탐구하는 시간을 가지면 된다.

	누나!
누나 아까 내가 많이 놀려서 미안해 그렇게까지 할려고는 안 했는데 순간 습관이 돼서 나도 모르게 하게 됐어… 누나는 다정하고 예쁘지만 내 눈에는 더 예뻐 지금도 꽃보다 사랑해♥	아까 내가 많이 놀려서 미안해. 그렇게까지 할 생각은 아니었는데. 습관이 되었는지, 순간 나도 모르게 하게 됐어……. 사람들은 누나가 다정하고 예쁘다고 하잖아. 내 눈에는 그보다 더 예뻐. 지금도 꽃보다 사랑해♥
-동생 민준이가-	-동생 민준이가-
어떤 점이 다르고 같은 지 두 글을 비교해 보아요	

아이의 경험적 글쓰기를 도와주고 싶다면 서툴고 강박적인 빨간펜 지도에서 벗어나 글쓰기의 매력과 재미, 가치와 효율을 느낄 수 있도록 살펴줘야 한다. 그러기 위해서 교사는 아이의 글을 평가하고 상찬하기보다 아이에게 경험과 마음을 물어주는 역할과 좋은 경험 글쓰기의 기준으로 아이가 자신의 글을 보도록 하는 메타적 역할을 해줘야 한다.

그림동화책을 함께 깊이 읽으며 날아오르기 위한 고민거리들

초등 교사들은 생동하는 감성과 감동이 살아있는 아이들의 글쓰기 지도를 할 때 지엽적이고 형식적인 것에 치우친다. 쓰기에 필요한 핵심인 감정과 마음, 경험을 읽고, 이를 표현하는 데 집중하지 않고, 부차적인 글의 형식과 문법 등에 함몰되곤 한다. 글의 형식과 문법에 눈이 멀어 아이의 쓰기 능력 형성을 제대로 살펴주지 못하는 것이다.

일기와 편지쓰기에 대한 지도도 마찬가지다. 글의 형식과 문법에 집중하여 빨간펜으로 아이의 글쓰기에 대한 동기와 기술을 망치고, 쓰기에 필요한 기술과 방법을 제대로 피드백해주지 못하곤 한다.

아이의 경험 글쓰기를 도와주고 싶다면 문법과 글의 형식보다 내용과 좋은 글의 기준에 집중해야 한다. 모국어 화자들은 글의 형식과 문법은 좋은 글을 자주 접하다 보면 자연스럽게 익히게 된다. 쓰기의 핵심은 글의 내용과 좋은 글의 기준을 자기화하는 데 있다.

"이기기 위해선 상대방의 이야기에 귀 기울어야 한다.
내 말만 해서는 바둑을 이길 수 없다." <미생>

읽기따라잡기의 빛과 그림자

1. 읽기따라잡기의 기초문해 능력 진단 문제
2. 읽기따라잡기의 아눈머 문제
3. 기초문해 교육을 시작할 때 필요항 것
4. 읽기따라잡기의 교재 문제 1
5. 읽기따라잡기의 교재 문제 2
6. 읽기따라잡기의 패턴 수업 문제 1
7. 읽기따라잡기의 패턴 수업 문제 2
7. 실제 읽기따라잡기 패턴 수업 분석 다시 보기
9. 읽기따라잡기의 쓰기 문제와 대안

읽기따라잡기는 소중하다.

첫째, 읽기따라잡기는 공교육이 기초문해를 책임지도록 만들었다.

둘째, 읽기따라잡기는 우리글에 맞는 기초문해 교육을 탐구한다. 김밥의 기원은 일본 '스시(寿司)'다. 하지만 김밥은 일본 스시와는 전혀 다른 한국적 스타일과 맛을 만들어 한국의 전통음식이자 세계적 브랜드가 되었다. 이처럼 읽기따라잡기는 뉴질랜드와 미국산이지만 우리 몸에 맞는 기초문해 교육을 모색하고 있다.

셋째, 읽기따라잡기는 초등 한글 교육이 자모 중심 교육이 아니라 그림동화책을 통해 이루어질 수 있고, 이루어져야 한다는 것을 보여준다.

넷째, 읽기따라잡기는 느린 학습자들의 기초문해를 책임지는 방식을 표준화하려고 노력한다는 점에서 차고 넘치는 가치가 있다.

이 소중한 가치만큼, 읽기따라잡기를 비판적으로 검토할 필요가 있다. 빈대 잡으려다 초가삼간 태우면 안 되고, 목욕물 버리려다 아이까지 버릴 수 없다는 것을 유념하면서 읽기따라잡기를 비판적 공감 속에서 살펴보자. 그림동화책을 통한 기초문해 교육이 읽기따라잡기에서 공언하고 있는 만큼 제대로 이루어지는지 냉철하게 검토할 필요가 있다.

어떤 교육이든 학생발달에 대한 진단(평가)은
교육활동의 기본이겠지. 수업은 평가를 기반으로
펼쳐지고, 수업을 통한 성장을
다져나가야 하는 것 같아

평가는 수업의 원칙과 방법이 조화를
이루어야 하는데, 읽기따라잡기는 어떨까?
"진단(평가)과 수업이 서로 통하였느냐!"

20. 읽기따라잡기의 기초문해 능력 진단 문제

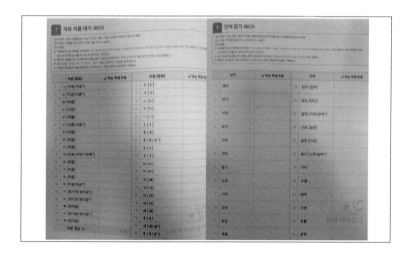

5부. 읽기따라잡기 톺아보기

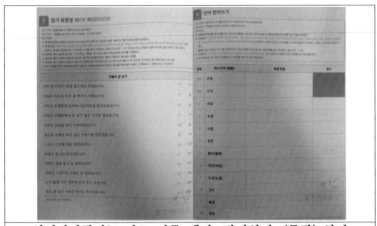

**읽기따라잡기는 자모 이름 대기, 단어읽기, (문장) 읽기
유창성, (단어) 받아쓰기로 기초문해 능력을 진단하고 있다.**

1) 기초문해력 진단인데 진단이 불가능한 학생이 있다?

읽기따라잡기의 진단은 이미 어느 정도 한글을 아는 것을 전제한다. '낫 놓고 기역자도 모르는' 학습자를 진단할 수 없다. 까막눈을 고려한 진단 활동이라 보기 어렵다. 다시 말해 기초문해 진단과 패턴 수업은 한글 까막눈 학생은 아예 시도조차 할 수 없다. 기초문해 검사인데 자모와 음절, 단어를 읽지 못하면 검사 자체가 불가능하다. 자음과 모음 자체를 모르는 아이는 아예 진단 자체가 불가능한 것이다. 진단 도구인데, 진단이 안 되는 대상이 존재하는 것이다.

읽기따라잡기는 학생의 학습 태도(배움에 대한 저항과 부정적 방어기제 양상과 정도, 학습에 대한 지향성 문제), 읽기 능력의 기본 전제인 듣기와 말하기에 기초한 상호작용과 이해력 등을 진단하지 않는다.

더 기이한 것은 까막눈 학습자의 검사를 진행하기 위해서는 자음과 모음을 가르치는 선행 교육을 요구한다. '읽기를 통해 읽기를 가르쳐야 한다'는 그림동화책 문해 교육(읽기따라잡기는 파닉스 중심 기초문해 교육이 아니라 총체적 언어접근을 통해 문해를 시도한다)이 엉뚱하게 자모 체계 진단을 하고 있는 것이다. 읽기따라잡기의 기초문해 진단은 검사 자체가 자음과 모음 중심의 선행 교육을 요구하고 있다.

2) 기초문해 진단은 자모 중심으로 기초문해 교육도 그림동화책 중심으로?

현재 1학년 한글 교육은 자모 중심으로 이루어진다. 기초문해 교육을 자모 중심으로 한다면 평가도 그렇게 해야 한다. 진단(평가)가 자모 중심으로 이루어진다면 당연히 수업도 자모 중심이어야 한다. 그런데 읽기따라잡기는 "읽기는 읽기로 가르쳐야 한다." 대원칙을 중요시한다. 그런데 진단(평가)는 읽기 방식으로 이루어지지 않는다.

읽기따라잡기는 수업과 진단(평가)의 분리되어 있다. 진단한 대로 가르치고, 가르친 대로 진단해야 하는 법이지만 그렇지가 않다. 진단에서 처방이 나와야 하고, 수업에서 평가(진단)가 나와야 하는 법인데 정작 그렇지가 않다. 그림동화책을 통한 기초문해 수업과 평가 방법이 조화를 이루고 있지 않다.

읽기따라잡기의 기초문해 진단에 따르면 1학년 학생들은 자모 이름을 알아야 한다. 그런데 총체적 언어접근에 기초한 기초문해 교육에서 기초문해 능력 형성을 위해 "기역을 알아야 한다." 아니 "히읗, 티읕을 알아야 한다.", "쌍지읒을 알아야만 한다."고 말할 수 있을까? 한글을 읽는 데 자모 이름을 아는 게 기초문해를 수행하는 데 결정적이라 말할 수 있을까? 사후적으로는 필요하지만 기초문해의 발달의 기본이 자모 이름이라고 보기는 어렵다.

기초문해 능력을 자음과 모음의 소리값으로 진단하는 것은 문제적이다. 유아의 문해 발달에 있어서 음운론적 인식에 있어서 '가'를 살펴주지 '기역'을 알려주지 않는다. 아이들은 '가나다라'로 우리 글을 배우고 가르치지 '기역'으로 말놀이하지 않는다.

모국어 화자들은 가를 배우고 글을 어느 정도 읽을 수 있게 된 후 기역을 배우게 된다. '김'이라는 음절을 읽게 된 후 '김'에 기역을 알게 된다. 가방의 '가'를 읽게 되고, 이후에 '가'에 쓰인 '기역'을 파악하게 된다. 영어의 음운론적 인식이 대소문자의 인식이라면 한글 교육에서 결정적인 것은 '기역'이 아니라 '가'다.

3) 진단과 수업이 동일한 원칙 속에서 펼쳐져야 한다

그림동화책을 통한 기초문해 수업은 자모가 중심이 아니라 이야기를 통해 한글이라는 문자를 익히고 발견하는 과정이다.

기초문해 진단과 읽기 수업의 불일치는 매우 당황스럽고 심각한 문제다. 수업이 평가와 동일한 지평에서 이루어져야 하듯, 기초문해 교육의 진단은 기초문해 수업과 동일한 원리여야 한다. 기초문해 교육을 그림동화책 읽기로 가르친다면 진단(평가)도 그림동화책 읽기를 통해서 이루어져야 한다. 읽기는 읽기로 가르쳐야 하듯, 문해력은 읽기로 진단해야 하고, 실제로 이것이 가능하다.

읽기를 통해 문해 교육을 강조하면서 정작 읽기를 통한 문해 진단이 이루어지지 않고 있다. 이오덕은 <우리글 바로 쓰기>에서 글보다 말, 말보다 생활(경험)이 우선이라고 보았다. 글 문해의 핵심은 생활 속 상호작용이 핵심이라고 본 것이다. 읽기를 통한 읽기 교육은 바로 우리 삶의 경험과 말을 통해 교육할 수 있다는 것을 바로 보여주고, 이것을 통해 기초문해 진단이 이루어져야 한다.

4) 간단한 방법을 두고, 왜 먼 길을 돌아가는가?

기초문해 능력 진단은 그림동화책의 몇 장면과 간단한 단어와 음절 카드로 진단이 가능하다. 읽기 능력은 그림동화책과 단어와 음절 카드 읽기(와 쓰기)로 충분히 진단 가능하다.

읽기따라잡기는 기초문해 진단으로 "자모 이름 대기, 단어 읽기, 읽기 유창성, 단어 받아쓰기"를 검사하고 있다. 실질적으로 1학년 기초문해 대상 학습자를 판별할 때 그림동화책을 통해 이야기를 주고받을 수 있으며, 학습에 긍정적인 태도를 보이는지, 음절과 기본 낱말을 읽을 수 있는가를 확인하는 가로 충분하다. 읽기가 안 되면 쓰기는 당연히 안 되고, 쓰기의 정도도 음절인지 단어인지, 어구 인지를 그리고 정확하게 쓰는지도 그림동화책의 몇 장면이면 충분히 진단 가능하다.

그림동화책과 음절, 단어 카드면 충분한 간단한 진단 방법을 두고 복잡한 진단을 택할 이유가 있을까?

읽기따라잡기는 유창성 평가를 위해 긴 글을 30초 내에 읽어야 하고, '우유, 가격' 등을 연습으로 써 보고 실제 쓰기 평가를 진행한다. 굳이 이런 진단을 해야만 학습자의 읽기 유창성과 쓰기 능력을 평가할 수 있을까?

기초문해를 '과학적으로' 진단하는 것마저도 아이를 위축시킬 수 있다. 진단한 교사가 다시 그 아이와 수업을 해야 한다. 읽지 못하는 것을 노출시키는 것만으로도 충분히 위협적인 상황이다. "아는 데까지만 쓰면 되요." 자연스러운 상황에서 검사해요."라는 말이 필요하지 않다. 그냥 진단 자체가 편안하고 부담 없이 진행되는 게 필요하다. 기초문해에 어려움을 겪는 학습자라면, 더욱 더.

제대로 된 기초문해 진단은 어렵고 복잡하지 않다. 기초문해 진단은 음절과 단어 읽기가 가능한가, 이해가 가능한가, 쓰기가 가능한가, 수업 태도 등으로 충분히 쉽고 간단하게 진단이 가능하다.

그림동화책을 함께 깊이 읽으며 날아오르기 위한 고민거리들

읽기따라잡기는 수업과 진단(평가)의 분리되어 있다. 진단한 대로 가르치고, 가르친 대로 진단해야 하는 법이지만 그렇지가 않다. 진단에서 처방이 나와야 하고, 수업에서 평가(진단)이 나와야 하는 법인데 정작 그렇지가 않다. 그림동화책을 통한 기초문해수업과 평가 방법이 조화를 이루고 있지 않다. 읽기따라잡기의 기초문해 진단에 따르면 1학년 학생들은 자모 이름을 알아야 한다.

읽기따라잡기는 "읽기는 읽기로 가르쳐야 한다." 대원칙을 중요시한다. 이 원칙에서 보면 기초문해 진단과 읽기 수업의 불일치는 매우 당황스럽고 심각한 문제다. 수업이 평가와 동일한 지평에서 이루어져야 하듯, 기초문해 교육의 진단은 기초문해수업과 동일한 원리여야 한다. 기초문해 교육을 그림동화책 읽기로 가르친다면 진단(평가)도 그림동화책 읽기를 통해서 이루어져야 한다. 읽기는 읽기로 가르쳐야 하듯, 문해력은 읽기로 진단해야 하고, 실제로 이것이 가능하다.

못해서 상처받아 위축된 아이를 도와주려면
섬세하고 부드럽고 따뜻해야 돼.

그것보다 중요한 건 배워야 하는 것(해야 하는 것)을
'나도 할 수 있구나'하는 경험적 느낌을 주는 거지.

21. 읽기따라잡기의 '아·눈·머' 문제

"미지의 언어를 습득하기 위한 유일한 방법은 그
언어를 모어로 사용하는 이와 직접 교류하는 것뿐
입니다. 여기서 교류하는 건 질문을 하고, 대화를
나누는 일 등을 의미합니다."(테드 창, <네 인생
의 이야기>, 외계인의 언어를 해석해달라는 정부
당국의 요청에 언어학자가 한 말)

아눈머(아이의 눈높이에 머무르기)인가 아니면 아눈도(아이의
눈높이에서 도약하기)인가?

읽기따라잡기는 기초문해 수업의 첫출발을 아이의 눈높이에서
머무르기(아눈머)로 시작한다.

그런데 문해 능력의 진단하고 배움의 관계를 만들기 위해서 정식 문해 수업을 하지 않고 아이의 문해 발달을 진단하고 관련 놀이와 숨겨진 문해 관련 활동을 하는 게 효율적이고 교육적일까? 아니면 아이의 문해에 결정적으로 필요한 문해 활동을 유쾌하고 가볍게 열면서 아이의 눈높이에서 도약해야 하는 게 필요할까?

6학년 우리 반 아이. 한글을 몰라 특수 학급에서 개별화 수업을 하고 있다. 이 학생에게 화급하고 절실하게 필요한 것은 무엇일까? 당연히 한글을 떼는 고비를 넘어야 한다.

아이는 오늘도 크리스마스카드, 화분 만들기를 하고 방긋 웃으면 왔다. 과연 이 아이에게 필요한 교육적 도움이 주어진 것일까? 신나고 재미있는 활동이 과연 도움이 되었다고 말할 수 있을까? 왜 우리는 기초문해에 고통받는 아이를 지원하는 데 재미있는 활동만 하는 것일까? 마음을 살펴주고, 아이의 눈높이에만 머무르고 마는 것일까?

문자를 배우는 것은 인지적 부담이 따르는 어려운 활동이다. 왜 이 도전적인 활동은 하지 않고 즐겁고 재미있는 활동만 하는가? 그런 한가하고 낭만적인 시간은 이제 그만해도 되지 않을까? 재미있고 신나는 활동을 하느라 정

00초등학교 선생님의 이야기다. 아눈머를 실행할 때 우리가한 번 더 염두에 두어야 할 이야기가 아닐까? 우리가 화급하고절박하게 기초문해의 어려움에 고통받는 학습자에게 마음을 살펴 관계를 만들고, 아이와 함께 출발한다는 것은 지극히 타당하다. 그런데 이 선의가 기초문해의 문제를 악화시키는 것은아닐까? 기초문해 수업이 조급할 필요는 없지만 기초문해의 해결을 뒤로 미루고, 격차를 키우며, 소중한 시간을 낭비하는 건아닐까 고민해 보아야 한다.

학생을 파악하고, 관계를 만드는 시간과 역량이 필요하다.

기초문해를 형성하지 못해 위축되고 상처받은 아이에게 아눈머는 아이의 발달을 살피고, 배움의 관계를 만드는 소중한 시간이다. 아이가 할 수 있는 것, 해야 하는 것, 어려워하는 것을 파악하는 시간이자 배움의 관계를 만드는 시간이다. 아눈머는 느린 학습자에게 기초문해 교육을 하려면 아이를 온전히 알아가는 시간, 아이의 마음을 열어가는 시간이 필요하다고 강조한다. 아눈머는 아이의 발달을 입체적으로 파악하고, 방어기제의 경계가 허물어지는 시간이라는 점에서 소중하다.

그런데 읽기따라잡기가 강조하는 아눈머의 "10차시 꼭 채워 꼭 하라", "가르치지 말라"라는 것을 절대적 기준으로 요구하는 순간 문제가 생긴다. "배움의 관계를 만들어라", "아이의 발달을 파악하라"라는 것이 지극히 타당하고 정당한 지적이다. 하지만 아눈머는 무조건 10차시 이상 하라와 가르치는 기초문해 수업은 하지 말라는 요청이 절대적이라고 주장하려면 그 근거와 의미를 좀 더 구체적으로 논해야 한다.

기초문해 교육을 실행하는 현장 교사의 입장에서 보면 기초문해 교육의 중요성과 화급함을 고려할 때 아눈머의 "가르치지 말라"와 "10차시 꼭 채워 꼭 하라"는 것은 납득하기 어려운 한가한 주장이다.

배움을 거부하는 아이와 읽기가 두려워 고슴도치가 되어 보호고치 속에 갇힌 아이를 도와줄 기초문해교육 방법은 섬세하고 부드럽고 따뜻해야 한다. 이 정서적 포근함은 아이에게 할 수 있는 작은 성취를 문해 교육에서 느끼게 하는 것이다. 아이의 눈높이에 머물며 활동하지 않아도 일상적 수업을 통해 아이에게 따뜻하게 품어주면서 문해의 성취를 느끼게 할 수 있다. 눈높이에 머물지 않고 눈높이에서 도약하는 것이 얼마든지 가능하다.

기초문해 수업이란 따뜻한 배움의 관계 속에서 현재의 아이 능력 파악해 성장의 도전을 만들어내는 역동적 과정의 연속이다

아눈머는 기초문해 수업(읽기따라잡기 라는 패턴수업)과 수업이 분리되어 있다.

만약 기초문해 학습자가 "아눈머 왜 안해요? 지난번 한 재미있는 활동 또 해요. 책 만들기 또 해요"라고 한다면 어떻게 해야 할까? 인지적 부담이 있는 일상적인 기초문해 수업은 거부하고, 재미있고 부담 없는 아눈머 활동만 하고 싶은 아이에게 문해 교육으로 초대하는 방법은 무엇일까?

아눈머를 통해 좋은 배움의 관계를 만들면 그런 소리는 안 하게 된다고 말할 수 있을까? 아눈머로 만들어진 좋은 배움의 관계 덕분에 패턴 수업을 하는 데 아무 문제가 없다고 반박할 수 있을까?

현장 교사의 입장에서 보면 아눈머 없이도 얼마든지 부드럽고 편안하게 문해의 작은 성취를 해낼 수 있다.

읽기따라잡기의 대원칙이 "아이로부터 출발하라"와 "교사를 세워라"라면 현장 교사가 기초문해 교육 경험에서 배울 필요가 있다. 상담 관계 만들기 같은 아눈머 없이도 교육적 관계 만들기가 얼마든지 가능하고, 이것이 어떻게 이루어져야 하는지가 논의되어야 한다.

보통의 현장 교사에게 배움의 관계 만들기와 아이 발달을 파악하는 것은 아눈머의 10시간까지 하지 않아도 할 수 있는 일이다. 기초문해에 어려움을 보이는 학습자가 '아눈머'로 도망가지 않게 더 단단하게 아이를 문해 교육으로 지켜줄 수 있는 방법은 얼마든지 많다.

아눈머의 문해 교육의 원칙은 깊이 공감할 수 있다. "아이의 눈높이에서 시작하라," "따뜻하고 부드러운 배움의 관계 속에서 시작하라"는 것은 지당하다. 문제는 이 원칙이 일상의 문해 수업 속에서 뿌리내려야 한다는 점이다.

패턴수업과 아눈머를 분리하는 것이 전혀 효과적이지 않다. 아눈머와 패턴 수업은 화학적으로 통합되어야 한다. 기초문해를 지도하는 한 교사도 문제를 날카롭게 지적한 바 있다 "준비운동도 운동과 관련된 부분을 '웜업(warm-up)'하는 게 기본인데, 왜 몸을 푸는 아눈머가 실전 경기인 패턴수업과 분리되는 거지요?"

'가르치지 않아야 한다' 혹은 '가르치고 있다는 느낌이 들지 않게 만들어야 한다'는 아눈머의 '궁색한' 목소리는 패턴 수업의 첫걸음으로서 아눈머로 논의될 필요가 있다. 읽기따라잡기를 실행한 한 교사가 아눈머를 패턴 수업을 조금씩 늘려가는 것으로 활용했다는 목소리는 기초문해 수업 자체가 아눈머와 같은 것이 되어야 한다는 목소리를 담아낸 것이라 볼 수 있다.

또한 기초문해 능력 부족으로 위축되고 상처받은 느린 학습자에게 10차시의 기초문해 수업 시간을 진단과 관계 만들기의 활동으로 쓰이기는 너무나 시간이 아깝다. 화급하고 응급하게 도와주어야 하는 문해 교육 지원의 시간이다. 보통 100시간 정도 되는 기초문해 교육의 대략 10분의 1을 할애해서 아눈머만 하기에는 너무 사태가 위중하다. 위축되고, 부정적 방어기제로 자신을 닫아건 아이에게 조급하게 닦달하는 것은 절대 용납되어서는 안 되지만, 관계 만들기와 아동 진단을 이유로 10시간을 쓸 여유가 없다.

 기초문해 교육은 10시간 동안 무조건 아이의 눈높이에 머무르기(아눈머)가 아니라 '아눈도'(아이의 눈높이에서 도약하기)가 필요하다. 배려와 존중의 분위기 속에서 아이의 눈높이에서 성장을 향한 도약을 시도하고 성취할 수 있도록 도와주어야 한다. 아이에게 시급한 것은 머무르는 것이 아니라 성장을 향한 도전에서 성취감을 느끼며 '해보니, 나도 할 수 있구나!' 하며 성장하는 첫걸음이 필요하다.

 일단 더듬더듬 읽을 수 있고, 맞춤법 틀려도 쓸 줄 알면 도약해야 한다. 아니 아예 까막눈으로 고통받는 학습자라면 더 급히 도약하는 수업을 해야 한다. 이미 기초문해의 문제로 답답함과 위축을 매일 매일 겪고 있는 학습자라면 지금 즉시 부드럽고 포근한 배움의 분위기 속에서 '나도 하니 성취할 수 있구나!'의 문해 경험을 축적해 나가야 한다.
 읽기따라잡기가 요구하는 "학생에게 배워라.", "학생으로부터 시작하라."는 말은 지극히 타당하다. 그럴수록 학생의 현재 발달을 보는 눈과 학생의 현재(문제)와 발달에서 시작해서 제대로 성장을 도와줄 방법을 찾아야 한다.

그 방법을 알고 실천하고자 한다면 응급하고 화급해야 한다. 응급하기 실행하되, 수업 과정은 섬세하고 부드럽고 전문적이어야 한다. 부드러움과 따뜻함의 기초는 아눈머에 갇히는 것이 아니라 핵심은 작은 성취 경험의 누적 여부다. 문해의 문턱을 넘어 도약을 이루어 내기 위한 핵심은 작은 성취 경험의 축적 여부다. 학생이 작은 성취 경험을 누적할 수 있다면 학생의 역량을 제대로 진단하고 대응하고 있다고 볼 수 있다.

그림동화책을 함께 깊이 읽으며 날아오르기 위한 고민거리들

화급하고 응급하게 도와주어야 하는 문해 교육 지원의 시간이다. 보통 100시간 정도 되는 기초문해 교육의 대략 10분의 1을 할애해서 아눈머만 하기에는 너무 사태가 위중하다. 위축되고, 부정적 방어기제로 자신을 닫아건 아이에게 조급하게 닦달하는 것은 절대 용납되어서는 안 되지만, 관계 만들기와 아동 진단을 이유로 10시간을 쓸 여유가 없다.

기초문해 교육은 10시간 동안 무조건 아이의 눈높이에 머무르기(아눈머)가 아니라 아눈도(아이의 눈높이에서 도약하기)가 필요하다. 배려와 존중의 분위기 속에서 아이의 눈높이에서 성장을 향한 도약을 시도하고 성취할 수 있도록 도와주어야 한다. 아이에게 시급한 것은 머무르는 것이 아니라 성장을 향한 도전에서 성취감을 느끼며 '해보니, 나도 할 수 있구나' 하며 성장하는 첫걸음이 필요하다.

교육은 처음과 중간, 끝이 항상 같은 원칙과
방법이어야 한다. 아눈머와 패턴수업이
달라서는 안 된다.

22. 기초문해 교육을 시작할 때 필요한 것

아이의 초기 문해 발달을 위해 무엇이 필요한가?

*"풀-아웃 수업 힘들다고 시작도 하기 전에 우는 아이. 풍선
놀이하며 숫자 세고, 말 주고받는 놀이할 때는 깔깔 웃으면 신
나 하는 아이. 다시 풍선 내기하며 앉아서 수업하자고 연착륙
을 시도하면. 다시 수업 힘들다며 우는 아이."*

이 아이에게 10시간의 아이의 눈높이이 머무르기가 과연 적절
한 방법일까? 아눈머 시간이 끝나고 나면 "다시 왜 수업하냐
고, 아눈머 하자고" 하면 어떻게 할 것인가?

아이의 눈높이에 머물러야 한다(아눈머)의 가치와 한계

조급하게 기초문해를 수업할 게 아니라 아이의 눈높이에 머물
러야 한다. 모국어 문자 해독이 안 되는 아이일수록 상처가 많

고 위축되었을 가능성이 크다. 그만큼 초기 문해 해독에 도움을 주고자 한다면 매우 섬세하고 조심스럽게 접근해야 한다.

아이의 눈높이에 머물며 아이를 제대로 파악하고, 교사와 학생 배움의 관계를 다지는 데 넉넉한 시간, 여유 있는 시간을 보내야 한다. '과유불급((過猶不及: 지나침은 모자람만 못한 법)인 법, 아무리 마음 급하다고 바늘 허리에 실 매어 쓸 수는 없는 법이다,

읽기따라잡기는 여유 있게 학생을 파악하고, 아이와 교사의 관계를 만드는 방법으로 10시간이 꼭 필요하다고 주장한다. 읽기따라잡기는 10시간 동안 "아이의 눈높이에 머물러야 한다."(아눈머-가르치지 말라. 가르치더라도 들키지 마라)고 주장하는 것이다.

기초문해 능력 진단과 대응 문제 : 아이를 파악하고, 배움의 관계를 만드는 데 10시간이 필요하다?

기초문해의 어려움을 겪는 학생은 응급한 도움이 필요하다. 이미 벌어진 격차가 고착하지 않도록 빨리 친구들과 함께 수업을 받을 수 있도록 응급한(조기 개입이 아닌) 도움이 필요하다. 모국어 해독 문제로 인한 어려움에 대해 응급 지원이 필요한 아이에게 100시간 중 10시간을 수업이 아닌 아이를 파악하고, 배움의 관계를 만드는 데 써야 한다는 것은 어떤 의미일까?

사실 기초문해에 어려움을 겪는 아이에게 기초 진단에 시간이 많이 필요한 게 아니다. **아이의 읽기 능력과 쓰기 능력 등 기초문해 능력을 진단하는 데 10분 이상이 필요하지 않다.** 음절 읽기가 되는지, 단어와 어구 문장 읽기가 되는지를 파악하는 건 한순간이다. 단어와 문장 이해가 어느 정도 되는지 그리고 쓰기 능력이 어느 정도인지는 3쪽 정도의 그림동화책 읽기만 발달 수준을 직관적으로 감 잡을 수 있다. (문해 전문가인 교사가 이 정도의 직관적 능력이 없을 수는 없다.)

이 직관적 감(읽기와 쓰기, 학습 태도, 말하기와 듣기의 상호작용 정도와 이해력)을 잡고 수업을 하면서 기초 진단은 부단히 깊어지고, 상황과 필요에 따라 바꾸어 나가면 된다.

아이의 발달을 진단하고 배움의 관계를 만들어 가는 시간은 부단히 계속된다. 첫 진단에서 아이가 말하는 낱말, 알아들을 수 있는 어휘체계, 읽을 수 있는 수준, 쓸 수 있는 역량에 대해서 진단한 것은 부단히 업데이트되어야 한다.

학생의 문해 상태를 진단하고, 이에 대한 교육적 대응이라는 처지는 무한 루프의 차이 나는 반복을 통해 성장 경험치를 쌓아가게 된다. 첫 진단은 교육을 통해 새로운 경지에 이르게 되기도 하고, 잘못된 진단을 발견하고 다른 방법과 방향의 처치를 하게 되기도 한다. 이 부단한 반복과 변주를 통해 학생의 파악과 성장을 도모하게 된다. 아동의 문해 상태에 대한 진단과 처치의 무한 루프를 통한 성장을 지체, 유예시키는 아눈머 10시간은 문제적이다.

아눈머는 왜 자가당착인가? : 수업을 해서는 안 되지만 알지 못하게 수업을 해야 한다

초기 문해 지도에 있어 아동 파악과 관계 만들기의 시간에는 수업이 이루어져서는 안 된다는 통념이 있다. 아눈머는 이 통념을 대변하는 데 "조급히 수업으로 돌진하기보다는 아이의 눈높이에 머물며 아동을 파악하고, 배움의 관계를 만드는 여유로운 시간이 필요하다."는 것이다.

그런데 한정된 기초문해의 시간 대비 10시간이 과연 교육적이고 효율적인지 의문이 제기된다. 기초문해 교육의 시간에 대략 100여 시간이 요구된다면 그중 10시간을 아눈머에 사용하는 것이 과연 교육적으로 필요하고, 효과적인가 하는 것이다.

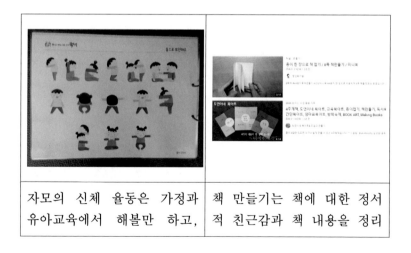

자모의 신체 율동은 가정과 유아교육에서 해볼만 하고,	책 만들기는 책에 대한 정서적 친근감과 책 내용을 정리

이미 아는 아이를 위한 신체놀이로 좋다. 기초문해에 어려움을 겪는 학생을 위한 교육활동으로는 문제적이다. 격차를 심화시키고, 문해 해결을 지체, 유예시키기 때문이다.	해 자기만의 책을 만드는 매력적인 활동이다. 하지만 기초문해에 어려움을 겪는 느린 학습자에게 절실한 것은 문해의 개안이지, 책놀이가 아니다.

제한된 기초문해 배움의 시간을 너무 아깝게 흘러 버리고 있는 것은 아닌가 하는 의문이 제기되면 "수업을 안 하는 건 아니고, 아이가 수업이라는 생각을 느끼지 못하게 수업을 하면 된다."는 절충을 드러내 보이기도 한다. 현장의 상식적 질문에 대해 읽기따라잡기의 아눈머도 이상함을 느끼고 있는 것이다.

문제는 이러한 모순이 읽기따라잡기 실행자의 미숙함인지 아니면 아눈머의 딜레마인지는 응답이 필요한 상황이다.

기초문해 수업을 통해 가르침과 배움에 필요한 기술과 태도를 체득할 수 있어야 한다

배움을 거부하는 아이, 강한 방어기제를 가진 아이일수록 아이의 눈높이에 머무는 것이 아니라 다양하고 굳건한 방어기제를 파악하고 허무는 수업을 해야 한다. 상처받아 위축되고 무기력해진 자신을 지키고자 만들어진 방어기제를 달라고 어르면서 가르치고 배우는 데 필요한 학습 태도를 하나하나 만들어가야 한다. 그런 수업 활동을 하지 않고 아눈머를 10시간 하게 되면 기초문해에 어려움을 겪는 아동은 재미에만 고착하려고 할 수 있다.

방어기제가 강한 아이일수록 아니 학습된 무기력이 큰 아이일 수록 "왜 아눈머할 때는 좋았는데 왜 수업을 하려고 하느냐"고 저항하게 마련이다. 초기 문해 문제를 해결하기 위해서는 아눈머와 아눈머와 분리된 수업으로 유혹하는 게 아니라 아눈머와 통합된 수업을 통해 성취의 기쁨을 누릴 수 있다는 것으로 유혹해야 한다. "너도 할 수 있잖아, 왜 그땐 안 하려고 했어, 이렇게 잘하면서"라는 교육의 초대가 필요하다. 수업 활동과 분리된 아눈머 식의 재미와 놀이로 아이를 속일 수는 없다. 책 만들기가 아니라 책 읽기로 시작해야 한다. 그림동화책 읽기가 얼마나 매력적이고 해볼 만한 경험인지를 느끼게 하는 게 필요한 것이지, 읽기와 분리된 책 만들기가 필요하지 않다.

다시 말해 아눈머는 향후 기초문해 수업의 원칙 속에 자연스럽게 통합되어야 한다. 재미와 놀이는 기초문해 수업의 탄탄하고 부드러운 물결과 리듬 속에 자연스럽게 녹아있어야 한다.

교사는 기초문해 수업의 명확한 기본 틀을 학생에게 반복적으로 알려줘야 한다. 학습 태도를 만들지 못한 학생에게 수업에 필요한 기본기를 차근차근 다져주어야 한다. 만약 읽기따라잡기가 패턴 수업이 중요하다고 생각한다면 아이가 이 틀을 통해 수업에 익숙해지고, 수업에 대한 태도를 기를 수 있도록 아눈머부터 시도해야 한다.

이 점에서 볼 때 아눈머의 문제는 학생의 파악과 배움의 관계 만들기가 수업과 분리되어야 있다는 점에 있다고 볼 수 있다.

아눈머와 수업이 분리되어 있다면 그럼에도 불구하고 아이의 문해력은 성장하는 것이고, 아눈머와 수업과 연계되어 있다면 그 덕분에 문해력이 성장하는 것이다. 그런데 아눈머가 "가르치지 말라"(진단과 관계 맺기 활동과 수업은 분리되어야 한다)를 고집한다면 그럼에도 불구하고 아이가 성장하는 것이다. 만약 가르친다고 느끼지 않게 배움을 진행하라는 것(아이를 할 수 있는 것을 알아가고 도와주는 과정, 예를 들어 "엄마라는 단어를 알고 있구나, 읽을 수 있네!" 등과 같이 아이가 이해 가능한 말이 무엇이고 교사가 어떤 단어를 사용하는 것이 알아가는 과정은 기초문해수업과 부드럽게 연계될수록 효과가 크다)이라면 그것은 아눈머가 아니라 기초문해 수업이라 할 수 있다.

진단 활동과 아눈머의 유사성 : "가르치지 말라, 수업하지 말라" 는 비일상성, 일상적 수업과 괴리와 분리

학생의 발달을 진단하고, 배움의 관계를 만들라는 요구는 당연하다. 이 요구에 기초해 한동안 지필고사를 통한 일회적 진단평가 대신 진단 활동을 2주 정도 진행하곤 했다. 단순히 지필 평가로 학생을 진단했다고 착각하고 진도만 나가는 기존의 방식에 타당한 비판 속에서 학생들과의 관계 만들기와 다양한 사회적 놀이가 진행되었다.

하지만 수업과 분리되고 지원도 없는 진단평가 대신 진단 활동을 도입한 혁신 교육은 알맹이 없는 활동에 불과했다. 2주간 수업하지 말고 또래 관계 만들기, 아이를 파악하기, 협동적 활동과 놀이 등을 진행했지만 이건 학생들의 학습 능력과 태도를 진단한 것도 이후 학습에 필요한 것들을 도와준 것이 아니었다. 아쉽게도 진단 활동은 지필 진단평가와 동일하게 수업과 분리되고, 학생에 대한 선제적인 지원도 제대로 이루어지지 않았다.

학생을 진단하고 수업에 필요한 지원과 도움을 주고, 수업을 통해 학생들에게 필요한 도움을 주는 게 아니어서 **수업과 분리되고 학생 성장과도 유리된 진단활동이 되고 만 것**이다. 일상의 수업과 분리된 진단 활동은 이후의 기초문해수업(패턴 수업)과 분리된 아눈머와 매우 유사한 한계를 드러낸다.

그림동화책을 함께 깊이 읽으며 날아오르기 위한 고민거리들

방어기제가 강한 아이일수록 아니 학습된 무기력이 큰 아이일수록 "왜 아눈머할 때는 좋았는데 왜 수업을 하려고 하느냐"고 저항하게 마련이다. 초기 문해 문제를 해결하기 위해서는 아눈머와 아눈머와 분리된 수업으로 유혹하는 게 아니라 아눈머와 통합된 수업을 통해 성취의 기쁨을 누릴 수 있다는 것으로 유혹해야 한다.

"너도 할 수 있잖아, 왜 그땐 안 하려고 했어, 이렇게 잘하면서"라는 교육의 초대가 필요하다. 수업 활동과 분리된 아눈머 식의 재미와 놀이로 아이를 속일 수는 없다. 책 만들기가 아니라 책 읽기로 시작해야 한다. 그림동화책 읽기가 얼마나 매력적이고 해볼 만한 경험인지를 느끼게 하는 게 필요한 것이지, 읽기와 분리된 책 만들기가 필요하지 않다.

문학작품의 재미와 감동이라는 내재적 가치와 함께
기초문해에 효율적이고 교육적인 도구인지 봐야지!

23. 읽기따라잡기의 교재 문제 1

그림동화책을 통한 기초문해교육은 효율적이고 교육적이라는
점에서 필요하다. 이 점에서 그림동화책을 통한 기초문해교육
을 시도하는 읽기따라잡기는 매우 소중한 자산이자 역사다. 다
만 몇 가지 문제들에 대해 의문과 비판을 제기해 보자.

(배를 타고 가던 중) 칼을 강물에 떨어지자, 칼을 찾고자 배에
칼 떨어진 장소를 표시해놓고 찾으러 간다면 어떨까? 각주구검
의 어리석음은 웃음거리다. 그런데 재미와 감동으로 즐기는 그
림동화책이 재미도 감동도 없다면 어떻게 기초문해교육의 목적
으로 이룰 수 있을까? 수준 평정 교재는 혹여 읽어버린 칼을 찾
고자 엉뚱한 표시에 에너지를 쏟고 있는 것은 아닐까?
 에너지와 시간을 막대하게 쏟아붓고 있다면 제대로 된 방법과
방향으로 노력하는지 주의해야 한다. 다른 곳에서 지갑을 잃어
버리고 가로등 밑에서 지갑을 찾는 우화는 이에 대해 경계하라
고 알려준다. 술에 취한 남자가 한밤중에 가로등 밑에서 뒤지

고 있었다. 경찰이 다가가서 묻자, 취객은 지갑을 찾는 중이라고 말했다. 경찰이 한참을 도와주었지만 찾을 수 없자 지갑을 떨어뜨린 것이 확실하냐고 물었다. 취객은 사실 지갑을 잃어버린 곳은 길 건너편이라고 했다. 당황한 경찰이 "그런데 왜 여기서 찾고 있소?"라고 물었다. 그러자 취객은 "여기는 가로등 불빛이 밝잖아요." 엉뚱한 곳으로 시선을 돌리고, 정작 에너지를 쏟아야 할 곳에 쓰지 않고 어리석은 노력을 하고 있는 경우가 많다.

연장통 안에 망치 하나 든 교사. 안다니가 되어 버린 교사들 속에서

우리 사회에는 허세와 허풍으로 가득 찬 안다니들이 많다. 안다니는 무엇이든지 잘 아는 척하는 사람을 말하는 데 '안다니 똥파리' 속담은 잘 알지도 못하면서 이것저것 아는 체하는 사람을 꼬집는 말이다. 이런 말로는 '알기는 칠월 귀뚜라미'(가을을 제일 먼저 알리는 귀뚜라미처럼 가을 온 줄 자기만 아는 줄 떠벌린다는 뜻), '개 머루 먹듯'(개가 머루의 참맛도 모르면서 바삐 먹어 치운다) 등이 있다.

우리 사회는 이렇게 알은 척 잘난 척하는 안다니들이 살기 좋은 곳이다. 안다니들이 지위와 권력까지 가지고 있다면 현실은 더욱 비루해진다. 그 이유는 정말 제대로 아는지 부단히 검증하는 검토하는 과정이 무너져 있기 때문이다. 특히 대학 교육

의 붕괴는 이 안다니들이 날뛴 좋은 문화와 분위기들을 만들어
주었다.

**공감과 이해가 먼저고, 비판은 다음이지만. 아무리 그래도 싫
을 것이다**

 문제가 클수록 이해부터 하고 용납 가능한지 살펴야 한다. 활
동형 수업이든, '읽기따라잡기'든 일단 이해가 먼저다. 비판
은 이해와 공감을 하고 나서 문제를 제기해야 한다. 이해와 공
감을 먼저 하고, 그 다음에 비판을 하면 된다. 물론 그렇다고
비판을 이해하고, 공감할 가능성은 거의 없다.

**새로운 길을 만드는 사람과 조직일수록 '답설'에 주의해야
한다.**

 개척자에게는 어떤 길을 내느냐가 중요하다. 다른 이들도 이
길을 따라 움직이게 될 가능성이 매우 크기 때문이다. 언제나
처음 길을 내는 사람들에 따라 발생론적 구조의 경로 의존적
상황이 만들어진다. 중요한 주제(이야기)일수록 첫 발자국을
잘 떼야 한다.

먼저 이해하고, 공감해도 비판은 싫어한다	새로운 개척자는 답설에 주의해야 한다

핵 발전소 사고를 다룬 <판도라>가 첫 영화라는 이유로 정당화될 수 없다. (미드 <체르노빌>과 비교해 보라) 오히려 첫 영화를 이렇게 다루면 핵 관련 다음 영화가 더 곤경에 처하게 된다. 앞 영화가 너무 재미없으면 이 주제를 다루는 영상이 만들어지기 어렵게 한다.

위안부 피해자 관련 영화도 마찬가지다. <눈길>이나 <귀향>은 소재 자체로 정당화되기 어렵다. <아이 캔 스피크>나 나오기까지 얼마나 이 관련 주제와 소재의 영화가 어려움을 겪었는가. 한 번에 <아버지의 해방일지>나 <남쪽으로 튀어>와 같은 후일담 문학이 나올 수는 없겠지만 하나의 경로 의존적 경로와 발생론적 구조가 남기는 영향력은 매우 중요하다. 앞서가는 사람은 더 신중하고 지혜로워야 한다.

기초문해에서 그림동화책 활용의 가치와 방법

왜 자모 기반 학습지나 활동을 통한 기초문해교육이 아니라 그림동화책을 통해 기초문해 발달을 도와야 하는가?

 기초문해 문제를 해결하는 대중적이고 보편적인 방법은 자음과 모음에 기본으로 가르치는 것이다. 다양한 기초문해(한글) 교육 기관에서는 자음과 모음을 기반으로 하여 한글을 가르치고 있다. 다양한 환경 언어와 부모와의 상호작용을 통해 통글자를 발견할 수 있게 된 아이는 자모 기반 학습을 통해 한글 문자를 읽을 수 있게 된다. 대부분 자모 기반 교재와 학습을 통해 기초문해의 문턱을 넘어서게 된다. 오랫동안 전통적으로 행해진 이 자모 기반 문해 학습이 효과적이고 효율적이며, 교육적인 방법이라 여겨진다. 따라서 '한글'을 배울 때 '가나다라'(ㄱㄴㄷㄹ 순서의) 중심 교재는 당연한 상식으로 여겨지고 있다.
 과연 자모 기반 한글 문해교육이 효과적인 언어 학습 방법이라 볼 수 있을까? 이 방법 이외의 다른 교육 방법은 없는 것일까?

자모 기반 기초문해교육보다 그림동화책 기반 기초문해교육이 더 좋은 이유

자모 기반 기초문해는 쉽고 간단하며, 대중적인 방법이지만 투입 대비 효과가 좋지 못한 효율적인 교육 방법이다. 특히 느린 학습자에게 자고 기반 기초문해 지도는 치명적인 문제를 남긴다. 왜 그럴까?

핵심적 문제는 "자모 기반을 통해 한글을 해독하게 되더라도 정작 학습을 따라가지 못하게 된다." 다시 말해 자모 기반을 통해 기초문해를 해결하더라도 결국 실질 문해의 문제에 부딪혀 다시 처음부터 글을 읽고 쓰는 법을 다시 배워야 한다. 자모 중심 기초문해교육은 문자 해독이 글 독해로 확장되지 않는 문제가 있다.

좋은 문화적 환경의 기초문해교육은 부모의 그림책 읽어주기와 상호작용을 통해 자연스럽게 문자 해독과 독해를 체득하게 해준다. 자모 중심 교육을 해도 큰 문제 없이 문자를 해독하고 글을 독해하는 능력을 가지게 되는 것이다. 열악한 가정의 문화적 지원이나 느린 학습자의 경우, 자모 중심 기초문해교육을 경험하게 되면 기초문해 문제를 해결하더라도, 학습하는 방법, 책을 읽는 방법을 제대로 배우지 못하게 된다. 자모 중심 기초문해교육은 성공하기 매우 어려운 방법이면서, 갖은 노력을 통해 성공하더라도 또래 친구들을 따라잡지 못하게 된다. 문자는 해독했지만 글을 독해하는 능력에 문제가 있기 때문이다. 이

점에서 기초문해 교육은 단순히 문자 해독에 국한되지 않고 공부하는 방법, 문자 텍스트를 읽는 방법, 책을 읽는 방법 등을 함께 배우는 과정이어야 한다.

 또한 자모 중심 기초문해교육은 우리의 전통이자 우리 글의 특성이라고 생각하는 이들이 많다. 한문 학습을 위한 도구로써 한글을 배우던 역사로 유래한 한글 학습은 영어의 파닉스 중심(자모 중심)과 만나면서 자모가 자명한 학습법이 되었다. 하지만 한글과 영문의 특징을 비교한다면 파닉스 중심의 영어 기초문해와 한글의 기초문해는 다를 수밖에 없다. 한글의 특성을 고려하여 기초문해 형성을 고려한다면 그림동화책 중심의 총체적 언어 교육이 필요하다. 우리 글을 깨우치는 기초문해 발달 과정을 관찰하면 그림동화책을 활용한 총체적 언어접근법을 자연스러운 발달 과정이라는 점을 관찰하게 된다.
 더불어 그림동화책을 기초문해교육 활동은 작은 성취 경험을 축적해 가면서 쉽고 재미있게 한글을 배울 수 있다. 자모 기반 한글 학습은 문자 학습의 재미를 반감시키는 데 반해 그림동화책 기반 기초문해교육은 재미있고 언어를 배울 수 있게 해준다.

그림동화책을 통한 기초문해교육 중 <읽기따라잡기>의 문제

1) 교재 문제 : 수준 평정 그림책인가 아니면 좋은 그림동화책이어야 하는가?

기초문해 수업은 교재를 바탕으로 이루어진다. 어떤 교재를 어떻게 사용할 것인가는 언제나 수업의 핵심 문제다. 어떤 그림동화책을 선택하여 수업으로 활용하느냐는 기초문해 수업의 완전히 다른 모습으로 틀 지우게 된다. 작품의 재미와 감동의 차원에서 수준 평정 그림동화책의 가치와 의미에 대해 충분한 검토와 논의가 필요하다.

사실 수준 평정 그림책에 대해 학생들이 어떤 반응을 보이는 지는 이미 결과가 나와 있고, 당사자들도 인정하는 바다. 수준 평정 그림동화책에 대해 '학생들이 재미없어한다'는 것이다. 수준 평정 그림동화책을 가지고 기초문해 수업을 진행한 내부자들마저도 기초문해 수업을 받는 학생들이 재미없어하고, 책을 선물로 줘도 가지고 싶어 하지 않는다는 것을 알고 있고 인정한다.

수준 평정 그림책과 일반 그림동화책의 재미와 감동을 비교는 부당하게 느껴질 수 있다. 프로 작가의 작품과 교육을 위한 그림동화책을 비교하는 것 자체가 문제일 수 있다. 하지만 그림동화책을 통한 문해교육의 가치에 동의하고, 공적 수업을 진행하는 한 이 비교를 피할 수는 없다.

읽기따라잡기의 '그림동화책이 재미없다'는 것은 그림동화책 본연의 문학적 가치를 담아내지 못하고 때문에 문제다. 문학의 재미와 감동은 이야기의 흥미진진함을 통해 만들어진다.

또한 읽기따라잡기 교재는 그림동화책인데 스토리텔링이 이루어지지 않는다. 스토리 속에서 이루어지는 사건과 캐릭터의 조화를 통해 재미와 감동을 주는 그림동화책이 되지 못한 것이다. 하나의 서사를 가지고 있지도 못하고, 사건을 해결하는 이야기도 아니며(<나도, 나도>도 자신이 잘하는 점을 보여주고 따라 하며 엄마에게 키스하는 장면으로 마무리가 되지만 스토리가 잘 연결되지 않는다. 부모들이 좋아하고 책을 읽어주는 책으로는 좋아하나 스스로 책을 찾게 될 때는 선호하지 않는 최숙희의 작품들조차도 수준 평정과 비교하면 엄청나게 재미있다.) 독특하고 매력적인 캐릭터를 담아내지도 못하고, 장면 장면이 분절되어있는 상황에서 읽기따라잡기의 교재가 재미와 감동을 줄 수는 없다.

더불어 그림과 글이 잘 조화를 이루지 못하고, 그림이 독립적 힘을 가지고 있지 못하다. <풍덩>의 물방울 강아지 찾기나 <병관이 시리즈>의 펭귄 찾기와 같은 수수께끼를 탐구할 수도 없다. 이런 상황이니 읽기따라잡기의 교재가 기초문해교육을 받는 학생들의 흥미와 재미를 이끌어내기는 어렵다.

그림동화책의 재미는 명작들과 비교하면 금방 드러난다. 기초문해 해결을 위한 그림동화책이라면 당연히 재미있고 감동스러워야 한다. 읽기따라잡기 교재들은 <구두구두 걸어라>, <달님

안녕>, <투둑>, <누가 숨겼지?>, <뚜껑 뚜껑 열어라>와 비교해도 재미있어야 한다. 그게 그림동화책으로 기초문해 교육을 하는 본질적 이유다.

물론 수업 교재를 단순히 재미와 감동으로 판단하기는 어렵다. 학생 입장에서 읽기 어려울 때는 재미없지만, 읽을 수 있게 되면 재미있다고 반응할 수 있기도 하다. 따라서 학습에서 있어서 재미는 성취의 기쁨을 누리는 차원을 고려하면서 이야기되어야 하는 부분이기도 하다.

이 점에서 기초문해 교재는 작품의 내재적 가치는 물론 교육의 도구적 효과도 고려해야 한다. 학생의 경험 지평에 있는지, 기초문해의 위계와 잘 어울리는지(기본 자음과 모음을 확장과 위계에 적절한지), 반복과 변주를 통해 문해 형성에 효과적인 문장 패턴이 있는지, (운율감) 노래하듯 가르칠 수 있는 교재인지, 탐구의 재미를 내포하고 있는 지(많은 이야기 꺼리와 수수께끼 하듯 탐구할 수 있는가) 등이 주요한 검토 기준이 될 것이다.

예를 들어 반복과 변주를 통해 문해 형성에 효과적인 문장 패턴이 있는지는 기초문해 교재의 교육적 효과 차원에서 매우 중요한 기준 중 하나다.

<냠냠냠 쪽쪽쪽>처럼 반복되는 문장을 통해 기초문해 형성을 도와준다. "아가, 아가 예쁜 아가, 무얼 먹을까? 00(과일) 00, 00, 예쁜 00. 새콤달콤 맛있는 00. 냠냠냠 맛있게 먹자." 라는 문장이 반복되면서 과일만 바뀌면서 이야기를 빠져들게

만든다. 딸기, 키위, 귤, 사과, 바나나 등의 과일을 배우는 것
은 물론 글을 읽는 재미와 경험을 환기시키고 안내하는 역할까
지 하게 된다.

이것은 로드 캠벨의 <dear zoo>(한국어 본 <친구를 보내 주세
요! - 동물원에 보내는 편지>)나 찰스 G. 쇼의 <It Looked
Like Spilt Milk (한국어 본 <쏟아진 우유 같아요>), 에릭 칼
의 <Brown Bear, Brown Bear, What Do You See?>(한국어 본
<갈색 곰아, 갈색 곰아, 무엇을 보고 있니?> 등도 영어 문해
교육에서 고전인 그림동화책이 가진 동형적 특징이기도 하다.
(우리말로 번역하면 그 맛이 사라지는 아쉬움을 느끼게 되는
작품이기도 하다.)

반복되며 변주하면서 확장되는 문장 패턴을 가진 그림동화책
은 문자 읽기에 부담을 줄이고, 읽기에 자신감을 형성해 준다.
아이가 좋아하는 것들, 익숙한 경험에서 알고 있는 것을 발견
하는 재미까지 더해 기초문해의 단단한 기반을 만들어 주게 된
다.

기초문해 교육을 할 때 학생의 문해 성장에 적절하고 타당하고 효과적이고, 교육적인지에 대한 검토는 당연히 필요하다. 학습자의 문해 발달 수준에 적절하고, 작품의 재미와 감동에 대한 내재적 판단은 물론이고, 이를 통해 문해 교육에 효율적이고 교육적인 도구로 활용될 수 있는지에 대한 객관적이고 냉철한 검토가 필요하다

유명하고 재미있는 그림동화책들은 기초문해교육에 활용하기에는 너무 어렵고 수준 평정 그림동화책은 쉽다?

수준 평정 그림동화책이 쉽게 느껴지는 건 글밥이 적기 때문이지, 읽기 쉽기 때문이 아니다. 수준 평정 그림동화책은 기본 자모만으로 되어 있어 혼자 읽을 수 있는 책이 아니라 교사와 함께 읽을 수 있는 텍스트다. 0, 1단계의 수준 평정 그림동화책도 기본 자모만으로 되어 있지 않고, 그럴 수도 없다. 쉽다고 느껴지는 이유가 글밥이 적기 때문이라면 좋은 작품이라도 학생의 발달 상황에 맞게 양을 조절해 교육을 진행하면 된다.

1단계 수준 평정 그림책보다 그림동화책을 학생의 발달과 수준, 필요 정도에 맞게 하면 된다. 예를 들어 수준 평정 하위 단계 수업은 <구두 구두 걸어라>를 3장 정도(학생 수준에 맞게) 하는 것으로 대체 가능하다. 물론 대부분의 까막눈 학습자도 40분에 이 한 권을 함께 읽고, 스스로 읽는 도전과 성취를 하는 건 어렵지 않다.

물론 그림책은 하나의 온전한 이야기 구조이기 때문에 3장만 하면 안 된다는 반론이 제기될 수 있다. 그림책 수업은 한 장면(1장)이 하나의 온전한 세계를 이룬다. 그래서 그림동화책을 통한 한 장면 수업은 하나의 독자적 세계이면서 전체적 이야기와 연계된 이중적 이야기 구조를 가진다. 탁월한 16부작의 드라마에서 3부는 그 자체로 독립적이면서 16부와 연계되어 있다.

마찬가지로 그림동화책은 몇 장을 하는 것이 중요한 것이 아니라 어떻게 한 장면 한 장면을 이야기로 풀어내는지가 중요하다.

한 장면(한 장)을 할 때 이야기를 분석하고 종합하는 이중적 과정이 필요하다. 한 장면을 입체적으로 꼼꼼하게 다층적으로 분석하면서 동시에 하나의 이야기로 종합하는 총체적 수업이 필요하다. 이것은 분석의 깊이 읽기가 전체의 이야기 속으로 총체적으로 연결되는 입체적인 수업을 의미한다.

다시 말해 한 장면의 분석적 읽기는 다시 총체적 읽기와 종합되어야 한다. 예를 들어 <달님 안녕>에서 "달님, 안녕"이라는 매우 간단한 장면을 문해 수업으로 다룬다고 해보자. 달이 '다'와 '당, 달, 단, 닥' 등과 비교해 받침에 따라 달라지는 소리와 쓰기에 대해 배울 수 있다.

또는 '님'은 존칭 표현을 분석적으로 탐구할 수 있다. '손님, 선생님'처럼 존중과 감사를 담은 표현이다. 그리고 '안녕'은 반가움과 안부를 묻는 인사이고, '안녕하세요', 혹은 '하이로'와 같은 서로 다른 인사법들이 있다. 그리고 쉼표나 느낌표, 물음표 등 문장 부호를 배우는 분석적 탐구로 깊어질 수 있다.

. 이러한 깊이 읽는 분석적 상호작용은 다시, '달님 안녕'이라는 표현을 어떤 신체적 표현(반언어적, 비언어적 표현)을 살려 할 것인지 그리고 이에 대한 응답은 뭐라고 할 것인지에 대한 총체적 활동으로 종합되면서 전체적 이야기와 연계되어야 한다.

그림동화책을 함께 깊이 읽으며 날아오르기 위한 고민거리들

기초문해 교육에 활용되는 그림동화책은 우선 재미와 감동이라는 작품의 내재적 가치가 훌륭해야 한다. 기초문해 해결을 위한 그림동화책이라면 당연히 재미있고 감동스러워야 한다. 읽기따라잡기 교재들은 <구두 구두 걸어라>, <달님 안녕>, <투둑>, <누가 숨겼지?>, <뚜껑 뚜껑 열어라>와 비교해도 재미있어야 한다.

물론 기초문해 교육을 위해 활용되는 만큼 재미와 감동에 바탕하면서 교육의 도구적 효과 차원에서도 쓸만해야 한다. 학생의 경험 지평에 있는지, 기초문해의 위계와 잘 어울리는지(기본 자음과 모음을 확장과 위계에 적절한지), 반복과 변주를 통해 문해 형성에 효과적인 문장 패턴이 있는지, (운율감) 노래하듯 가르칠 수 있는 교재인지, 탐구의 재미를 내포하고 있는지(많은 이야기 꺼리와 수수께끼 하듯 탐구할 수 있는가) 등이 기준을 통과할 수 있는 작품이어야 한다.

고양이가 야옹야옹, 나비는 팔랑팔랑이 기초문해에 도움이 될까? 어려움을 가중시킬까? 읽기따라잡기는 교재를 만들 때 흉내내는 말이 기초문해 학생의 성취감을 주지 못한데. 정말 그럴까? 오히려 반대가 아닐까!

24. 읽기따라잡기 교재 문제 2

읽기따라잡기의 수준 평정 교재들은 더 많아지고 다양해졌다. 특히 읽기따라잡기 연수를 이수하고, 기초문해력 교육을 실제 실행하는 교사들이 제작하고 있다는 점에서 진일보한 측면이 있다.

그렇다면 읽기따라잡기 주역들은 기초문해교육에 활용되는 그림동화책 교재들을 어떤 기준으로 보고 있을까?

"... 등이 가장 쉬운 책들인데 0-2 수준에 해당하는 책이 하나도 없어요. 문장의 길이나 복잡도 등을 살펴봐도 그렇고 어휘도 사용 빈도에 크게 제약을 받지 않고 선택해서 썼기 때문에 어려운 것들이 꽤 등장합니다. <배추가 좋아요> 정도가 문장의 길이만 놓고 보면 1수준에 해당하지만, 감탄사나 의성어, 의태어가 많이 쓰이고 단어가 반복없이 매 페이지마다 바뀌다 보니 수준을 매기기가 쉽지 않았어요. 모음 학습을 위해 제작한 <나와 너>의 경우 'ㅏ'와 'ㅓ'를 이미 구별할 수 있을

가능성이 큽니다. 아이들이 책을 읽고 익힐 수 있는 음식 지식의 난이도에 비해 책 자체의 난이도가 높아서 몇몇 책을 제외하고는 읽기 부진학생들을 위한 개별화 수업에서 사용하는 것보다는 지역의 교실에서 아이들이 함께 읽는 데 더 적합하지 않나 생각이 듭니다." (문해력 지원센터, "수준 평정 그림책 어디까지 써 보셨나요?, 초기문해력연구 2023 여름, 39)*

읽기따라잡기 주역들은 기초문해에 활용된 교재를 볼 때 어휘의 난이도, 문장의 길이, 복잡도, 자음과 모음 등에 주목한다. 그리고 기초문해 교재는 감탄사, 의태어, 의성어는 가급적 자제해야 한다는 것을 생각한다.

하지만 기초문해에 처음 시작하는(읽기따라잡기라면 수준 평정 0-2단계) 교재의 교육적 효과와 가능성은 이런 형식적 요인들에 갇히지 않는다. 흉내 내는 말은 자재가 아니라 더 적극적으로 도입되어야 한다. 예를 들어 기본 자모음으로 읽을 수 있는 낱말의 수도 중요하지만 학생들의 경험 지평에 있고, 경험 속에서 친숙하고, 상황이 재미있고, 그림과 어울리는가 등이 훨씬 중요한 요인이다.

읽기따라잡기는 기초문해 교재를 치열하게 검토하고 있지 못하다. 기초문해 교재의 가치로서 교육적 가치(기초문해교육의 효율성과 교육성 등)와 문학적 가치(감동과 재미 등)가 어떤지 제대로 검토하고 있지 못하다. 특히 기초문해의 교육 목적 즉 문학작품의 도구적 목적의 타당성과 적합성과 효율성과 교육성 등에 대한 검토가 제대로 이루어지지 않고 있다.

그림동화책을 통째로 외우니 수준 평정 교재를 더 많이 만들어야 한다?

통째로 외우는 문제에 대응하여 대충 많이 읽는 게 아니라 하나를 제대로 하도록 차근차근 살펴줘야 한다.

"그림동화책을 통째로 외워서 줄줄 읽는다. 그런데 정작 거기에 나온 음절이나 낱말을 읽을 줄 모른다."

그림동화책으로 기초문해 지도를 할 때의 결정적 문제 중 하나는 통째로 외워 읽을 것처럼 보이고 다른 책으로 넘어가고자 하는 학생과, 이를 실제적 문해 역량을 제대로 파악하지 못하고 다른 책으로 관심을 돌리는 교사에게서 발생한다.

읽기따라잡기를 주도하는 김미혜는 그림동화책을 외우는 문제에 대해 "수준 평정된 그림동화책이 다양해야 한다."고 주장한다. 더 많은 수준 평정 교재, 다양한 교재로 그림동화책을 통째로 외워 읽는 것처럼 보이는 문제에 대응하면 된다는 것이다.

다양한 그림동화책을 개발 사용하면 통째로 외우는 문제에 대응할 수 있고, 대응하고 있다는 이야기는 "대충 많이 읽으면 된다."는 이야기와 통한다.

그런데 기초문해에 어려움을 보이는 학습자가 그림동화책을 통째로 외워 문해 문제를 우회하려 할 때 더 많은 더 다양한 책을 읽는 것으로 문제를 해결해 갈 수 있을까?

대충 많이 하는 것은 극도로 비효율적이고, 역효과를 파생시킨다. 대충 많이 해서 기초문해의 문제를 어느 정도 해결할 수도 있을 것이다. 대충 많이 했기 때문이 아니라 그 역효과와 비효율에도 일정 정도의 효과를 축적했기 때문이다. 대충 많이 했기 때문이 아니라 그럼에도 불구하고 문해 역량이 자란 것이다.

누구라도 그렇지만 기초문해에 도움이 절실한 학습자에게는 대충 대충 많이 하는 것보다 하나를 깊이 있게 제대로 할 수 있도록 도와주어야 한다. 그림동화책의 문장들을 통째로 외우는 것은 문제가 아니라 기초문해교육의 효과적인 발판이다. 이 발판으로 더 성장을 다져갈 수 있도록 단어 카드와 음절 카드를 만들어 하나라도 제대로 더 깊게 읽을 수 있도록 살펴줘야 한다. 이를 위해서는 무엇이 필요할까?

첫째, 단어 카드를 통한 확인과 도움이 필요하다. 공부를 통해 축적한 통째로 외운 것을 단어 카드로 잘라내면 학습자가 낱말과 음절을 읽을 수 있는지 하나 하나 차근차근 확인할 수 있다. 이야기를 이미지를 통해 외운 것처럼 암송하는 것에 대해 단어 카드를 통해 단어와 음절을 읽을 수 있는지 하나 하나 살펴주고, 이것도 성취할 수 있다는 것을 느끼게 해줘야 한다.

| <그건 내 조끼야>
단어 카드 활동 | <나도 나도> 단어 카드 활동 |

　둘째, 읽은 것을 쓰기로 반복 확충해야 한다. 통째로 외운 것은 단어 카드로 활용하는 것과 함께 이를 쓰기로 확충해 줘야 한다. 초등 1학년에서 하는 급수장 받아쓰기의 가치는 배운 것을 쓰는 데 있다. 우월감과 열등감을 심어주고, 모국어 언어 능력의 핵심 가치를 훼손하는 역효과에도 불구하고 급수장 받아쓰기는 배운 것을 다시 쓰며 숙달하는 장점 때문에 사라지지 않고 숨은 교육과정으로 여전히 맹위를 떨치고 있다.

　이 장점을 그림동화책 필사 활동으로 견인해 오는 것이 필요하다. 1-2학년 교육은 국어 교과서의 다양한 텍스트에서 어려운 낱말들을 뽑아 급수장으로 활용하여 받아쓰기 활동과 시험을 본다.

　이와 달리 그림동화책 필사를 통한 받아쓰기 활동은 문해에 어려움을 겪는 학생에게 해볼 만하고, 하면서 읽기와 쓰기 역량을 차근차근 키울 수 있는 활동이 될 수 있다.

다시 말해 그림동화책을 통째로 외울 수 있는 장점을 활용하여 단어 카드를 통한 읽기와 쓰기로 전환하는 총체적 읽기 교육을 해야 한다. 그렇지 않고 통째로 읽는 것을 제대로 살피지 않고 더 많은, 다양한 그림동화책을 읽는 것으로 통째로 외우는 장점을 문제로 전락시켜서는 안 된다.

기초문해교육은 언제나 하나하나 제대로 읽는지 확인하고 살펴주고, 도와주어야 한다. 모든 교육이 그렇지만, 기초문해교육은 특히 "많이 대충 읽지 말고 하나라도 제대로 읽어야 한다." 48)

수준 평정 교재의 "재미없다" 문제 : 기초문해 교재의 문학적 가치와 교육적 가치문제

수준 평정 그림동화책에 대한 학습자들의 반응이다.

"선물로 줘도 수준 평정 그림동화책 책 안 가져간다."(기초문해교육 학습자)

"수준 평정 그림동화책을 학생들이 재미 없어 한다"(기초문해교육 학습자)

---

48) 유현준은 많이 읽는 게 능사가 아니라 하나를 제대로 깊이 읽어야 한다고 강조한다.(셜록 현준, "책은 꼭 사서 읽습니다." 유현준만의 독서 방법" https://www.youtube.com/watch?v=RverOA2gM6U)

수준 평정 그림동화책을 사용해 본 학부모들의 온라인상의 반응도 유사하다.

"비싸다. 가성비가 떨어진다" (학부모)

학부모들이 투자 대비 가성비가 떨어진다는 반응은 가격을 낮춘다고 해결될 문제가 아니다. 학부모 입장에서는 돈이 좀 들더라도 더 좋은 그림동화책을 활용하거나, 다른 방식의 한글 교재를 사야 한다고 판단하고 있다.

그만큼 수준 평정 그림동화책이 "재미없다"는 목소리가 학생과 학부모에게 동일하게 나오고 있다.

이에 대해 수준 평정 제작진은 자신들의 교재도 '나름 재미있다'고 반박한다. 수준 평정 그림동화책 중 몇 가지 <좋아요>(1수준), <과일나라>(5수준) <누나방>(6수준) <재미난 이름>(6수준) 등은 학생들도 재미있다고 하고, 나름 괜찮은 작품이라고 들려준다. 과연 그런 지는 이를 기초문해에 활용하는 교사와 학생들이 객관적으로 판단해 볼 문제다.

왜 수준 평정 그림동화책은 재미가 없을까?

첫째, 그림동화책을 작품으로서 아니라 문해교육 도구로 한정했다.

재미는 문제는 문학작품의 본질적 문제다. 그런데 읽기따라잡기는 재미와 감동 문제를 그림동화책의 핵심으로 보지 않은 듯하다.

문학적 재미와 감동이 아니라면 기초문해교육의 도구로서 자신의 위상과 위치를 정립하려는 것일 것이다. 수준 평정 그림동화책은 작품의 감동과 재미를 추구하는 문학 본령의 것이 아니니 이해해 주어야 하고, 수준 평정 그림동화책은 문해교육의 도구로서 적합한지를 따지면 된다고 이야기하는 듯하다. 그런데 교육적 도구로서 적합하다고 스스로 이야기할 수도 있지만 그것의 타당성과 적합성은 다른 문제다.

교육적 도구로서 수준 평정 그림동화책들이 적절한지는 주어진 당위일 뿐 실제 검토해 봐야 한다. 재미와 감동이 없는 그림동화책이 기초문해에 효과적인지는 근본적으로 의문이지만 기초문해의 교육적 도구로서 타당하고 적합할 수는 있기 때문에 이를 냉철하게 검토할 필요가 있다.

둘째, 그림동화책 재미의 핵심인 흉내 내는 말, 감탄사 등의 사용을 극도로 억제했다.

읽기따라잡기는 그림동화책의 재미이자, 기초문해 발달의 핵심적 발판이 되는 흉 내내는 말을 자기 검열을 통해 사용을 극도로 억제했다.

의성어와 의태어 등 흉내 내는 말을 문제로 보고 자기 검열을 진행했다. 그로 인해 흉내 내는 말이라는 문학적 재미이자 기초문해교육의 핵심적 발판을 문해의 골칫거리로 치부해 수준 평정 그림동화책에 사용하지 않았다. 그림동화책의 재미와 기초문해교육의 핵심적 발판 하나인 흉내 내는 말 사용을 금지한 것이다. 장점을 문제라 보고, 이것을 그림동화책 제작에 반영하지 않으니 당연히 재미없는 텍스트가 되고 말았다.

그런데 "나비가 팔랑팔랑", "고양이는 야옹야옹", "개구리는 팔짝팔짝" 등의 흉내 내는 말과 동물의 명칭은 재미의 문제만이 아니라 어휘의 확장과 문해력의 자연스러운 성장에 매우 효과적이고 결정적인 고리다.

읽기따라잡기는 흉내 내는 말이 많은 그림동화책이 기초문해에 어려움이 있다고 거부했고, 유아와 어린이의 문해 발달의 재미의 근간 중 하나인 흉내 내는 말을 자신들의 수준 평정 그림책에서 금기시했다.

셋째, 그림동화책을 '시중' 그림동화책으로 일반화하고, 기초문해교육에 효과적인 좋은 그림동화책들을 무시했다. 마치 좋은 문학작품인 그림동화책이 학생의 교육용으로는 부적절하다는 단정을 내리고, 오로지 기초문해교육은 수준 평정 교재뿐이라 자부했다.

사실 기존 읽기따라잡기 교육의 실패(엄훈과 읽기따라잡기의 소중함은 바로 실패를 인정하고 다시 시작했다는 점에도 있다)는 학생의 수준에 맞는 그림동화책을 제대로 찾지 못한 것에 있고, 이를 제대로 활용하는 문해교육 방법을 검토하지 않은 데 있다.

그림동화책을 '축자적' 읽기로만 활용하고 단어 카드, 내용 확인 문항, 원고지 등으로 입체적으로 반복 활용하지 못해 흉내 내는 말을 기초문해교육에 녹여내지 못한 것이다. 읽기따라잡기의 패턴 수업이 문자만 읽고 이에 대한 확인(단어 카드로 음절과 낱말 확인)과 반복(이야기 나눈 것을 바탕으로 내용 이해를 확인하는 내용 확인 문항 풀기)과 확장(읽기를 쓰기로 확장하기)을 제대로 하지 못했기 때문이기도 하다.

읽기따라잡기는 기존 실패의 원인을 제대로 진단하는 데 실패했다. 자신들의 내재적 문제에 눈을 감고, 시중 그림동화책이 문해 교육용으로는 부적절하고, 문해교육을 시도하는 그림동화책 일반을 '시중'이라는 꾸밈어로 배제해 버렸다. 그리고 시중 그림동화책보다 수준 평정 그림동화책 기초문해교육에 효과적이라 부당하게 전제를 해 버렸다. 부당한 비교의 오류이자, 검증되어야 할 사실을 검증된 사실 인양 결론을 내 버린 것이다.

그림동화책의 재미 문제는 본질 구성적이고 결정적 문제다

그림동화책을 통한 기초문해교육이 책을 읽는 방법과 책을 좋아하도록 해야 한다는 점에서 재미가 없다는 것은 본질 구성적인 문제다.

첫째, 그림동화책은 재미있어야 기초문해 수업을 함께, 깊이 읽을 수 있다. 이를 통해 책 읽는 방법을 체득하게 해줘야 한다.

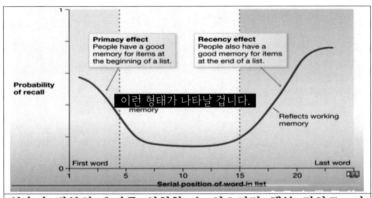

복습과 반복의 효과를 성취할 수 있으려면 해볼 만하고, 이해 할 수 있어 한다. 내용이 이해가 되야 재미있고, 그러려면 함께 깊이 읽어야 한다.[49]

둘째, 그림동화책은 재미있어야 효과적으로 반복 숙달할 수 있다. 기초문해 역량이 자라라면 복습과 반복의 효과(초드 효과와 최신 효과)를 경험할 수 있어야 한다. 재미가 있어야 작은 성취를 누적하는 게 가능하고, 효과적이다.

---

49) I wanna break this down for you. I want you to know exactly how it works.(당신을 위해 하나하나 차근차근 설명해 드리고 싶습니다. 이것이 어떻게 작동하는지 정확히 알려주고 싶습니다.)

셋째, 그림동화책이 재미있어야 책을 좋아하게 된다. 쾌락주의적 독서가 문학 교육의 본령이고, 모국어 화자가 텍스트를 제대로 읽는 능력을 키우는 것이 국어 교육의 핵심이라면 재미는 필수다. 그림동화책이 재미가 없으면 학습자가 책을 좋아할 수 없다.

그림동화책 수준 평정 위계가 제대로 되어 있는가?

그림동화책을 통한 기초문해교육의 도전은 소중하고 매우 의미 있다. 하지만 현재의 수준 평정 교재가 적절하고 타당한 수준이라 말할 수 있을까?

"수준 평정 그림동화책으로 수업을 하다 보면 갑자기 어려워지거나, 너무 쉬워지는 경우가 있다. 낱말이나 문장의 양이 많아졌다 적어졌다 하기도 한다. 수준 평정이 어떻게 이루어지는지, 잘 이루어진 것인지 의문이 들 때가 있다." (읽기따라잡기 실행하고 있는 교사 1)

"단계를 설정하는 기준이 모호하게 느껴진다. 2-3단계 책이 더 많이 필요하다. 정작 학생에게 더 많이 필요한 수준의 책이 부족하게 느껴진다." (읽기따라잡기 실행하고 있는 교사 2)

기초문해에 수준 평정 그림동화책을 활용하는 교사들도 한 단계 내에서도 수준이 고른지 의문이고, 단계별로 난이도가 적합한지 의문이라고 한다. 교사들은 글발의 양은 물론 갑자기 쉬워졌다 어려워지고, 어려워졌다 쉬워지는 문제가 수준 평정 그림동화책에 나타난다고 토로하고 있다.

"현장의 반응을 살피며 수준 평정을 했는데 통일성을 갖추기 어려운 부분도 있었던 것 같다. 다른 교재들을 더 제작해 그 문제에 대응하고 있다."(김미혜[50])

현장에서 읽기따라잡기를 실천하는 교사가 수준 평정 교재가 기준이 제대로 적용되지 않은 거 같다고 질문했다. 이에 대해 수준 평정 교재를 작성한 교수는 "현장의 반응을 검토해서 하는 데, 이 반응에 따라 수준이 달라졌다. 한두 낱말이 어려우면 레벨을 높이거나 낮추는 경우가 있었다."고 답했다.

제대로 된 응답이라면 기존 수준 평정 그림동화책을 하나하나 구체적으로 살피며, 그 질문이 수준 평정 교재의 기준을 비추어보면 오해인지 아니면 제대로 된 지적이니 다음 출판에 반영

---

50) 김미혜 교수는 읽기따라잡기 주역 중 한 명이다. <그림책에 스며들기> 강연에서 그는 "설문 조사를 해 보니 "0-3단계 책이 부족하다" 반응을 보여주셨다. 그래서 0-3단계 교재를 더 많이 제작해 현장에 배포했다.""50대 남성의 감수성이 담겨 있다. '병아리'를 초등학교 앞에서 더이상 팔지 않고, 아이들이 공감하기 어려운 이야기라는 비판이 있었다. 세대 감수성, 성인지 감수성을 고려해 앞으로 교재를 제작해야 겠다.""어투가 아이들의 경험과 잘 맞지 않는다. 문어체가 아니라 요즘 아이들이 쓰는 구어체가 되는 게 필요하다." 등의 현장교사들의 비판에 귀 기울여 읽기따라잡기의 수준 평정 교재를 바꾸어 나가겠다고 이야기했다.(김미혜, <그림책에 스며들기> 강연, 2022.11.30.)

해 수정하겠다는 이야기를 해야 한다. 그런데 기존 교재에 대한 오해하고 있다고 이야기하거나, 기존 교재를 뜯어고치겠다는 이야기는 없었다. 다만 비판을 고려해 앞으로 더 다양하고, 많은 수준 평정 교재를 제작해 보급하겠다는 답변을 들려주었다. 기존의 것은 어쩔 수 없으니 새로운 교재 제작으로 대응하겠다는 것이다.

수준 평정 그림동화책의 내재적 문제

문해교육을 마치고 그림동화책으로 나아갈 때는 언제인가?

"읽기따라잡기는 자신들의 기초문해 교육에 대한 비판에 개방적이고 성찰적일 수 있을까?"

"수준 평정 교재는 종착지가 아니라 출발점이다." 읽기따라잡기와 주역 중 하나이자 수준 평정 그림책 작성 교수가 그림동화책 강의에서 핵심적으로 강조한 이야기다. 수준 평정 그림동화책을 통한 기초문해교육은 다양한 그림동화책과 책, 영상을 읽고 즐기는 문해 역량을 가진 학습자를 키워 내는 데 필요한 출발점을 제공하는 데 그 의의가 있다고 강의 내내 강조했다.
그렇다면 13단계 수준 평정 그림동화책을 통한 기초문해교육의 '초기 문해 종착지'는 어디일까? "수준 평정 교재는 기초문해의 출발점을 제공한다"는 이 주장에 비춰 보면 0단계와 13단계 중 어디가 실질 문해의 출발점이고, '초기 문해의 종착지'일까? 13단계까지 꼭 해야 한다는 주장처럼 13단계까지 마치면 이제 정말 새로운 출발을 할 수 있는 것일까? 아니면 13단계 중 어디쯤일까?

어디가 수준 평정 그림동화책을 통한 종착지이자, 그림동화책으로 나아갈 출발점인가?

첫째, 수준 평정 그림동화책을 통한 기초문해교육의 종착지는 13단계일까? 13단계까지 다할 필요는 없다. 수준 평정 그림책을 13단계까지 할 필요는 없다. 13단계의 <개> 설명문보다 <나는 개다>와 <강이>를 가지고 하는 게 더 효과적이고 교육적이다. 그리고 문해력의 온전한 형성을 위해 13단계까지 다 할 필요 없다. 읽기따라잡기의 "수준 평정 그림동화책 13단계까지 꼭 다 해야 한다"는 요청은 설득력이 없고, 끝까지 해야 할 어떤 현실적 이유와 타당한 이유를 찾을 수 없다.

둘째, 수준 평정 그림동화책을 통한 기초문해교육의 종착지는 4-5단계일까? 4-5단계에서 그림동화책으로 가는 게 더 효과적이다. 수준 평정 4단계~5단계 교재를 할 수 있다면 그림동화책으로 하는 게 더 좋다. 4단계는 2문장이, 5단계는 3문장이 제시된다. 이 정도를 읽을 능력이 된다면 읽기따라잡기 교수도 추천하는 <이건 내 조끼야>, <이건 내 모자가 아니야> 등의 (시중) 그림동화책을 하는 게 더 좋다. 읽기따라잡기의 주축 중 한 명인 김미혜 교수가 강의의 대부분을 할애해 추천하는 그림동화책을 '혼자' 읽는 데 4단계 정도면 충분하다.51) 수준 평정 그림동화책은 종착지 아니라 출발점이니 그림동화책을 중간중간 하는 것보다 이제부터는 더 재미있고 효과적인 (시중) 그림동화책을 활용하는 게 좋을 것이다. 이 점에서 보면 읽기따라잡기의 종착지는 4-5단계에 있다고 볼 수 있다.

5단계 <생일>을 보자. 5단계 수준 평정임에도 4문장이 제시되고 있다. 이 정도를 읽고 이해하는 데 어려움이 없다면 (시중) 그림동화책 어떤 것이라도 '혼자' 읽는 데 어려움이 없다.

---

51) 김미혜는 <그림책에 스며들기> 강의에서 <그건 내 조끼야>, <코를 킁킁>, <그건 내 모자가 아니야>를 권하며 이것의 재미를 나누려 한다. "수준 평정 그림동화책에 머물지 않고 좋은 그림동화책으로 확산되어야 한다."며. 그런데 4, 5, 6수준 그림책보다 <그건 내 조끼야>가 더 쉽고 재미있고 문해교육 차원에서 매력적이라고 의도치 않게 고백한다. 이 고백은 의도하지 않은 결과로 4단계 이상의 수준 평정 그림동화책은 기초문해교육 차원서 보자면 별 쓸모가 없다는 자기 성찰로 비춰진다.

생일

학교가 끝났어요. 집으로 오는
길에 문구점을 지납니다.
어, 그런데 예쁜 곰 인형이
보이지 않네요.
'누가 가져갔을까?'

5단계에 이미 4문장을 제시되어 있다. 문구점에 가서 곰 인
형을 사고 싶은데 곰 인형이 없는 상황이다. 그러면서 '품절'
이라는 더 어려운 단어를 노출시키고 있다. 이 정도 수준을
읽고 이해할 수 있다면 어떤 그림동화책도 해볼만 하지 않을
까?

5단계 <생일>을 보자. 5단계 수준 평정임에도 4문장이 제시되
고 있다. 이 정도 분량과 난이도의 낱말과 문장을 읽고 이해하
는 데 어려움이 없다면 (시중) 그림동화책 어떤 것이라도 '혼
자' 읽는 데 어려움이 없다.

한쪽당 한 그림에 3문장이 제시되어 있다. 문장의 내용과 낱말도 상당한 수준이고, 그림이 있다고 큰 도움이 되는 것은 아니다.

8단계 <우리 동네>의 텍스트를 읽고 이해할 수 있다면 그림 없는 책을 읽어도 될 만한 수준이다. 이 수준이면 (창비의 <문해력 교과서>나 EBS에서 <~ 문해력이다> 등) 문해력을 키우는 다른 교재를 활용하는 게 차라리 좋을 상황이다.

읽기따라잡기의 주축인 교수는 문해력과 그림책 관련 강의에서 <그건 내 조끼야>와 <이건 내 모자가 아니야> 등 다수의 그림동화책을 문해교육에 효과적이며, 수준 평정 그림동화책을 통해 문해교육이 일정 정도 완성되면 이것을 시작해야 한다고 강조했다.

그런데 4-5단계 수준 평정 그림동화책을 하니, 이 그림동화책을 가지고 문해교육을 하는 게 더 쉽고, 효과적이며, 교육적인 것은 아닐까? 4~5단계 수준 평정 도서에 대한 문해 교육을 한다면 시중의 좋은 그림동화책을 하는 게 더 좋다. 4수준 이상의 책발자국 그림동화책은 한쪽에 2문장이 제시되고 있고, 5수준 이상의 경우 3문장이 제시되어 글밥의 양과 난이도가 어떤 그림동화책과 견주어도 쉽다고 말할 수 없다. 수준 평정이 제시하는 5수준과 6수준만 해도 이미 (시중의) 그림동화책을 읽는 데 별다른 어려움을 보이지 않게 된다. 이 정도 수준이면 어떤 (시중의) 그림동화책도 즐길 수 있는 수준이고, 차라리 수준 평정 책 보다 재미있는 그림동화책을 함께 읽으며 문해를 닦는 게 효과적이고, 교육적일 수 있다.

<그건 내 조끼야>도 한 장에 2문장을 넘지 않게 배치하고 있고, 한 장에 간단한 한 문장을 제시한다. 그림과 글자도 잘 어울리고, 그림을 자세히 보고 즐기게 만들어 준다.

<이건 내 조끼야>는 생쥐, 오리, 원숭이, 물개, 사자, 말, 코끼리 등 아이가 좋아하는 동물들이 차례차례 등장한다. 점점 큰 동물들이 등장해 같이 놀기 위해 필요한 사회적 기술인 양보와 같이 쓰기의 아픔을 보여준다. 엄마가 만들어 준 소중한

조끼가 점점 늘어나 결국 생쥐가 못 입게 되었지만 결국 더 멋진 놀이도구가 될 수 있음을 보여준다. 놀이에서 관계 맺기의 기술과 동물의 이름, 부피의 변화를 탐구할 수 있는 이 책은 글도 적고, 같은 글이 계속 반복("정말 멋진 조끼다! 나도 한 번 입어 보자. 그래.", "조금 끼나")되어 초기 문해력 형성에 매우 효과적이다.

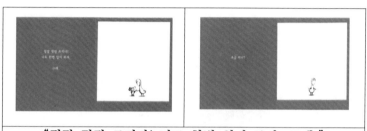

"정말 멋진 조끼다! 나도 한번 입어 보자. 그래."
"조금 끼나?"가 반복되어 나도 읽을 수 있다는 성취감을
누릴 수 있다.

4-6단계의 책 보다 쉽고, 문장이 반복되며, 문자가 아닌 이미지의 단어들도 함께 배울 수 있으며, 더 많은 이야기 꺼리를 포함하여 기초문해에 어려움을 겪는 학습자가 도전해 다양한 성취를 이룰 수 있는 작품이다.

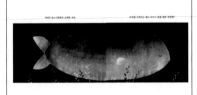

<이건 내 모자가 아니야>도 한 장에 2문장을 넘지 않아 문해의 어려움이 크지 않다. 난이도에 비해 이 그림동화책은 긴장과 스릴, 위트와 재미가 가득하며 책의 재미와 감동을 함께 느낄 수 있다.

<이건 내 모자가 아니야>의 모자 시리즈도 4-6단계의 수준 평정 그림동화책보다 쉽다. 더구나 재미와 감동을 물론 더 많은 이야기 꺼리를 담고 있고, 기초문해교육의 도구로서도 훨씬 효과적이다.

셋째, 수준 평정 그림동화책을 통한 기초문해교육의 종착지는 3단계일까? 읽기따라잡기는 0-3단계의 경우 수준 평정 교재를 활용하는 게 교육적이고 필수라고 주장한다. 기존 시중의 그림동화책은 초기 문해에 어려움을 가진 학습자에게 너무 어렵고, 과다한 글밥의 문제를 가지고 있는 데 반해 수준 평정 그림동화책은 "혼자서도 읽을 수 있을 책"이라는 장점을 가지고 있기 때문이라는 것이다. 시중 그림동화책은 혼자 읽을 수 없는데, 수준 평정 그림동화책은 혼자 읽을 수 있는 책이라고 한

다.

 하지만 초기 문해의 어려움을 겪는 학습자일수록 '시중' 그림동화책을 활용하는 게 효과적이고 교육적이다. 기초문해 교재는 함께 읽고 깊이 나누고 나면 스스로 읽을 수 있는 교재여야 할까 아니면 혼자서도 읽을 수 있을 책이어야 할까?

 교육과 공부와 배움이 혼자 하는 게 아니라 함께 서로 성장하는 것이라면 혼자서도 "읽을 수 있다"는 말은 오해되기 쉽다. 학습자의 근접 발달 지평에 있어, 해볼만 한 도전과 성취를 가질 수 있어야 한다는 말이라면 함께 읽으면, 스스로 해낼 수 있는 것이어야 한다는 말이 타당할 것이다. 단순히 혼자 읽을 수 있다가 중요한 게 아니라 함께 깊이 읽다 보면 스스로 읽을 수 있는 책이 기초문해교육에 더 좋은 교재일 수밖에 없다. 읽기따라잡기도 강조하는 교수적 수준에 필요한 근접발달 영역도 이 의미일 수밖에 없다.

 수준 평정에 강조하는 <마트>라는 0단계 그림동화책과 <누가 숨겼지> <찾았어> <구두 구두 걸어라> <투둑> <달님 안녕> 등의 (시중) 그림동화책과 공정하게 비교해 보면 어떨까?

 어떤 교재가 기초문해교육에 적절하고 타당하지는 객관적으로 비교해 보아야 한다. 3단계까지 수준 평정된 그림동화책은 기초문해교육에 효과적이고, 시중의 그림동화책에 학생 발달과 맞지 않아 초기 문해교육으로는 부적절하다고 단언할 수 있을까? 이 둘의 비교는 객관적 기준과 실제 기초문해교육에 활용해 검증하는 것이 필요하다.

기초문해교육의 첫 단계(0단계) 교재인 <마트>는 첫 단계 교재 중에서도 학생들과 교사들이 선호하는 그림동화책이다. 읽기따라잡기가 자랑할 만한 이 교재를 살펴보자.

　<마트>는 "엄마랑 마트에 갔어요. 무엇을 샀나요? 사과, 과자, 배추, 무, 파, 양파, 아이스크림."의 내용으로 이루어져 있다. 글밥의 양이 매우 적고, 이야기 구조도 단순하다. 다른 말로 별 재미와 큰 감동이 없이 심플하다.

　하지만 글밥의 양이 적을 뿐 단어들이 쉽고 익히기 쉬운 건 아니다. 지식의 덫에 빠진, 즉 문해를 이미 성취한 아는 자의 입장에서는 쉬운 낱말과 문장이지만, "갔어요, 무엇을, 샀나요? 배추, 무, 과자, 양파" 등의 낱말은 모르는 이의 입장에서는 결코 쉬운 낱말과 문장이 아니다. "마트"나 "사과"도 결코 누구나 혼자 알 수 있는 쉬운 음절이나 낱말이 아니다.

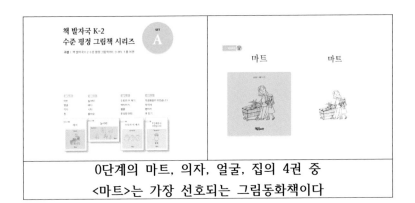

**0단계의 마트, 의자, 얼굴, 집의 4권 중
<마트>는 가장 선호되는 그림동화책이다**

기초문해에 어려움을 겪는 학습자가 "엄마랑 마트에 갔어요"나 "무엇을 샀나요?" 등의 낱말과 문장을 혼자 읽을 수는 없다.("갔어요"는 읽는 것과 쓰는 것이 다른 낱말이기도 하다) 이 낱말과 문장은 교사와 학생이 함께 읽으며 배우고, 이를 그림의 도움을 통해 스스로 읽을 가능성이 생길 수 있다.

읽기따라잡기가 자랑하듯 수준 평정 교재가 "혼자 읽을 수 있다"는 것은 사실 아니다. 읽기따라잡기는 (시중) 그림동화책과 자신의 수준 평정 그림동화책 교재의 차이를 혼자 읽을 수 있는가로 본다. (시중) 그림동화책은 너무 어려워 기초문해 교육에 사용하기 어려운 데 반해, 수준 평정 그림동화책은 학습자 혼자 읽을 수 있다는 점에서 결정적 차이가 있다고 주장한다. 하지만 문자 해독의 어려움을 겪는 학습자에게 혼자 읽을 수 있는 쉬운 그림동화책은 아무리 찾아도 어디에도 없다.

자모 중심 기초문해교육에서 효과적으로 사용되는 이미지(사진과 그림)로 된 단어 카드마저도 혼자 문자를 배우게 해주지는 못한다. 어른의 도움과 상호작용을 통해 단어를 읽을 수 있을 뿐이다.

하물며 문자라는 상징체계의 장벽을 그림동화책으로 돌파하려면 누군가(주로 어른인 부모와 교사)의 도움이 필요하다. 누군가의 도움과 안내를 받으면 혼자 해낼 수 있고, 혼자서도 할 수 있는 단어 카드나, 책으로 보일 뿐이다. 문장과 낱말들은 어른(교사, 부모)의 도움을 통해 함께 읽고 나서, 익히 단어와 그림을 도움을 통해 스스로 읽게 되는 힘을 가지게 된다.

따라서 문제의 핵심은 혼자 읽기가 아니라 함께 읽어 스스로 혼자 읽을 수 있는 성취 경험이 가능한 수준의 텍스트인가 하는 것이다. 초기 문해 학습자의 근접발달영역에 자리해 즉 경험 지평에 친숙한 단어와 문장인지, 이미 아는 단어가 충분히 있는지, 그림과 문자가 이야기 속에서 잘 어우러져 함께 읽으며 배워나가는 데 효과적인 발판인가가 결정적이다.

다시 말해 혼자 읽을 수 있냐가 아니라 함께 읽기를 통해 스스로 혼자 읽을 수 있도록 도와주기 위해서는 1)경험 지평에 놓인 단어, 이미 어느 정도 아는 단어와 문장인가 2)함께 읽으며 배울 수 있는가 3)스스로 읽을 때도 적절한 발판이 제공되어 있는가 등이다.

"엄마랑 마트에 갔어요. 무엇을 샀나요? 사과, 과자"가 4쪽으로 제시되어 있다. 문자 텍스트의 적절성과 그림과 문자와의 조화를 시중 그림동화책과의 기교를 통해 객관적으로 살펴보아야 한다.

기초문해에 어려움을 겪는 학습자는 실제 <마트>에 가서 어떤 경험을 할까? (이 책은 제목이 <마트>인데, 실제로는 슈퍼마켓으로 보는 게 맞을 것이다. 아니면 동네 소형 익스프레스 '마트'라 볼 수 있긴 하다.) 실제 학습자와의 경험과의 관련성이 얼마나 긴밀한가에 따라 수준 평정 그림동화책의 타당성과 적절성, 효과성 등이 판가름 날 것이다.

과거라면 시장 경험이고, 학교에선 시장 놀이를 통해 경험하는 마트에서 학습자는 무엇을 보고 만지며, 느끼고 경험하고 있으며 이를 문해 교재로 만들면 어떤 가상 세계를 만드는 것이 좋을까?

과일과 채소는 아동이 세상을 만나고 접하며, 맛있게 먹는 가장 신나는 장난감이다. 만지며 촉감을 느끼고, 먹으며 맛을 보며, 코로 향을 느끼며, 꽃과 과일의 성장 과정을 지켜볼 수 있는 세계의 경이와 기쁨을 주는 선물이다. 0단계에서 과일을 사과로만 제한한 것은 매우 아쉬운 선택이다. 과일 코너에서 체험한 사과, 포도, 딸기, 수박, 배, 감 등을 효과적으로 선택 안내하는 것이 필요하다.

과자도 아동이 즐겨 먹는 상품이라 보기 어렵다. 아동이 좋아하며 즐겨 체험한 사탕과 젤리, 우유, 푸딩 등 마트에서 접할 수 있는 것을 아동의 건강과 문해 교육 차원 등을 고려해 안내, 활용해야 한다.

<마트>는 경험할 채소로 배추, 무, 파, 양파를 제시하고 있다. 사과밖에 제시하지 않은 과일과 달리 나름 많은 채소들이 제시되고 있다. 균형을 맞추는 게 필요한 것도 있지만 일단 당

근, 오이, 호박, 버섯, 고구마, 감자 등의 채소와 중 마트에서 학습자가 활용하면 좋은 낱말은 무엇일지 고민이 필요하다.

학습자가 즐겨 먹으며, 초기 문해교육 차원에서 제시하고 배우는 게 꼭 필요한 낱말이 무엇일지 검토해 보아야 한다. 배추, 양파와 오이, 당근 중 무엇이 더 효과일까? 이야기에 집중한 그림동화책이라면 이런 비판이 온당하지 않지만, 문해교육용으로 제작된 수준 평정 그림동화책이라면 한 단어의 사용에 이야기의 흐름과 주인공의 특징이 아닌 문해용 효과를 따질 필요가 있다.

또한 효과적이고 적절한 삽화인지 고민이 필요하다. 기본적으로 이미지는 문자와 상호 조화를 이루면서 동시에 독립적인 힘을 가지고 있을수록 좋은 그림으로 볼 수 있다. 만약 이미지가 문자에 종속되어 있으며, 그림 자체로 탐구의 재미와 의미가 없다면 효과적인 그림이라 보기 어렵다. 이런 기준에서 보자면 배추, 무, 파의 그림은 문자에 종속되어 있으며 사물의 특징을 효과적으로 드러내는 데에도 문제가 있다. 양파는 적절한 그림이라 보기 어렵다.

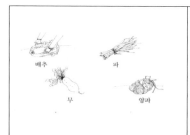

배추 파 무 양파 아이스크림

"배추, 무, 파, 양파"는 마트 체험과 분리되어 개별 사물로 제시되어 있다. 아이스크림은 그림을 찾기도 어렵고, 효과적 낱말인지 고민해 봐야 한다

심지어 아이스크림은 그림과 글이 어울리지 않는다. 그림 상황 속에서 소녀가 아이스크림을 먹고 있는데 이를 통해 아이스크림이라는 문자를 읽을 효과적 발판을 제공한다고 보기 어렵다. 아이스크림이 초기 문해교육에 필요한 낱말이라고 판단했다면 제시해야 한다. 다만 더 효과적인 그림과 이야기를 만드는 것("아이스크림 하나 사도 되요?")이 필요하다.

사소하지만 <마트>를 나와 카트를 끌고 집으로 가는 게 일상적 경험에 부합하는지 고민해 봐야 한다. 물론 문학적 세계가 일상 세계와 일치할 필요는 없다. 다만 일상이 아니라면 문학적 세계의 재미와 감동이 필요하다. <마트>는 매우 평면적인 현실을 담고 있을 뿐 경험과 문학적 가상 세계가 서로 상승작용을 일으킬 수 있는 이야기와 그림의 재미가 없다.

또한 보통의 읽기따라잡기의 수준 평정 그림책의 패턴을 따른다면 마지막은 "엄마와 나는 마트에서 무엇을 샀나요?" "마트에서 무엇을 파나요?" 혹은 "엄마와 나는 00을 샀어요."
하고 묻거나 답하면서 정리하곤 한다. 이를 통해 마트에서 산
것들을 확인, 복습할 수 있다. 그런데 첫 단계인데 이상하게도
복습과 내용을 되돌아볼 장치가 없다.

이상이 <마트>의 내재적 분석이라면 다음은 <마트>와 이와 유
사한 단계의 그림동화책과 비교를 해보자. 수준 평정되었다는
<마트>와 시중 그림동화책인 <누가 숨겼지?> 중 어떤 교재가
기초문해교육에 적절하고, 효과적인가 비교해 보다.

<누가 숨겼지?>는 장갑, 칫솔, 모자, 포크와 스푼 등을 "숨
긴 건 누구?" 라는 문장을 반복해 가면서 배우게 된다. <누가
숨겼지?>는 사물을 숨긴 동물들을 찾아가는 재미와 자신이 숨
은 사물을 찾아냈다는 경이와 즐거움을 누릴 수 있다. 그리고
문장의 반복으로 인해 기초문해에 필요한 성취감의 효과와 적
절한 난이도를 가지고 있다.

<누가 숨겼지?> 작품은 "숨긴 건 누구?"의 문장이 반복되며 장갑,
칫솔, 모자, 포크와 스푼, 촛불, 자석 등을 숨은 그림으로 찾게 되어
있다. 숨은 그림 놀이를 통해 낱말을 익히게 되는 데, 낱말을 적절한
그림으로 읽을 수 있게 보조한다.

<마트>보다 <누가 숨겼지?>는 결코 어렵지 않게 함께 읽으며 결국엔 혼자 읽을 수 있는 책이다. <누가 숨겼지?>는 더 많은 낱말이 제시되지만, 문장의 반복으로 인해 쉽게 성취감을 느끼며, 그림의 도움으로 장갑과 칫솔, 촛불, 자석 등을 스스로 읽어내며 문자 해독에 필요한 것들을 익힐 수 있다.

넷째, 수준 평정 그림동화책을 통한 기초문해교육이 출발조차 하지 못한 영역이 있다. 출발조차 하지 못했기에 종착지를 말할 수 없는 학습자가 존재한다. 수준 평정 그림동화책은 외국인, 이주노동자의 자녀 등 한글에 완전히 문외한인 학습자에게 접근 가능성이 없다. '아눈머'(아이의 눈높이에 머무르기)와 읽기따라잡기의 패턴 수업으로 아무것도 모르는 속칭 '까막눈' 학습자를 도와줄 수 없다. 수준 평정 그림동화책은 이미 어느 정도 한글에 노출된 학습자를 전제하고 있고, 백지상태에 가까운 학습자를 도와주는 방법에 대한 가능성을 열어놓고 있지 못하다. 균형적 문해교육을 이야기하지만, 정작 이 부분에 대해 구체적이고 섬세한 논의와 교육 방법이 없다.

수준 평정 그림동화책을 어디까지 읽고, 시중의 그림동화책으로 나아가야 하는지 살펴보았다. 13단계까지 다 해야 하는 지, 3단계까지 마치고 4-5단계에서 시중 그림동화책으로 나아가면 되는지, 아니면 0단계부터 시중 그림동화책을 해야 하는 지에 대해 비판적 의문을 던져 보았다.

 과연 어디가 수준 평정 그림동화책을 통한 종착지이자, 그림
동화책으로 나아갈 출발점일까에 대해 응답해야 한다.

 "(시중) 그림동화책이 수준 평정 그림동화책보다 좋은 걸 아
는 입장에선, 수준 평정 교재가 기초문해 교육용으론 필요하다
고 주장해야 한다. 수준 평정으로 출발선에 세우고, 종착역은
그림동화책으로 설정해 자신의 노력을 지키고 싶은 것이다. 다
만 이 주장은 시중 그림동화책을 혼자 읽을 수 있는 4단계 이
상의 수준 평정 책들은 모두 무용지물이 되고 만다."

 누군가는 수준 평정 그림동화책으로 수업하다 필요할 때마다
시중의 그림동화책을 활용하면 된다고 '절충해서' 이야기할
수 있다. 이 정도 타협도 나름 한 진전일 것이다.
 그렇다면 수준 평정 그림동화책 없이 시중의 그림동화책으로
기초문해교육을 하면 안 되는 이유는 무엇일까? 그림동화책을
통해 효과적이고, 교육적으로 기초문해 지도하는 방법에 대한
논의가 아직 제대로 이루어지지 않은 것은 아닐까에 대한 고민
이 필요하다.

그림동화책을 함께 깊이 읽으며 날아오르기 위한 고민거리들

읽기따라잡기는 흉내 내는 말이 많은 그림동화책이 기초문해에 어려움이 있다고 거부했고, 유아와 어린이의 문해 발달의 재미의 근간 중 하나인 흉내 내는 말을 자신들의 수준 평정 그림책에서 금기시했다.

읽기따라잡기는 기존 실패의 원인을 제대로 진단하는데 실패했다. 자신들의 내재적 문제에 눈을 감고, 시중 그림동화책이 문해 교육용으로는 부적절하고, 문해교육을 시도하는 그림동화책 일반을 '시중'이라는 꾸밈어로 배제해 버렸다. 그리고 시중 그림동화책보다 수준 평정 그림동화책 기초문해교육에 효과적이라 부당하게 전제를 해 버렸다. 부당한 비교의 오류이자, 검증되어야 할 사실을 검증된 사실 인양 결론을 내버린 것이다.

내 몸에 맞게 침대가 맞춰줘야지, 침대에 나를 맞추면 안 되지! 침대에 끼워 맞추기 위해 팔 다리를 자르는 프로크로스테스의 침대는 아닌지 살펴봐야해.

25. 읽기따라잡기의 패턴 수업 문제 1

"뉴질랜드와 미국에서 30년 기초문해교육을 한 것인데 뭔가 있지 않겠냐. 세계 각국에서 쓰고 있고, 우리 나라 여러 지역에서 쓰는 데, 그냥 이렇게 두루두루 쓰는 게 아닐 것이다. 한 번 패턴 수업을 제대로 해보면 알게 될 것이다."

"패턴 수업을 제대로 안 해봐서 오해를 하는 것이다. 해보면 얼마나 좋은지 알게 된다. 교사들이 미숙하고, 제대로 하지 않아서 패턴 수업의 장점을 모르는 것이다."

대(&)

"아이랑 해보면 알게 된다. 패턴 수업에 기초문해 아동과 잘 맞지 않는다는 것을. 그게 효과적이고 교육적인지. 현장 교사라면, 기초문해교육을 해본 교사라면 굳이 패턴 수업을 맛보지 않아도 알 수 있다."

"학생들이 좋아하지 않는 다(재미없어 한다52))는 것 작은 성

---

52) 기초문해 교육에서 '재미'는 나도 해보니 할 수 있구나의 성취경험을 의미한다. 단순히 재미있는 놀이와 음미체 활동으로 인지적 부담에서 벗어나 신나는 활동을 했다는 것이 중요하지 않다. 기초문해의

취 경험이 효과적으로 축적되지 않는다는 것이다. 재미와 감동을 못 느끼는 교재로 굳이 수업해야 하나?"

수업을 해보면 직관적으로 알 수 있다. 학생이 소화하기에는 너무 과하다는 것을. 이렇게 발판 없이 제시하면 못 한다는 것을. 똥인지 된장인지 꼭 해봐야 아는 게 아니다. 현장 경험, 기초문해 수업 경험이 있으면 해보지 않아도 알 수 있는 게 있다.

교사가 노력 부족 혹은 전문성 부족으로 인해 패턴 수업을 제대로 못해서인지 아니면, 패턴 수업 자체가 학생 발달과 맞지 않아서인지 잘 살펴야 한다. 기초문해 학습자가 제대로 성취 경험을 쌓고 있는지, 문해에 필요한 요인들을 자기 것으로 만드는 데 더 효율적이고 교육적인 방법이 무엇인지 살펴야 한다.

교육 아니 수업 문제의 핵심은 언제나 학생이 성장하느냐가 관건이다. 학생이 아니 느린 학습자가 기초문해를 습득하는 데는 보통의 수업보다 더 부드럽고 섬세하고 사려 깊어야 한다. 실패로 인해 좌절감과 무기력에 빠지지 않도록 성취를 경험할 수 있는 발판들이 필요하다.

어려움을 겪는 부분을 해결하고, 이를 반복적으로 숙달해 자신의 역량으로 만드는 게 가능하다는 것을 체험하게 하는 것이 중요하다. 학생들이 학습을 재미있어한다는 것에서 핵심 지점은 문자 해독과 독해가 해볼 만하네,라는 느낌을 주는 것 그것이 문해교육의 재미다. 만약 성취 경험을 축적하는 재미가 일상화되지 않으면 기초문해교육은 강력한 저항과 권태에 빠질 수 있다.

누구나 작동 기억에서 정보를 처리하지 못하고 뇌가 굳어버린다. 뇌가 정보를 처리해, 이해하고, 장기기억으로 만들 수 있도록 작은 성취를 경험하도록 수업을 만들어야 한다. 그림동화책의 가치는 바로 이점에 있다. 스토리 속에서, 이미지와 문자를 동시에 이용해서, 다양한 상황을 통해 단어를 반복하며 숙달하기에 좋은 것이다.

그 장점을 살리려면 그림동화책을 축자적으로 읽어주거나, 읽는 게 아니라 함께 깊이 우려내야 한다. 깊이 읽기, 함께 읽기의 방식이 효과적이면서 교육적으로 이루어져야 한다.

그림동화책를 통한 기초문해가 자모 교재 기초문해보다 좋은 결정적 이유 3가지

그림동화책를 통한 기초문해가 자모 교재 기초문해보다 좋은 이유는 매우 다양하다. 그중 그림동화책으로 기초문해교육을 해야 하는 이유 3가지를 뽑으라면 성취 경험과 습득의 체험 그리고 책 읽는 방법 체득을 들 수 있다.

첫째, 그림동화책 기초문해 수업은 작은 성취 경험의 축적이 가능하다. 스토리 속으로 들어가 주인공이 되어 사건과 이야기를 탐구하며 문자를 배울 수 있기에 성취의 큰 어려움을 느끼지 않고 성공 경험을 축적할 수 있다. 이야기 속에서 주인공이 되어 사건을 탐구하며, 이미지의 보조를 통해 단어와 어구, 문장을 자연스럽게 습득하며 문해 기초 형성에 필요한 것들을 체득하게 된다.

 둘째, 느린 학습자가 경험해야 했지만 제대로 누리지 못한 책 읽어주기의 경험을 체득하게 해준다. 부모의 책 읽어주기는 축자적 글 읽기가 아니라 그림동화책을 기반으로 한 놀이이자, 이를 통해 관계를 만들어 가는 행복한 경험이다. 느린 학습자에게 부족한 이 부분을 그림동화책 문해 지도는 채워줄 수 있는 장점이 있다.

 셋째, 그림동화책 문해 수업은 단순한 문자 해독을 넘어 책 읽는 방법 즉 독해 능력에 필요한 것을 체득하게 해준다. 하나의 단어, 문장, 장면을 함께 깊이 읽으며 해독과 독해에 필요한 것을 동시에 조화롭게 성장시킬 수 있다. 교사와 함께 자신의 경험을 이야기하며 단어와 어구, 문장을 두텁게 배울 수 있게 되고, 이것이 기초문해를 넘어선 실질 문해로 확장할 수 있는 기반을 마련하게 된다.

 만약 기초문해 수업의 타당성과 적절성을 살펴보려면 이러한 3가지 이유가 충족하는 지를 살펴보게 될 수밖에 없다. 그림동화책 기초문해 수업의 장점이 수업을 통해 잘 구현되는지 보아야 하기 때문이다.

기초문해 수업을 보는 눈

 아직 기초문해에 어려움을 겪는 학습자일수록 여유 있고 부드럽게 문자의 세계에 다가설 수 있도록 살펴야 한다. 한 음절,

한 단어, 한 문장이라도 읽는 경이의 성취 경험을 차근차근 쌓아나가야 한다. 이를 위해 기초문해 수업은 상징인 문자를 깊이 읽기, 함께 읽기를 통해 다가서야 한다. 문자 세계의 여행을 문턱을 넘어서기 위해서는 교사와 학생이 함께 읽고, 깊이 읽는 것이 핵심이다. 그림동화책은 그 자체로 재미있게 읽을 수 있는 매체이기 때문에 하나의 음절, 하나의 단어를 함께 이야기를 나누며 깊이 읽어나가면 자모 체계를 통한 기초문해교육보다 더 효과적이고 교육적으로 문해의 기쁨을 누릴 수 있게 된다.

이 기준에 비추어 읽기따라잡기의 패턴 수업의 내실을 살펴볼 수 있다. 읽기따라잡기가 문자 해독은 물론 책 읽는 방법을 체득하도록 부드럽고 여유 있게 동시에 밀도 있게 학습자를 도와주는지 살펴볼 수 있다. 이외로 읽기따라잡기의 패턴 수업은 깊이 읽기, 함께 읽기가 제대로 이루어지지 않는다. 3권을 다루어야 하는 부담감과 중압감으로 인해 읽기가 깊이 있게 이루어지지 않고, 읽기와 쓰기, 말소리 분석이 따로 노는 문제가 생기고 있다. 하나를 함께 깊이 다루지 않고 패턴 수업의 틀을 완수하느라 급해지고 여유가 없어지는 것이다. 이로 인해 학생의 발달과 속도에 맞춰 성장을 향해 여유 있게 나아가는 것이 아니라, 패턴 수업의 틀을 맞추려 떠밀릴 가능성이 매우 크다.

패턴 수업은 학생의 문해 발달에 맞춰 유연하게 대응할 수 있도록 원리(프로토콜, 원칙)을 둘려줘야 한다

1) 패턴 수업은 발달에 따라 얼마나 유연해질 수 있는가

까막눈 학습자에게 자모 중심이 효과적일까 아니면 읽기따라
잡기의 아눈머와 패턴 수업이 효과적일까? '아'와 '가'도
모르는 학생, 자기 이름만 쓸 수 있는 학생의 기초문해교육의
경우 자모 중심으로 접근하게 마련이다. 이름에 들어간 자모를
탐구하고, 이를 바탕으로 확장해 기초문해교육을 시작하게 된
다. 자모 중심으로 접근하게 되면 일단 이미지 단어와 낱말을
통해 자음과 모음 순으로 배우게 되어 큰 상처나 위축을 경험
하지 않고도 배울 수 있게 된다.

그런데 이러한 자음과 모음에 대해 익숙해지지 않은 상황에서
아눈머와 읽기따라잡기 패턴 수업을 통해 기초문해 수업을 되
면 어떻게 해야 할까? 읽기따라잡기의 패턴 수업처럼 3권의 책
(익숙한 책, 본 책, 새로운 책)와 자모 분석, 문장 쓰기를 하
는 것은 '아'와 '가'도 어려운 학생에게 혼란과 어려움,
상처를 주게 될 것이다. 한 음절과 단어 충분히 깊게 읽어 자
기 것으로 만드는 것이 중요한 상황에서 3권의 책, 문장 쓰기,
자모 분석은 너무나 많은 소화불량의 안내로 다가올 것이다.

2) 패턴 수업은 학습자의 문해 발달에 맞춰 유연하게 변형 가능한가, 가능할 수 있도록 교육적 원칙들을 들려줘야 한다

"아눈머와 패턴 수업 사이의 유연하게 들어가는 수업 활동이

필요하다. 읽기따라잡기 연수 강사도 실제 아눈머와 패턴 수업 사이에 연착륙을 위한 수업 활동을 했다고 고백한 바 있다. "익숙한 책 읽기는 86% 이상은 읽을 수 있어야 한다"는 아눈머와 서로 상충하는 요구다. 익숙한 책 읽기에 대한 기준 자체가 발달에 맞추어 유연하게 규정될 필요가 있다.

교육을 하는 현장의 교사, 강사들은 누구나 시험 문제든 문제집이든 어느 정도 알고 나서 풀어야 효과가 있다는 이야기에 고개를 끄덕인다. 당연한 이야기다. 문제는 그만큼 알 수 있도록 어떻게 만들어 가느냐다. 그게 관건이다. 아직 아무것도 모르는 학습자에게 8할 이상 익숙한 책이 있을 수는 없다.

패턴 수업은 3권의 책을 이미 읽을 수 있는 아이를 전제하는 것이 아닌지 고민해 보아야 한다. 또한 익숙한 책 읽기에서 8할 이상 읽을 수 있어야 한다는 전제가 기초문해의 초기 발단 단계를 보이는 학생을 배제하는 것이 된다.

'아눈머에서 만든 책 읽기로 하면 8할 이상 읽을 수 있다.'고 주장한다면 일단 아눈머에서 얼마나 책을 많이 만들 수 있을까? 최대치로 5권이라 가정하고, 만들었기에 8할 이상 다 읽을 수 있다고 해보자.(자기가 만들었다고 정말 8할 이상 알 수 있을까? 1-2권이라면 기억이 더 잘 날 수 있다) 그럼 이 책을 공부하고 나면 다음 단계의 수준 평정 0단계 그림동화책은 접근 가능할까? '아'와 '가'도 모르는 학습자에게 0단계 책은 8할 이상 읽을 수 있는 교재가 될 수 있을까?

근접발달영역을 통해 발판으로 도약하게 해야 한다는 건 보편적 상식이다. 핵심은 학생의 발달 수준에 따라 이 발판이 달라져야 한다는 점이다. 패턴 수업은 학생의 문해 발달 수준에 따른 유연한 대응에 문제를 일으킬 수 있다.

다시 질문해 보자. '아'와 '가'도 모르는 학습자에게 패턴 수업은 접근 가능한가? 초기 문해를 시작하는 학생에게 열린 아니 유연화된 수업 원칙을 이야기해야 하는 것이 아닐까?

패턴화된 분석 틀에 맞추어 기초문해 수업을 한다는 것의 모순성

기초문해에 어려움을 겪는 느린 혹은 문제가 있는 학생에게 알맞은 수업 내용과 형식은 무엇일까?[53]

만약 읽기따라잡기의 패턴화된 수업 틀이 정답이고, 기초문해 수업의 가장 좋은 해답이라면 교사는 이 틀에 자신의 기초문해 교육 활동을 끼워 맞춰야 한다. 패턴 수업이 다양한 문해 발달 수준과 특성을 가진 학생들에게 딱 들어맞는 기초문해교육의 정수라면 교사들은 따라야 한다. 그 틀에 잘 맞추는 게 효과적

---

53) 자신이 걸은 오늘의 발자국이 뒤에 오는 사람의 이정표가 될 수 있으니 신중이 길을 내야 한다. <답설(踏雪)> 서산대사의 시 내용이다. "눈을 밟으며 들판을 걸을 때는(踏雪野中去답설야중거) 걸음걸이를 어지럽게 하지 마라.(不須胡亂行불수호란행) 오늘 내가 남겨놓은 이 발자취는(今日我行跡금일아행적) 뒷사람들의 이정표가 되리니.(遂作後人程수작후인정)" 답설은 백범 김구이 평생 간직한 이야기이기도 한데, 1948년 남북협상길에오르면서 <3천만 동포에게 읍고함>을 발표하며 이 시를 인용해 널리 알려진 바 있다. 자신이 걸어간 길이 다른 사람의 길 안내가 되니 경계해야 한다는 것은 처음 길을 내는 사람에 명심해야 한다.

이고 필요하다면, 아무리 힘들어도. 교사와 교육을 패턴에 맞추어야 한다. 기초문해에 낯선(미숙한) 교사, 기초문해의 전문적 역량(프로의 실력)을 가지지 못한 교사라면 더더욱 이 틀에 자신을 맞추어야 한다.

그런데 만약 패턴화된 수업이 내적 문제가 있다면 이것 자체가 프로크루스테스의 침대54)가 되어 교사와 학생을 짓누르게 된다. 교사를 기초문해의 전문가로 만들어 주는 것이 아니라 오히려 문해의 안목을 거세하고, 패턴 수업의 도구(노예)가 되게 만든다. 패턴 수업이 구상을 전담하고 실행의 도구로 교사를 미숙련화 한다.

또한 아이의 발달에 따라 문해 발달에 따라 수업이 달라야 한다면 패턴화된 수업 틀은 그 자체로 문제가 된다. 학생 발달과 문해 성장 정도, 상황과 필요에 따라 적절하고 유연하게 수업 구상과 실현이 필요한 때 고정화된 패턴 수업을 모든 차시에 동일하게 반복해야 한다면 교사와 학생을 위한 패턴 수업이 골칫거리가 된다.

읽기와 쓰기 등 모든 활동을 한 차시에 구겨 넣다. 기초문해 수업의 만물상(뷔페)을 차리다.

---

54) 어떤 절대적 기준을 정해 놓고 모든 것을 거기에 뜯어 맞추는 것을 프로크루스테스의 침대라 부른다. 몸에 옷을 맞추는 게 아니라 옷에 몸 맞추는 것을 말한다. 그리스 신화에 등장하는 도적 폴리페몬(Polypemon)은 지나가는 나그네를 극진히 대접하고 잠자리까지 제공한다. 그리고 폴리페몬은 자신에게 모든 이에게 딱 맞는 침대가 있다며 손님을 눕힌 다음 침대보다 키가 크면 남는 다리를 잘라버리고, 침대보다 키가 작으면 침대 길이에 맞춰 늘려버리는 방법으로 상대를 살해했다.

읽기따라잡기가 요구하는 패턴 수업 절차(흐름) 5단계는 다음과 같다.

단계	내 용
1	\<익숙한 책 읽기\>
2	\<읽기 과정 분석 : 5단계 운동회\>
3	\<낱말 글자 말소리 탐색\>
4	\<문장 쓰기\>
5	\<새로운 책 읽기\>

읽기따라잡기는 한 차시에 \<익숙한 책 읽기\>, \<읽기 과정 분석 : 5단계 운동회\>,\<새로운 책 읽기\>, \<낱말 글자 말소리 탐색\>, \<문장 쓰기\>의 다섯 활동이 담겨 있다. 매 차시 수업을 이렇게 하도록 요구하고 있다.

그렇다면 읽기따라잡기가 요구하는 패턴 수업이 얼마나 타당하고 효과적인지 실제 수업 사례를 통해 부단히 검증해야 한다. 각 단계별로 패턴 수업의 타당성과 적절성, 효과성, 교육성 등을 살펴봐야 하고, 각 요인들 간의 연계성도 살펴보아야 한다. 패턴 수업이 요구하는 각 요인의 타당성과 적절성(효율성과 교육성) 그리고 요인들 간의 내재적 체계성이 정합적인지 기초문해 수업 경험을 통해 검증해 보아야 한다.

1) 한 차시(읽·따는 30분 가량을 기초문해 수업의 적정 시간으로 본다)에 3권을 읽는다고?

3권 읽기는 얼마나 효과적이고 타당한가? (읽기따라잡기의 그림동화책이 2권이 그림동화책의 1권 정도의 분량으로 비교될 수 있다. 수준 평정의 단계별로 글밥의 양 차이가 크지만 0-3단계에서는 시중 그림동화책 양의 절반 정도의 양이라 볼 수 있다.) 1권 깊이 읽기가 기초문해 학생에게 효과적인가 아니면 3권을 30분에 다루는 게 좋을까? 기초문해에 어려움을 겪는 느린 학습자에게는 1권이면 충분하다. 한 권을 재미있게 함께 깊이 읽으며 충분히 깊이 우려내 학습이 자기 것으로 만드는 것이 중요하다.

느린 학습자에게 가뜩이나 기초문해에 어려움을 겪는 학습자에게 30분에 3권은 소화불량이다. 의도가 풍성한 안내라면 좋은 그림동화책 1권을 풍부하고 깊이 있게 이야기 나눠주는 게 중요하다. 아이가 할 수 있는 것을 발판으로 학습자의 경험과 그림동화책의 이야기와 단어를 매개로 다채롭고 입체적인 이야기를 함께 나누는 게 중요하다. 한 단어, 어구, 한 문장이라도 학습자의 경험과 연계점을 마련하여 풍성하게 이야기를 나눠주어야 하나라도 제대로 가져갈 수 있게 된다. 텍스트가 많아야 하는 게 아니라 학생이 소화 가능하게, 자기 것으로 만들 수 있도록 깊이와 넓이를 확보해 주어야 한다.

익숙한 책, 수준 5단계의 운동회, 새로운 책을 포함해 한 차시에 3권을 한꺼번에 하는 수업이다. 한 차시에 3권의 책을 읽고 자기 것으로 만들어야 한다. 한 권이라도 깊이 읽어 온전히 학생 것으로 만들어야 하는 데 이미 텍스트 자체가 과다하다.

<익숙한 책 읽기 : 찾았다>, <읽기 과정 분석 : 5단계 운동회>, <새로운 책 읽기 : 구두 구두 걸어라>는 하나의 책을 깊이 재미있게 함께 읽어내야 하는 기초문해 수업에서 어떤 형식으로 수업을 하더라도 과하다. 한 권의 그림동화책을 온전히 다루는 데에도 충분한 시간이 필요하다.

한 권에 최소 3차시 이상 함께 깊이 읽어내야 하는 그림동화책이다. 한 권을 깊이 읽어 공명과 울림을 만드는 데는 충분한 숙성의 시간이 필요하다. 좋아하는 혹은 새롭게 도전하는 책을 제대로 우려내는 것이 필요하다. 그림동화책을 통한 기초문해 공부는 함께 깊이 읽는 것이지, 가볍게 산책하는 책 쇼핑이 되어서는 안 된다.

과하다는 의미는 학생의 소화 가능성을 넘어선다는 것이다. <찾았다>, <구두 구두 걸어라> 그리고 <운동회> 3권의 그림동화책을 한 차시에 자기 것으로 제대로 소화할 수 있다면 풀-아웃(Pull-Out) 기초문해 대상이 될 필요가 없을 것이다.

한 차시의 수업이 모든 것을 쓸어 담은 잡화점(뷔페)이 된다면 하나를 제대로 차근차근 해낼 수 없다. 텍스트를 이렇게 많이 제시하면 그림동화책 하나를 깊이 읽으며, 이야기를 나누며 글과 낱말, 어구, 문장, 그림 등을 탐구할 시간이 사라진다. 하나를 그림동화책을 함께 깊이 나누며 학생이 온전히 기초문해의 탄탄한 기초들을 쌓아 올려야 할 때 이미 문해를 알아버린 이들은 과욕의 덫에 빠져 있다. 가르침은 언제나 지식의 덫의 위험성과 이로 인한 수박 겉핥기의 유혹을 경계해야 한다.

2) 3권을 읽고 거기에다 읽기와 문장 쓰기 활동이 포진되어 있다.

패턴 수업에서는 읽기와 쓰기의 연계성 문제, 문해 발달 수준에 비추어 쓰기 활동의 적절성 문제를 살펴보아야 한다. 쓰기는 배운 읽기에 기초해야 하고, 학생의 읽기 발달에 기초해야 한다. 배운 것을 써야 하고, 음절과 단어 쓰기가 문장 쓰기보다 선행되어야 할 것이다.

쓰기 발달에 어울리는 그리고 필요한 단계에 알맞은 활동인가도 검토해 보아야 한다.

읽기가 쓰기의 기본이다

첫째, 읽기 능력과 쓰기 능력은 시차가 있고, 이 발달의 길항 관계를 가지고 있다. 읽기가 어느 정도 발달해야 쓰기 능력이 가능해진다.

쓰기를 도우려면 읽기가 제대로 되어야 한다. 읽기 유창성이 쓰기의 기초다. 읽기 유창성이 뒷받침되지 않으면 쓰기는 난감하다. "소리 내어 읽기"가 제대로 되지 않아서 쓰기가 안 된다.

둘째, 쓰기는 신체적 발달의 기반이 잘 이루어져야 한다. 머리와 손의 협응능력과 미세 근육 발달이 쓰기의 육체적 기초다.

손의 미세 근육 발달, 머리와 손의 협응능력에 따라 쓰기가 가능해진다. 유아 시기 모양 따라 그리기에서 쓰기로 발달이 가능하다는 점에 주의해야 한다. 대부분의 현행 한글 교재는 선그리기가 가장 먼저 나오곤 한다. 어느 정도의 선 따라 그리기가 되는 지가 한글 쓰기의 기초가 된다는 점을 직관적으로 누구나 알고 있다.

셋째, 충분히 읽기가 다져지면 단계에 맞는 쓰기 교육이 필요하다. 쓰기도 읽기 발달처럼 음절, 단어, 어구, 문장으로 확대된다. 절 읽기, 단어 읽기, 어구 읽기가 제대로 되지 않으면 읽기가 되지 않듯, 음절을 쓰지 못하는 학생이 문장 쓰기를 할 수는 없다. 기본 자모와 음절, 단어를 쓸 수 있어야 받아쓰기와 자신이 원하는 글쓰기가 가능해진다.

넷째, 쓰기는 교육의 기본이 항상 그렇듯 아동의 발달과 문해 발달 특성을 고려하여 세심히 교육해야 한다.

---

(1) 기본 단어와 모음 쓰기

(2) 음절과 단어 쓰기

(3) 어구와 문장 쓰기

<쓰기 지도 3단계>

쓰기 주의 사항

(1) 쓰기가 반복적이고 재미없는 활동이 되어서는 안 된다.

(2) 배운 것을 바탕으로 써야 한다. 발달에 맞게 이야기 속에서 배운 것을 쓰는 것이 필요하다. 그림동화책을 배웠다면 이를 발달에 적합한 만큼 소리 내어 읽으면서 필사하는 게 필요하다. 현재의 급수장 쓰기와 받아쓰기 시험 활동을 통한 쓰기 활동은 쓰기 역량을 키워주지 못한다.

(3) 알맞은 양을 과제로 제시해 반복 숙달의 기회를 주어야 한다.

3) 자모의 과학적 원리 탐색은 모든 기초문해 수업에 동일하게 적용되어서는 안 된다.

읽기와 말소리 분석 활동은 연계되어 있어야 하고, 말소리 분석과 어휘 탐구는 문해 발달 수준에 따라 효과적이고 체계적으로 이루어져야 한다.

특정 문해 발달 단계에 자모의 과학적 원리 탐색은 꼭 필요하다. 이 시기 한글의 과학적 원리를 이해하고 이를 통해 문해의 폭과 깊이를 혁신적으로 도약하게 하는 것은 매우 중요하다.

또한 기초문해 수업의 필요한 상황에서 음절 비교와 자모의 분해와 결합을 안내할 필요가 있지만 <낱말 글자 말소리 탐색> 모든 기초문해 수업에서 이루어질 필요는 없다.

말소리 분석의 대상, 말소리 분석의 방법 등을 구체적으로 논의해야 한다. 말소리 분석(분해와 결합)은 기초문해 역량 형성 시 매우 필요한 활동이다. 기본 자모를 익히고 음절의 형성에 대한 과학적으로 이해가 필요한 아동에게는 매우 결정적인 활동이고, 어느 정도 음절과 자모 읽기가 이루어진 학생에게도 시시때때로 중요한 활동이다.

문제는 이 말소리 분석이 이루어져야 하는 대상과 이 방법을 구체적으로 논의해야 한다는 점이다.

4) 수업 흐름이 유기적으로 연관성을 가지고 있는가?

읽기와 쓰기, 읽기 간의 체계적 연관성을 담아내고 있는가를 살펴봐야 한다. 특히 일기 내적으로 그리고 읽기와 쓰기 간에 내재적 연관성이 잘 이루어지는지 검토해야 한다.

그림동화책을 함께 깊이 읽으며 날아오르기 위한 고민거리들

읽기따라잡기가 요구하는 패턴 수업이 얼마나 타당하고 효과적인지 실제 수업 사례를 통해 부단히 검증해야 한다. 각 단계별로 패턴 수업의 타당성과 적절성, 효과성, 교육성 등을 살펴봐야 하고, 각 요인들 간의 연계성도 살펴보아야 한다. 패턴 수업이 요구하는 각 요인의 타당성과 적절성(효율성과 교육성) 그리고 요인들 간의 내재적 체계성이 정합적인지 기초문해 수업 경험을 통해 검증해 보아야 한다.

기초문해 수업 한 차시에 읽기따라잡기는 3권의 책 읽기를 요구한다. 읽은 책을 다시 확인하는 건 4~5권이 되도 큰 문제가 없다. 문제는 수업 중 깊이 읽어야 하는 책은 몇 권일까? 당연히 1권이다.

기초문해 학생에게 필요한 것은 3권을 30분에 다루는 게 아니라 1권을 깊이 있게 다루는 것이다, 기초문해에 어려움을 겪는 느린 학습자에게는 1권이면 온전히 천천히 여유 있게 다루는 것이면 충분하다. 한 권을 재미있게 함께 깊이 읽으며 충분히 깊이 우려내 가르침을 자기 것으로 만드는 것이 중요하다.

> 모든 게 알맞은 때가 있고, 때에 알맞은 도움이 있듯
> 기초문해교육도 읽기 방식, 자모 도입, 쓰기 도입이
> 시기와 도움의 적절성을 잘 살펴야 하겠지.

26. 읽기따라잡기의 패턴 수업 문제 2

패턴 수업은 기초문해 수업 시 지켜야 하는 기준을 제시해 준다. 기초문해교육을 제대로 하고 싶은 교사에게 일정한 기준과 매뉴얼을 제시해 주는 것이다.

그런데 어떤 기준과 매뉴얼이 상황에 따른 필요에 탄력적으로 대응할 원칙을 제시해 주지 못하고, 메뉴얼 그 자체를 강요하게 되면 문제가 생긴다. 더구나 표준화된 수업 매뉴얼이 그렇듯 이 틀 자체를 절대적으로 여기게 되면 교사를 미성년으로 취급하고, 도구적 매뉴얼이 교사의 전문성과 자율성을 부정하게 된다. 교사의 교육 전문성과 자율성을 지원하기 위한 발판이 오히려 교사의 전문성 형성을 억압하게 되지 않도록 메뉴얼의 원칙과 기준이 명료하게 정리할 필요가 있다.

이 점에서 그림동화책을 통한 기초문해교육을 시도하는 <읽기따라잡기>의 패턴 수업도 교사를 도와주기 위한 기본적 요청을 제대로 담아내고 있는지 검토해 볼 필요가 있다.

1) 자음과 모음, 이것의 결합은 언제, 어떻게 도입되어야 하나

한글은 어느 정도의 통글자 이해가 자리 잡으면 과학적 원리를 통해 문자 읽기가 가능한 언어다. 영어 알파벳이 24자인 한글보다 많지만 파닉스를 통해 기초를 다지고, 수많은 변화를 숙달해야 읽을 수 있는 데 반해, 한글은 자음과 모음의 수많은 변화가 있지만 최소한의 통글자 숙달 후 자음과 모음의 원리를 익히면 다양한 변화를 읽을 수 있는 언어적 특징이 있다. 이 언어적 차이를 유념하여 자음과 모음을 안내해야 한다.

영어와 한글의 음운론적 인식의 차이는 일상적으로 확인된다. 영어는 "A ,에이, 에이, apple"로 하지만 한글은 "ㄱ, 기역, 기역, 가방"으로 하지 않는다. 한글 말놀이는 "아, 아아 아, 아 ,아이"로 하지, "이응, 이응, 이응, 아빠"로 하지 않는다. 한글을 모국어로 배우는 화자들은 "아아 아"자로 시작하는 말은 아이라고 하며 놀고, "가가 가 가"자로 시작하는 말은 "가방"으로 놀이를 하며 언어를 배운다. 우리말을 습득할 때 '가'를 'ㄱ'과 'ㅏ'로 구분하는 게 우리 글을 배우는 데 결정적인 것이 아니라 가방과 가수 등을 배우는 것이 핵심 기초인 것이다.

한글 문자 읽기는 통글자 숙지가 이루어져 음절과 단어를 발견할 수 있을 때 자모가 도입될 때 효과를 발휘한다. 자모는 통글자로써 음절과 단어 읽기를 어느 정도 가능할 때 도입하면 강력한 효과를 발휘한다. 그 정도는 개인차가 크지만 환경 언어(환경인쇄물과 일상의 환경 언어 발견) 읽기와 3~4권 정도의 그림책을 온전하게 읽을 능력이 생길 때부터 도입해야 한다.

그리고 이후 자모 그림책을 활용해 이를 탄탄히 하면서 자모의 가치를 느끼도록 해주어야 한다.

이 기준에서 보면 매시간 글자의 자모를 분리해 안내해야 한다는 강박에서 벗어날 필요가 있다.(읽기따라잡기 수업의 대부분 자음과 모음 자석이 칠판을 한가득 차지하는 경우가 있다. 이 자모 자석이 필요한 경우도 있지만, 그림동화책을 통한 기초문해교육에서 수업 시간마다 자모 교구가 필수는 아니다. 자모 교구는 자모 중심 한글 교육의 그림자를 느낄 수 있는 부분이기도 하다. 읽기따라잡기는 기초문해 진단과 패턴 수업의 자모 안내의 경우 자모 수업의 짙은 그림자가 남아 있다. 파닉스 지도가 필요한 경우 이를 균형적으로 도입해 활용해야 하지만 자모를 중심으로 하면 득보다 실이 크다.)

한글의 체계적인 이해를 자모의 과학적 원리를 안내해야 하는 때가 있고, 때때로 음절과 단어를 분해해 주는 데 효과적일 때가 있다. 상황에 맞게, 필요에 따라 하면 되지, 매시간 할 필요는 없다.

기본 자음과 모음 읽기가 어느 정도 자리 잡은 후 환경 언어 발견 놀이가 필요하다. 이 시기부터 기본 자음과 모음 읽기에 받침에 따른 다양한 변형과 변주를 탐색할 수 있다.

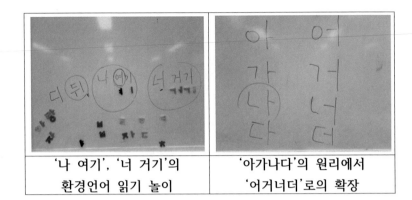

| '나 여기', '너 거기'의
환경언어 읽기 놀이 | '아가나다'의 원리에서
'어거너더'로의 확장 |

2) 쓰기는 언제, 어떻게 도입되어야 하나

쓰기와 읽기는 상호상승 효과가 있지만 쓰기 발달은 읽기가 차올랐을 때 이루어질 수 있다. 읽기와 쓰기가 선순환하며 상승작용을 이루려면 읽기가 자리를 잡아야 쓰기로 전환될 수 있다. 읽기와 쓰기의 상호성은 읽기와 쓰기 발달을 섬세하게 고려해야 한다.

이 점에서 기초문해 수업 시간마다 실제적 쓰기를 하라 혹은 매시간 실제적 쓰기를 할 때 읽기 효과가 배가 된다는 것은 문제적이다. 쓰기가 곤혹스러운 모양 그리기가 되지 않도록(무의미한 글자 따라 쓰기) 주의가 필요하다. 쓰기는 읽기 능력이 어느 정도 차올라 흘러넘칠 때 도입해야 한다.

유아의 경우 소근육 발달이 제대로 이루어지지 않으면 선 그르기와 모양 따라 그리기도 쉽지 않다. 유아에게 쓰기 능력을 형성하기 위해 무리하게 쓰기 과제나 활동을 요구하는 건은 발달과 맞지 않는다. 오히려 소근육 발달에 필요한 다양한 놀이(씨앗, 공, 가베 등 활용)나 미술 활동이나 신체를 활용한 체육 활동이 쓰기 능력의 기초를 만들어 줄 수 있다. 이와 동일한 원칙으로 쓰기에 필요한 읽기 자원이 어느 정도 형성될 때 쓰기를 도입하고 활용하는 것이 필요하다.

쓰기 능력은 어떻게 키워야 하는가

읽기와 쓰기는 동시 발달 하나 아니면 시차를 두고 발달하나

읽기와 쓰기 발달에는 시차가 있다. 읽기 쓰는 능력인 문해력에서 읽고 쓰기는 새의 양 날개다. 둘 다 중요하지만 발달에는 시차가 있다. 쓰기는 읽기 유창성이 어느 정도 자리 잡으면서 쓰기의 실제적 발달이 가능해진다. 이는 읽기와 쓰기의 문해력 발달을 경험적으로 살펴봐도 매우 당연한 사실이다.

그런데 읽기와 쓰기의 발달 시차가 있다는 것을 격차가 발생하고 있다고 판단하는 경우도 있다. 읽기와 쓰기 발달에 시차가 있는 것을 읽기와 쓰기의 차이가 생기면 문제라고 보는 견해도 있다. 읽기따라잡기의 주역들은 읽기와 쓰기는 동시에 발달시켜야 하며, 이들 간의 차이가 있다는 것은 발달 문제라고 본다. 읽기와 쓰기의 시차가 있다는 것을 자연스러운 발달의 경과로 보지 않고, 읽기와 쓰기의 차이를 격차가 발생하고 있다고 보고 쓰기를 빠르게 도입해 지도해야 한다고 주장한다.

쓰기 문해 지도 원칙

쓰기 능력 지도의 핵심은 기초문해교육의 핵심적 요청과 맞닿아 있다. 기초문해의 핵심은 작은 성취를 쌓아 문해의 자신감과 스스로 자존감을 키워주는 것이다. 아이가 소화불량에 걸리지 않고 '내가 할 수 있구나'라는 성취감과 자신감을 느끼게 해주는 것이 필수다. '내가 해도 잘 안 되는구나', '너무 어렵구나' 하는 느낌이 들게 하면 안 된다. '내가 이렇게 하니 할 수 있구나'라는 느낌이 들게 하는 것이 필수적 요청이다.

쓰기는 읽기를 시작하는 것만큼 어려 난관이 있는 만큼 섬세하고 조심스럽게 도움을 주어야 한다. 쓰기는 현재 학습자가 할 수 있는 것을 바탕으로 새롭게 성취할 수 있는 가능성의 영역을 잘 살피는 것이 필요하다. 다시 아동이 스스로 문제를 해결할 수 있는 현재의 발달 수준(actual development level)과 도움을 통해 성장할 수 있는 잠재적 발달 수준(level of potential development) 사이의 교육적 가능 지대인 근접발달영역(Zone of Proximal Development : ZPD) 고려하여 발판 작업(scaffolding, 비계설정)을 섬세하게 하는 게 필요하다. 음절, 단어, 어구, 문장 쓰기로의 확장을 위해 어떻게 더 깊이, 더 높이, 더 넓게 들어가는 가가 매우 중요하다.

하지만 현재의 쓰기 교육은 문해력 차원에서 문제이다. 관행적인 차원에 갇혀 있고, 쓰기 교육의 기본을 지키지 못하고 있다.

첫째, 읽기와 연계된 쓰기가 필요하다. 둘째, 쓰기의 영역별 특징을 고려한 쓰기 교육이 필요하다.

쓰기 교육의 공통 지반은 경험 지평에 근거한 글을 기반으로 경험과 느낌, 생각 쓰기다.

쓰기는 경험적 글쓰기, 문학적 글쓰기, 비문학(사회와 과학의 내용 지식에 기초한) 글쓰기가 구분된다. 자신의 체험을 쓰는 경험적 글쓰기("아삭 아삭한 사과를 씹어 먹었다.", "어제 수박을 맛있게 먹었다.", "어제 달콤한 수박을 가족과 함께 먹어 기분이 좋았다.") 내용 전환적 글쓰기(글의 내용을 이해하고 이에 대한 요약하기, 주장과 근거 찾기, 설명하기), 문학적 글에 대한 읽기를 바탕으로 한 감상과 창작 글쓰기가 있다. 문해력 발달을 통해 쓰기 능력을 키우고자 하는 것이 어떤 영역의 글쓰기인지에 따라 영역별 특성과 지도 방법이 달라진다. 물론 영역에 따른 차이가 있지만 초기 문해 쓰기의 기본은 경험과 글에 대한 생각과 느낌을 표현하는 것이다. 경험적 글쓰기는 글을 이해하고 생각과 느낌을 표현하는 것은 경험 지평에 근거한 글을 읽고 표현함으로써 공통의 지반을 가지게 된다.

셋째, 나선형적 쓰기 교육이 필요하다. 문해 발달의 거시적 지평을 고려해 미시적 쓰기 교육이 필요하다. 쓰기 문해 지도에 있어 음절, 단어, 어구, 문장으로의 단계적이고 점진적 확대가 필요하다. 쓰기 발달을 교육할 때 단계적이고 점진적이며 나선형적 접근이 필요하다. 쓰기 지도 시 기본을 탄탄히 다져가는 것이 아니라 소리와 글의 차이가 있는 어려운 단어와 어구, 문장 쓰기와 띄어쓰기에 치우칠 때 단계적 성장을 지원하지 못하는 문제가 있다. 이제라도 의미를 찾을 수 없는 맞춤법과 띄어쓰기에 강박적으로 매달리는 받아쓰기 시험에서 벗어나 배운 텍스트(그림동화책)에 기초해 의미 있는 기본 음절과 단어, 어구와 문장을 쓰는 교육이 필요하다.

넷째, 받아쓰기 활동의 가치를 제대로 살리는 쓰기 교육이 필요하다. 쓰기 교육의 성찰 시 관행적으로 이루어져 온 강제적이고 무의미한 반복적 쓰기와 받아쓰기의 위험성을 성찰하는 것에서 시작해야 한다. 기존의 급수장을 통해 이루어지는 받아쓰기와 받아쓰기 시험의 위험성에 대해 충분한 성찰과 주의가 이루어져 있지 않다. 느린 학습자에게 엄청난 스트레스와 부담을 주는 받아쓰기 시험에 대한 문제의식은 여전히 부족한 상황이다. 기초문해에 어려움을 겪는 느린 학습자에게는 학습된 무기력을 던져주는 받아쓰기 시험 활동에 대한 문제의식이 없는 상황이니, 쓰기 능력과 분리된 급수장 받아쓰기 시험 활동이 교육적 효과를 참칭(僭稱)하는 상황이고, 이것의 문제를 제대로 비판하고 있지 못하다.

쓰기 문해 지도 방법

쓰기 문해 지도 방법은 여러 가지가 있지만 유행하는 방법들 3가지를 살펴보자.

첫째, 교과서의 단어와 문장을 급수장으로 뽑아 받아쓰기를 하고, 받아쓰기 시험을 보는 관행적인 방식이다. 이 받아쓰기와 받아쓰기 시험은 맞춤법과 띄어쓰기까지 엄밀하게 강조하며, 받아쓰기와 시험이 강하게 연결된 특징을 가진다. 맞춤법은 물론 띄어쓰기까지 평가 대상으로 여기는 이 방법은 교사와 학부모의 강력한 지지를 받고 있다. 이 받아쓰기와 시험 활동은 평가를 통해 단어와 문장의 반복과 숙달을 강화하는 특징을 가지고 있다. 이 방법은 어떤 단어와 어구, 문장을 받아쓰고 평가하는지를 중요하게 여기기보다 단어와 문장을 반복적으로 받아쓰고 받아쓰기 시험을 통해 쓰기 능력을 키울 수 있다고 믿는다.

받아쓰기 시험으로 인한 국어 능력에 대한 우월감과, 받아쓰기 시험에서 낮은 점수를 받은 학생의 열등감 그리고 양자 모두에게 미치는 쓰기에 대한 거부감이라는 역효과를 막을 수는 없다.

둘째, 읽기따라잡기가 강조하는 말소리의 과학적 분석(분해와

결합)과 실제적 문장 쓰기다.

읽기따라잡기는 자모 체계 중심의 기초문해교육의 장점을 수용하고, 글 읽기의 비약적 확충을 위해 말소리의 자모 분석을 강조하는 듯하다. 읽기따라잡기는 (전이와 확장에 여러 단계가 있기 때문에 쉽게 이해하기 어렵만) 글자의 과학적 분해와 결합 활동이 읽기는 물론 쓰기 능력 발달을 가능케 한다고 믿는다. 글자의 소리값 분해와 결합이 쓰기 능력을 키워준다는 것이다. 글자의 소리값 분해와 결합이란 음소를 읽을 줄 알아야 읽기 능력과 쓰기 능력이 비약적으로 발달시킨다는 견해이다. 예를 들어 수박이나 사과 단어와 음절에 대한 소리값을 분해해 알려주고, 결합하면 쓰기 능력이 자라게 된다고 것이다. 이 견해에 따르면 "말소리 탐색 경험, 자소-음소 대응 규칙을 확립해야"만 읽기와 쓰기 능력이 발달한다고 주장한다. 또한 음소에 대한 정확한 이해가 읽기 유창성은 물론 맞춤법에 맞게 쓰는 능력을 키워준다고 본다.

그런데 과연 초성, 중성, 종성에 대한 이해가 읽기 능력은 물론 쓰기 능력을 키워줄까? 소리 나는 대로 쓰는 아이에게 (읽는 것과 쓰는 것이 다른 문제에 대응하기 어려운 아이) 자모의 과학적 말소리 분석이 도움이 될까? "먹었어"라고 쓰는 낱말은 소리는 "머거써"이다. 이 문제를 해결하는 방법이 음소 분석일까? 그렇다면 "추웠어"를 읽고 쓰는 법을 가르칠 때 초성, 중성, 종성을 구별해 알려주고, '-웠-'은 받침에 쌍시옷이 있고, 이때 '어' 모음이 붙으면 '어'가 '써'가 된다, 그래서 '어'가 '써'가 된다고 가르치면 아이의 읽기와 쓰기 능력이 도약하게 될까?

 소리 나는 대로 쓰면 글자가 달라지는 단어나 문장을 조급하게 도입하면 안 된다. "햇볕이, 한낮이에요, 국물" 등의 단어를 맞춤법에 맞게 쓰는 게 중요한 게 아니다. 쓰기에 대한 조급한 욕심이 오히려 문제다. 모국어 화자는 읽기가 농축되고, 기본 단어 쓰기가 축적되면 소리와 글자가 다른 것들도 무난히 해낼 수 있다.

 음절과 단어에 대한 자모의 과학적 분해와 결합이 필요한 발달 수준과 해야 할 때가 있다.

 첫째, 말소리와 낱말의 과학적 분석은 자음과 모음을 읽을 수 있고, 받침에 따른 다양한 변형과 변주를 읽어야 할 때 꼭 필요하다. '퐁당, 풍덩'을 헷갈려하는 학생에게 말소리의 과학적 분해와 결합은 꼭 안내되어야 한다. '포와 다', '푸와 더'를 읽을 수 있을 때 말소리의 분해와 결합을 배워야 한다. 이것이 이루어지는 읽기의 비약적 발달이 이루어지게 된다. 이와 마찬가지로 '푸와 풍'을 배우면 '붕과 궁', '승' 등을 원리적으로 읽을 수 있게 된다.

 둘째, 말소리와 낱말의 과학적 분석은 글을 읽고 쓸 때, 때때로, 필요할 때 하면 된다.

 이런 경우가 아니라 모든 기초문해 수업에서 말소리와 낱말의 소리값 분해와 결합은 소화불량의 문제를 일으킬 수 있다.

관행대로, 하던 대로 하지 말고 학생 성장의 데이터를 읽어라. 현장의 기초 문해 교육 경험을 제대로 읽어야 한다.	쓰기는 읽기 유창성이 깊어지고, 기본 음절과 단어 쓰기의 기초가 탄탄해지고 나면 무작위적 연결을 통해 창의적 표현과 소통이 가능해진다

경험을 바탕으로 한 실제적인 쓰기(경험에 기초한 한 문장 쓰기)는 어떨까?

　2022년 9월 초 1학년 담임선생님과 오늘 오후에 나눈 이야기 사례다. 읽기따라잡기 연수에서 "실제 상황에 기초한 한 문장 쓰기는 꼭 필요하다."는 것을 강조해 들었다. 기초문해를 책임진 교사로서 당연히 해야 할 일이라고 생각하고 학생들에게 실제적 활동에 대한 한 문장 쓰기 과제를 내시고 확인하고 계셨다.

　1학년 00반에서 "구룡산에 밤과 도토리를 줍다가 귀뚜라미를 만났다." 3번 쓰기 활동을 과제로 냈다. 그런데 낫 놓고 기역 자도 모르는 두 아이 중 한 명만 과제를 해왔다. 어떻게 보아야 할까?

이런 실제적 맥락에 기초한 경험 문장 쓰기 과제는 기본 자음과 모음도 읽을 수 없는 아이에게 곤혹스러운 활동이다. 어떻게든 해오는 성실한 아이에게는 그래도 나는 숙제를 했다는 안도감과 나는 과제를 해 선생님과의 약속을 잘 지키는 착한 학생이라는 감정을 줄 수는 있겠지만 과제 수행 시간 내내 "나는 해도 안 되는구나"의 학습된 무기력을 심어줄 것이다. 누구라도 과제를 하는 동안 아이의 칠흑 같은 어둠을 짐작해 볼 수 있을 것이다. (감히 답답한 아이의 입장이 되어 보지는 못하겠지만)

못하는 아이가 한 문장을 쓰는 것이 얼마나 힘들었을까. 3번씩 그 긴 문장을 쓰는 게, 아는 아이에게는 1분도 걸리지 않는 활동이 그 아이에게는 30분 이상 곤혹스러운 시간이 되었을 것이다.

반대로 안 해오는 아이는 어떤 마음과 교육적 효과를 냈을까? 교사는 과제 여부를 확인했지만 혼내지는 않았다. 아이는 꾸지람을 듣게 될 불안감에 초조했을 것이다. 과제를 검사할 때, 자신을 부를 때마다 혹시 하는 마음이 들었을 것이다. 교사의 사랑과 인정받고 싶은 아이에게 자신의 과제를 하지 않았다는 것은 스스로 좌절감과 부끄러움을 내면화시켰을 것이다. 스스로 자신은 나쁜 학습 태도를 가진 아이라는 자책을 하게 될 것이고, 교사의 실망감 어린 시선을 예민하게 느끼게 될 수밖에 없을 것이다.

교사의 과제는 기초문해를 형성하고자 하는 지극한 선의가 만들어 낸 결과물이다. 그런데 기초문해 형성에 어려움을 가진 느린 학습자에게는 실제적 경험 한 문장 쓰기 과제는 기초문해 형성을 도와주기보다는 오히려 문해 능력 형성을 위축시키고, 좌절시키고 만다. 숙제를 한 아이도 '내가 이런 과제를 하니 잘하게 되는구나.' 라는 경험을 하게 되는 것이 아니라 학습에 대한 무의식적 거부감과 학습된 무기력을 심어줄 것이다. 안 하는 아이에게 형성되는 부정적 방어기제를 고려하면 더 치명적일 것이다.

사실 그게 실제적 경험을 쓰기 것이든 급수장을 쓰는 것이든 중요한 것은 소리 내어 읽으면서 쓸 수 있느냐다. 자신이 도전할 수 있는 +1 단계 정도의 쓰기를 통해 반복 숙달하는 쓰기는 필요할 수 있다. 다만 학생의 잠재 발달 영역에 놓여 있는가가 중요하다. 기본 자모 읽기를 간신히 하는 아동에게는 산 밤 도토리 정도를 소리 내어 읽으면서 쓰는 활동도 만만치 않은 활동이다. 몇 단어를 소리 내어 읽으면서 쓰는 활동이 필요하지, 실제적 맥락 속에서 이루어진 경험을 한 문장으로 표현해 쓰기 활동은 까막눈 학생의 문해 발달과 어울리지 않는다.

모든 이론은 현장의 작동에 귀을 기울이고 예민하게 살펴야 한다. "실제 상황에 기초한 한 문장 쓰기는 꼭 필요하다."는 정언명제가 발휘하는 위험성에 주의하지 않으면 선한 의도가 오히려 의도하지 않은 나쁜 효과를 만들어 낼 수 있기 때문이다.

배운 글(그림동화책을 통해 배우고 익힌)을 발판으로 하여 (경험 지평에 맞닿아 있는) 기본 단어와 좋은 어구와 문장 등을 소리 내어 읽으며 쓰는 활동이 필요하다.

셋째, 배운 이야기(그림동화책)를 소리 내어 읽으며 쓰기다. 어구와 문장에 대한 읽기 유창성이 어느 정도 자리를 잡으면 깊이 읽은 이야기 중 선별해 기본 단어 쓰기를 하면서, 단어와 어구, 문장을 소리 내어 읽으며 쓰는 것이 필요하다.

예를 들어 <냠냠냠 쩝쩝쩝>를 깊이 읽고 교사와 함께 나누었다고 해보자. 학습자는 "아가, 아가, 예쁜 아가. 무얼 먹을까? 딸기. 딸기, 딸기, 예쁜 딸기. 새콤달콤 맛있는 딸기. 냠냠냠 맛있게 먹자."를 반복적으로 읽으며 다양한 단어와 어구, 문장을 익혔다.

여기서 쓰기 활동이 필요한 단어는 무엇일까? 일단 "아가, 딸기, 먹다"를 쓰는 것이 필요하다. "무얼, 먹을까? 예쁜, 새콤달콤, 맛있는" 등을 쓰는 것이 첫 번째 단계는 아니다. 특히 "맛있는"을 쓰는 것과 읽는 것과 다른 어려운 낱말이다. 이런 단어를 받아쓰는 활동이 필요한 학생이 있지만 그 활동이 무리한 아이도 있다. "맛있는"을 소리 내어 읽기를 충분히 하는 것이 말소리 분석이나 문법 원리 설명보다 더 효과적인 활동이다.

쓰기의 핵심은 소리 내어 읽기와 일상적으로 자주 쓰고 익혀야 하는 기본 단어를 써 익히는 활동이다. 과일(딸기, 바나나, 키위, 사과, 귤)이 그리고 '아가', 기본형인 '먹다'를 쓰는 활동이 일단 기초다. 그리고 나서 무리하지 않고 학생이 해보면 좋음직한 단어와 어구, 문장을 뽑아 단계적으로 점진적으로 나선형으로 확충해 나가야 한다.

모국어 화자들에게 필요한 활동은 받아쓰기 시험이 아니다. 그것 없이도 얼마든지 맞춤법에 맞게 단어와 문장을 쓸 수 있다.

모국어 화자들은 "수박을 먹었다"를 "수빅을 머거다"로 써도 충분히 서로 알아듣고, 자신의 생각을 표현할 수 있다. 그리고 자신의 실수(미발달)를 소리 내어 읽기를 통해 자연스럽게 교정할 수 있다. 반복적 쓰기보다 중요한 것은 글을 소리 내어 읽으며 자주 접하는 것이다. 그리고 이를 도와주는 방법은 '수박을 먹었다'는 소리 내어 읽고, 기본 단어를 써 보는 활동을 해보는 것이다. '먹었다'가 아니라 '먹다'와 '수박'을 써 보고 소리 내어 읽어보는 활동이 중요하다.

기초문해교육에서 결정적인 점은 작은 성취를 통해 문자 학습에 대한 자신감을 축적해야 한다는 점이다. 기초문해 체득에서 늦어져 열등감과 위축감에 알게 모르게 노출된 만큼 작은 성취를 축적해 "나도 할 수 있구나"라는 느낌을 만들어 가는 게 무엇보다 중요하다. 이 점에서 아직 할 수 있는 발달 여건과 상황이 만들어지지 않았는데 조급하게 활동을 시도하는 것은 위험하다.

"하고 나면 다 도움이 된다"는 것은 위험하다. 우리 교육의 문제가 과도한 학습 노동으로 인해 학습을 비효율적으로 하며, 학습에 대한 흥미와 자신감을 형성하는 것이 아니라 배움에 대한 거부감과 탈진을 호소하는 경우가 대부분이다. 해보니 해볼 만하고, 이런 거라면 나도 충분히 할 수 있고, 해보고 싶다는 느낌이 들도록 해야 한다.

힘들지만 다 도움이 될 것이라는 생각은 그 활동에도 불구하고 해낸 것이다. 그 활동이 없었다면 더 빠르고, 쉽고, 재미있게 해낼 수 있는 것을 그것 때문에 지체되고, 부작용에 시달린 것이다.

기초문해 학습은 다른 학습보다도 더 섬세하고 부드럽고 정교하고, 체계적이어야 한다. 이것은 꼭 필요하니 무리해서라도 해야 하는 게 아니라, 한글 문해 형성의 과학적 발달 상황에 맞게 섬세하게 조정되어야 한다.

읽기따라잡기는 기초문해교육에 있어 같은 '편'은 아닐지 몰라도 동료이자 동반자로서 '옆'에 서 있다.

기초문해 수업의 입체적 다양성

발달과 상황, 필요에 따라 유연하게 대응하는 기초문해 수업이 필요하다.

기초문해 수업의 원칙은 동일하다. 작은 성취감을 무한히 축적해 가며, 나도 조금만 더 노력하면 글을 읽고, 이해하며 표현할 수 있다는 자신감을 만들어 주어야 한다는 대원칙은 변함없다. 읽기 3단계 절차와 단어 카드의 활용, 받아쓰기, 내용확인 문항 등을 통해 반복과 숙달의 방법 또한 큰 차이가 없다.

학생 발달 수준에 따른 수업이 달라야 한다

하지만 기초문해 대상 학생의 발달과 상황, 필요에 따라 기초문해 수업은 달라진다. 한글이 매우 낯선 학생(처음인 아동), 한글이 어느 정도 익숙하지만, 읽을 수 없는 학생, 읽기에 따른 이해가 충분하지 않은 학생에 따라 기초문해 수업은 달라야 하고, 발달과 필요에 맞춰 유연하게 접근해야 한다.

첫째, 한글이 매우 낯선 학생 즉 한국어를 처음 배우는 제2외국어 화자, 가정문화의 결핍으로 인해 '가나다 송'과 기본 자모음 인지가 어려운 학습자나 아동의 경우에는 습득 환경에서 필수적으로 체득하게 되는 요인들을 학습으로 추출해 가르쳐야 한다.

둘째, 어느 정도 한국의 문자 체계에 노출된 학생 즉 기본 단어와 기본 자모음을 어느 정도 아는 학습자의 경우 자연언어의 습득에서 배워야 하는 것을 체득하고 있으므로 이후 학습 상황에서 필요한 것을 배워나가면 된다.

셋째, 읽기는 어느 정도 되지만 읽기 유창성과 글 이해와 쓰기가 어려움을 겪는 학생의 경우 그림동화책을 통한 기초문해 지도의 핵심을 지속적으로 반복·변주하는 수업이 필요하다.

읽기와 쓰기가 가능한 발달 단계

첫째, 듣기 말하기가 흘러넘치면(어느 정도 가능해지면) 읽기가 가능해진다.

문자 읽기에 필요한 최소한의 전제는 '가나다 송'과 기본 자음과 모음 읽기, 기본 단어의 이해가 요구된다.

둘째, 기본 자모와 기본 단어가 읽기가 어느 정도 가능해지면(흘러넘치면) 자모의 원리를 안내할 수 있다.

자모의 과학적 이해를 통해 체계적 문자 이해를 도와주는 게 가능하려면 최소한의 자모 이해가 필요하다.

셋째, 읽기가 흘러넘쳐야 쓰기가 가능해진다. 읽기와 쓰기는 서로 상승작용을 하지만, 기초문해 해독을 형성해 가는 학습자에게 읽기가 먼저가 쓰기는 나중이다.

읽기 수업 전략이 필요하다

패턴 수업에 대한 요구만 있고, 정작 수업 중 읽기의 권한 이양 과정의 구체적 내용과 절차가 없다. 읽기의 3단계 전략(읽어주기, 함께 읽기, 스스로 읽기)을 구체화할 필요가 있다.

읽기따라잡기 수업의 내적 문제들

첫째, 교사가 수업에 몰입하지 않고 상담가 혹은 심판, 평론가, 해설가가 되려 한다

수업 중 가르침과 배움의 역동적 양상이다. 교사와 학생은 이 가르침과 배움의 역동적 양상의 주인공들이다. 교사와 학생은 수업의 필드 플레이어들이지 심판이나 해설가, 평론가, 관객이 아니다.

교사가 수업 중 학생이 틀린 것, 못하는 것, 잘하는 것 등 수업 활동을 기록하는 것은 문제이다. 학생 입장에서 교사가 수업 활동 중 기록하고 있으면 어떤 기록이 써지는지 궁금해 수업 집중이 흐트러지고, 함께 배움을 만들어 가는 동반자로서가 아니라 자신을 평가하는 관찰자라고 느끼게 된다.

" 승리한 대국의 복기는 '이기는 습관'을 만들어 주고, 패배한 대국의 복기는 '이기는 준비'를 만들어 준다 "(이창호 9단)

수업 영상을 촬영해 복기하거나, 수업 후 이를 기록하여 정리하는 것은 매우 의미 있고 필요한 활동이지만 수업 중 기록하는 것은 교육 활동 중 매우 주의를 요한다. 놓치면 안 되는 것을 간단한 메모를 남기는 것은 필요하지만 교사는 수업 활동에 대한 흔적들(판서가 학생에게 도움이 필요한 부분들과 가르침의 핵심적 내용과 활동이 드러나게 된다, 학습자의 활동 자취들, 학생의 활동 결과물에 담긴 교사의 피드백 등)이면 학생의 배움 양상을 정리하는 데 모자람이 없다.

교사는 학생과의 수업에 집중하고, 정신분석 상담가가 되거나 해설가 혹은 평론가가 되어서는 안 된다.

둘째, "읽기를 통한 읽기 교육"(크라센)이 아니라 자모 중심 교육이 되려 한다

읽기 문해력 형성을 위한 교육은 읽기를 중심으로 해야 한다 "읽음으로써 읽는 법을 배운다"(크라센)는 것을 증명해 내야 한다.

"해독 훈련도 실제적인 읽기 쓰기의 맥락 속에서 자연스럽게 이루어질 때 더욱 잘 학습된다. 우리는 이것을 살아 있는 물고기 사냥이라고 부른다." (엄훈, 한글 교육에 관한 세 가지 미신)

5부. 읽기따라잡기 톺아보기

기초문해교육의 기본으로 읽기따라잡기 활동을 다시 보아야 한다.

첫째, 기본적으로 그림동화책 읽기를 통한 기초문해교육은 재미있게 읽으며 작지만, 결정적 성취감을 느낄 수 있어야 한다. "나도 해보니 되네.", "나도 글자를 읽을 수 있구나."의 성취감이 기초문해교육 처음부터 누적되도록 해야 한다.

둘째, 기초문해교육 읽기는 상호작용을 통해 함께 읽기, 깊이 읽기, 재미있게 읽고 나누어야 한다. 이를 통해 그림동화책 읽기는 해독과 독해가 조화를 이룰 수 있어야 한다.

셋째, 기초문해교육의 읽기는 쓰기로 확충되어야 한다. 읽기와 쓰기가 분리되어서는 안 되지만 쓰기의 적절한 시기와 양, 난이도 등은 조절해야 한다. 쓰기와 읽기가 무조건 병행해야 하는 것이 아니다. 읽기가 충분히 차오른 후 쓰기를 해도 늦지 않고, 그래야 읽기는 물론 쓰기가 제대로 자리 잡을 수 있다.

그림동화책을 함께 깊이 읽으며 날아오르기 위한 고민거리들

　교육 활동의 표준화는 매우 중요하고, 필요하다. 문제는 기준과 매뉴얼이 상황에 따른 필요에 탄력적으로 대응할 원칙을 제시해 주지 못하고, 메뉴얼 그 자체를 강요하게 될 때다.

　표준화된 수업 매뉴얼이 그렇듯 이 틀 자체를 절대적으로 여기게 되면 교사를 미성년으로 취급하고, 도구적 매뉴얼이 교사의 전문성과 자율성을 부정하게 된다.

　교사의 교육 전문성과 자율성을 지원하기 위한 발판이 오히려 교사의 전문성 형성을 억압하게 되지 않도록 기초문해 수업 활동에 필요한 메뉴얼, 원칙과 기준을 명료하게 정리할 필요가 있다.

읽기따라잡기 주역들이 진행하는 실제 패턴 수업 분석 사례를 검토해 보면 더 생생하게 빛과 그림자를 볼 수 있을 거야.

27. 실제 읽기따라잡기 패턴 수업 분석 다시 보기

다음 네모칸의 이야기들은 읽기따라잡기 수업에 대한 비평문이다. 수업공개와 이에 대한 '컨설팅'을 자료를 통해 읽기따라잡기 주역들의 패턴수업에 대한 기준과 실행 양상을 살펴볼 수 있다.

〈익숙한 책 읽기〉

〈찾았다〉 그림동화책

　C: 어려움 없이 교사와 상호작용하며 유창하게 읽어냄. 아이가 좋아하는 책으로 시작하는 익숙한 책 읽기는 자신감, 교차점검 전략 사용하게 되므로 조금이라도 도전과제가 있다면 시도할 수 있음. 반대로 아이에게 도전과제를 줄 수 없는 외운 책이라면 아이가 좋아한다고 하더라도 다른 텍스트 도입을 고민해야 함.

기초문해의 주역들이 시중의 그림동화책을 활용한 패턴 수업을 낯선 눈으로 바라본다. 익숙한 책 읽기에 이미 외운 책이니

사용하지 말라고 비판적으로 예단한다.

익숙하다 혹은 좋아한다는 것의 교육적 의미는 할 수 있는 것을 발판(바탕)으로 하여 잘 모르는 것, 더 깊이 배울 수 있다는 것이다. 낯익은 것으로 낯선 것으로 자기화하는 교육적 도전은 보통 +1 단계 혹은 근접발달영역을 통한 발판 도약하기로 불리곤 한다.

근접발달영역은 "아동이 스스로 문제를 해결할 수 있는 현재의 발달 수준(actual development level)과 도움을 통해 성장할 수 있는 잠재적 발달 수준(level of potential development) 사이의 점이지대"라 할 수 있다. 익숙하고 좋아하는 책이란 현재의 발달 수준에 포함된 책이라 할 수 있다. 그렇다고 기초문해 수업을 하는 하는 학생이 이 책을 온전히 소화하고 즐긴다는 것은 아직 불가능한 일이다.

문제는 근접발달영역(Zone of Proximal Development:ZPD) 속에서 어떤 비계 작업(scaffolding, 비계설정, 발판 작업)을 하는 가다. 다른 텍스트 도입이 아니라 어떤 곳에서 더 깊이, 더 높이, 더 넓게 들어가도록 하는 가다.

익숙한 혹은 좋아하는 그림동화책에서 아이 발달에 필요한 부분을 깊이, 넓게 파고들어 가는 일이 반복과 변주로 일어나야 한다는 것은 너무나 당연한 요청이다. 문제는 이것이 안 되는 이유가 한 차시 수업에 너무 많은 책을 그리고 자모 분석과 쓰기 등 활동들을 집어넣고 있는 것으로 인한 것은 아닌지 고민해 보아야 한다.

〈읽기 과정 분석〉

운동회(5)

C: 독립적 수준을 보임. '얼싸안고'는 아이에게 생소한 어휘이므로 사전에 충분한 의미 이해가 필요함. '할려고, 기달고'는 구어적 습관으로 인한 혼동이므로 시각적 단서에 집중하도록 지도할 필요가 있음. 읽기 과정 분석 시 어려움을 보인 부분에서 도전과제를 찾아 3단계 낱말글자말소리탐색이 진행됨을 생각해 볼 때 이 과정에서 찾아낸 도전과제가 무엇이 될지를 사전에 고민하여 적절한 수준의 비계를 설정해야 함.

기초문해란 글과 책 읽기의 기초를 놓는 과정이다. 기초문해에 어려움을 겪는 학생은 정교하고 세밀한 인테리어를 하는 과정이 아니라 터 다지기와 전체적 기본 틀을 잡아가는 과정이다. 읽기 과정 분석은 학생의 기초문해 발달의 큰 틀을 잡고 기초 터를 다지는 과정을 간과한 채 세부적인 곳에 눈이 팔려 큰 것을 놓칠 우려가 크다.

C: 독립적 수준을 보임. '얼싸안고'는 아이에게 생소한 어휘이므로 사전에 충분한 의미 이해가 필요함. '할려고, 기달리고'는 구어적 습관으로 인한 혼동이므로 시각적 단서에 집중하도록 지도할 필요가 있음

한두 단어의 문제를 교정해 주는 것은 기초문해에 어려움을 겪는 학생에게 별일이 아니다. 기초문해의 발달을 위해서는 한두 단어의 교정이 아니라 문해에 필요한 기초를 다져주는 과정이 중요하다. 이때 핵심이 읽기에 필요한 기초들을 양적 축적을 통해 어느 순간 질적으로 도약할 힘을 만들어 주는 것이다.

이 양적 축적을 통한 질적 도약 즉 임계점을 넘어서는 양질 전환에 있어 읽기는 읽기로 가르쳐야 한다는 대원칙을 놓쳐서는 안 된다. 글을 읽고 이해하고, 이를 표현하는 즐거움을 누리기 위해서는 읽기를 통해 읽기 능력을 키워주어야 한다.

"읽기 과정 분석 시 어려움을 보인 부분에서 도전과제를 찾아 3단계 낱말 글자 말소리 탐색이 진행됨을 생각해 볼 때 이 과정에서 찾아낸 도전과제가 무엇이 될지를 사전에 고민하여 적절한 수준의 비계를 설정해야 함."

이 부분에서는 여전히 "낱말과 말소리 탐색에 초점이 두어져 있다." 명품은 디테일에서 결정나지만, 기초문해의 학생들에게 필요한 것은 전체적 윤곽을 잡아나가는 과정이다. 터를 잡고, 골조를 세우는 게 중요한 학생들에게 소화 불가능한 너무 디테일에 치이고 있는 건 아닌지 고민해 봐야 한다.

이 분석은 글을 읽고 이를 이해하고 탐구하는 과정에 핵심 초점이 두어져 있지 않다. 읽기를 읽기로 가르치는 것이 아니라 읽기는 자모(음소)로 분리하고, 음절과 낱말 소리 탐색이 주를 이루고 있다.

읽기를 통한 읽기 능력 체득을 강조하는 크라센은 자연언어의 습득, 모국어의 자연스러운 습득 과정을 위한 읽기에 방점이 두고 있다. 읽기따라잡기도 이 원칙을 공유하고 있는데 기이하기도 자모의 과학적 원리를 안내하는 음운 분석 학습으로 치우쳐 있다는 사실을 발견하게 된다.

〈낱말 글자 말소리 탐색〉

C: 종성자 교체를 통한 읽기 연습에 앞서 아는 글자를 활용한 '음절체+말미자음' 또는 '초성+중성', '초성+중성+종성'의 소리 다루는 시간이 필요함. 쓰기에 어려움을 보이는 아이 중 일부는 소리 다루기, 문자-소리 관계가 확립되지 않은 경우가 있음.

「운동회」의 주요 낱말을 카드로 작성하여 시각 단어화하는 것은 성공 경험과 텍스트 해독에는 도움이 될 수 있으나 쓰기와의 격차를 벌어지게 하는 요인이 될 수 있음. 말소리 탐색 시간을 확보하는 것이 가장 우선되어야 함.

"쓰기에 어려움을 보이는 아이 중 일부는 소리 다루기, 문자-소리 관계가 확립되지 않은 경우가 있음."

일부의 학생이 그렇다는 것인지, 문해 발달의 기본이 그렇다는 것인지 명료화해야 한다. 낱말 카드는 활용하는 것은 시각 단어화의 측면에만 국한된 것이 아니다. '성공 경험과 텍스트 해독의 도움'을 바탕으로 낱말 카드를 통해 말소리 탐색의 성공 가능성이 열리는 것이다.

쓰기와의 격차가 벌어지는 것은 낱말 카드로 인한 것이 아니다. 낱말 카드 사용이 말소리 탐색 시간을 없앤다는 논리는 해명이 필요해 보인다.

〈문장 쓰기〉

운동회 날이에요 →서울에 갈 거에요 →우리 가족은 서울에 가요
  학: 몇 글자에요? 너무 길어요.
  C: 아이가 문장 쓰기에 어려움을 표현하는 경우 그 까닭을 충분히 고민해 볼 필요가 있음. 때로는 가정에서의 과제에 대한 부담이 있을 수도 있음. 실패에 대한 두려움보다 도전을 통한 성취감을 느끼도록 촘촘한 징검다리를 놓아주어야 함.
  문장 쓰기는 처음부터 쓰기 공간에 시도하고 '족'에서 어려움을 느낄 경우 즉시 연습 공간에서 작업을 시도해야 함. '족'에서 '조'를 아이가 쓰고 도움을 요청할 경우, 교사는 연습공간에 소리 상자를 그리고 아이에게 /윽/소리를 찾아낼 수 있는 기회를 주어야 함. 아이가 소리를 찾고 'ㄱ'과 매칭하게 된다면 다음 회기에서 같은 어려움을 스스로 해결할 수 있는 능력을 갖게 될 것임.
  띄어쓰기를 위한 ∨ 표식은 생략하고, 어절 구분을 위한 밑줄도 차츰 제거해야 함. 띄어쓰기 개념을 형성하기 위한 방법으로 어절 막대를 사용하거나 문장 재구성 시 어절 단위로 잘라서 제시하여 연습할 수 있음.
  가정과의 연계 활동으로는 문장을 여러 번 쓰는 것보다 문장 재구성하기를 제시하는 것이 도전과제로 적합해 보임.

5부. 읽기따라잡기 톺아보기

"도전을 통한 성취감을 느끼도록 촘촘한 징검다리를 놓아주어야 함."

기초문해 배움에 나선 학생에게 매우 타당한 이야기이다, 실패로 인한 상처와 위축에 노출되지 않도록 매우 주의해야 한다.

이 점에서 배운 수업 내용과 연계성이 떨어지는 글쓰기는 문제라 볼 수 있다.

또한 문장 쓰기가 음절과 단어, 어구 쓰기를 통해 이루어진 것이 아니라면 더 큰 문제다. 차근차근 성공의 징검다리를 밟아온 것이 아니라면 문장 쓰기는 음절과 단어 쓰기 어구 쓰기를 통해 이루어져야 한다.

더불어 쓰기가 소리 내어 읽기의 대원칙과 조화를 이야기하지 않고 진행되는 것은 고개를 갸웃거리게 만든다.

그리고 조를 충분히 읽고 쓸 수 있는 학생이 이를 통해 '족, 존, 졸, 좀, 좁, 종' 등의 읽기와 쓰기 능력을 갖추는 것은 충분히 반복과 숙달을 요구한다. "연습 공간에 소리 상자를 그리고 아이에게 /윽/소리를 찾아낼 수 있는 기회를 주는" 몇 번의 발판으로 이루어진다고 보기 어렵다. 이 작업은 쓰기의 작업보다는 읽기 작업에서 충분한 안내와 소리 내어 읽기 그리고 반복적 읽기와 쓰기를 통해 체화될 수 있는 부분이다.

> **〈새로운 책 읽기〉**
>
> **〈구두 구두 걸어라〉**
>
> C: 아이와 상호작용하며 새 책을 흥미롭게 읽어냄. '높이, 까앙총, 떼구르르'에 어려움을 나타냈으나 교사의 도움을 받아 의미를 이해함.

3권의 책보다 1권으로 깊이 파고들어야 한다. 3권의 문자 텍스트에 대한 이런 추상적인 분석은 교사나 학생에게 큰 도움이 되지 못한다.

<찾아라>, <구두구두 걸어라>, <운동회> 중 한 권이라도 어떤 상호작용과 비계설정을 통해 읽기 능력에 필요한 것들을 만들어 가는지 구체적으로 살펴 함께 나누어야 한다.

> <총평>상호 간 래포 형성이 되어 있으며, 아이는 집중력 있게 참여하는 모습을 보임. 익숙한 책을 유창하게 읽어내고, 읽기과정분석 텍스트와 종성자 대체를 통한 글자 탐색도 어려움 없이 해결하고 있음. 아이는 단계별로 지속적인 성공을 경험하고 있으나 이것이 아이의 읽기 능력 발달에 도움이 되는지는 고민이 필요함. 교사가 설정한 비계가 아이의 가속화된 발달을 위한 적절한 도전과제인지 스스로 성찰해야 함.
>
> 표준화검사 단어 읽기에서 음운변동되거나 무의미 단어에서 오류를 보이고 특히 받아쓰기에서 나타나는 어려움을 종합해 볼 때 소리를 다루는 경험이 부족해 보임. 말소리 탐색 경험, 자소-음소 대응 규칙을 확립한다면 빠른 성장이 기대됨.

<함께 이야기해 볼 내용>
1. 4단계 쓰기 활동에서 어려움을 보이는 사례와 이를 해결하기 위한 경험 나누기
2. 말소리 탐색을 위한 소리 상자, 메시지 상자를 어떻게 활용하나?
3. 가정과의 연계 활동은 무엇이 고려되어야 하나?

"익숙한 책을 유창하게 읽어내고, 읽기 과정 분석 텍스트와 종성자 대체를 통한 글자 탐색도 어려움 없이 해결하고 있음. 아이는 단계별로 지속적인 성공을 경험하고 있으나 이것이 아이의 읽기 능력 발달에 도움이 되는지는 고민이 필요함. 교사가 설정한 비계가 아이의 가속화된 발달을 위한 적절한 도전과제인지 스스로 성찰해야 함."

이 문단은 기초문해 수업에 대한 비평을 제대로 하고 있는 것인지 논평자가 스스로 고민해 봐야 한다. 자기당착은 아닌지, 스스로 모순적인 이야기를 하고 있는 것은 아닌지 성찰이 필요하다.

"익숙한 책을 유창하게 읽어내고, 읽기 과정 분석 텍스트와 종성자 대체를 통한 글자 탐색도 어려움 없이 해결하고 있음. 아이는 단계별로 지속적인 성공을 경험"하고 있다고 쓰고 나서 이어진 문장에 "아이의 읽기 능력 발달에 도움이 되는지는 고민이 필요함. 교사가 설정한 비계가 아이의 가속화된 발달을

위한 적절한 도전과제인지 스스로 성찰해야 함"이라고 비판하고 있다.

유창하게 읽고, 텍스트와 글자 탐색도 잘 해결하고, 단계별로 지속적인 성공 경험을 하는 데 읽기 능력 발달이 되는지 의문이다. 아이의 가속화된 발달에 적절한 도전과제인지 고민해 보라는 지적인데 알 듯 모를 듯 애매한 비판이다. 아마도 이미 학생이 잘하는 것만 하고있는 것은 아닌가 하는 비판인지도 모르겠는데, 잘하면 이미 하는 것만 한다고 비판하고, 못하면 학생 발달을 제대로 살피지 못하고 적절한 비계를 주지 못했다고 비판할 판이다.

비판이란 어디 지점에서 적절한 도움을 주면 더 좋았을지, 이 비계는 이 발달 수준의 학생에게는 너무 쉬운 것은 아닌가 하는 의문을 제기해야 한다.

"표준화검사 단어 읽기에서 음운변동되거나 무의미 단어에서 오류를 보이고 특히 받아쓰기에서 나타나는 어려움을 종합해 볼 때 소리를 다루는 경험이 부족해 보임. 말소리 탐색 경험, 자소-음소 대응 규칙을 확립한다면 빠른 성장이 기대됨."

표준화 검사 결과 등을 고려해 볼 때 학생은 소리를 다루는 경험이 아직 부족하다고 한다. 이 학생은 이후 말소리 탐색 경험, 자소-음소 대응 규칙을 확립하면 더 좋겠다는 제안을 하고 있다. 수준 평정 책 5단계를 경험하는 학생에게 모두 해당되는 말이 아닐까 싶다. 당연한 지적이기에 더 구체적이고 섬세하게 제시해 주어야 한다.

문제는 이 제안이 쓰기 능력에 필요한 구체적 안내를 하는 것인지 의문이고, 과연 읽기를 통한 읽기 능력 형성이라는 차원과 조화를 이루는지 고민해 보아야 한다.

읽기따라잡기의 '패턴수업'		그림동화책을 통한 기초문해 수업의 기본 절차
단계	활용 내용	
<익숙한 책 읽기>	익숙한 책 읽기	**읽기 수업** : 읽기 수업은 읽기로 -3권을 1권으로 1) 그림동화책 읽어주기(질문과 응답으로 책 풍성하게 나누기) 2) 함께 읽기(교사와 학생이 함께 읽고 이야기 나누기) -단어 카드 읽기 : 자모 분석 활용 가능 -단어 카드 놀이 3) 스스로 읽기
<읽기 과정 분석 : 5단계 운동회>	수준 평정 책 읽기	
<낱말 글자 말소리 탐색>	자모 분석, 어휘 탐색	
<문장 쓰기>	문장 쓰기	**쓰기 수업** -그림동화책 수업 내용을 쓰기로 1) 모양 그리기 놀이 2) 기본 자음과 모음 쓰기 3) 읽기 유창성이 자리 잡기 시작하면 본격적 쓰기 -소리 내어 읽으면서 기본 단어 중심으로, -그림동화책에서 배운 것을 바탕으로 쓰기 -그림동화책의 이야기를 통째로 소리 내어 읽으며 받아쓰기
<새로운 책 읽기>	새로운 책 읽기	

<기초문해 수업 비교>

5부. 읽기따라잡기 톺아보기

그림동화책을 함께 깊이 읽으며 날아오르기 위한 고민거리들

읽기따라잡기가 진행한 실제 수업 사례에 대한 분석을 검토해 보면 이들의 기초문해 수업을 보는 기준과 문제점이 고스란히 드러난다. 초기 문해를 시작하는 학습자의 수업 사례에 대해 읽기따라잡기는 파닉스 중심, 세세한 부분 중심에 사로잡혀 있음을 알 수 있다.

읽기따라잡기 기초문해 수업은 "낱말과 말소리 탐색에 초점이 맞춰져 있어야 한다"고 주장한다. 명품은 디테일에서 결정나지만, 기초문해의 학생들에게 필요한 것은 전체적 윤곽을 잡아나가는 과정이다. 터를 다지고, 골조를 세우는 게 중요한 학생들에게 소화 불가능한 너무 디테일에 치이고 있는 건 아닌지 고민해 봐야 한다.

읽기따라잡기의 분석은 글을 읽고 이를 이해하고 탐구하는 과정에 핵심 초점이 두어져 있지 않다. 읽기를 읽기로 가르치는 것이 아니라 읽기는 자모(음소)로 분리하고, 음절과 낱말 소리 탐색이 주를 이루고 있다.

읽기를 통한 읽기 능력 체득을 강조하는 크라센은 자연 언어의 습득, 모국어의 자연스러운 습득 과정을 위한 읽기에 방점이 두고 있다. 읽기따라잡기도 이 원칙을 공유하고 있는데 기이하기도 자모의 과학적 원리를 안내하는 음운 분석 학습에 치우쳐 기초문해의 원칙과 현실이 불일치를 이루고 있다.

실제적 경험에 기초해 작가가 되어 쓰기는 소중한 일이고, 의미 있는 활동이지만 기초문해를 막 시작한 학생에게는 과부하고 섣부른 조장이 될 수 있어.

배움과 분리된 실제적 경험 쓰기가 아니라, 배운 그림동화책을 소리 내어 읽으며 하나라도 써 보는 활동이 소중해. 배운 것을 써 보며 성취감을 누려야지.

28. 읽기따라잡기의 쓰기 문제와 대안

"좋은 게 좋은 거지. 뭘 따져?"

양두구육 (羊頭狗肉)은 양의 머리를 걸어 놓고 개고기를 판다는 뜻이다. 겉보기만 그럴듯하게 보이고 속은 변변하지 아니할 때 쓰는 표현 중 하나다. 우리는 누구나 겉과 속이 다른 함정에 빠질 위험에서 자유롭지 않다. 누구든 자신이 내건 간판(공약, 약속)과 실제가 조화를 이루는지 성찰하는 것이 필요하다.

읽기따라잡기는 자신의 내건 멋진 약속을 실제 교육에선 지키지 못하곤 한다. "쓰기를 즐기고, 작가가 될 수 있도록 가르친다"고 하면서 문해 수준을 고려하지 않는 경험적-문장 쓰기 활동을 하고, "읽기와 쓰기와 통합된 교육활동을 한다"면서 정작 패턴 수업은 문학적 읽기와 경험적 쓰기로 떼어버리는 활동을 하곤 한다.

읽기따라잡기는 자신이 내건 약속과 실제적 교육이 분리, 괴리, 배치되는 수행적 모순("꼼짝 말고 손들어!" 혹은 "난 말 못해" 등)에 빠져 있는 것이다.

실제적 경험에 기초한 쓰기는 소중한 일이고, 의미 있는 활동이다

"아이들이 자신의 경험에서 문장을 구성하는 일은 아이들에게 더 실제적인 쓰기가 되고 아이들의 주도성을 존중하는 일이 될 수 있습니다."

누구에게나 강렬한 체험에 대한 경험적 쓰기를 한다는 것은 매우 의미 있는 일이다. 하지만 기초문해에 어려움을 겪는 아동에게 (어슴푸레) 알고 있는 한 두 단어로 미지의 단어를 활용하여 문장을 완성하거나, 비구조화된 경험을 문장으로 쓰기는 쉽지 않은 일이다.

(읽기따라잡기의) 쓰기 활동은 아동의 문해 발달(수준, 영역)과 분리되어 있다

실제적 경험으로 문장으로 쓰거나, 문장 짓는 능력은 필요하지만, 그것은 근접발달영역 속에서 약동할 때 의미가 있다. 만약 아동의 문해 발달 수준의 한계를 벗어난 활동이라면 문제이다. 아무리 좋은 약도 내 몸에 맞아야 약인 법이다.

"읽기따라잡기는 음절이나 낱말 단위가 아니라 문장 단위로 쓰기 활동을 하는 까닭은 단순한 표기가 아니라 작문으로서의 쓰기를 지향하기 때문입니다."

아이가 서고, 걷는 능력이 되어야 게임과 놀이 속에서 신체를 조정하는 능력을 배울 수 있다. 경험을 쓰는 것(경험적 글쓰기)과 이야기를 짓는 능력(문학적 글짓기)은 기초문해에 핵심적 능력이고 중요한 발판이 될 수 있지만, 문자 발견과 문자 해독이 어느 정도 이루어진 후에야 가능하다. 기초문해에 어려움을 겪는 학생의 읽기와 쓰기에 "문장 구성하기-문장 작성하기-문장 재구성하기"가 적합한지 따져봐야 한다. 음절이나 낱말도 읽고 쓰는 데 어려움을 보이는 데 경험을 작문하는 문장 쓰기가 과연 타당하고 효과적인가 하는 것이다.

아이가 게임이나 놀이에서 온전히 신체를 활용하는 능력을 발휘하는 것은 매우 효과적이다. 단순히 도레미파를 부는 것을 넘어서 한 악곡을 연주하면서 리코더를 배우는 것이 더 효과적이듯이, 특정 기능을 온전한 게임과 활동에서 체득하는 것이 필요하다. 다만 리코더를 불고 운지 하는 법 그리고 '도레미파' 를 부는 기능을 체득하고 나서야 그것이 필요하다. 일단 기초 능력이 체득되어야 고등한 능력으로의 확장을 온전한 활동 속에서 시도할 수 있는 법이다.

(읽기따라잡기의) 쓰기 활동은 읽기와 분리되어 있다

읽기따라잡기의 패턴 수업에서 이루어지는 쓰기 활동의 문제는 배우고 가르친 읽기 활동과 그 시간에 쓰는 것이 분리되어 있다는 점이다. 쓰기와 읽기의 통합을 내걸어 놓고 정작 패턴 수업의 쓰기 활동은 읽기와 쓰기가 분리되어 있다.

기초문해에 어려움을 겪는 아동에게 읽기를 활용하지 않고 경험적 문장 쓰기를 요구하는 것은 기초문해 수업의 기본을 부정하는 일이다. 읽기와 쓰기가 통합되어 운영되어야 작은 성취의 기쁨을 누리면서 기초문해 능력을 키울 수 있다는 기본을 잊어서는 안 된다.

더구나 읽기를 위한 쓰기 활동이 경험을 소환하고, 이를 위한 발판들을 다시 제공해야 한다는 점에서 매우 비효율적이다.

읽기따라잡기가 스스로 강조하는 "읽기와 쓰기의 통합"이 정작 패턴 수업의 쓰기 활동에서 이루어지지 않는다는 비판에 응답해야 한다.

"좋은 말을 골라 늘어놓는다고 다 좋은 게 아니다."

쓰기가 읽기와 선순환하면서 증폭적 기초문해 발달을 도와주는 쓰기 방법이 무엇인지 자문해 보아야 한다. 아이의 문해 발달 수준에 어울리지 않는 (이렇게 쓰면 좋겠다는 상을 상정하고 활동을 요구하는) 합리주의적 쓰기 활동은 지극히 문제이다.

더욱이 기초문해의 찰나는 너무나 소중하다. 읽기따라잡기가 아눈뭐에 왜 소중한 시간을 낭만적으로 낭비하듯, 패턴 수업의 쓰기 활동도 낭만적 판타지에 빠져 시간을 펑펑 쓰고 있는 것 아닌지 성찰해야 한다.

"이미 알고 있는 것과 할 줄 아는 것을 가르치는 데 소중한 시간을 낭비할 만큼 한가하지 않습니다." (읽기따라잡기 연수를 안내하는 교사)

그림동화책을 통해 기초 문해를 여는 소중한 도전을 해내고 있는 읽기따라잡기는 자신의 공언과 약속에 비추어 자신들의 패턴수업을 되돌아볼 필요가 있다. 특히 읽기따라잡기의 쓰기는 그림동화책과 읽기와 분리되고, 실제적 경험을 작가가 되어 쓸 수 있어야 한다는 과욕에 사로잡혀 있다는 점에서 낭만적이고, 문제적이다.

기초문해 수업에서의 문장 쓰기 활동 방법

 기초문해 수업을 하는 학생에게 문장 쓰기는 상당히 높은 수준의 활동이다. 쓰기가 읽기가 어느 정도 차 오른 후 진행되어야 하는 이유는 무엇일까> 문장 쓰기는 기본적으로 몇 단계의 성취가 전제되어야 하기 때문이다. 그렇다면 문장 쓰기에 필요한 발판들은 무엇일까?

 첫째, 기본 단어들을 쓸 수 있어야 한다.

 둘째, 읽기와 쓰기가 다른 조사와 어미들을 쓸 수 있어야 한다.

 셋째, 변형을 하고자 하면 아직 읽거나 쓰는 데 어려움이 있는 낱말들을 쓸 수 있어야 한다.

 그림동화책을 발판으로 학생의 다양한 경험을 주고받는 것은 필수다. 하지만 이를 문해 발달 수준을 고려하지 않고 문장을 쓰려는 것은 과욕이다. 아이의 문해 성취감 축적에 해가 될 수 있다.

 문장 쓰기는 어느 정도 기초문해 능력(상당한 수준의 읽기 능력과 초보적 수준의 쓰기 능력)이 자리하면 시도해 볼 만 한 일이다. 특히 그림동화책 수업을 통해 배운 내용을 활용해서 문장 쓰기의 성취감을 누려야 한다.

<나도 나도> 그림동화책을 활용한 문장 쓰기 활동

<나도 나도>를 배우고 내용 확인 문항을 통해 문장 쓰기를 할 수 있다. 기초문해 수업에 참여한 학생은 그림동화책을 함께 읽고 스스로 읽은 후 내용 확인 문항을 풀면서 그림에 대해 다음과 같이 문장을 썼다.

"원숭이가 하하 웃어요." *(그림동화책은 '깔깔')*

"판다가 떼굴떼굴 굴러(어)요." *(그림동화책은 '데구르르, 굴러요'를 '굴어요'로 잘못 썼지만 별문제는 아니다. 문장 쓰기 시 맞춤법과 띄어쓰기는 사소한 문제다.)*

"개구리가 폴짝 뛰어요." *(그림동화책은 '포올짝')*

"얼룩말이 따그닥 따그닥 달려요." *(그림동화책은 얼룩말이 '따각 따각' 달려요)*

"종달새가 지지 노래해요." (그림동화책은 '지지지'인데 '지지'로 바꾸었다고 자랑)

"고양이가 어푸어푸 씻어요." (그림동화책은 '싹싹싹')

학생은 자신이 배운 이름씨 낱말과 흉내 내는 말, 동작씨 낱말 등을 활용하여 문장을 썼다. 그림동화책의 텍스트를 그대로 활용하기도 하고, 작은 변형을 만들어내기도 한다. 물론 아직 맞춤법에 어려움을 보이는 부분도 있고, 익혔던 이름씨와 동작씨 낱말을 쓰는 데 머뭇거리도 했다. 하지만 이 정도 쓰기 능력은 기초문해 능력이 도약할 수준에 올랐음을 보여준다.

기초문해 수업의 문장 쓰기의 활동은 실제적 경험을 활용하는 것이 아니라 그림동화책을 통해 배운 단어와 문장들을 활용해 기초문해력을 더욱 탄탄히 다지는 과정 속에서 이루어져야 한다.

이야기 창작하기 : 쓰기 활동의 핵심적 요청

그림동화책을 통한 낱말과 문장 쓰기 등의 목표는 단순히 쓰기의 기능적 수준에 갇히지 않는다. 기초문해교육에서 그림동화책을 통한 쓰기에서 결정적 장점은 자신이 배운 낱말을 활용해 상황에 맞는 이야기를 만드는 작가가 될 수 있다는 것을 체험해 볼 수 있다는 것이다.

그림동화책을 통한 기초문해교육의 쓰기는 "글자를 읽고 쓸 수 있으니, 내가 상황에 맞는 이야기를 창작하는 작가가 될 수 있구나"는 체험하도록 하는 것이 목표다. 물론 이런 활동은 기초문해의 초보적인 해독이 어느 정도 자리하면서 진행해야 한다. 아이의 문해 발달이 어느 정도 진전이 이루어져 재미있는 놀이로 할 수 있을 때 진행해야 한다.

말풍선으로 자유롭게 창작하기	상황과 조건에 맞게 문장 쓰기

일단은 그림에 간단한 말풍선을 꾸며 보는 활동이 먼저고, 그때 꼭 문장 쓰기가 필요한 것은 아니다. 말풍선을 통해 상황에 맞는 이야기를 창작하는 활동을 충분히 하고 나서 필요에 따라 문장을 창작해 보면 좋다.

다시 말해 기초문해 교육에서 쓰기는 문해 발달 수준에 알맞게 작가처럼 상황에 맞는 이야기 꾸며 보며 읽고 쓰는 것의 힘을 스스로 느껴보는 것이 중요하다.

단어 카드를 통한 낱말과 음절 읽기 능력 향상

그림책에서 나온 낱말들 단어 카드로 공부하고 다양한 활동과 놀이를 해야 한다. 물론 기초문해력 발달 수준에 따라 즉 **단어를 인지하는 수준에 따라 단어 카드를 통한 활동이 달라져야 한다.**

1) 단어를 인지하는 데 어려움을 보인다면 일단 단어 카드를 반복해서 숙지하고 써 보는 활동을 해야 한다. 이 활동의 경우에는 단어 카드는 이미지와 단어로 함께 보여주기와 앞뒤로 단어를 뒤집어서 읽기, 단어만 읽기로 충분히 읽는 활동을 하는 게 필요하다. 단어를 익히고 나면 쓰기와 놀이 활동을 하면 된다.(카드를 통한 뒤집기 놀이나 단어 빨리 찾기, 단어 연상 놀이 등이 있다)

2) 기초문해의 시작 수준이라면 단어를 음절로 나누어서 단어를 익히는 활동도 필요하다. 단어를 음절로 분리해 음절 카드는 만들고 음절을 기본 자모 익히듯 숙달하는 게 필요하다.

3) 단어 카드를 어느 정도 충분히 읽고 쓸 수 있다면 단어 카드를 그림동화책의 이야기에 맞게 재배열해 보며 그림책의 이야기를 상기해 보거나, 이야기를 재구성해 보는 것이 효

과적이다.

예를 들어 <뚜껑 뚜껑 열어라>의 동물과 색, 튀어나오는 모양 (흉내 내는 말)을 단어 카드로 활용해 재구성하고, 이에 대해 다양한 이야기를 묻고 답하는 활동을 할 수 있다.

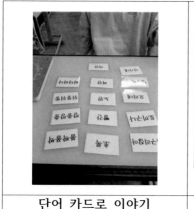

단어 카드로 이야기
재구성하기

문장 만들기 놀이 : 빨간
토끼가 깡충깡충 뛰어요

4) 단어 카드를 이용해 문장 만들기 놀이를 할 수도 있다. 처음에는 구조화된 문장 만들기(단어 카드 3장을 이용해 문장 만들기, 빨간 토끼가 깡충깡충 뛰어요) 좀 더 비구조화된 문장 만들기(2장 혹은 1장으로 문장 만들기) 등도 효과적이다.

그림동화책을 함께 깊이 읽으며 날아오르기 위한 고민거리들

기초문해 교육에서 쓰기는 문해 발달 수준에 알맞게 조정되어야 한다. 문해 발달에 맞게 쓴다는 것은 기능적으로 음절, 낱말, 어구, 문장으로 확대되는 것에 갇히는 것이 아니라 내용을 확인하는 독해력의 성장과 더불어 작가처럼 상황에 맞는 이야기 꾸며 보며 읽고 쓰는 것의 힘을 스스로 느껴보는 것이 중요하다.

그림동화책을 통한 낱말과 문장 쓰기 등의 목표는 단순히 쓰기의 기능적 수준에 갇히지 않는다. 기초문해 교육에서 그림동화책을 통한 쓰기에서 결정적 장점은 자신이 배운 낱말을 활용해 상황에 맞는 이야기를 만드는 작가가 될 수 있다는 것을 체험해 볼 수 있다는 것이다.

그림동화책을 통한 기초문해교육의 쓰기는 "글자를 읽고 쓸 수 있으니, 내가 상황에 맞는 이야기를 창작하는 작가가 될 수 있구나"는 체험하도록 하는 것이 목표다. 물론 이런 활동은 기초문해의 초보적인 해독이 어느 정도 자리하면서 진행해야 한다. 아이의 문해 발달이 어느 정도 진전이 이루어져 재미있는 놀이로 할 수 있을 때 진행해야 한다.

일단은 그림에 간단한 말풍선을 꾸며 보는 활동이 먼저

고, 그때 꼭 문장 쓰기가 필요한 것은 아니다. 말풍선을 통해 상황에 맞는 이야기를 창작하는 활동을 충분히 하고 나서 필요에 따라 문장을 창작해 보면 좋다.

나가며

> "돕는다는 것은 우산을 들어주는 것이 아니라 함께 비를 맞는
> 것입니다. 돕는다는 것은 우산을 들어주는 것이 아니라 함께 비를
> 맞는 것입니다. 함께 비를 맞지 않는 위로는 따뜻하지 않습니다.
> 위로는 위로를 받는 사람으로 하여금 자신이 위로의 대상이라는
> 사실을 다시 한번 확인시켜주기 때문입니다."
>
> (신영복, "함께 맞는 비")

기초 문해 교육을 교육의 법정에 세우다

기초 문해 교육은 교육의 법정에 제대로 서 본 적이 없다. 교육도 다른 모든 것과 마찬가지로 시행착오와 오류를 부단히 수정하며 성장하게 마련이지만, 기초 문해 교육은 비판과 점검의 사각지대였다.

이로 인해 기초 문해 교육은 비효율과 역효과, 부작용이 있다 하더라도 '안 하는 것보다는 낫고, 그래도 도움이 된다'는 식의 자기합리화와 파닉스 중심 교육의 관성과 관행에 사로잡혀 있었다. 특히 학부모의 불안과 사교육의 공포 마케팅 그리고 학교와 사회 무책임이 결합하면서 기초 문해 교육에 대한 비판은 제대로 이루어지지 못했다.

이 점에서 교육의 기본이자, 자유 평등한 시민으로 살아가야 할 우리 아이들의 기본 역량인 기초 문해 교육에 대한 성찰적

비판이 본격적으로 시도할 필요가 있다.

 기존의 자모 중심 기초 문해 교육과 활동형(놀이형) 기초 문해 교육은 문해 발달의 숲을 보지 못해 소중한 우리 아이라는 나무의 성장을 살피지도 못했다.[55] 이들 교육은 기초 문해 발달의 순리(順理)를 보살피는 것이 아니라 물을 거슬러 오르는 교육 방법으로 인해 학습자와 교사(부모)를 번-아웃 시키곤 했던 것이다.

 막대한 투입과 학습 노동으로 잠깐의 슈퍼맨을 만드는 데 성공한 것처럼 보이지만 문해의 탄력넘치는 회탄력성을 만드는 데 실패한 것이다.[56] 이 비판적 관점에서 자모 중심의 기초 문

---

55) 검찰 공화국의 부패와 불의를 밝히는 <비밀의 숲>의 주인공 이름은 황시목('視木')이다. 비밀의 숲에서 정의를 드러내는 주인공의 힘은 나무를 볼 줄 아는 능력에 기초하고 있었다. 숲을 파악하고 다시 만들려면 나무를 보는 눈이 필요한 것이었다. 기초 문해도 한 고유한 개별자인 한 명의 학생 발달을 돕는 데 집중하다보면 나무를 숲의 전체적 안목 속에서 다시 봐야 한다는 것을 알게 된다. 한 나무의 성장을 보살피기 위해서는 나무의 발달 과정이 이것이 문해의 숲과 어떻게 조응하는 지를 바라보는 감수성과 안목이 필요하다.

56) 문해 교육은 발달을 거스르는 연어되기가 아니라 발달 순리를 따르는 얼룩말되기 교육이 되어야 한다. 연어는 죽기 살기로 기를 쓰고 스트레스를 받아가며 물을 거슬러 오른다. 연어는 물을 거슬러 오르기 위해 부신에서 코르티솔과 아드레날린을 분비하여 잠깐 동안 슈퍼맨을 만들어준다. 단기간에 에너지 효율을 극대화해 물을 거슬러 오르지만 결국 탈진하고 만다. 이와 달리 얼룩말은 주변에 항상 사자가 배회하며 자신을 노리지만 풀을 뜯어 먹는 동안 아무런 고민없이 평안하게 먹을 줄 안다. 사자가 공격할 때는 전력을 다해 도망칠 능력을 발휘하지만 일상은 불안에 떨면서 몸을 망가뜨리지 않는다. 로버트 사폴스키는 <왜 얼룩말은 위궤양에 걸리지 않을까?>에서 불안과 걱정에 치이지 않고 평화와 여유를 통해 몸을 지키는 법을 들려준다. 기초 문해 교육도 불안과 공포에 치이지 않고, 여유있게 아동 성장을 지켜주는 작지만 결정적인 성취 경험의 누적과 도약이 이루

해 교육과 수준평정 그림동화책을 활용한 읽기따라잡기의 장점과 한계를 면밀하게 검토해 보았다.

학생의 문해 발달에 효율적이고 교육적으로 돕는 교육은 단순히 '다른 아이 보다 빨리 글을 깨친다', '책을 술술 읽을 줄 안다'는 정도의 일시적인 문해 경험에 현혹되지 않는다. 조숙한 문해 현상에 혹하지 않고 지속가능하고 장기적인 문해의 성장을 위해 필요한 것을 살피고 이를 여유있고 따뜻하게 보살피는 방법에 무게 중심을 둔다. 이러한 여유있고 섬세하며, 전문적인 보살핌을 위해 필요한 기초 문해 교육의 원칙과 문해 발달 양상을 종합적이고 다각도로 살펴 보았다.

기초 문해에 어려움을 겪는 학습자를 제대로 도우려면, 그리고 교육이 바로 서 우리 아이들의 (문해) 역량 발달을 만들어 가려면 무엇이 필요한지 치열하게 탐구해 본 것이다.

똥인지 된장인지 구별할 안목과 감수성이 필요하다

학생 성장을 돕고자 한다면 가르침에 대해 연구하고, 가르침이 학생 배움으로 전환되는 과정을 부단히 메타인지로 살펴보아야 한다. 교육 행위의 과정과 결과를 성찰한다는 것은 쉬운 일이 아니고 기분 좋은 일만도 아니다.

"비를 원하면 비에 맞을 것을 각오해야 하듯", 가르쳐야 할 것을 공부하고, 가르침이 배움으로 자기화하는 과정을 탐구한

어어지는 얼룩말되기 교육이 되어야 한다.

다는 것은 자신의 실수와 부족을 인정하고, 교육의 부단한 수정과 갱신을 요구하게 마련이기 때문이다.

하지만 학생 성장을 제대로 만들어내 책임교육을 제대로 해야 하는 교사의 본분(밥값)의 요청에 서게 되면, 이는 너무도 당연한 순리일 수밖에 없다.57) 역량 중심 교육과정이 요청하는 깊이 있는 수업과 평가를 해내고자 한다면 먼저 학생들의 기초 문해를 챙겨야 하고, 이를 위해서는 기초 문해교육의 똥과 된장을 구별하는 안목과 감수성을 만들어내야 한다.

우리는 아직 기초 문해 교육에서 좋은 것, 매력적인 것, 효과적이고 필요하고, 교육적인 것이 무엇인지 제대로 구별하지 못

---

57) 교사의 교육 행위는 공공적이고 밥값만큼의 도덕적 책임과 직업적 전문성을 요구한다. 교사의 밥값이 요구하는 유한 책임론은 하늘에서 작동하는 도덕적 무한 책임론과 관료적 유한 책무론(실상은 '무책임론') 극단에서 벗어나 현세적 윤리로서 작동한다. 아이 성장을 돕는 교사의 유한 책임을 위해서는 직업적 전문성이 기본이다. 자신의 영역의 전문성이 구체화 될 때 상대방에게 응답하는 도덕적 책임이 가능해진다. 전문적 직업의 핵심은 전문성과 이를 통해 만들어지는 도덕성이다. 전문성은 사명감이라는 신조 윤리(선의)가 아니라 각 행위 영역의 깊이와 넓이를 통해 응답해야 한다. 다시 말해 직업은 사랑과 헌신이라는 윤리적 가치가 아니라 각 직업이 요구하는 구체적 필요에 응답해야 한다. 교사를 미래를 예측하는 사람은 예언가도, 모든 것을 품는 성직자도 아니다. 교사는 학생 발달을 진단하고 이에 적절한 교육적 처리를 하는 사람이다. 학생의 미래를 예측할 수 없기에 교육적 처지를 효과를 장담할 수 없고, 안타까운 상황이 있을 수밖에 없지만 최적의(때론 최선의) 선택을 판단하고, 이를 실행해야 한다. 이러한 학생 발달에 따른 최적의 선택을 판단하고 집행할 때 교육의 도덕적 책임이 발생한다. 이 직업적 전문성과 도덕적 책임 응답하기 위해서는 공부와 노력이 필수다. 의사라면 환자의 질병과 심리 등에 대한 깊이 있는 공부와 노력이 요구되듯 교사에게 필요한 전문성은 가르쳐야 할 것과 학생들이 배워야 할 것, 배워가는 과정 등에 대한 심도 있고, 밀도 있는 연구가 필요하다.

나 가 며

하고 있다. 비판이 좋은 것과 나쁜 것, 옳은 것과 그른 것, 아름다운 것과 추한 것, 재미있는 것과 재미없는 것 등을 구별하는 안목과 감수성을 기르는 것이라면 우리는 아직 기초 문해 교육의 비판의 칼날을 제대로 벼리지 못하고 있다.

거인의 어깨 위에 올라타야 한다

교사의 교육은 아이 성장을 지켜주고 도와준다는 점에서 매력적이고 행복한 경험이다. 부모는 아이를 돌보고 키워나가는 과정 속에서 다소 힘들고 어려움이 있지만, 보람과 행복이라는 특별한 선물을 받게 된다. 부모의 육아는 고통스럽고 불편한 일만은 아니다. 육아는 기본적으로 기쁘고 즐거운 일이고. 아이 성장을 도와준다는 것 힘들기도 하지만 매 순간순간마다 기쁨과 보람이 넘친다. 물론 삶의 최소한의 여유와 육아의 기본기를 제대로 배우지 못했다면 육아는 스트레스와 고통에 불과할 수도 있다.

마찬가지다. 교사가 여유와 기술이 없다면 아이 성장을 제대로 도와주지 못하고, 성장하며 드러나는 행복한 미소를 느끼지 못할 수 있다. 부모에게 아이가 주는 선물처럼 학생들은 성장의 과정에서 벌어지는 진통과 기쁨 등 너무나 많은 '보답과 대가'를 선물한다.

따라서 교사들이 탈진(번-아웃)하지 않고 아이 성장의 기쁨과 보람을 제대로 누리기 위해서는 교육의 기본기를 제대로 체득할 필요가 있다.(교육 환경의 변화 특히 기초 문해에 어려움을 겪는 학습자를 도울 문해 교육 제도의 변화가 결정적으로 중요하다. 초등학교 차원에서는 기초학력전담 교사의 제도화와 내실화가 무엇보다 중요하다) 특히 아이를 위해 최선의 열정과 헌신을 (내가 할 수 있는 한) 다하고 교사라면 자신의 교육 방법과 방향이 제대로인지 살피는 게 필요하다.

"살면서 누구를 만나느냐에 따라 인생이 달라질 수 있어. 파리 뒤를 쫓으면 변소 주변이나 어슬렁거릴 거고, 꿀벌 뒤를 쫓으면 꽃밭을 거닐 게 된다잖아." (<미생>)

자신이 하는 일의 통찰과 감수성을 체화하기 위해서는 전문적 영역의 사람에게 배우는 건 당연한 일이다. 자신이 하려는 일에 정통한 전문가를 만나 배워야 성장이 물 흐르듯 자연스럽게 일어날 수 있기 때문이다.

성장과 발달은 누구에게 스며드느냐, 누구에게 물드느냐가 결정적이다. '파리를 쫓아 똥 냄새를 묻히느냐, 벌과 나비가 되어 꽃향기에 품느냐' [58]는 누구의 어깨에 올라타느냐에 따라

---

58) "붉은색을 가까이하는 사람은 붉은색으로 물들고 먹을 가까이하는 사람은 검어진다. 소리가 고르면 음향도 맑게 울리고 형상이 바르면 그림자도 곧아진다."(近朱者赤 近墨者黑 聲和則響淸 形正則影直) 태자소부잠에 있는 구절인데 우리는 보통 근주자적 근묵자흑(近朱者赤 近墨者黑)을 강조하며 어질고 풍요로운 덕스러운 곳에서 자라야 한다고 강조할 때 쓰곤 한다. 공자도 <논어>에서 "어질고 후덕한 마을이 좋으니 어질고 후덕한 곳을 선택해서 거처하지 않는다면 어찌 지

나 가 며

달라지게 마련이다.

따라서 내가 누구를 만나 어떤 배움을 청하는지가 중요하다. 내가 똥파리를 따라다니는지, 꿀벌과 나비를 쫓는지 스스로 잘 살펴봐야 한다. 생애 초기에 누구를 만나는지는 지극히 우연이지만, 어느 정도 배움이 깃들고 나면 언제든지 거인을 선택할 수 있다. 내가 선택한 거인에 따라 어떤 향기를 배게 하는지는 나의 선택에 달려 있다.

우리가 우리 아이들의 성장 속에서 교육적 기쁨과 보람을 누리려면 스스로 거인을 찾아야 하고, 거인의 어깨를 오르려 갖은 노력을 해야 한다.

그림동화책을 통해 기초문해력을 키우고자 할 때도 마찬가지다. 우리는 문해력과 그림동화책에 대한 거인들을 찾아야 한다. 그리고 거인들의 어깨 위에서 새로운 세상을 만날 수 있어야 한다.

혜롭다 하겠는가!"(子曰, 里仁爲美, 擇不處仁, 焉得知)하며 어진 곳을 택해 살아야 한다고 강조했다.

29. 부록 : 그림동화책을 통한 기초문해 교재들

찾았다	투둑

누가 숨겼지?	뚜껑 뚜껑 열어라

772   나 가 며

◎ <찾았다> 내용확인과 추론, 상상 문항

<찾았다>을 자세히, 깊이 읽어요

이름 : (   )

＊ <찾았다>을 읽고 답하시오

○ 고양이가 나비를 찾기 위해 흉내 내는 소리는 무엇인지 쓰시오.

○ 나비의 흉내 내는 소리는 무엇인지 쓰시오.

○ 나비는 처음에 어디에 숨었는지 쓰시오.

○ 나비가 두 번째 숨은 곳은 어디 인지 쓰시오.

○ 꽃은 모두 몇 송이인지 찾아 쓰시오.

○ 화분은 모두 몇 개인지 쓰시오.

○ 나비가 세 번째 숨을 때 무엇으로 변신 했는지 쓰시오.

○ 고양이가 나비를 찾기 위해 고개를 어떻게 했는 지 쓰시오.

○ 왜 나비는 조용 조용 했을지 이유를 찾아 쓰시오.

○ 고양이와 나비가 같이 숨은 곳은 어떤 인형 사이인지 쓰시오.

○ 고양이와 나비가 같이 숨을 때 나비는 무엇으로 변신했는지 쓰시오.

○ 고양이와 나비가 같이 숨을 때 찾은 사람은 누구인지 자신의 생각을 쓰시오.

○ 고양이와 나비는 어떤 놀이를 하고 있는 것인지 자신의 생각을 쓰시오.

○ 말풍선에 주인공들이 하는 이야기를 만들어요.

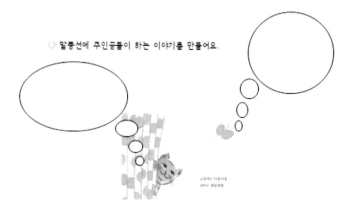

○ 말풍선에 주인공들이 하는 이야기를 만들어요.

◎ <투둑> 내용확인과 추론, 상상 문항

<투둑>을 자세히, 깊이 읽어요

이름 : (   )

* **<투둑>을 읽고 답하시오.**
○ 감나무 나뭇가지에 앉아 있는 새는 누구인지 쓰시오.

○ 감나무 밑에서 감이 떨어지기를 기다리는 동물은 누구인지 쓰시오.

○ 감나무의 열매는 대략 몇 개인지 어림해 쓰시오.

○ 감은 어떤 소리를 내며 떨어졌는지 쓰시오.

○ 감을 먹기 위해 나온 곤충은 누구인지 쓰시오.

○ 감을 먹기 위해 줄을 맞춰 가는 개미는 몇 마리인지 쓰시오.

○ 호두 나무 위에서 호두 열매를 떨어드리는 동물은 누구인지 쓰시오.

○ 호두는 약 몇 개인지 어림해 쓰시오.

○ 호두는 무슨 소리를 내며 떨어지는 지 쓰시오.

○ 호두 열매 옆의 달팽이는 어떻게 되었을지 <u>자신의 생각을</u> 쓰시오.

○ 떨어진 감으로 달려가는 개미들은 어떤 생각과 말을 했을지 말풍선으로 꾸미시오.

○ 밤에서 떨어지는 애벌레는 어떤 생각과 말을 했을지 말풍선으로 꾸미시오.

○ 호두 열매 위에 선 청설모와 개들이 어떤 생각과 말들을 했을지 말풍선으로 꾸미시오. 말풍선은 각각 3개 이상 만들어 이야기를 만드시오.

○ 반려동물 고양이와 개들의 보호자가 오면 어떻게 할 지를 상상하며 말풍선을 만들어 이야기를 만드시오.

○ 가을 계절에 알맞은 열매나 사물을 골라요. 그리고 이 물체가 떨어지는 상황을 그림동화책처럼 꾸며 보아요.

◎ <찾았다> 단어 카드⁵⁹⁾

어디 있을까?	
안녕	
같이	
커튼	

---

59) 단어 카드는 음절과 낱말을 학습자의 필요와 상황에 따라 다양하게
제작 활용되어야 한다. 기초 문해 교육의 첫 걸음에는 음절 카드와
단어 카드에 이미지(사진이나 그림 등)를 활용하는 것이 효과적이고
필요하다.

나비	
야옹야옹	
조용조용	
숨었다	

◎ 원고지 필사하기 : 받아쓰기 자료

풍덩, 시원해요

이름 : ( )

여름 한낮이에요.

맴맴맴맴 자두는 더워요.

옷 벗고 풍당 물놀이 할래요.

자두

햇볕이 따끔따끔 복숭아는 더워요.

옷 벗고 풍덩 물놀이 할래요.

복숭아